KB182752

교원임용
전공국어의
절대강자!

중등교원 임용고시

21년간
국어학
기출문제 해설서

한현종 편저

경진출판

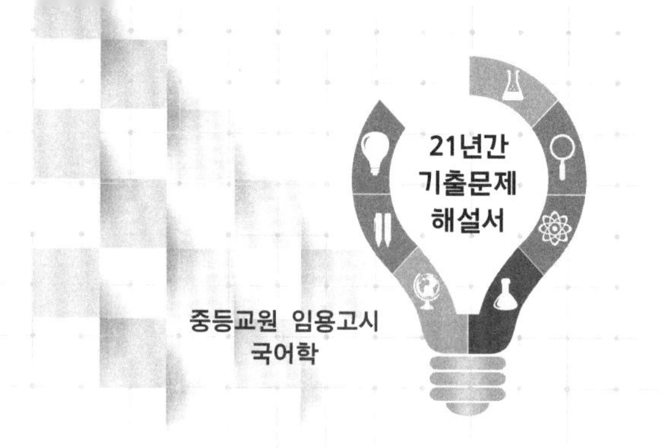

머리말

이 책은 중등학교 국어 교사가 되려고 임용 시험을 준비하는 분들을 위해 엮은 것입니다.

그 시험이 벌써 21년 동안 시행되었고 1999년과 2009년에는 한 차례 더 치렀기에 총 23회 시행되었습니다. 이 중에서 국어학 부분에 대하여 정확하고 쉽고 상세한 해설과 모범답안을 저자가 직접 집필하였습니다.

이 책 전체를 훑어보시면 문제들이 반복되어 출제된다는 것을 깨닫게 되실 것입니다. 따라서 이 책의 내용을 완전히 이해한다면 국어학에 한하여 2017년 12월 시행되는 시험이나 그 후의 시험에 대한 완벽한 준비를 한 것으로 간주해도 좋습니다.

책의 순서는 최근 문제로부터 과거의 문제로 짰습니다. 시험의 경향은 늘 조금씩 바뀐다는 점을 중시해서 그리 하였습니다. 그렇다고 하더라도 과거의 문제를 소홀히 넘기는 것은 권장하지 않습니다. 처음부터 끝까지 모두 이해하시기 바랍니다.

책의 분량을 줄이기 위하여 문제지는 수록하지 않았습니다. 문제는 교육과정평가원 누리집에 다 실려 있습니다.

딱딱한 문법인지라 기분 전환을 하시라고 가끔 재미있는 잔소리도 섞었습니다.

읽어내려 가다가 오류나 오타를 발견하시면 저자에게 연락하시기 바랍니다.

임용 시험의 경쟁률은 공포스럽지만 이 책을 충분히 활용하시면 합격은 당연지사가 됩니다. 부디 좋은 국어 교사로 살아가시기 바랍니다.

2017년 3월 저자가

목차

2017년도 기출문제

A형

4. 다음은 "세 국어 선어말 어미 '-오/우-'의 기능을 안다."를 학습 목표로 하여 진행한 수업의 일부이다. 괄호 안의 ㉠, ㉡에 해당하는 말을 순서대로 쓰시오. [2점]

교사: 오늘은 세 국어 선어말 어미 '-오/우-'의 기능을 알아 보겠습니다. 다음의 세 국어 문장들을 한 번 볼까요?

(1) 내 이ᄅᆞᆯ 爲ᄒᆞ야 새로 스믈여듧 字ᄅᆞᆯ ᄆᆡᆼᄀᆞ노니

(2) a. 優塡王이 ᄆᆡᆼᄀᆞ론 金像ᄋᆞᆯ 象에 싣ᄌᆞ바 가더니

b. 王이 罪 지ᅀᅳᆫ 각시ᄅᆞᆯ 그 모딘 노ᄆᆡ그에 보내야

교사: (1)과 (2)를 통해서 '-오/우-'의 기능을 크게 두 가지로 살펴볼 수 있는데, 첫째는 주어가 화자 자신임을 나타내거나 화자의 의도를 표하는 기능이에요. (1)의 'ᄆᆡᆼᄀᆞ노니'는 'ᄆᆡᆼᄀᆞᆯ -ᄂᆞ-오-니'로 분석되니까 '-오-'가 있지요? 이것을 주어와의 관계를 고려하여 설명해 볼까요?

학생: 아하, '내'가 주어이고, '-오-'가 화자 자신의 의도를 표시하는 기능을 하네요. 그럼 다른 하나는 무엇인가요?

교사: 그것은 관형사절 안의 서술어에 '-오/우-'가 나타나는 것에서 확인할 수 있어요. (2a)와 (2b)의 관형사절 안의 서술어에 어떤 차이가 있나요?

학생: (2a)에는 '-오-'가 나타나 있는데 (2b)에는 없습니다.

교사: 그렇지요. 그럼 왜 그런 차이를 보이는지, 피수식어가 관형사절 안에 나타났다면 어떤 문장 성분으로 나타났을지를 생각하면서 답해 볼까요?

학생: (2a)처럼 관형사절의 꾸밈을 받는 명사가 관형사절 안에서 (㉠)(으)로 기능하는 경우에는 '-오-'가 사용되었고, (2b)처럼 (㉡)(으)로 기능하는 경우에는 사용되지 않았네요.

교사: 그래요. 바로 맞혔어요.

정답 ㉠ 목적어, ㉡ 주어

해 설

해설⇩

자주 출제되는 기초적인 문제이다.

(2) a. 優塡王이 ᄆᆡᇰᄀᆞᄅᆞᆫ 金像ᄋᆞᆯ 象에 싣ᄌᆞᄫᅡ 가더니

b. 王이 罪 지ᅀᅳᆫ 각시ᄅᆞᆯ 그 모딘 노ᄆᆡ그에 보내야

현대어로 번역하면,

(2) a. 우전왕이 ᄆᆡᇰᄀᆞᄅᆞᆫ(만든) 금조각상ᄋᆞᆯ 코끼리에 실어 가더니

b. 왕이 죄 지은 여자를 그 모진(흉악한) 놈에게 보내어

밑줄 친 관형사절을 각각 원래의 문장으로 바꾸면,

(누가) 금조각상을 만들었다.

(어떤) 여자가 죄를 지었다.

가 된다. 따라서 피수식 명사(표제명사)는 원래의 문장에서 a는 목적어이며 b는 주어가 된다.

6. (가)를 보고 교사와 학생이 (나)와 같이 대화를 나누었다. 괄호 안의 ㉠, ㉡에 해당하는 말을 순서대로 쓰시오. [2점]

(가)
(1) 나무꾼, 주먹질, 믿음, 넓이
(2) 밤나무, 말소리, 손발
(3) 되도록, 갖은, 다른

(나)
교사: 단어가 만들어지는 방식에는 어떤 것이 있나요?
학생: 파생법과 합성법이 있어요.
교사: 네, 맞아요. (1)은 파생법에 의해서 만들어진 파생어, (2)는 합성법에 의해서 만들어진 합성어요. 새로운 단어는 부분 파생법과 합성법으로 만들어진다고 할 수 있어요.
학생: 선생님, 그런데 (3)은 파생어도 아닌 것 같고 합성어도 아닌 것 같은데요?
교사: 맞아요. 드물긴 하지만 파생법, 합성법이 아닌 방식으로 새로운 단어가 만들어지기도 해요. (3)처럼 용언의 (㉠)이었던 것이 새로운 단어가 된 경우가 있어요. (3)의 예들은 용언의 (㉠)이었을 때와 새로운 단어가 된 후의 (㉡)이/가 바뀌었다는 공통점이 있어요. 물론 이 과정 에서 의미 변화가 있기도 해요.

정답 ㉠ 활용형, ㉡ 품사

해 설

'되도록'은 동사 '되다'의 활용형이었다. 활용형(活用形)이란 용언 어간에 어미가 결합한 형태 모두를 의미한다. 그런데 지금은 부사로 파생되었다. '되다[become]'의 의미보다는 '가급적'이라는 의미를 가지게 됨으로써 의미가 달라졌기 때문이다.

'갖은' 역시 동사 '가지다/갖다'의 활용형이었으나 의미가 '충분히 갖춘'의 뜻으로 바뀌었기 때문에 관형사로 처리한다.

'다른' 역시 형용사 '다르다'의 활용형이었으나 '철수는 나와 생각이 다르다'처럼 형용사로 쓰이지는 못하고 '딴'의 뜻을 가진 관형사로만 사용된다. 가령 '다른 곳에 가보자.'처럼 쓰인다.

11. 다음은 종결 어미 '-니'와의 비교를 통해 연결 어미 '-(으)니' 에서 일어난 음운 현상을 탐구하기 한 자료이다. (1)에서 '/ㅡ/ 첨가'가 일어났다고 하는 것보다 '/ㅡ/ 탈락'이 일어났다고 하는 것이 설명적으로는 타당성이 높다. 그 이유를 〈작성 방법〉에 따라 설명하시오. [4점]

(1) 연결 어미 '-(으)니'

ㄱ. 먹으니, 잡으니, 닫으니
ㄴ. 가니, 오니, 주니
ㄷ. 아니(←알-으니), 부니(←불-으니)

(2) 종결 어미 '-니'

ㄱ. 먹니?, 잡니?, 닫니?
ㄴ. 가니?, 오니?, 주니?
ㄷ. 아니?, 부니?

〈작성 방법〉

- (1)에서 '/ㅡ/ 탈락'의 조건 환경에 관한 기술을 포함할 것.
- 이유는 (2)와 비교하여 설명할 것.

모범답안 (1)에서 'ㅡ'탈락이 나타나는 경우는 'ㄴ,ㄷ'에서이다. 그 조건 환경은 '모음 뒤 혹은 ㄹ 뒤'이다. 'ㄴ'에서는 어간이 모음인 경우이다. 'ㄷ'에서는 어간이 'ㄹ'로 끝난다.

'ㅡ'첨가로 이 현상을 설명하려면 (2ㄱ)의 예들을 설명할 방법은 없다. 즉 (1ㄱ)에는 'ㅡ'가 첨가되지만 (2ㄱ)에는 'ㅡ'가 첨가되지 않는다. 그런데 어간과 어미의 모습은 동일하다. 이것은 모순이다.

그러나 'ㅡ'탈락으로 설명한다면 모음 뒤나 ㄹ 뒤에서는 'ㅡ'가 탈락되고 ㄹ 외의 자음 뒤에서는 'ㅡ'가 유지된다고 설명할 수 있다.

해 설

해 설⇩

이 문제는 음운 현상을 관찰할 능력만 있으면 답할 수 있다. 내 모의고사를 풀다보면 저절로 이해될 것이다.

12. 다음은 종결 어미 '-지'가 쓰인 문장에 대한 관찰 결과이다. '-지'가 쓰인 ㉠은 자연스럽고 ㉣은 비문법적이 되는 이유를 〈작성 방법〉에 따라 설명하시오. [4점]

상대에게 자신만 알고 있다고 생각하는 사실을 말하고 나서 하는 첫 발화로 ㉠"요건 몰랐지?"라고 하는 것은 자연스럽지만 ㉡"요건 몰랐어?"라고 하는 것은 매우 부자연스럽다. 내일 소풍 가는지 여부를 몰라서 물어보는 상황에서 ㉢"내일 소풍 가는 거야, 안 가는 거야?"는 문법적이지만 ㉣"내일 소풍 가는 거지, 안 가는 거지?"는 비문법적이다.

〈작성 방법〉

- 이미 알고 있거나 그러하리라고 생각하는 사실에 대해 말할 때 '-지'가 사용된다는 것과 관련지어 설명할 것.
- ㉠은 ㉡과, ㉣은 ㉢과 대조하여 설명할 것.

모범답안 이미 알고 있거나 그러하리라고 생각하는 사실에 대해 말할 때 '-지'가 사용된다. ㉠"요건 몰랐지?"라고 하는 것은 자연스럽지만 ㉡"요건 몰랐어?"라고 하는 것은 매우 부자연스럽다. 왜냐하면 화자는 청자가 모른다는 것을 짐작하고 있기 때문이다.

또 ㉢"내일 소풍 가는 거야, 안 가는 거야?"는 문법적이지만 ㉣"내일 소풍 가는 거지, 안 가는 거지?"는 비문법적이다. 왜냐하면 화자는 화제에 대하여 모르고 있기 때문이다.

해 설

해 설⇩

문제에 정답이 있다. 작성 방법에 보면, 답이 제시되어 있다.

B형

5. 다음은 "대명사 '누구, 무엇, 어디, 언제'의 의미 특성을 이해 한다."를 학습 목표로 하는 수업 장면이다. 밑줄 친 ㉠, ㉡에 해당하는 내용을 순서대로 서술하시오. [4점]

교사: 우리말의 대명사 '누구, 무엇, 어디, 언제'에는 재미있는 의미 특성이 있어요. 다음 문장들을 보고 선생님의 질문에 답해 보세요.

(1) a. 저 사람은 누구니?
b. 오늘 낮에 누구 좀 만나야 해.
(2) 동헌아, 요즘 누구 좋아하니?

교사: 진희가 (1a)와 (1b)에 나타난 '누구'의 의미를 각각 설명해 볼까요?
진희: ㉠______
교사: 잘 말했어요. 그런 사실을 고려하면 (2)가 중의성이 있는 문장임을 알 수 있어요. (2)가 어떤 의문문으로 해석될 수 있는지를 고려하면서, 동수가 그 중의성을 설명해 볼까요?
동수: ㉡______
교사: 맞아요. 이러한 의미 특성은 '구'뿐 아니라 '무엇, 어디, 언제'에도 있어요.

모범답안

㉠ (1a)는 미지칭(未知稱) 대명사 '누구'이고 (1b)는 부정칭(不定稱) 대명사 '누구'이다. 즉 전자는 화자가 몰라서 묻는 대명사이고, 후자는 화자는 알고 있지만 꼭 집어 말하지는 않을 때 사용하는 대명사이다.

㉡ (2)는 '동헌이가 좋아하는 사람이 누구냐?'의 의미라면 설명의문문이다. 또 '동헌이가 어떤 사람을 좋아하는가, 아닌가?'의 의미라면 판정의문문이다.

해 설 해 설⇩

이 문제도 기초적이다. 고교 문법책마다 나오는 내용이다.

5. 다음은 중세 국어의 ‘ㅇ’에 한 설명이고 〈자료〉는 중세 국어의 예이다. 〈자료〉의 (1)에 대한 해석 ㉠의 관점에서는 음운 탈락이 없다고 해석하는 반면 ㉡의 관점에서는 음운 탈락이 있다고 해석한다. 이러한 음운론 해석의 차이를 〈작성 방법〉에 따라 설명하시오. [5점]

중세 국어 후음의 불청불탁자 ‘ㅇ’의 음운론 해석에는 크게 두 가지 관점이 있다. 하나는 ‘오얏〈구급간이방 6:29〉’의 ‘ㅇ’과 ‘몰애〈월인석보 7:72〉’의 ‘ㅇ’을 구분하는 것이고, 다른 하나는 ‘오얏’의 ‘ㅇ’과 ‘몰애’의 ‘ㅇ’을 같은 것으로 보는 것이다. 두 해석은 모두 ‘오얏’의 ‘ㅇ’에 해서는 음가가 없는 ‘(零)’으로 해석한다는 점에서 차이가 없다. 전자와 후자의 차이는 ‘몰애’의 ‘ㅇ’에 대한 음운론 해석에서 비롯된다. 즉 ㉠전자는 ‘몰애’의 ‘ㅇ’을 g 〉 ɣ 〉 ɦ 변화의 마지막 단계인 유성 후두 마찰음 ‘ɦ’로 해석한다. ‘ɦ’은 이후 음가가 없는 ‘(零)’으로 변화한다. 반면 ㉡후자는 ‘몰애’의 ‘ㅇ’ 역시 ‘오얏’의 ‘ㅇ’과 마찬가지로 음가가 없는 ‘(零)’으로 해석하고, ‘몰애’를 중세 국어의 일반적인 표기법에 예외인 표기 규칙을 통해 설명한다.

〈자료〉

(1) 살어늘, 살오

(2) 사라(←살-아), 사롬(←살-옴)

(3) 보거늘, 보고

(4) 네 어미ᄂᆞᆫ 므를 머그면 ᄆᆡᄫᆞᆫ 브리 ᄃᆞ외야

〈작성 방법〉

- (4)에서 확인할 수 있는 중세 국어의 일반인 표기법을 언급할 것.
- ㉠의 관점에서 (1)에서 탈락이 일어나지 않았다고 해석하는 이유를 (2)를 참고하여 밝힐 것.
- ㉡의 관점에서 (1)에서 탈락이 일어났다고 해석하는 이유를 (3)과 비교하여 밝힐 것.
- ㉡의 관점에서 (1)을 위한 표기 규칙을, (2)를 참고하여 기술할 것.

모범답안

(4)에서 확인할 수 있는 중세국어의 일반적인 표기법은 연철(連綴, 이이적기)로서 표음주의적 표기법이다.

㉠의 관점에서 (1)에서 탈락이 일어나지 않았다고 해석하는 이유는 (2)처럼 종성 ‘ㄹ’이 이어적기가 되지 않은 것 때문이다. 즉, (1)의 예는 ‘ㄹ ㅇ’두 자음이 모두 음가가 있었다고 본다.

㉡의 관점에서 (1)에서 탈락이 일어났다고 해석하는 이유는 (3)의 어미 ‘-거-/-고’의 ‘ㄱ’이 ‘ㅇ’으로 표기되었기 때문이다.

㉡의 관점에서 (1)을 위한 표기 규칙은 확인법 선어말어미 '-어-'와 연결어미 '-오' 앞의 어간말자음 'ㄹ'은 분철(分綴, 끊어 적기)로 표기한다.

해 설

해 설⇩

강의 중에 자주 설명했다. 2005년 기출 문제 해설에 자세히 설명해 두었다.

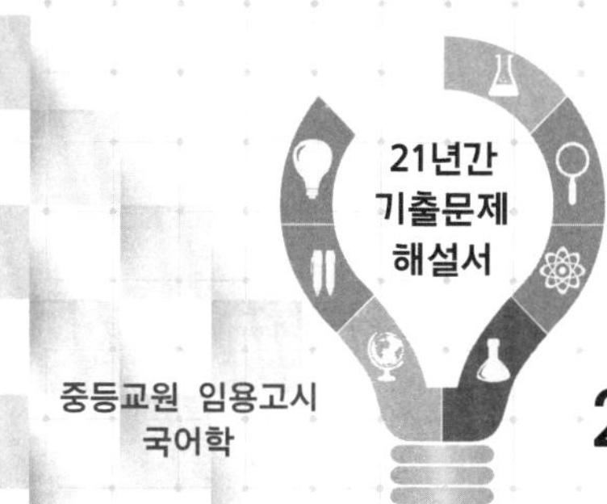

2016년도 기출문제

A형

4. 다음은 '향찰'에 대한 설명의 일부이다. 괄호 안의 ㉠, ㉡에 해당하는 한자(漢字)를 각각 쓰시오. [2점]

> 향찰(鄕札)은 우리말을 실제에 가깝게 온전히 적기 위해 고안된 차자표기(借字表記) 방식이다. 주로 향가를 적는 데 사용되었으며 다른 차자표기와 같이 한자의 음이나 훈을 빌려 표기하였다. 표기의 주요 방식은 명사나 용언의 어간과 같은 어휘 형태소 부분은 주로 훈독(訓讀) 표기로, 어미나 조사, 접사와 같은 문법 형태소 부분은 주로 음독(音讀) 표기로 하였다. 그러나 이 방식에는 예외도 있다. 「처용가」의 첫 부분을 "東京明期月良[東京 불기 ᄃᆞ라라] / 夜入伊遊行如可[밤 드리 노니다가]"처럼 해독한다고 할 때, 밑줄 친 구절에서 문법 형태소 부분을 표기한 글자 가운데 음독 표기에 해당하는 한자(漢字)는 (㉠), (㉡)이다.

정답 ㉠ 伊, ㉡ 可

해 설

해 설⇩

夜入伊遊行如可[밤 드리 노니다가] [밤 야, 들 입, 저 이, 놀 유, 갈 행, 다 여, 가할 가]
야 입이 유행여가
밤 드리 노니다가

비교해 보면 伊, 可, 이 두 글자가 음차 문법 형태소이다.
如, 이 글자는 우리말의 어미 '다'를 표기하는 훈차자이다. 예외적인 차자이다.

[조언] 이런 문제는 한자의 음 훈을 알면 쉽게 풀린다. 따라서 늘 한자 학습을 해두시오.

5. 다음을 보고 교사와 학생이 〈보기〉와 같이 대화를 나누었다. 괄호 안의 ㉠, ㉡에 해당하는 말을 순서대로 쓰시오. [2점]

아빠: 여보, 거기 있는 책을 나에게 좀 주오. ········· ①
엄마: 알았어요. 여기 있어요.
아빠: 철수야, 이 책을 가져다 아래층에 사는 영수에게 주어라. ········· ②
철수: 네, 알겠어요.
아빠: 아! 그리고 영수가 빌려 갔던 책을 주면 받아서 나에게 다오. ········· ③
엄마: 아까 영수가 그 책을 가져와 나에게 주었어요.
철수: 그럼 저는 이 책을 전달하기만 하면 되지요?
빨리 갔다 올게요.
아빠: 고맙다. 여보, 오늘 철수에게 용돈 좀 주오. ········· ④

〈보기〉

교사: 오늘은 용언의 불규칙 활용을 탐구해 보겠습니다. 대화를 보며 '아빠'의 말 중에서 밑줄 친 부분에 주목하여 가장 눈에 띄는 차이가 무엇인지 말해 보세요.
학생: '아빠'의 말에서 대부분 '주다'가 서술어인데, 특이하게 ③에서는 '다오'라는 표현이 쓰였어요.
교사: 맞아요. 내가 타인에게서 어떤 것을 얻고자 할 때에는 '주다'가 아닌 '다오'가 쓰입니다.
학생: 아! 그래서 ②와 ④에서는 '다오'가 쓰이지 않고 '주다'가 쓰였군요.
교사: 네. 좋은 지적이에요.
학생: 그럼 ③에서와 달리 ①에 '주다'가 쓰인 이유는 무엇인가요?
교사: 좋은 질문이에요. 그것은 상대 높임법과 관련이 있습니다.
학생: 혹시 ③에 '다오'가 쓰인 것은 그것이 (㉠)체의 문장이기 때문인가요?
교사: 그래요. 주의할 것은 ②와 ③은 모두 같은 등급의 상대 높임이지만, ③의 '다오'에는 (㉡)형 종결 어미가 ②의 '-어라'와 다르게 '-오'가 쓰인다는 것입니다.

정답 ㉠ 해라체, ㉡ 명령형

상대높임법은 높임법의 하나. '~체(體)'라는 명칭을 쓴다. 일정한 종결 어미를 선택함으로써 상대편을 높여 표현한다. '해라체', '하게체', '하오체', '하십시오체', '해체', '해요체'가 있다. ≒공손법·들을이높임법·상대 존대법·존비법·청자 높임법.

우리말 실제에서 아빠가 아들에게 흔히 사용하는 상대높임법은 해라체와 해체이다. 해라체는 '한다, 하느냐, 해라, 하자, 하는구나'가 대표적인 예(例)들이다. 젊은 아빠들은 해라체보다 해체를 사용하는 경향이 있다. 가령, '해, 해?,해, 하자, 하네'.

문제에서 아빠는 '다오'를 사용했다. 이것은 해라체의 명령형이다.

[조언] 이 문제는 중학 국어 생활에 나온다. 긴장할 필요 없는 문제를 틀려서는 곤란하다.

9. 〈보기 1〉은 구개음화에 대한 설명이다. 〈보기 2〉의 내용을 근거로 하여 〈보기 1〉의 ㉠, ㉡에 해당하는 내용을 〈작성 방법〉에 따라 설명하시오. [4점]

〈보기 1〉

현대 국어 표준어에서 음운론적 층위의 구개음화는 받침 'ㄷ,ㅌ(ㄾ)'이 조사나 접미사의 모음 'ㅣ'(반모음 [j]로 실현되는 경우 포함)와 결합되는 경우, 즉 형태소 경계의 환경에서만 나타난다. 그러나 역사적으로 구개음화는 ㉠다른 환경에서도 적용되었었는데 점차 ㉡그러한 다른 환경에서는 구개음화가 적용되지 않게 변화하였기에 현대 국어에서 '어디'와 같은 어형이 남아 있게 되었다.

〈보기 2〉

15세기	18세기 중반	19세기 후반	현대 국어
그티(<긑+이)	긋치 (<끝+이)	긋치 (<끝+이)	끝이[끄치]
그테(<긑+에)	긋헤 (<끝+에)	긋헤 (<끝+에)	끝에[끄테]
디나며	지나며	지나며	지나며
먹디	먹지	먹지	먹지
어듸	어듸	어디	어디

〈작성 방법〉

- 〈보기 2〉의 (가)를 참고하여 ㉠에 대해 설명할 것.
- 〈보기 2〉를 참고하여 ㉡의 현상이 일어난 과정을 설명할 것.

모범답안 형태소 내부의 모음 'ㅣ'(반모음 [j]로 실현되는 경우 포함) 앞.

'어듸'는 18세기 중반에는 구개음화의 대상이 되지 못한다. 'ㅡ'가 모음 'ㅣ'를 차단하고 있기 때문이다. 그 뒤 구개음화의 조건이 형태소 경계로 제한된 뒤에 단모음화 되어 '어디'의 형태를 유지하게 되었다.

해 설

해설⇩

〈보기 1〉에서 '조사나 접미사의 모음 'ㅣ'(반모음 [j]로 실현되는 경우 포함)와 결합되는 경우, 즉 형태소 경계의 환경에서만 나타난다. 그러나 역사적으로 구개음화는 ㉠다른 환경에서도 적용되었다고 했으니 '형태소 내부'라는 답을 착안할 수 있다. 가령 '디나며, 먹디'의 '디'는 각각 하나의 형태소이다. 따라서 정답은 형태소 내부의 모음 'ㅣ'(반모음 [j]로 실현되는 경우 포함) 앞이 된다.

'어듸'는 18세기 중반에는 구개음화의 대상이 되지 못한다. 'ㅡ'가 모음 'ㅣ'를 차단하고 있기 때문이다. 그 뒤 구개음화의 조건이 형태소 경계로 제한된 뒤에 단모음화 되어 '어디'의 형태를 유지하게 되었다.

10. 다음 〈자료〉에 제시된 문장의 특징을 파악하여 〈작성 방법〉에 따라 서술하시오. [4점]

〈자료〉

(1) a. 아이가 우유를 먹었다.
    b. 엄마가 아이에게 우유를 먹였다.
(2) 나는 내 결혼식에서 친구를 들러리로 세웠다.
(3) 친구가 아버지의 산소에 떼를 입혔다.

〈작성 방법〉

- 주동문 (1a)의 서술어에 접미사가 결합함으로써 나타난 사동문 (1b)의 문장 구조의 변화를 문장 성분에 주목하여 서술할 것.
- (2)와 (3)에서 주동문을 설정할 수 있는지 각각 밝히고, 설정이 가능한 경우 그 주동문이 사동문이 될 때 나타난 문장 구조의 변화를 문장 성분에 주목하여 서술할 것.

모범답안

(1b)에는 새로운 주어가 나타났으며 주동문의 주어가 부사어로 변화하였다.

(2)는 주동문을 설정할 수 있다. '친구가 내 결혼식에서 들러리를 섰다.' 사동문이 되면서 새로운 주어가 나타났으며 목적어가 부사어로 바뀌었다.

(3)은 주동문을 설정할 수 없다. '*아버지의 산소가 떼를 입었다, *떼가 아버지의 산소를 입었다'처럼 비문이 되기 때문이다.

해 설

해 설⇩

이 문제는 매우 쉽다. 문제의 조건대로 답을 작성하기만 하면 된다. 자세한 설명은 1998년 기출 문제풀이에 해두었으니 참고하라.

B형

5. 다음은 이형태의 교체 조건에 대한 설명이다. 〈자료〉에 대하여 〈작성 방법〉에 따라 설명하시오. [4점]

하나의 형태소가 환경에 따라 다른 이형태로 실현되는 현상을 교체라 한다. 교체는 대개 그 교체의 조건이 음운에 따른 것인가, 형태나 어휘에 따른 것인가에 의해 음운론적 조건에 의한 교체와 형태론적 조건에 의한 교체로 나뉜다.

현대 국어의 주격 조사 '이/가'는 이형태의 교체 조건이 선행 체언의 끝소리가 자음인가 모음인가와 같은 음운적 특성이므로 ㉠음운론적 조건에 의한 교체를 보이는 예이다. 모음조화에 따른 교체 역시 마찬가지이므로 과거 시제 선어말 어미 '-았-'과 '-었-'의 교체 역시 음운론적 조건에 의한 교체이다.

이와 달리 특정 형태소나 단어가 조건이 되어 교체가 일어나는 경우를 ㉡형태론적 조건에 의한 교체라 한다. 중세 국어에서 관형격 조사 'ᄋᆡ /의'는 '쇼, 長者, 獅子'와 같은 특정 명사 뒤에서 'ㅣ'로 실현되었는데 이 경우 'ㅣ'는 'ᄋᆡ /의'와 관련하여 형태론적 조건에 의해 교체되었다고 볼 수 있다. 문법 기술에서 형태론적 조건에 의한 교체를 보이는 형태나 어휘들은 목록화하여 제시하게 된다.

그러나 ㉢이 두 가지 조건만으로 설명할 수 없는 교체를 설정하는 견해도 있다. 의미적 속성이나 통사적 특성에 따라 교체가 되는 경우도 있다고 보는 것이다. 가령 현대 국어에서 주격 조사 '이/가'와 '께서', 여격을 나타내는 '에'와 '에게'를 이형태로 파악하기도 하는 것이 그 예이다. 그러나 최근에는 이들을 이형태로 파악할 수 없다고 보아 교체로 설명하지 않는 경우가 많다.

〈자료〉

(1) 王ᄭᅴ 오나ᄂᆞᆯ 〈석보상절 24 : 40〉
佛法을 즐기게 ᄒᆞ야ᄂᆞᆯ 〈석보상절 21 : 41〉

(2) 머리 좃ᄌᆞᆸ고 〈월인석보 10 : 13〉
그 말 듣ᄌᆞᆸ고 〈석보상절 6 : 2〉
太子ᄅᆞᆯ 보ᅀᆞᆸ고 〈석보상절 3 : 32〉

(3) 사ᄅᆞᄆᆡ 쁘디 〈석보상절 9 : 19〉

부텻 나히 〈석보상절 13 : 1〉

나랏 말ᄊᆞ미 〈훈민정음언해 1〉

(4) 普光佛이 니ᄅᆞ시니이다 〈월인천강지곡 상 : 3〉

부톄 니ᄅᆞ샤ᄃᆡ 〈석보상절 6 : 11〉

불휘 기픈 남ᄀᆞᆫ 〈용비어천가 2장〉

〈작성 방법〉

- 〈자료〉의 (2)에서 밑줄 친 부분에 나타나는 '-ᄉᆞᆸ /ᄌᆞᆸ /ᅀᆞᆸ -'이 교체되는 환경을 (2)의 예만을 가지고 설명할 것.
- 〈자료〉의 밑줄 친 부분에서 문법 형태들의 교체 조건이 ㉠, ㉡, ㉢ 중 어느 유형에 해당하는지를 모두 분류할 것. 단, '㉠에 해당하는 것은 ~'의 형식으로 답하되 (1)~(4)의 번호로 답하고 분류 근거는 쓸 필요 없음.

모범답안 '-ᄉᆞᆸ-'의 교체 환경은 ㅅ 뒤, '-ᄌᆞᆸ-'은 'ㄷ'뒤, '-ᅀᆞᆸ-'은 'ㅗ' 뒤이다.
㉠에 해당하는 것은 (2)와 (4)이다. ㉡에 해당하는 것은 (1)이며, ㉢에 해당하는 것은 (3)이다.

해 설

해 설⇩

어떤 형태소의 교체 환경이란 그 형태소의 앞, 뒤이다. 가령 '먹었다, 보았다'에서 과거시제 선어말어미는 '-었/았-'으로 교체를 보인다. 그 이유는 음성모음 뒤, 양성모음 뒤에 결합하기 때문이다. 따라서 '-ᄉᆞᆸ /ᄌᆞᆸ /ᅀᆞᆸ -'에서는 바로 앞의 자음과 모음이다.

형태소의 교체 조건은 2009년 1번 문제 해설에서 자세히 설명해 두었다.

6. 다음 〈자료〉에서 '비교'를 나타내는 문장에 쓰인 요소들의 특징을 파악하여 〈작성 방법〉에 따라 서술하시오. [5점]

〈자료〉

두 대상을 비교한 결과 그 속성이 유사한 경우	두 대상을 비교한 결과 그 속성이 차이가 나는 경우
㉠ 철수는 영수와 키가 비슷하다. ㉡ 철수는 영수만큼 키가 크다	㉢ 철수는 영수와 키가 다르다. ㉣ 철수는 영수보다 키가 크다.

〈작성 방법〉

- ㉠, ㉢에서 두 대상의 속성의 유사함이나 차이를 드러내는 표현을 각각 찾아 쓰되, 그 품사를 언급할 것.
- ㉡, ㉣에서 두 대상의 속성의 유사함이나 차이를 드러내는 표현을 각각 찾아 쓰되, 그 품사를 언급할 것.
- 〈자료〉에서 '만큼, 보다'와 '와'가 문장에서 비교의 의미를 드러내는 데 기여하는 정도의 차이를 서술할 것.

모범답안 ㉠, ㉢에서 두 대상의 속성의 유사함이나 차이를 드러내는 표현은 각각 형용사 '비슷하다'와 '다르다'이다.
㉡, ㉣에서 두 대상의 속성의 유사함이나 차이를 드러내는 표현은 각각 조사 '만큼'과 '보다'이다.
'와'는 두 대상의 속성의 유사함을 드러낼 때도 쓰이고 차이를 드러낼 때도 쓰인다. 그러나 '만큼, 보다'는 각각 유사함과 차이를 드러낼 때만 쓰인다.

해 설

해 설⇩

이 문제는 더 쉬울 수 없을 정도의 문제이다.

중등교원 임용고시
국어학

2015년도 기출문제

A형 서답식

4. 다음 발음을 참고하여 〈보기〉의 ㉠, ㉡에 들어갈 말을 순서대로 쓰시오.

(1) 숙면[숭면], 밥물[밤물], 득녀[둥녀], 잡념[잠념]

(2) 한결[항결], 탐구[탕구], 순방[숨방], 합격[학껵]

(3) 굳이[구지], 같이[가치], 밭이[바치], 콩밭이다[콩바치다]

〈보기〉

(1)~(3)에 적용된 음운 변동은 공통적으로 동화 현상에 속한다. 그러나 (1)에 적용된 음운 변동은 (㉠)이/가 바뀐다는 점에서 (2)에 적용된 음운 변동과 다르다. 또한 (3)에 적용된 음운 변동은 동화주인 모음 'ㅣ'가 속해 있는 형태소가 (㉡)(이)어야 한다는 제한이 있다.

모범답안 조음 방법, 문법 형태소

해 설 해 설⇩

음운(音韻)이란 음소(音素)와 운소(韻素)를 하나로 묶어 부르는 용어이다. 음운의 정의(定義)는 단어의 뜻을 구별시켜 주는 최소의 발음 단위라고 규정된다. 음소에는 오직 모음(母音)과 자음(子音)이 있다. 운소에는 고저(성조) 장단(음장) 강약이 있다.

가령 최소대립쌍 '군 : 눈'에서 [군대 : 강설]의 의미 차이를 보여주는 것은 'ㄱ : ㄴ' 때문이고 이것은 최소의 발음이므로 음운이 된다. 이런 자음과 모음은 음소 또는 분절 음운(分節音韻)이라고 부른다. '가나다라'처럼 자음과 모음이 똑똑 분질러진다는 뜻이다.

가령 '눈 : 눈[누운]'은 [eye : snow]의 의미 차이를 보여준다. 따라서 모음의 길이가 의미 차이를 보여준다. 이런 경우 그 긴 소리를 비분절 음운(非分節音韻)이라고 부른다. 짧은 소리는 비분절 음운으로 보지 않는다. 기본적으로 모음은 단모음(短母音)으로 구성되어 있기 때문이다. 이런 단모음은 무표항(無標項)이라고 부른다. 무표항이란 표시가 되어 있지 않은 항목이라는 용어이다. 영어로는 unmarked item이라고 부른다. 물론 긴 모음[長母音]은 유표항이다. 고전 아라비안나이트에서 알리바바가 자기 집에 새로 생긴 표시를 보고 위험을 감지한다. 이건 유표항이다. 그래서 주변 집 모두에 같은 표시를 그려 넣었다. 이건 무표항이다. 도둑들은 알리바바의 집을 찾을 수 없다는 이야기다.

음운 변동(音韻 變動)이란 말을 할 때 머리 속에 있던 말이 발음되면서 다른 음운으로 변화하여 나타나는 현상을 가리키는 용어이다. 문자와 발음은 일치하지 않을 때도 많다. 특히 성명(姓名)은 의미를 중심으로 만들어지기 때문에 음운 변동이 흔히 발생한다. 가령 '박학문'이라는 이름을 보자. 작명을 한 할아버지는 학문을 널리 익히는 것은 좋다는 뜻을 손자에게 주고 싶었나보다. 그런데 초등학교 정도가 되면 [바캉문], [항문아]라고 불리면서 박학문이는 씁쓸할 때가 꽤나 생길 것이다.

우리 머리 속에 저장되어 있는 사전들은 문자 중심으로 되어 있다. 교육을 받을수록 철자법에 민감해지기 때문이다. 수없이 많은 글을 읽고 쓰는 과정에서 조건반사적인 암기가 강화되기 때문이다. 특히 국어로 밥 먹는 우리들은 더욱 심해진다. 이렇게 우리 머리 속에 저장되어 있는 사전의 어형들을 기저형(基底形)이라고 부른다.

그런데 우리의 말은 원래 문자는 아니었다. 십만 년 전에도 국어는 존재하고 있었을 것이다. 지금과는 너무도 다른 모습으로였겠지만. 그 때는 발음언어만 언어였다. 따라서 발음과 문자의 괴리 현상은 없었을 것이다. 그런데 훈민정음이 창제되고 나서 국어의 발음을 적을 수 있게 되면서 기저형과 표면형의 차이가 분명히 드러나게 되었다. 보통 사람들은 '國民'이라는 단어는 '나라 국, 백성 민'이니까 [국민]이라고 생각한다. 그러나 예민하게 발음을 느껴보면 [궁민]인 것이다. 미국인들은 [국민]=[국 민]=[구그민]처럼 발음한다. 발음 규칙도 언어마다 방언마다 다 다른 것이다.

정리한다면 사람의 머리 속에는 사전이 있으며 그 사전의 어형들을 기저형이라고 부르며 발음 과정에서 기저형과 다른 표면형[=실현형]이 생산되기도 한다. 이럴 경우 음운 변동이 발생했다고 말한다.

음운 변동에는 '대치(=교체), 탈락, 첨가, 축약'의 네 종류가 있다. '도치'를 넣어서 다섯 종류로 보기도 한다.

그 중 '대치'에는 '음절말 평파열음화, 동화, 이화'가 있다. '음절말 평파열음화(평폐쇄음화라고도 부른다. 음절 끝소리 규칙의 일부 ex. 잎 → 입. cf. 없나 → 엄나 : 이 경우 자음군단순화는 탈락 현상으로 처리하고 비음동화가 적용된 것으로 기술한다.), 동화, 이화'가 있다.

동화(同化) 현상은 단어의 내부나 단어의 결합에서 앞뒤의 음소가 서로 닮거나 일방적으로 닮는 것을 가리키는 용어이다.

'동화의 방향'에 따라 나누어 보면 '순행, 역행, 상호 동화'가 있다.

- **순행동화**(順行同化) : 뒤에 오는 자음이 앞 자음을 닮아서 그와 비슷하거나 같은 소리로 바뀌는 현상
  (칼날 → 칼랄) → 뒷소리가 바뀜
- **역행동화**(逆行同化) : 두 자음이 이어 소리 날 때 앞의 자음이 뒤의 자음을 닮아 소리 나는 현상
  (신라 → 실라) → 앞소리가 바뀜
- **상호동화**(相互同化) : 앞뒤의 두 음이 서로 영향을 끼치는 경우
  (급류 → 금뉴, 독립 → 동닙) → 앞뒤 소리가 다 바뀜

[주의] 현재 중학교 3학년 과정에 상호동화가 나오지만 엄밀히 보면 상호동화는 아니다. 'ㄹ'이 다른 자음 뒤에서는 발음이 되지 못하므로 우선 'ㄴ'으로 교체된다. 이 현상을 비음화, 혹은 치조비음화라고 부른다. 그 다음 비음동화가 발생하는 것이다. 초기 문법이 지금까지 무비판적으로 이어지는 한 예이다. 좋은 교사는 잘못된 현상도 정확히 알고 있어야 한다.

'동화의 정도'에 따라 나누어 보면 '완전, 불완전 동화'가 있다.

- **완전동화** : 같은 소리로 바뀌는 경우 (신라 → 실라, 칼날 → 칼랄)
- **불완전동화** : 비슷한 소리로 바뀌는 경우 (백로 → 뱅노, 속물 → 송물)

'조음 위치와 조음 방법'에 따라 나눌 수도 있다.

문제의 보기 (1)번 동화는 조음 방법상의 동화 현상이다. 이런 문제를 쉽게 풀자면 아래의 자음 체계표를 정확히 외우고 있어야 한다. 이 표를 보면서 설명을 이해하면 쉽다.

국어의 자음을 조음 방법과 조음 위치에 따라 분류하면 다음과 같다.

조음방법 \ 조음 위치			양순	치조	경구개	연구개	후두
장애음	파열음	평 음	ㅂ	ㄷ		ㄱ	
		유기음	ㅍ	ㅌ		ㅋ	
		경 음	ㅃ	ㄸ		ㄲ	
	마찰음	평 음		ㅅ			
		유기음					ㅎ
		경 음		ㅆ			
	파찰음	평 음			ㅈ		
		유기음			ㅊ		
		경 음			ㅉ		
공명음	비음		ㅁ	ㄴ		ㅇ	
	유음			ㄹ			

보기 (1)에서 숙면[숭면]을 보면 'ㄱ'이 'ㅇ'로 변동했다. 표를 보면 연구개 항목에 같이 들어 있다. 즉 조음 위치는 변동이 없다. 그러나 'ㄱ'은 평 파열음이고 'ㅇ'은 비음 항목에 들어 있다. 따라서 평파열음이 비음이 되었다. 왜 그런가? '숙면'에서 'ㄱ' 뒤에 'ㅁ'이 오기 때문이다. 'ㅁ'은 비음이다. 'ㅁ, ㅇ'은 비음으로 같은 항목이다. 따라서 조음 방법의 동화가 발생한 것이다.

보기 (2)에서 한결[항결]을 보자. 'ㄴ'이 'ㅇ'로 변동했다. 이 둘은 비음 칸에 들어 있다. 따라서 조음 방법은 변화가 있을 수 없다. 그런데 'ㄴ, ㄱ'을 보면 수평으로 보아도 수직으로 보아도 겹치지 않는다. 그런데 'ㅇ, ㄱ'을 보면 같은 수직항 속에 들어 있다. 따라서 조음 위치가 변동된 것이다.

참고로 모든 자음 변동은 위 지음 체계의 수직항 혹은 수평항으로만 발생한다. 설명을 쓰자니 길게 되지만 자음표를 외운 학생에게는 이런 문제는 대단히 쉬운 것이다. 다시 강조하지만 국어 교사라면 자음 체계표와 모음 체계표는 반드시 기억하고 있어야 하며 중1 학생들에게도 정확히 외우도록 교육하셔야 한다.

문제 보기 (3)은 유명한 구개음화 현상이다.

'굳이, 같이, 밭이, 콩밭이다' 발음해보면 'ㄷ, ㅌ'가 'ㅈ, ㅊ'로 각각 변동한다. 이렇게 변화된 자음을 피동화음이라고 부른다. 被同化音 = 동화를 당하는 음. 준 예들을 잘 보면 피동화음 뒤가 다 같은 '이' 즉 모음 'ㅣ'로 구성되어 있다. 바로 이 'ㅣ' 때문에 피동화음들이 동화를 겪게 된 것이다. 이런 것을 同化主[=동화를 시키는 음.]라고 부른다.

그런데 이 문제는 형태소의 개념과 결합시켜서 출제를 하였다. 형태소의 기본 개념만 알아도 충분히 풀 수 있다.

문법단위 중에서 가장 작은 단위를 형태소라 한다. 형태소는 단어의 구성 요소가 된다고 하여 '어소(語素)'라 부르기도 한다. 일반적으로 형태소는 '뜻을 가진 가장 작은 단위'로 정의한다.

[주의] 이때의 뜻이란 어휘적 의미와 문법적 의미를 모두 뜻한다. 모든 형태소는 문법적 의미는 무조건 가지고 있다. 문법형태소는 실질적 의미를 결여하고 있다는 차이가 있다. 가령 명사 '떡'은 [rice cake]라는 실질적 의미와 명사라는 문법적 의미를 가지고 있다. 주격조사 '가'는 문법적 의미는 있지만 어휘적 의미는 없다. 다른 모든 경우에도 그렇다.

형태소는 문장에서 단독으로 쓰일 수 있느냐에 따라 자립형태소와 의존형태소로 나누어진다. 우리말의 명사나 부사는 거의 대부분 자립형태소이지만 동사나 형용사는 어간과 어미가 결합해야만 자립할 수 있으므로 어간과 어미 각각이 의존형태소이다. '풋과일, 헛기침, 맨손'의 '풋-, 헛-, 맨-'과 같은 파생접두사나 '울보, 덮개, 겁쟁이'의 '-보, -개, -쟁이'와 같은 파생접미사도 문장에서 자립적으로 쓰이지 않으므로 의존형태소이다.

정리하면 의존형태소는 조사, 접사, 어간, 어미, 4종류뿐이다. [일단 암기하세요!!!]

형태소가 가진 의미가 실질적인 개념을 나타내느냐 형식적인 관계를 나타내느냐에 따라 실질형태소와 형식형태소로 나누기도 한다. 실질형태소를 어휘형태소, 형식형태소를 문법형태소라 부르기도 한다. 우리말에서 명사, 부사 또는 동사나 형용사의 어간 등은 실질형태소이고 조사와 어미는 형식형태소이다. 위에서 예를 든 '풋-, 헛-, 맨-', '-보, -개, -쟁이'와 같이 단어 형성의 기능을 가진 접두사나 접미사는 얼마간 어휘적인 의미 기능을 가지지만 대체로 형식형태소에 포함시킨다.

주의할 것은 동사나 형용사의 어간은 의존형태소이면서 실질형태소에 속한다는 것이다.

정리하면 형식 형태소는 조사, 접사, 어미, 3종류뿐이다. [역시 암기!!!!!]

보기 (3)으로 돌아가서 보자.

'굳이, 같이, 밭이, 콩밭이다'

굳+이 = 굳다의 어간+부사 파생 접미사.

같+이 = 같다의 어간+부사 파생 접미사

밭+이 = 명사 밭+주격조사

콩밭+이+다 = 명사 콩밭+서술격조사+평서형 종결어미

따라서 4개의 '이'는 순서대로 접미사, 접미사, 조사, 조사. 이들을 묶어서 말하면 형식 형태소 혹은 문법 형태소가 된다. 이럴 때 수험생은 둘 다 쓸 필요는 없다. 시간도 없는데.

이상으로 A형 4번 문제를 검토하였다. 강의 중에 아주 여러 번 강조한 기초적인 문제였지만 시험날의 긴장 때문에 엉뚱한 실수를 저지른 수험생도 상당수 있었다. 자신감을 가지고 침착하게 라고밖에.

5. 다음은 중세 국어 의문문에 대해 설명한 자료이다. ㉠, ㉡에 들어갈 말을 순서대로 쓰시오.

중세 국어의 의문문은 의문문의 종류가 형태상으로 구별된다는 점에서 현대 국어의 의문문과 차이가 있다. 그러나 이러한 형태상의 차이가 드러나지 않는 예도 확인된다.

(1) ㄱ. 어루 이긔여 기리ᄉᆞᄫᆞ려

ㄴ. 精舍ㅣ 업거니 어드리 가료

(2) ㄱ. 여슷 하ᄂᆞ리 어늬사 뭇 됴ᄒᆞ니ᅌᅵᆺ가

ㄴ. 사로미 이러커늘사 아ᄃᆞᆯ올 여희리ᅌᅵᆺ가

• (1)에서 의문사의 유무에 따라 의문형 어미의 차이가 확인되는 것과 달리, (2)에서는 그러한 차이가 확인되지 않는다.

• (2)의 두 문장 중 하나에서 의문사(㉠)이/가 확인되는데, 의문사 유무에 따른 형태상 차이가 있었다면, 의문사가 있는 문장의 의문형 어미는(㉡)(으)로 나타났어야 한다.

모범답안 어느, -고, -ㅅ고, 니 … 고, 니 … ㅅ고

해 설

해 설⇩

중세 국어 의문문에 관한 질문이다.
보기를 가져와 보자. 현대어역도 제시한다.

(1) ㄱ. 어루 이긔여 기리ᄉᆞᄫᆞ려?

능히 이기어 기림(예찬)을 하려? = 능히 이겨서 기리겠어?

기리다 = 예찬하다.

기리 + ᄉᆞᇦ + ᄋᆞ리 + 어

= 어간 + 객체높임선어말어미 + 미래추측 선어말어미 + ᄒᆞ라체 판정 의문 종결어미

ㄴ. 精舍ㅣ 업거니 어드리 가료?

정사[=절]이 없으니 어떻게 가리오?

ㄱ에는 의문사가 없다. 기리겠느냐 아니냐를 묻는다. 이런 것을 판정의문이라고 한다. 의문종결어미나 보조사는' 가/거/아/어' 중의 어느 하나를 쓴다. 가장 흔히 나타나는 것은 '가'.

ㄴ에는 의문부사 '어드리'가 있다. 의문사에는 의문대명사, 의문관형사, 의문부사가 있다. 의문사가 문장에 쓰이면 그 의문사의 내용을 설명해야 한다. 그래서 설명의문문이라고 부른다. 가령 현대어로 "너 무엇을 먹니?"라는 질문에는 의문 대명사 '무엇'을 설명해야 하는 것과 같다. 이럴 경우 중세 국어에서는 의문종결어미로 '고/구/오/우' 중의 어느 하나를 쓴다. 가장 흔히 나타나는 것은 '고'.

(2) ㄱ. 여슷 하ᄂᆞ리 어늬ᅀᅡ ᄆᆞᆺ 됴ᄒᆞ니잇가?

여섯 하늘이 어느 것이야 가장 좋습니까?

어늬ᅀᅡ = 어느 + 이 + ᅀᅡ = 의문 대명사 어느 것 + 서술격조사 + 강조의 보조사

'어느'는 의문대명사, 의문관형사, 의문부사로 통용된다. 각각 예를 하나씩 보인다.

어느ᄅᆞᆯ 닐온 정법안고?

어느 것을 말하는 것이 정법안인가?

[이 예의 '어느'는 현대 국어에는 없고 '어느 것'에 해당한다.]

어느 뉘 청하니?

어느 누가 청했어?

그 ᄠᅳ들 어느 다 ᄉᆞᆯᄫᆞ리?

그 뜻을 어찌 다 아뢰리?

ㄴ. 사로미 이러커늘ᅀᅡ 아ᄃᆞᆯᄋᆞᆯ 여희리잇가?

삶이 이러한데(남편 없이 힘들게 사는데) 아들(까지)를 잃겠습니까?

이 문장은 판정의문문이며 설의법이다. 분명한 것은 의문사가 없다는 것이다.

그런데 중세 국어에는 상대높임법이 3종류뿐이었다. ᄒᆞ쇼셔체, ᄒᆞ야써체, ᄒᆞ라체.

ᄒᆞᄅᆞ체 의문종결어미는 '-가/고' ᄒᆞ야써체 의문종결어미는 '-닛가/닛고' ᄒᆞ쇼셔체 의문종결어미는 '-니 … ㅅ가/고'로 불연속형태소로 설정되어 있다(2009년 임용 모의 문제). 또 최근에는 '-니 … 가/고'를 설정하기도 했다(『표준중세국어문법론』, 145쪽). 또 학자에 따라서 'ㅅ가/고'만을 ᄒᆞ쇼셔체 의문종결어미로 설정하기도 한다. 이렇게 이 문제는 학자에 따라 다른 견해를 가지고 있기에 채점상의 가감이 있을 수 있다.

모범답안 어느, '-니 … ㅅ고', '-니 … 고', 'ㅅ고', '고'

[참고] 아래는 필자의 친구 방통대 이호권 교수의 『중세 국어 연습』의 한 절이다. 잘 읽고 이해해 두기 바란다. 고영근 선생님과 차이가 있다.

중세 국어의 의문법 체계는 현대 국어와 매우 다르다. 체언에 보조사가 붙어 의문문이 되기도 하며 판정의문과 설명의문, 직접의문과 간접의문이 구분된다.

판정의문은 청자에게 질문에 대한 가부(可否) 결정만을 묻는 것이고, 설명의문은 의문사가 쓰여 그에 대한 설명을 요구하는 의문이다. 중세 국어에서는 판정의문과 설명의문에 사용되는 어미가 다르다.

직접의문은 청자를 앞에 두고 직접 질문하는 것이고, 간접의문은 청자를 상정하지 않은 독백적 질문이나 의념(疑念)을 나타내는 것을 말한다. 이 역시 중세 국어에서는 별개의 어미가 사용된다.

(9) a. 이 ᄡᆞ리 너희 죵가(월석8 : 94)
b. 그 ᄠᅳ디 ᄒᆞᆫ가지아 아니아(능엄1 : 99)
c. 얻논 藥이 므스것고(월석21 : 215)
d. 뉘 이 靑雲 서리옛 器具오(두시16 : 18)

(9)는 명사에 보조사가 통합되어 의문문이 된 예이다. 모두 직접의문이며, (a)와 (b)는 판정의문, (c)와 (d)는 설명의문의 예이다. 판정의문에는 '-가', 설명의문에는 '-고'가 쓰인다. (b)의 '-아'와 (d)의 '-오'는 'ㄱ'이 약화된 것이다. 중세 국어에서 'ㄱ'으로 시작하는 어미는 'ㄹ'이나 'ㅣ'[y]로 끝나는 어간 뒤나 계사, 선어말어미 '-리-' 뒤에서 'ㅇ'로 약화되는 것이 일반적이다. (b)의 '-아'는 계사 뒤에서 '-가'가 변화한 것이다. 그런데 (d)는 일반 모음 뒤인데도 '-오'로 되어 있어 어미와는 조금 다른 변화를 보인다. 의문의 '-가/고'는 보조사이기 때문에 일반 모음 뒤에서도 '-아/오'로 나타날 수 있다.

(10) a. 이 大施主의 得ᄒᆞᆫ 功德이 하녀 져그녀(월석17 : 48)
b. 앗가ᄫᆞᆫ ᄠᅳ디 잇ᄂᆞ니여(석보6 : 25)
c. 아모 사ᄅᆞ미나 이 良醫의 虛妄ᄒᆞᆫ 罪ᄅᆞᆯ 能히 니ᄅᆞ려 몯 니ᄅᆞ려(월석17 : 22)
d. ᄒᆞ마 주글 내어니 子孫ᄋᆞᆯ 議論ᄒᆞ리여(월석1 : 7)

(11) a. 究羅帝 이제 어듸 잇ᄂᆞ뇨(월석9 : 36상)

b. 다시 묻노라 네 어드러 가ᄂᆞ니오(두시8 : 6)

c. 아바닚 病이 기프시니 엇뎨 ᄒᆞ료(석보11 : 18)

d. 엇뎨 겨르리 업스리오(월석 서 : 17)

(10)과 (11)은 'ᄒᆞ라'체의 직접의문의 용례이다. (10)은 판정의문, (11)은 설명의문의 예이다. 판정의문에는 '-녀'('-니여')와 '-려'('-리여')가 쓰이고, 설명의문에는 '-뇨'('-니오')와 '-료'('-리오')가 쓰인다. 이들은 각각 선어말어미 '-니-'와 '-리-'에 '-가'와 '-고'에서 유래한 '-어'와 '-오'가 통합 되어 굳어진 것이다. '-니-'가 완료・확정적인 의미를 표현하고, '-리-'가 미완・추측적인 의미를 나타내므로 '-녀'와 '-뇨'는 완료된 사태에 대한 의문을 나타내며, '-려'와 '-료'는 미완된 사태에 대한 의문을 나타낸다.

위의 (10)과 (11)은 주어가 1인칭이거나 3인칭이다. 중세 국어에서는 청자가 주어가 되는 2인칭 의문문에서는 다음의 (12)와 같이 '-ㄴ다'와 '-ㄹ다'('-ㅭ다')가 쓰인다.

(12) a. 네 엇뎨 안다(월석23 : 74)

b. 네 信ᄒᆞᄂᆞ다 아니 ᄒᆞᄂᆞ다(석보9 : 26)

c. 네 엇던 혜ᄆᆞ로 나를 免케 ᄒᆞᇙ다(월석21 : 56)

(12)에서 문장의 주어는 모두 '네'이므로 2인칭 의문문에 해당한다. 현대 국어로 (a)는 '알았느냐', (b)는 '하느냐', (c)는 '할 것이냐' 정도로 고쳐질 수 있다. 즉, (a)~(c)의 차이는 시제적인 차이인데, 이것은 이 의문어미가 관형사형 어미와 보조사 '다'가 통합되어 이루어진 것이어서 관형사형 어미의 원래 기능이 유지되고 있기 때문이다.

앞에서 본(9)~(12)는 모두 청자에 대한 존대 의사가 표현되지 않은 'ᄒᆞ라'체의 어미들로, 현대 국어로는 '해라'체나 반말 정도에 해당되는 것이다. 청자가 화자보다 상위자이거나 청자를 대우해 주고자 할 때는 별도의 어미가 사용된다.

(13) a. 世尊이 ᄀᆞᆺ봄 내시게 아니ᄒᆞᄂᆞ니잇가(법화5 : 92)

b. 님금하 아ᄅᆞ쇼셔 洛水예 山行 가 이셔 하나빌 미드니잇가(용가 125)

c. 사로미 이러커늘ᅀᅡ 아ᄃᆞᆯᄋᆞᆯ 여희리잇가(월곡 143)(14)

(14) a. 므스므라 오시니잇고(석보6 : 3)

b. 어미 … 어느 길헤 냇ᄂᆞ니잇고(월석 23 : 90)

c. 내 이제 엇뎨ᄒᆞ야ᅀᅡ 地獄 잇ᄂᆞᆫ ᄯᅡ해 가리잇고(월석21 : 25)

(13)과 (14)는 화자보다 상위자인 청자에 대한 의문문으로 'ᄒᆞ쇼셔'체에 해당한다. (13)은 판정의문, (14)는 설명의문이다. 'ᄒᆞ쇼셔'체의 의문법 어미로는 '니(리) … ㅅ가'와 '니(ᄅᆞ)…ㅅ고'의 사이에 공손법 선어말어미 '-이-'가 통합된 형태가 사용된다. '-니-'와 '-리-'의 의미 차이나 '-가'와 '-고'의 구분이 여기서도 유지되고 있음을 알 수 있다. 'ᄒᆞ라'체에서는 2인칭 의문문의 어미가 따로 존재했지만, 'ᄒᆞ쇼셔'체에서는 구분되지 않는다. 예를 들어 (14)의 (a)는 문맥상 청자가 주어가 되는 의문문인데도 여타 1·3인칭 주어의 의문문과 다르지 않다.

(15) a. 主人이 므슴 차바ᄂᆞᆯ 손소 ᄃᆞᆫ녀 ᄆᆡᇰᄀᆞ노닛가(석보6 : 16)
b. 그듸 아바니미 잇ᄂᆞ닛가(석보6 : 14)

(16) a. 그듸대 ᄠᅳ디 아니 舍利ᄅᆞᆯ 뫼셔다가 供養ᄒᆞᅀᆞᄫᅩ려 ᄒᆞ시ᄂᆞ니(석보23 : 46)
b. 聖人 神力을 어ᄂᆞ 다 ᄉᆞᆯᄫᆞ리(용가 87)

(15)는 화자가 자기와 동등하거나 비슷한 청자를 대우할 때 사용하는 'ᄒᆞ야써'체의 의문문이며, (16)은 반말의 의문문이다. 청자를 지칭하는 대명사로 '너'보다 조금 대우하는 '그듸'가 쓰이고 있는 점에서 이들이 'ᄒᆞ라'체보다 위이고, '-시-'가 없이 쓰이기도 하는 점에서 'ᄒᆞ쇼셔'체보다는 아래임을 알 수 있다. (15)와 (16)의 의문문에서는 판정의문과 설명의문의 구분이 없다. (15a)와 (16b)의 경우 의문사가 있음에도 불구하고 의문사가 없는 의문문과 동일한 형태를 사용하고 있다.

이상의 의문법 어미가 직접 청자에 대해 발화하고 대답을 요구하는 직접의문에 사용되는 데 비해, 청자가 상정되지 않는 의문법 어미도 존재한다. 다음의 (17)과 (18)이 그 예이다.

(17) a. 이 아니 내 鹿母夫人ᄋᆡ 나ᄒᆞᆫ 고진가(석보11 : 32)
b. 너희 이 ᄇᆞ르ᄅᆞᆯ 보고 더ᄫᅳᆫ가 너기건마ᄅᆞᆫ(월석10 : 14)
c. 둘흔 他方佛이 오신가 疑心이오(원각 상1-2 : 23)

(18) a. 이 이ᄅᆞᆫ 엇던 因緣으로 이런 相이 理ᄒᆞᆫ고(법화3 : 112)
b. 뒤 能히… 妙法華經을 너비 니ᄅᆞᆯ꼬(법화4 : 134)
c. 엇던 因緣으로 得ᄒᆞᆫ고 疑心ᄒᆞ시니라(법화4 : 56)

간접의문의 어미는 관형사형 어미에 보조사 '-가'와 '-고'가 통합되어 이루어진다. 따라서, '-가'가 쓰이면 판정의문이고, '-고'가 쓰이면 설명의문이다. 또, 'ㄴ'이 선행하면 완료적인 의미이고, 'ㄹ'이 선행하면 미완·미래적인 의미이다.

이런 간접의문의 어미는 '독백'[(17a)와 (18)의 (a), (b)]이나, '疑心ᄒᆞ-'나 '너기-'와 같은 상념(想念)의 동사가 뒤에 오는 '의념(疑念)'[(17)의 (b), (c)와 (18c)]을 나타내는 데 사용된다. 또한, 청자가 존재하지 않기 때문에 청자에 따른 공손법의 구분은 당연히 없다.

(19) a. 몬져 당다이 ᄂᆞ출 보려니ᄯᆞᆫ(능엄1 : 64)
b. ᄒᆞ믈며 녀나ᄆᆞᆫ 쳔랴이ᄯᆞ녀(석보9 : 13)
c. ᄒᆞ올며 阿羅漢果ᄅᆞᆯ 得게 호미ᄯᆞ니잇가(월석17 : 49)

(19)는 반어(反語)의 의문에 사용되는 의문법 어미이다. (b), (c)와 같이 'ᄒᆞ믈며'가 선행하는 일이 많으며, 서술을 강조하기 위한 수사의문문으로 쓰인다.

6. 다음을 참고하여 부정문의 부정 영역에 대해 〈보기〉와 같이 정리하였다. 〈보기〉의 ㉠, ㉡에 들어갈 말을 순서대로 쓰시오.

(1) ㄱ. 다행히 동생은 집에 가지 않았다.
ㄴ. 동생은 일찍 집에 가지 않았다.
(2) ㄱ. 어머니가 아이에게 그 책을 못 읽게 했다.
ㄴ. 어머니가 아이에게 그 책을 못 읽혔다.

〈보기〉

- 부정문의 의미는 부정의 영역이 어디에까지 미치는가에 따라 다양하게 해석된다.
- (1)은 장형 부정 형식의 '안' 부정문으로, 의미상(1ㄱ)에서 '다행히'는 (1ㄴ)의 '일찍'과 달리, 부정의 영역 안에 포함되지 않는다. 이는 '다행히'가 '일찍'과 달리(㉠)(이)기 때문이다.
- (2)는 단형 부정 형식의 '못' 부정문으로, (2ㄱ)에서 '못'은 (2ㄴ)에서와 달리, (㉡)을/를 부정하고 있다.

모범답안 문장 수식 부사 = 양태부사, 아이의 행위 = 피사동주의 행위.

문제를 간결하게 분석해 보면, 부사 '다행히'와 '일찍'의 특성을 말하라는 문제이다. 문장 수식 부사와 성분 수식 부사를 구분할 수 있는가를 묻는 것이다.

또 사동문에서 부정소가 무엇을 부정하느냐는 물음이기 때문에 문장의 의미만 파악해도 정답을 작성하기에는 어려움이 없다. [아이가 책을 읽지 못하게]의 의미가 파악되므로 '아이의 독서', '아이가 책을 읽는 행위' 등등이 정답이 될 것이다.

[참고] 부정문에서 출제되었다.

어떤 문장을 부정문으로 만드는 요소를 흔히 '부정소(不定素, negative element)'라 한다. 국어의 부정소에는 부정 부사 '아니(안)'와 '못'이 있고, 다시 이들을 내포한 '아니다, 아니하다, 못하다, 말다'와 같은 요소가 있다. 부정 부사를 포함한 형식을 부정 서술어란 이름으로 부르기도 한다.

(1) 가. 철수가 회의에 갔다.
나. 철수가 회의에 안 갔다/못 갔다.
다. 철수가 회의에 가지 않았다(아니하였다)/못했다(못하였다).
라. 너는 집에 가지 말아라.

(1가)에는 아무런 부정소도 없다. 내용도 긍정이며, 형식도 긍정문이다. (1나)에는 '안'과 '못'이 쓰였다. 짧은 부정문이다.

(1다)에는 ' -지 아니하다'와 ' -지 못하다', (1라)에는 ' -지 말다'가 쓰이고 있다. (1나, 다, 라)는 '긴 부정문'이다.

(2) 가. 철수가 회의에 안 가지 않았다.
나. 철수가 그런 곳에 가겠습니까?

(2가)는 '이중 부정(二重不定, double negation)'이다. 부정의 부정은 긍정이므로 내용은 긍정이다. 그러나 이를 형식상 긍정문이라고 하지 않는다. (2나)는 '수사 의문(修辭疑問, rhetorical question)'이다. 화자가 의미하는 것은 부정이지만 이를 부정문이라고 하지는 않는다. 부정문과 긍정문을 내용에 의존해서만 나눌 수 없음이 분명하다. 따라서 '긍정'과 '부정'은 내용에 따라 구분하고, '긍정문'과 '부정문'은 형식에 따라 구분한다.

부정의 의미를 중심으로 볼 때 '안(아니)'와 '아니하다'를 무표적인 부정이라 한다면 '못'과 '못하다'는 유표적인 부정이다. '아니' 및 '아니하다'가 순수 부정이나 의도 부정의 의미를 가지는 데 대하여, '못' 및 '못하다'는 능력 부족이나 상황에 의하여 어떤 일이 이루어지지 않음을 나타내는 '상황 부정'의 의미를 가진다. 편의상 전자를 '안'부정, 후자를 '못'부정이라 부르기도 한다.

(3) 가. *쌀이 없어 그 집은 밥을 안 먹는다.
    나. *쌀이 없어 그 집은 밥을 먹지 않는다.
(4) 가. 쌀이 없어 그 집은 밥을 못 먹는다.
    나. 쌀이 없어 그 집은 밥을 먹지 못한다.

(3)은 '안'부정이 이상을 보인다. 기술된 것은 객관적인 상황이 허락하지 않는 것인데 '안' 부정이 쓰였기 때문이다. 이에 대해서 (4)는 이상을 보이지 않는다. 상황에 의한 부정의 의미가 충족되기 때문이다.

문제는 부정의 영역에서 나왔다. 보기를 보자.

(1) ㄱ. 다행히 동생은 집에 가지 않았다.
    = 동생은 집에 가지 않았다. 다행히
    = 동생은 집에 가지 않았다. 그것은 다행이다.
    = 동생은 집에 가지 않았다.
    = *다행히 동생은 집에 갔다.

이 경우에는 '다행히'가 문장 수식 부사이기 때문에 서술어의 영향을 받지 않는다. 양태부사라고 해도 좋다. 부사에는 문장 수식 부사와 성분 수식 부사가 있다. 말 그대로 문장 전체를 수식하면 문장 수식 부사이고 서술어를 수식하면 성분 수식 부사이다.

ㄴ. 동생은 일찍 집에 가지 않았다.
    = 동생은 집에 일찍 가지 않았다.
    = [동생은 집에 일찍 가]지 않았다.
    = *동생은 일찍 집에 갔다.
    = *동생은 집에 가지 않았다.

여기서 '일찍'은 서술어 '가-'를 수식하여 '일찍 집에 가-'라는 서술어구를 만들고 부정의 보조동사 '않다'의 지배를 받게 된다.

(2) ㄱ. 어머니가 아이에게 그 책을 못 읽게 했다.

이 문장의 성분을 나누어 보자.

[어머니가 [아이에게 그 책을 못 읽]게 했다.]

이 문장을 약간 변형하면 [어머니가 [아이가 그 책을 못 읽]게 했다.]가 된다. 긴 사동문이다. '어머니'는 전체 주어, 즉 사동주(使動主), '-게 했다'는 전체 서술어, 즉 통사적 사동 서술어. '아이'는 피사동주(被使動主)이다. 사동문에서 실제로 행위하는 행위주이다. 따라서 부정 부사 '못'은 아이의 행위를 부정하게 된다. 의미는 아이의 독서 금지. '어머니는 아이가 그 책을 읽는 것을 싫어했나보다.'라는 함의 발생.

이 문장을 조금 바꾸면 [? 어머니가 [아이에게/가 그 책을 읽]게 못 했다.]→[어머니가 [아이에게 그 책을 읽]게 하지 못했다.] 이렇게 되면 '못'은 주어의 행위를 부정하게 된다. 어머니는 아이가 책을 읽는 것을 원했다는 함의 발생.

ㄴ. 어머니가 아이에게 그 책을 못 읽혔다.

= [어머니가 아이에게 그 책을 읽혔다.]+[어머니는 그 행위를 실패했다.]

ㄱ은 통사적 사동이기에 부정부사 '못'의 관련 서술어가 2이고 ㄴ은 형태적 사동사 구성이기에 서술어가 1이다. 따라서 '읽히다' 전체에 부정의 의미가 걸리게 된다.

이 문제는 부정문의 형식이지만 부사의 특성과 사동문의 특성을 묻는 복합적인 문제이다. 기본 원리와 개념을 갖춘 수험생에게는 고마운 문제였을 것이다.

A형 서술형

2. 다음은 국어의 음절 구조 제약에 대한 설명이다. 음절 구조 제약의 구체적인 내용을 〈보기〉의 지시에 따라 서술하시오.

분절음이 음절을 구성할 때 작용하는 제약을 음절 구조 제약이라고 한다. 이 제약은 초성, 중성, 종성과 같은 음절의 구성 요소와 관련이 있다. 예컨대, 우리 말 음절의 초성에 /ㅇ(ŋ)/이 올 수 없는 것은 음절 구조 제약 중 하나이다. 음절 구조 제약은 음운 변동을 일으키는 중요한 요인이 되며, 고유어뿐만 아니라 서양 외래어에도 동일하게 작용한다.

(1) ㄱ. 앞만, 부엌만, 밭만, 넣는, 놓는, 붓는

ㄴ. 앉다, 없다, 핥다, 훑다, 읊다

(2) ㄱ. 몫도, 흙도, 값도, 읽다, 밟다

ㄴ. 토스트(toast), 힌트(hint), 램프(lamp)

〈보기〉

1. (1ㄱ)과 (1ㄴ)에 공통적으로 적용되는 음운 변동을 쓰고, 이 음운 변동에 작용하는 음절 구조 제약의 내용을 서술할 것.
2. (2ㄱ)과 (2ㄴ)에 공통적으로 작용하는 음절 구조 제약의 내용을 서술할 것.

모범답안

1. 평파열음화[평폐쇄음화], 현대 국어의 종성에는 미파음의 자음 'ㄱ, ㄴ, ㄷ, ㄹ, ㅁ, ㅂ, ㅇ' 중, 단 하나의 자음이 나타날 수 있다. [채점에는 불필요하지만 추가적인 설명: 만일 이들 외의 자음이 하나가 오면 같은 계열의 평파열음으로 발음되며, 둘 이상의 자음이 오면 자음군단순화 규칙에 의해 하나의 자음이 탈락하고 평폐쇄음으로 실현된다.]
2. 음절말에 자음이 두 개가 오게 되면 음절 구조 제약 중 종성의 제약을 어기게 되므로 자음을 하나 탈락시키거나 매개모음을 그 자음들의 사이에 첨가시켜 제약을 극복한다.

해 설

해 설⇩

2. 음절 구조 제약에 관한 문제가 출제되었다. 음절 구조 제약이라는 용어를 처음 접한 수험생이라도 문제에 답할 수 있었을 것이다. 기본적인 개념을 문제에서 설명하기 때문이다.

음절 구조 제약은 음절의 구조, 즉 초성, 중성, 종성과 관련된 제약이다. 음절 구조 제약은

주로 초성, 중성, 종성에 올 수 있는 음소의 수나 종류를 제한한다. 그러나 경우에 따라서는 한 음절 안의 초성과 중성 또는 중성과 종성의 연결을 제한할 수도 있다. 음절 구조에 대한 정보를 언급해야만 그 제약을 제대로 설명할 수 있다면 음절 구조 제약에 포함된다.

1. 초성에 대한 제약

(1) 초성에 올 수 있는 자음의 수는 1개이다.

(2) 'ㅇ'은 초성에 올 수 없다.

[참고] '이순신'의 'ㅇ'는 형식문자이므로 음소가 아니다.
'강'의 'ㅇ'는 음소이며 이 음소는 초성에 올 수 없다는 것이다.

2. 중성에 대한 제약

중성에 올 수 있는 하향이중모음은 '의'밖에 없다.

[참고] '의'를 [으이]처럼 발음할 때만 해당된다. 사실은 이미 소멸한 발음이다.

3. 종성에 대한 제약

(1) 종성에 올 수 있는 자음의 수는 1개이다.

(2) 'ㄱ, ㄴ, ㄷ, ㄹ, ㅁ, ㅂ, ㅇ' 이외의 자음은 종성에 올 수 없다.

문제 1. (1ㄱ)과 (1ㄴ)에 공통적으로 적용되는 음운 변동을 쓰고 그에 작용하는 음절 구조 제약의 내용을 서술하라.

보기를 보자.

(1) ㄱ. 앞만[암만] 부엌만[부엉만] 밭만[반만] 넣는[넌는] 놓는[논는] 붓는[분는]
  ㄴ. 앉다[안따] 얹다[언따] 핥다[할따] 훑다[훌따] 읊다[읍따]

ㄱ에는 2가지 음운 변동이 순서대로 나타난다. 음절말 평파열음화[평폐쇄음화라고도 한다. 학교문법 용어로는 음절 끝소리 규칙], 비음동화. 가령 '앞만→압만→암만' 다른 예들은 독자 스스로 해보시라.

ㄴ에는 음절말 평파열음화와 경음화와 자음군단순화의 3가지 현상이 순서대로 나타난다. 가령

'앉다→안다→안따→안따'처럼 변동한다.

따라서 공통되는 음운 변동은 음절말 평파열음화가 가장 정확한 것이다. 또 여기에 적용되는 음절 구조 제약의 내용은 'ㄱ, ㄴ, ㄷ, ㄹ, ㅁ, ㅂ, ㅇ' 이외의 자음은 종성에 올 수 없다가 된다. 그 이유는 국어의 종성은 반드시 미파음(未破音)으로 발음된다는 것이다.

학교문법에서는 음절 끝소리 규칙으로 음절말 평파열음화와 자음군단순화를 모두 포함하여 가리키고 있다. 이에 따르면 음절끝소리 규칙이 답이 될 수 있다.

모범답안 공통되는 음운 변동은 음절말 평파열음화이다. 또 여기에 적용되는 음절 구조 제약의 내용은 'ㄱ, ㄴ, ㄷ, ㄹ, ㅁ, ㅂ, ㅇ' 이외의 자음은 종성에 올 수 없다가 된다.

문제 2. (2ㄱ)과 (2ㄴ)에 공통적으로 작용하는 음절 구조 제약의 내용을 서술할 것.

보기를 보자.

(2) ㄱ. 몫도[목또] 흙도[흑또] 값도[갑또] 읽다[익따] 밟다[밥따]
ㄴ. 토스트[toast 톴] 힌트[hint 힌ㅌ] 램프[lamp 램ㅍ]

(2ㄱ)은 종성에 자음이 2개가 와 있다. 따라서 하나가 탈락해야 한다. 여기서 음절 구조 제약을 찾을 수 있다. 종성에 올 수 있는 자음의 수는 1개이다.

(2ㄴ)은 영어에서 종성에 자음이 2개씩 나타나는 경우들이다. 괄호 속의 한글 발음대로 적고 발음할 수는 없으므로 [톳] [힌] [램]처럼 적어야 하는데 그렇게 되면 원어의 발음과 너무 큰 차이가 나므로 모음 '으'를 추가하여 종성에 올 수 있는 자음의 수는 1개이라는 음절 구조 제약을 지키게 된다.

모범답안 종성에 올 수 있는 자음의 수는 1개이다. 2개 이상이 종성에 있게 되면 자음을 탈락시키든지 모음 '으'를 추가하여 제약을 지킨다.

[참고] 필자가 강의하면서 늘 강조하는 음운론 교재가 방송통신대학 교재 『소리와 발음』(김성규·정승철 지음)인데, 그 책 81~83쪽에 잘 설명되어 있다.

A형 서술형

3. 다음은 '-롭-' 파생 형용사에 대한 학습 자료이다. 이 자료를 통해 알 수 있는 '-롭-' 파생어의 특징을 〈보기〉의 지시에 따라 서술하시오.

(1) ㄱ. 보배롭다, 슬기롭다, 해롭다, 자유롭다, 명예롭다

ㄴ. 새롭다

(2) ㄱ. 受苦ᄅᆞᆸ다, 외ᄅᆞᆸ다, 義ᄅᆞᆸ다, 효도ᄅᆞᆸ다

ㄴ. 시름ᄃᆞᆸ다, 疑心ᄃᆞᆸ다, 利益ᄃᆞᆸ다, 쥬변ᄃᆞᆸ다

(3) ㄱ. 이 나래 새ᄅᆞᆯ 맛보고(此日嘗新)

ㄴ. 네ᄅᆞᆯ 올마 새예 갈ᄊᆡ 일후미 새와 ᄂᆞᆯᄀᆞ니와 어즈러운 想이니

〈보기〉

1. (1)에서 '-롭-'과 결합할 수 있는 어근의 특징을 (2)의 '-ᄅᆞᆸ-'과 '-ᄃᆞᆸ-'의 분포상의 차이를 고려하여 설명할 것.
2. 현대 국어의 관점에서 (1ㄴ) '새롭다'의 어근이 갖는 특이점을 (1ㄱ)과 비교하여 지적하고, 중세 국어의 관점에서 '새롭다'의 단어 형성을 (3ㄱ)과 (3ㄴ)을 참고하여 설명할 것.

모범답안

1. 모음으로 끝나는 명사.
2. 현대 국어에서 '새'는 관형사이다. 형용사 파생 접미사 '-롭-'은 명사인 어근과 결합한다는 제약이 있어서 현대 국어에서는 예외적인 현상이 된다. 그러나 중세 국어에서 '새'는 명사이었다. 따라서 중세 국어에서 규칙에 맞게 파생된 것이다.

해 설 해 설⇩

3. 아주 유명한 문제가 출제되었다. 과락을 방지하려는 출제 교수들의 노력이 엿보일 만큼 쉬운 문제이다. '우리말 문법론'의 앞부분 형태론의 파생법에서 다룬 내용이고 덧붙임에도 다시 다루고 있다. 그러나 그런 내용을 읽지 않았다 하더라도 용어의 기본 개념을 알고 문제의 조건을 잘 관찰하면 정답을 쓰는 것은 그리 어렵지 않다.

문제 1. (1)에서 '-롭-'과 결합할 수 있는 어근의 특징을 (2)의 '-ᄅᆞᆸ-'과 '-ᄃᆞᆸ-'의 분포상의 차이를

고려하여 설명할 것.

(1) ㄱ. 보배롭다, 슬기롭다, 해롭다, 자유롭다, 명예롭다

ㄴ. 새롭다

(2) ㄱ. 受苦ᄅᆞᆸ다, 외ᄅᆞᆸ다, 義ᄅᆞᆸ다, 효도ᄅᆞᆸ다

ㄴ. 시름ᄃᆞᆸ다, 疑心ᄃᆞᆸ다, 利益ᄃᆞᆸ다, 쥬변ᄃᆞᆸ다

어근(語根)이란 접사의 상대어이다. 단어의 중심 부분으로 흔히 정의된다. 이 문제에서는 접미사 '-롭-'의 상대어이므로 그 앞의 부분들을 뜻한다. 문법에서 '분포'라는 말은 환경을 뜻한다. 가령 abc를 예로 검토하면 a는 [맨 앞, b 앞]이 분포가 된다. b는 [a 뒤 c 앞]이 분포가 된다. 따라서 '-ᄅᆞᆸ/ᄃᆞᆸ-' 앞의 어근의 특징을 쓰라는 문제로 파악이 된다. '-ᄅᆞᆸ-' 앞은 '수고, 외, 의, 효도' 등이고 '-ᄃᆞᆸ-' 앞은 '시름, 의심, 이익, 주변' 등이다. 이 두 집합의 차이를 찾아서 쓰면 정답이다. 모음으로 끝났느냐 자음으로 끝났느냐이며 모두 명사들이다.

이렇게 생각이 정리되면 (1ㄱ)을 보면 모두 모음으로 끝난 명사임을 확인할 수 있다. [모범답안]을 작성하면 된다. 즉 '-롭-'과 결합할 수 있는 어근의 특징은 모음으로 끝난 명사이다.

문제 2. 현대 국어의 관점에서 (1ㄴ) '새롭다'의 어근이 갖는 특이점을 (1ㄱ)과 비교하여 지적하고, 중세 국어의 관점에서 '새롭다'의 단어 형성을 (3ㄱ)과 (3ㄴ)을 참고하여 설명할 것.

(3) ㄱ. 이 나래 새를 맛보고(此日嘗新 차일상신 이 날에 새것을 맛보고)

ㄴ. 녜ᄅᆞᆯ 올마 새예 갈ᄊᆡ 일후미 새와 늘ᄀᆞ니와 어즈러운 想이니

(옛것을 옮아 새것으로 가므로 이름이 새것과 낡은 것과 어지러운 생각이니)

이 문제도 우리말 문법론에서 설명한 것이다. 준 예문에서 '새'는 모두 명사로 쓰인 것이다. 따라서 15세기 국어에서는 [명사+ᄅᆞᆸ]이라는 파생어 형성 규칙을 준수하고 있는 것이다. 그러다가 '새'의 명사적 기능이 소멸되어 지금에 이른 것이다. 15세기에는 '새'가 명사, 관형사, 부사 등으로 쓰였다. 이런 것을 품사의 통용이라고 부른다.

새

「명사」『옛말』

'새것'의 옛말.

¶ 往生偈ᄅᆞᆯ 외오시면 골픈 ᄇᆡ도 브르며 헌 옷도 새 ᄀᆞᆮᄒᆞ리니≪월석 8 : 100≫/거플 벗긴 닥나모 새 됴ᄒᆞ니

ᄅᆞᆯ ᄇᆞᅀᆞᄀᆞ라≪구간 6 : 4≫/일후미 새와 ᄂᆞᆯᄀᆞ니와 어즈러운 想이니≪능엄 7 : 83≫/比丘尼 절ᄒᆞ야 셤기디비 새 ᄇᆡ호ᄂᆞᆫ ᄠᅳ들 어즈리디 말 씨오≪월석 10 : 20≫/나그내 곧 곳가ᄅᆞᆯ 걸오 오니 사괴요ᄆᆞᆫ 盖ᄅᆞᆯ 기우료매 새 ᄀᆞᆮ디 아니ᄒᆞ도다≪두시-초 20 : 28≫/먼 이 親ᄒᆞᆫ 이를 리간ᄒᆞ며 새 녜 치를 리간ᄒᆞ며≪소언 4 : 49≫/ᄉᆞ시 의복을 지어 새로ᄡᅧ ᄂᆞᆯᄀᆞᆫ니ᄅᆞᆯ ᄀᆞ라 죵신토록 폐티 아니ᄒᆞ니라≪동신 열2 : 29≫.

「관형사」『옛말』

'새'의 옛말.

¶ 새 구스리 나며≪월석 1 : 27≫.

「부사」『옛말』

'새로'의 옛말.

¶ 새 ᄇᆡ호ᄂᆞᆫ ᄠᅳ들 어즈리디 말씨오≪월석 10 : 20≫.

B형 서술형

2. 다음은 중세 국어의 관형격 조사와 관련된 자료이다. 이 자료와 관련된 통시적 변화 내용을 〈보기〉의 지시에 따라 서술하시오.

(1) ㄱ. 太子ㅣ 臣下ᄋᆡ그에 가 닐오ᄃᆡ
모ᄃᆞᆫ 즁ᄉᆡᆼᄋᆡ게 갓가ᄫᅵ 가게 ᄒᆞ며
모ᄃᆞᆫ 大衆의게 너비 告ᄒᆞ노니
ㄴ. 王ㅅ그엔 가리라
安樂國이 어마닚긔 ᄉᆞᆯᄫᆞᄃᆡ
善宿ㅣ 부텻긔 ᄉᆞᆯᄫᆞᄃᆡ

(2) ㄱ. 사ᄅᆞᄆᆡ 목숨, 아ᄃᆞᄅᆡ 神力, 大衆의 疑心, 凡R夫의 心力
ㄴ. 부텻 道理, 부텻 눈, 世尊ㅅ 德, 如來ㅅ 法

〈보기〉

1. (1ㄱ)의 'ᄋᆡ그에, ᄋᆡ게, 의게'와 (1ㄴ)의 'ㅅ그에, ㅅ긔'가 현대 국어에 와서 어떤 문법 형태로 바뀌었는지 쓰고, 그것들의 쓰임이 서로 어떻게 다른지 서술할 것.
2. 그러한 쓰임의 차이가 나타난 원인을 (2)를 참고하여 서술할 것.

모범답안

2-1. 에게, 께 각각 평칭과 경칭의 차이. [이것만 써도 정답이다.] 좀 길게 쓰면 다음과 같다.
앞에 결합하는 체언이 높임의 대상이라면 높임을 표현하는 부사격조사 '께'를 쓰며 그렇지 않다면 '에게'를 쓴다.

2-2. 중세 국어에는 관형격조사가 평칭과 존칭으로 구분되어 쓰였다. 앞에 오는 체언이 평칭 유정명사라면 '**ᄋᆡ**, 의'가 선택되었고, 앞에 오는 체언이 높임의 대상이라면 'ㅅ'이 선택되었다. 이러한 구분이 중세 부사격조사에도 평행하게 나타난 것이다. 그런데 관형격 조사 'ㅅ'의 용법은 소멸되지만 부사격조사에서는 현대에도 구분되고 있는 것이다.

이것이 최대한 길게 쓴 답안이다.

중세 국어에서 가장 쉬운 부분이 출제되었다. 역시 과락을 줄이려는 출제 교수들의 배려가 돋보인다.

보기를 먼저 보자.

(1) ㄱ. 太子ㅣ 臣下ᄋᆡ그에 가 닐오ᄃᆡ [태자가 신하에게 가 말하되]

모딘 즁ᄉᆡᆼᄋᆡ게 갓가ᄫᅵ 가게 ᄒᆞ며 [모진 짐승에게 가까이 가게 하며]

모ᄃᆞᆫ 大衆의게 너비 告ᄒᆞ노니 [모든 대중에게 널리 고하니]

ㄴ. 王ㅅ그엔 가리라 [왕께는 가겠다]

안락국이 어마닚긔 ᄉᆞᆲ보ᄃᆡ [안락국이 어머님께 아뢰되]

善宿ㅣ 부텻긔 ᄉᆞᆲ보ᄃᆡ [선숙이 부처께 아뢰되]

(2) ㄱ. 사ᄅᆞᄆᆡ 목숨, 아ᄃᆞᄅᆡ 神力(신력), 大衆(대중)의 의심, 凡夫(범부)의 心力(심력)

ㄴ. 부텻 道理(도리), 부텻 눈, 世尊(세존)ㅅ 德(덕), 如來(여래)ㅅ 法(법)

문제 1. (1ㄱ)과 (1ㄴ)의 밑줄 부분의 조사가 현대 국어에 와서 어떤 문법 형태로 바뀌었는지 쓰고, 그것들의 쓰임이 서로 어떻게 다른지 서술할 것.

이미 해설이 다 되었다. 번역만 할 수 있었다면. 알고 보면 허무한 문제인데 당일 날은 시간을 잡아 먹히기 쉽다. 그래서 공부는 제대로 넘치게 해두어야 한다.

[참고] 필자의 교재 『국어학』에서 인용.

20. 다음 자료를 분석하여 밑줄 부분의 조사의 명칭을 쓰고, 현대 국어와 다른 점을 쓰고 같은 점을 쓰시오. 또 예문 'ㄱ, ㄴ'의 음운론적 특성을 설명하시오.

a. 사ᄅᆞᄆᆡ ᄠᅳ들 거스디 아니ᄒᆞ노니(월석1 : 12)

b. 孔雀ᄋᆡ 모기 ᄀᆞᄐᆞ시며(월석2 : 58)

c. 나랏 말ᄊᆞ미 中國에 달아(훈언)

d. 化人ᄋᆞᆫ 世尊ㅅ 神力으로 ᄃᆞ외의 ᄒᆞ샨 사ᄅᆞ미라(석보6 : 7)

e. 世間애 부텻 道理 ᄇᆡ호ᅀᆞᄫᆞ리(석보 서 : 2)

f. 本來ㅅ 몸 도로 ᄃᆞ외ᄂᆞᆫ 苦와(석보13 : 8)

ㄱ. 내 모미 長者ㅣ 怒ᄅᆞᆯ 맛나리라(월석8 : 98)

ㄴ. 相如ㅣ ᄠᅳᆮ(두시15 : 35)

모범답안

관형격조사. 현대 국어의 '-의'에 해당한다. 일반적으로 격(格)은 서술어와 체언과의 관계를 명시하는 것이지만, 관형격은 체언을 묶어 더 큰 명사구를 만드는 역할을 하는, 체언과 체언의 관계만을 보인다는 점에서 여타 격과 구별된다. 이 점은 중세와 현대가 동일하다.

중세 국어의 관형격조사로는 '-ᄋᆡ/의, -ㅅ'이 있는데, 이들은 선행 체언의 의미 특성에 따라 교체된다. 살아 움직일 수 있는 유정물(有情物)을 가리키는 평칭(平稱)의 체언에는 '-ᄋᆡ/의'가 쓰이고 무정체언(無情體言)이나 존칭체언(尊稱體言) 뒤에는 '-ㅅ'이 사용된다.

(a)와 (b)는 '-ᄋᆡ/의'의 예이다. (a)의 '사ᄅᆞᆷ'이나 (b)의 '孔雀'은 유정물이면서 존대의 대상이 아니므로 속격으로 '-ᄋᆡ/의'를 취하고 있다. (c)는 선행체언이 '나라'로 무정물이기 때문에 '-ㅅ'이 쓰인 예이며, (d)와 (e)는 '世尊'과 '부텨'가 모두 존대의 대상이 되는 존칭체언이기 때문에 '-ㅅ'이 쓰인 예이다. (f)는 조금 특이한데, 속격이라기보다 단순한 수식관계의 표현에 가깝다. 중세 국어에서는 이와 같이 단순한 수식관계를 보이는 'ㅅ'의 예가 적지 않은데, 이때도 선행체언은 넓은 의미의 무정체언에 속하므로 예외적인 용법은 아니다.

'ㄱ, ㄴ'은 '장자+ᄋᆡ, 상여+의' 구성이다. 중세 국어에서 'ᄋᆞ/으'는 약모음(弱母音)이라서 앞뒤에 다른 모음을 만나면 탈락하는 음운 규칙이 있었다. 따라서 '장재, 상예'로 적을 것인데 한자라서 'ㅣ'만 첨가한 것이다. 이들의 발음은 [장자이, 상여이]였고 '이'는 하향이중모음이었다.

B형 논술형[교육론과 결합한 문제]

1-3. 모범답안

맨 마지막 문장.

[교사나 학교 당국이 [학생들이 행복한] 학교를 만들 수 있을 것이다.]

[학생들이 [스스로들이 행복한 학교]를 만들 수 있을 것이다.]

중의성이 발생한 이유는 관형사절의 의미상의 주어를 교사나 학생으로 볼 수 있기 때문이다.

2014년도 기출문제

<A형 서답식>

5. 다음 자료는 여러 개의 음운 변동이 나타난 국어 단어의 발음 과정을 단계적으로 표시한 것이다. 〈보기〉의 ㉠과 ㉡에 들어갈 음운 변동의 유형을 각각 쓰시오. [2점]

〈보기〉

(1)과 (2)의 음운 변동 중에서 ⓐ와 ⓓ는 음의 (㉠)이고, ⓑ, ⓒ, ⓔ는 음의 (㉡)이다.

(1) /불여우/
↓……ⓐ
불녀우
↓……ⓑ
[불려우]

(2) /꽃잎/
↓……ⓒ
꼳입
↓……ⓓ
꼳닙
↓……ⓔ
[꼰닙]

해 설 해설⇩

이 문제는 음운론의 기본 지식을 묻고 있다. 음운 변동의 유형을 알고 있는가를 묻고 있다. 2015년도에서도 자세히 설명했으므로 간단히 설명하면, 음운 변동의 유형에는 대치, 탈락, 첨가,

축약, 도치 등의 5가지가 있다. 학교문법에서는 대치라는 용어 대신 교체라는 용어를 쓰며 도치는 그 예가 희귀하고 역사적 변화뿐이므로 일반적으로는 제외하고 4유형만을 거론한다.

[핵심 체크]

요컨대 음운의 변동의 유형(類型)을 외우라는 거죠. 대치, 탈락, 첨가, 축약, 도치[ex 뱃복>배꼽] 代置, 脫落, 添加, 縮約, 倒置 … 代置, 脫落, 添加, 縮約, 倒置

ⓐ

'불여우'라는 기저형이 한국 사람의 입으로 발음될 때 자연스럽게 [불려우]라고 된다. 그런데 문제에서 [불녀우]를 그 전 단계에 주었으므로 [불여우]와 [불녀우]를 비교해보면 없던 'ㄴ'이 더 들어가 있다. 따라서 'ㄴ' 첨가가 정확한 음운 규칙의 이름이다. 그런데 문제의 질문은 음운 변동의 유형을 묻고 있다. 또 문제에서 '음의 ( )'라고 했으므로 '첨가'만 쓰면 된다.

ⓑ

불녀우 [불려우] 이 둘을 비교해 보면 'ㄴ'이 'ㄹ'로 바뀌었다. 'ㄴ'앞의 'ㄹ' 다음에 'ㄴ'을 발음하는 것은 한국인에게는 불가능한 일이다. 자동적으로 'ㄹ'로 바뀐다. 이 현상을 순행 유음화라고 한다. 순행(順行)이란 순조로운 방향이라는 뜻이고 유음화(流音化)란 'ㄴ'이 'ㄹ'되기를 의미한다. 음운론적으로 기술(記述)하면[쓰면] 'ㄴ → ㄹ/ㄹ ____'이라고 쓴다. 읽는 방법은 "'ㄴ'이 'ㄹ' 뒤에서 'ㄹ'을 닮아 'ㄹ'로 발음된다. 혹은 'ㄴ'이 'ㄹ' 뒤에서 'ㄹ'을 닮아 'ㄹ'로 변동된다.'
순행 유음화는 앞의 'ㄹ'을 뒤의 'ㄴ'이 닮는 현상이다. 동화(同化)의 한 종류이다. 동화에는 유음화, 비음화, 조음위치동화, 구개음화, 움라우트 등이 있다. [우선 암기]

ⓒ

'꽃잎'이 '꼳입'이 되었다. 변화를 관찰하면 'ㅊ'이 'ㄷ', 'ㅍ'이 'ㅂ'이 되었다. 즉 교체가 되었다. 대치라고도 한다. 고교문법에서는 음절끝소리규칙이라고 하지만 정확히는 평폐쇄음화 현상이다. 음절끝소리규칙에는 자음군 단순화 현상도 포함되기 때문이다. 평폐쇄음에는 'ㄱ, ㄷ, ㅂ'만 있다.

ⓓ

'꼳입'이 '꼳닙'이 되었다. 비교해보면 'ㄴ'이 첨가되었다. 따라서 답은 '첨가'. 국어에서 음소가 첨가되는 경우는 'ㄴ' 첨가와 반모음 첨가뿐이다. 'ㄴ' 첨가는 앞말이 자음이고 뒷말이 모음 'ㅣ'나 반모음 'y'[=야, 여, 요, 유 등의 앞소리.]일 때 흔히 나타난다. 예외도 있다. [ex. 송별연[송벼련]]

ⓔ

'꼳닙'이 '꼰닙'이 되었다. 비교해보면 'ㄷ'이 'ㄴ'이 되었다. 따라서 교체 혹은 대치. 이 현상은 유명한 비음동화이다.

[핵심 체크]

- **평폐쇄음화** : 어떠한 조건 아래에서 평폐쇄음이 아닌 소리가 평폐쇄음(ㄱ, ㄷ, ㅂ)으로 대치되는 현상. 평음화+폐쇄음화(파열음화)
  - ∵ 음절 종성에서 격음이나 경음이 평음으로, 또 마찰음이나 파찰음이 폐쇄음으로 바뀌는 것은 음절 종성 위치에 나타날 수 있는 자음이 불파음이어야 한다는 한국어의 특성 때문이다. 그런데 격음과 경음 그리고 마찰음과 파찰음은 불파음으로 발음할 수 없다. 따라서 이 자음들이 음절말 위치에 오게 되면 그것을 평음 또는 폐쇄음으로 바꾸어 줌으로써 그 위치에서 불파음으로 실현될 수 있도록 해 주는 것이다. (한국어에서 불파음으로 발음할 수 있는 자음은 'ㄱ, ㄴ, ㄷ, ㄹ, ㅁ, ㅂ, ㅇ' 일곱 개뿐이다.)

[핵심 체크]

음운의 변동

시간의 흐름에 따라 소리[음소]가 달라질 때 그것을 변화 또는 변천이라 한다.

시간의 흐름과 관계없이 연결되는 말에 따라 소리가 달라질 때 그것을 변동이라 한다.

이미 변화된 것은 원래의 형태로 되돌아가지 않으나, 변동된 것은 연결되는 말이 달라지면 원래의 형태로 되돌아간다.

음운 변화와 변동의 유형

- 대치 : 어느 한 소리가 다른 소리로 바뀌는 것. 평폐쇄음화, 경음화, 치조비음화,
  동화(유음화, 비음화, 조음위치동화, 구개음화, 움라우트), 모음조화, 활음화.
- 탈락 : 원래 있었던 소리가 사라지는 것
  자음군단순화, 'ㅎ' 탈락, 어간말 'ㅡ' 탈락, 동모음 탈락, 활음 탈락
- 첨가 : 없던 소리가 끼어드는 것
  'ㄴ' 첨가, 활음 첨가
- 축약 : 둘 이상의 소리가 합쳐져 하나의 새로운 소리가 되는 것
  'ㅎ' 축약, 모음 축약
- 도치 : 두 소리의 순서가 바뀌는 것[이것은 역사적 변화의 결과뿐이다.

정답

(1) /불여우/
↓……ⓐ 'ㄴ' 첨가 [첨가]
불녀우
↓……ⓑ 유음화 [동화 : 교체, 혹은 대치]
[불려우]

(2) /꽃잎/
↓……ⓒ 평폐쇄음화 [교체]
꼳입
↓……ⓓ 'ㄴ' 첨가 [첨가]
꼳닙
↓……ⓔ 비음화 [동화 : 교체]
[꼰닙]

6. 다음 자료를 보고 교사와 학생이 〈보기〉와 같이 대화를 나누었다. ㉠과 ㉡에 들어갈 말을 각각 쓰시오. (단, ㉠에는 문장 성분의 종류를 쓸 것.) [2점]

(1) 영수는 내가 아는 사실을 모른다.
(2) 영수는 내가 결석한 사실을 모른다.

〈보기〉

교사 : 자, (1)과 (2)의 두 문장을 비교해서 말해 보세요. 특히 밑줄 친 부분에 대해서 뭐 생각나는 것 없나요?

민정 : 혹시 두 문장 모두 관형절을 가지고 있지 않나요?

교사 : 맞아요. 그렇지만 두 관형절은 달라요. (1)에서는 관형절이 수식하는 피수식어가 관형절 내에서 문장 성분이 되지만 (2)에서는 그럴 수가 없어요.

민정 : 아하! (1)의 관형절에 (㉠)이/가 없는데 그것이 피수식어 같군요. 그렇다면 (1)과 같은 유형의 관형절에서는 (㉡)이/가 일어난다고 할 수 있겠네요.

교사 : 그래요. 잘 생각해 냈어요. 그것이 (2)와 같은 유형의 관형절과 다른 점이지요.

해 설

이 문제도 국어의 성분을 이해한다면 쉽다. 국어의 성분은 모두 7성분이다.

독립어, 관형어, 주어, 목적어, 보어, 부사어, 서술어. 이 순서대로 소리를 내면서 외워두시라. 성분보다 더 큰 단위는 문장뿐이다. 이 문제의 관형사절 역시 관형어의 한 종류이므로 관형어가 관형절보다 더 크다. 문제의 두 예문을 분해하면 다음과 같다.

(1) 영수는 내가 아는 사실을 모른다.

= 영수는 (어떤) 사실을 모른다+내가 (어떤) 사실을 안다

(2) 영수는 내가 결석한 사실을 모른다.

= 영수는 (어떤) 사실을 모른다+내가 결석했다[=사실의 내용]

(1)에는 주절[=전체 문장]의 목적어와 관형절의 목적어가 같다. 관형절이 되면서 목적어 생략이 발생하지 않은 것으로 써보면 '영수는 내가 [사실을] 아는 사실을 모른다'처럼 될 것이다. 한국인들에게는 아주 어색하겠지만. 언제나 자동적으로 생략 현상이 발생하기 때문에. 이런 현상은 길게 말하면 '관형절의 특정한 성분이 표제명사와 같다면 그 성분은 자동으로 생략된다'가 된다. 짧게 말하면 동일 성분 생략. 가장 짧게 말하면 생략.

(2)에는 주절과 관형절의 기저 문장에 공통 내용이 없다. 관형절 전체가 주절의 표제명사 '사실'의 내용이기 때문이다. 이런 경우 동격 관형절이라고 부른다. (1)은 관계 관형절이라고 부른다.

예문을 성분 분석하면 다음과 같다.

(1) [영수는(주어) [[내가 아는(관형어)] 사실을(목적어)] 모른다(서술어)]

(1) [영수는 [[내가 아는] 사실을] 모른다]

(2) [영수는(주어) [내가 결석한(관형어)] 사실을(목적어) 모른다(서술어)]

(2) [영수는 [내가 결석한] 사실을 모른다]

관형사절 안에도 성분 구조는 만들어진다. '내가 아는'은 다시 [주어+서술어][관형사형 전성어미]로 구성된다. 즉 [[내가+알]+는]. 이렇게 보면 '내가 (무엇을) 알다'의 목적어가 생략되어 있음이 분명하게 보일 것이다.

정답 목적어, 동일 성분의 생략

7. 다음은 국어의 음운을 설정할 때 고려해야 할 사항이다. ㉠과 ㉡에 들어갈 내용을 각각 쓰시오. [2점]

고려 사항	예시	설명
최소 대립쌍	• 쌀 : 살 • 님 : 남 • 옥 : 옴	다른 조건이 모두 동일하고 하나의 소리가 차이 남으로써 두 단어의 의미가 달라지는 단어들의 짝을 말한다.
음성적 유사성	• '하늘'의 'ㅎ'과 '땅'의 'ㅇ'	음성적으로 유사성을 지니고 있지 못한 두 소리는 서로 다른 음운이 된다.
(㉠)	• '바다'의 'ㅂ'[p] • '어부'의 'ㅂ'[b] • '어업'의 'ㅂ'[p˺]	두 개 이상의 소리가 동일한 환경에 결코 나타나지 않는 것을 말한다.
동형성	• ㄱ : ㅋ : ㄲ • (㉡)	음운이 체계를 이루는 데 있어서 체계적 대칭 관계를 선호하는 경향을 말한다. 예시에서 평음, 격음, 경음의 대립 양상이 연구개음뿐만 아니라 양순음에서도 나타나는 것을 볼 수 있다.

해 설

해 설⇩

이 문제는 문제의 내용 자체를 완전히 이해하고 외워두어야 한다. 임용고사가 치러지는 한 음운론은 출제될 것이며 이 문제의 내용은 음운론의 맨 처음 음소론의 핵심이기 때문이다.

㉠에 들어갈 말은 상보적 분포, 배타적 분포, 상호배타적 분포, 겹치지 않는 분포 등이 다 된다. 이것은 거의 정의(定義 = 말뜻풀이)적인 것이다.

문제에서 준 3'ㅂ'은 [ ] 속에 발음기호를 제공하고 있다. 이들은 실제 발음이다. 한국인들은 문자 ㅂ을 음소 /ㅂ/으로 기억하고 있다. 언제나 같은 ㅂ 소리로 생각하고 있다. 그러나 실제 발음은 분포에 따라서 조금씩 달라진다. 이렇게 상보적 분포를 보이는 하나의 음소의 실현형 모두를 변이음(變異音)이라고 부른다. 어떤 음소의 달라진 실현형이라는 뜻이다.

문법학에서 '분포'라는 말은 음운론, 형태론, 통사론, 의미론 등 모든 분야에서 다 쓰인다. 분포라는 말은 환경이라는 말과 비슷하다. 어떤 언어 단위의 앞과 뒤를 분포라고 부른다. 음운론에서 '바'의 'ㅂ'의 분포는 맨 처음의 ㅂ, 모음 ㅏ의 앞이다. 맨 처음을 어두(語頭)라고 부른다. 어두와 어말(語末)은 휴지(休止)와 같다. 이 휴지는 음운론적으로 자음과 같은 걸로 처리한다. 자음은 영어 대문자 C로 쓴다. 모음은 V로 쓴다.

이제 '바'의 'ㅂ'의 분포를 기호로 표기하면 C _ V가 된다.
이제 '아비'의 'ㅂ'의 분포를 기호로 표기하면 V _ V가 된다.
이제 '갑'의 'ㅂ'의 분포를 기호로 표기하면 V _ C가 된다.
이제 '바위'의 'ㅂ'의 분포를 기호로 표기하면 무엇이 될까?
이제 '다방'의 'ㅂ'의 분포를 기호로 표기하면 무엇이 될까?
이제 '국밥'의 첫 번째 'ㅂ'의 분포를 기호로 표기하면 무엇이 될까?
이제 '국밥'의 두 번째 'ㅂ'의 분포를 기호로 표기하면 무엇이 될까?

이 질문들에 막힘없이 정답이 나온다면 그대는 임용 공부를 쉽게 할 두뇌를 가지고 있는 것으로 판정될 듯. 다만 노력을 더 하셔야 쉽게 합격할 것. 아무래도 모르겠으면 노량진으로 와서 필자 직강 수업에서 질문하시라.

이 말의 반대말도 중요하다. 중복적 분포. 만약 어떤 두 소리가 중복적 분포를 보인다면 그것은 하나의 같은 음소가 아니라는 결정적 증거가 된다. 가령 '강 : 낭'처럼 '앙' 앞에 서로 다른 두 소리가 온다면 그것은 서로 다른 음소라는 판정이 된다.

㉡은 자음 체계표를 외운 사람에게는 대단히 고마운 문제가 되었을 것이다. 문제의 조건에서 '양순음'이라고 했다. 국어의 양순음을 떠올려 보라. 양순음(兩脣音)은 두 입술 소리라는 뜻이다. 세종대왕께서는 우민(愚民)을 위하여 입 구(口) 자를 선택하셨다. 'ㅁ, ㅂ, ㅃ, ㅍ' 이들 외에 입술을 벌리면서 낼 수 있는 소리는 한국어에는 없다.

또 문제에서 '평음, 격음, 경음의 대립 양상'이라고 했다. 평음(平音), 격음(激音), 경음(硬音). 순우리말로 바꾸면 각각 예사소리, 거센소리, 된소리 등이다. 예를 각각 들면 'ㄷ : ㅌ : ㄸ'.

자, 이러면 답은 분명하다. 'ㅂ : ㅍ : ㅃ'.

[핵심 체크]

자음 체계표를 외우시오. 현대 판과 15세기 판 2가지만 외우시면 됩니다.
위 문제 자체를 완전히 이해하고 외우시오.
이 시험의 이 문제를 실수로든 아니든 틀린 사람도 근 60%라나, 어쨌다나!!!!!

정답

㉠ 상보적 분포, 배타적 분포, 상호배타적 분포, 겹치지 않는 분포 등.
㉡ 'ㅂ : ㅍ : ㅃ'

8. 다음은 반의 관계에 대한 학습 자료이다. ㉠과 ㉡에 들어갈 말을 각각 쓰시오. [2점]

- 두 단어가 하나의 의미 성분에서만 대립할 때 반의 관계가 성립한다.
  예 가. 장끼 : [+(㉠)][+꿩][+새]
  나. 까투리 : [-(㉠)][+꿩][+새]
- 어떤 단어가 (㉡)을/를 가질 때, 일대다(一對多)의 반의 관계가 성립한다.
  예 벗다 : 입다, 끼다, 쓰다, 신다

해 설

해 설⇩

㉠ 이 문제는 임용에 나와서는 안 되는 문제로 보인다. 너무 쉬워서 중학교 중간고사에나 나와야 할 수준이다. 과락을 줄이려는 배려.

'장끼 : 까투리'의 공통점은 새, 좁히면 꿩이라고 주었다. 장끼는 +, 까투리는 -라고 조건이 달려 있다. 즉 장끼는 이것을 가지고 있고 까투리는 이것이 없다는 뜻이다. 그러니까 장끼는 수컷의 ○○를 가지고 있고 장끼는 그것이 없다. ○○은 무엇일까?

그런데 수컷의 XX라고 하고 보면 '수컷' 자체가 [+수컷], [-수컷=+암컷]임을 알 수 있다. 따라서 '수컷'이 정답이 된다.

㉡

'벗다 : 입다, 끼다, 쓰다, 신다'를 조건으로 주었다. 이 조건을 다시 쓰면 '벗다1 : 입다, 벗다2 : 끼다, 벗다3 : 쓰다, 벗다4 : 신다'가 각각 반대말이라는 것이다. '벗다1234'는 모두 '벗다'의 의미들이고 공통되는 의미가 있다. wear. 이런 경우 '벗다1234'는 다의어 관계에 있다고 한다.

그럼 '다의어'가 정답일까? 문제의 조건에서 [어떤 단어가 (㉡)을/를 가질 때, 일대다(一對多)의 반의 관계가 성립한다.]라고 했다. [어떤 단어가 (㉡ 다의어)를 가질 때, 일대다(一對多)의 반의 관계가 성립한다.]가 된다. 그런데 이 문장은 국어의 용법이라기보다는 영어 번역문과 같이 느껴진다. 따라서 '다의성'으로 바꾸어 넣어보면 자연스럽다. 그런데 채점 과정에서 '다의어'도 정답 처리했을 듯하다.

정답 수컷, 다의성.

[핵심 체크]

수컷 대신 '남성'으로 쓴 사람, 심지어 '남성기'로 쓴 사람, '여성'으로 쓴 사람도 있었다나. 임용 시험에서 의미론은 이 정도가 출제될 수 있다. 그 이유는 의미론 자체의 연구가 너무 어렵기 때문에 기본 개념 이상의 발전이 전혀 없기 때문이다. 개론서의 의미론 분야를 한 번 읽어두는 정도면 대비는 충분하다. 필자는 따로 의미론 강의를 개설한 적이 없다. 그저 기본 단어의 의미 정도를 언급할 뿐이다.

9. 다음 자료를 참고하여 〈보기〉와 같이 접미 파생어의 특징을 정리하고자 한다. ㉠과 ㉡에 들어갈 말을 각각 쓰시오. [2점]

(1) 멋쟁이, 바가지, 불그스름하다, ⓐ잡히다

(2) 먹이, 얼음, ⓑ높이다, 정답다

〈보기〉

- 자료 (1)과 (2)를 통해 접미 파생어는 파생어의 (㉠)와/과 어근의 (㉠)이/가 동일한가의 여부에 따라 나눌 수 있음을 알 수 있다.
- ⓐ와 ⓑ를 통해 접미 파생어 중에는 그것이 서술어가 되는 문장의 (㉡)이/가, 그 어근이 서술어가 되는 문장의 (㉡)와/과 다른 경우도 있음을 알 수 있다.

해 설 해 설⇩

이 문제도 명백해 보인다. 그런데도 오답률이 매우 높았다.

㉠ 준 예들을 분석하면 다음과 같다.

(1) 멋+쟁이, 박+아지, [[붉+으스름]+하다], 잡+히다

(2) 먹+이, 얼+음, 높+이다, 정+답다

순서대로 품사를 비교해보면 다음과 같다.

(1) 명사,명사 : 명사,명사 : 형용사 '붉다', 형용사 '불그스름하다' : 동사 '잡다' 동사 '잡히다'

(2) 동사,명사 : 동사,명사 : 형용사 '높다', 동사 '높이다' : 명사,형용사

ⓛ 'ⓐ잡히다 ⓑ높이다'를 어근과 접미사로 분석하면 'ⓐ잡+히다 ⓑ높+이다'가 된다. 이 각각의 두 단어들로 문장을 만들어보면 다음과 같다.

내가 너를 잡았다. [주어 목적어 서술어]

네가 내게 잡혔다. [주어 부사어 서술어]

담이 높다 [주어 서술어]

거인이 담을 높였다. [주어 목적어 서술어]

괄호 속을 비교해 보면 서로 다른 것을 한 눈에 알 수 있다. 이 괄호 속의 내용을 '문장의 구조, 문장의 통사적 구조, 문장의 통사적 구성' 등으로 부른다. 그런데 이 문제는 약간 애매해서 문장의 성분[동일한 전문어로 논항이라고도 한다]으로 대답한 수험생들도 꽤 있는 듯.

정답 품사, (통사) 구조

〈A형 서술형〉

3. 다음은 중세 국어의 'ㅐ'와 'ㅔ'가 이중 모음이었던 사실에 대하여 탐구 학습한 내용이다. 탐구 과정에 따라 분석 내용 (2)와 (3)에 준하여 (1)에 들어갈 내용을 서술하시오. [3점]

학생의 질문	중세 국어에서 'ㅐ'와 'ㅔ'는 이중 모음인가요?
교사의 지도 방안	중세 국어에서 'ㅐ', 'ㅔ'로 끝나는 단어들에 조사나 어미가 결합할 때 어떠한 형태 교체를 보이는지 주목하게 한다.
교사의 수집 자료	(1) 내해 ᄃᆞ리 업도다, 梁은 ᄃᆞ리라 불휘 기픈 남ᄀᆞᆫ, 根은 불휘라 妖怪ᄅᆞᄫᅵᆫ 새 오거나, 影은 그르메라 (2) ᄉᆞᅀᅵ예, ᄡᅡ해 디여 사ᄉᆞᄆᆡ ᄇᆡ예, 여희여 막대예 샹커나, ᄡᅡ해 업데여 (3) 프를 ᄭᅳᆯ오 안ᄶᅥ니 香ᄋᆞᆯ 무티면 香이 ᄇᆡ오 몸 아래 블 내오, 히미 세오
분석 내용	(1) (2) 부사격 조사 {에} 및 어미 {-어}와의 결합에서 체언 또는 용언 어간이 단모음 '이'(ᄉᆞᅀᅵ, 디-) 또는 반모음 'ㅣ'(ᄇᆡ, 여희-)로 끝나는 경우, 조사와 어미의 형태는 반모음 'ㅣ'가 더해진 '예'와 '-여'로 나타난다. '막대'와 '업데-'도 이와 같은 양상을 보인다. (3) 어미 {-고}와의 결합에서 용언 어간이 'ㄹ'(ᄭᅳᆯ-) 또는 반모음 'ㅣ'(ᄇᆡ-)로 끝나는 경우, 어미의 형태는 'ㄱ'이 탈락된(또는 약화된) '-오'로 나타난다. '내-'와 '세-'도 이와 같은 양상을 보인다.
결론	중세 국어의 조사 및 어미 관련 형태 교체에서 공통적으로 'ㅐ'와 'ㅔ'가 반모음 'ㅣ'를 가진 이중 모음들과 함께 행동한다는 사실을 통해 당시 'ㅐ'와 'ㅔ'는 반모음 'ㅣ'를 가진 하향 이중 모음이었음을 알 수 있다.

해 설

해 설⇩

이 문제는 매우 쉬운 것이다. 그러나 중세 국어에 익숙하지 않아서 문장을 형태소로 분석하고 그 문법적 명칭을 바로바로 쓸 수 없다면 대단히 어렵고 평생 풀 수 없는 문제가 될 것이다.

중세 국어에서 이중모음 'ㅐ, ㅔ'는 각각 [ay, əy] = [아이, 어이]로 발음되었다. 여기서 y는 반모음이다. 이런 이중모음을 하향(下向) 이중모음이라고 한다. 현대 국어에는 '의' 하나가 명맥을 유지하고 있고 모두 소멸하였다.

그런데 이 문제의 해결에는 분석 내용 (2)가 결정적인 단서를 제공하고 있다. 거의 정답을 보여주고 있다. 가져와서 같이 보자.

(2) 부사격 조사 {에} 및 어미 {-어}와의 결합에서 체언 또는 용언 어간이 단모음 '이'(ᄉᆞᅀᅵ, 디-) 또는 반모음 'ㅣ'(ᄇᆡ, 여희-)로 끝나는 경우, 조사와 어미의 형태는 반모음 'ㅣ'가 더해진 '예'와 '-여'로 나타난다. '막대'와 '업데-'도 이와 같은 양상을 보인다.

이것을 골격으로 추리면 다음과 같다.

조사 및 어미와의 결합에서 체언 또는 용언 어간이 단모음 '이' 또는 반모음 'ㅣ'로 끝나는 경우, 조사와 어미의 형태는 반모음 'ㅣ'가 더해진 '예'와 '-여'로 나타난다. '막대'와 '업데-'도 이와 같은 양상을 보인다.

어순을 좀 바꾸면,

체언 또는 용언 어간이 단모음 '이' 또는 반모음 'ㅣ'로 끝나는 경우, 모음으로 시작하는 조사 및 어미와의 결합에서, 조사와 어미의 형태는 반모음 'ㅣ'가 더해진 형태로 나타난다. '막대'와 '업데-'도 이와 같은 양상을 보인다.

가령 현대어로 예를 들면 '아기+아'처럼 모음 '이'로 끝나는 명사 뒤에 모음으로 시작하는 조사(이 예는 호격조사)가 결합할 경우, [아기야]처럼 발음된다. 이 현상이 '반모음 첨가' 현상이다. 이런 현상이 중세 국어에서도 똑같이 존재했었다.

표로 보이면 다음과 같다.

체언, 용언 [모음 이/y]		호격조사, 연결어미		반모음 첨가
가령 아기,	+	아	=	아기야
먹이-		-어		머기여

정리하면 모음 '이'나 반모음 'y' 뒤에 모음이 따라오면 반모음이 첨가된다는 것이다. 여기에 분포 조건을 체언, 용언, 모음, 반모음 등의 용어를 사용하여 기술하라는 문제이다. 이상의 설명을 이해한다면 기가 막히게 쉬운 문제라는 것을 알게 된 것이다. 이제 수집자료 (1)을 번역해 보자.

(1) 내해 ᄃᆞ리 업도다, 梁은 ᄃᆞ리라
시내에 <u>다리이(다리가)</u> 없도다 량(梁)이라는 글자는 <u>다리이다</u>

불휘 기픈 남ᄀᆞᆫ, 根은 불휘라

뿌리이(뿌리가) 깊은 나무는 근(根)이라는 한자는 뿌리이다.

妖怪ᄅᆞᄫᆡᆫ 새 오거나, 影은 그르메(그림자)라

요괴로운 새이(새가) 오거나 영(影)이라는 한자는 그르메이다.

밑줄 친 부분을 비교하여 관찰해 보라.

앞의 것은 주어이고 뒤의 것은 서술어이다. 이들의 실질형태소는 모두 명사이다. 즉 다리, 다리, 뿌리, 뿌리, 새, 그르메. 이들에 결합된 문법형태소는 모두 조사이다. 주격조사, 서술격조사.

이렇게 관찰이 된다면 답은 분석 내용 (2)의 구조에 맞추어 쓰면 된다.

(2)

부사격 조사 {에} 및 어미 {-어}와의 결합에서

= 주격조사 {이} 및 서술격조사 {이-}와의 결합에서

체언 또는 용언 어간이 단모음 '이'(ᄉᆞᅀᅵ, 디-) 또는 반모음 'ㅣ'(ᄇᆡ, 여희-)로 끝나는 경우,

체언이 단모음 '이'(ᄃᆞ리) 또는 반모음 'ㅣ'(불휘)로 끝나는 경우,

조사와 어미의 형태는 반모음 'ㅣ'가 더해진 '예'와 '-여'로 나타난다.

조사의 형태는 탈락한 형태(보이지 않는 형태, 영 형태)로 나타난다.

'막대'와 '업데-'도 이와 같은 양상을 보인다.

'새'와 '그르메'도 이와 같은 양상을 보인다.

정답 주격조사 {이} 및 서술격조사 {이-}와의 결합에서 체언이 단모음 '이'(ᄃᆞ리) 또는 반모음 'ㅣ'(불휘)로 끝나는 경우, 조사의 형태는 탈락한 형태(보이지 않는 형태, 영 형태)로 나타난다.
'새'와 '그르메'도 이와 같은 양상을 보인다.

[핵심 체크]

알고 보면 중세 국어 문제가 가장 쉽죠? 이렇게 쉬운 문법이 그래도 무섭다면 필자의 직강이나 인강을 수강하시기 바랍니다. 당장 수강료가 없다면 교사 임용 후 갚아도 됩니다. 더 좋은 방법은 이 책을 100번 정독하고 모범답안을 몇 번 써 보시는 겁니다.

4. 다음 자료는 인칭대명사 '그'와 재귀대명사 '자기'의 선행 명사구 조건을 지도하기 위해 선정한 것이고, 〈보기〉는 자료의 (1)과 (2)에 공통적으로 나타나는 선행 명사구 조건을 학생이 정리한 결과이다. 자료의 (1)과 (2)에서 '그'와 '자기'의 선행 명사구가 무엇인지 각각 쓰고, 이를 근거로 〈보기〉의 내용을 수정하시오. [4점]

(1) 가. 영수는 동수를 그의 사무실에서 봤다.
  나. 영수는 동수를 자기 사무실에서 봤다.
(2) 가. 영수는 동수를 좋아한다. 그리고 그는 순희도 좋아한다.
  나. 영수는 동수를 좋아한다. *그리고 자기는 순희도 좋아 한다.

〈보기〉

'그'와 그것의 선행 명사구는 동일한 문장 안에 있고, '자기'와 그것의 선행 명사구도 그렇다.

해 설

해 설⇩

이 문제도 대단히 쉽다. 출제 교수가 제공한 자료를 믿고 그 안에서 정답을 추출하여 쓰면 충분하다. 임용 시험 답안지를 작성하는 그 짧은 시간에 새로운 학설을 창안할 것을 요구하지는 않는다. 그런데 지나치게 다양한 생각을 하는 바람에 스스로 문제를 어렵게 만드는 우를 범하는 수험생들이 많더라.

국어의 재귀대명사에 대한 설명은 표준국어문법론, 우리말문법론에 있다. 물론 필자가 엮은 임용서 『국어학』에도 있다.

정답 (1가)에서 '그'의 선행 명사구(선행사)는 '동수' 혹은 문장 밖의 제3자이다. (1나)에서 '자기'의 선행 명사구는 '영수'이다. (2가)에서는 '영수'이다. (2나)에서는 알 수 없다. 〈보기〉는 ['자기'와 그것의 선행 명사구는 동일한 문장 안에 있고, '그'와 그것의 선행 명사구는 동일한 문장 안에 있을 수도 있고 그렇지 않을 수도 있다.

[핵심 체크]

다음은 필자가 엮은 책 『국어학』 100쪽에 나오는 내용이다. 이것만 알았어도 정답 작성은 쉬웠을 것이다. 매년 임용 문법은 필자의 『국어학』 속에서 다 나온다.

20. 재귀대명사(再歸代名詞)를 예를 들어 설명하시오.

모범답안

대명사의 특수한 예로는 재귀칭이라는 것이 있다. 이들은 '재귀대명사' 혹은 '재귀사'라고도 하는데 전통적으로는 재귀칭이라 불러 왔다. 이들은 다른 대명사들이 앞 문장이나 문맥에 나오는 체언을 대신하는 것과 달리 한 문장 안의 체언을 대신하는 기능을 한다.

한 문장 안에서 앞에 나오는 명사나 대명사를 받을 때 1인칭과 2인칭의 경우 일반적인 대명사와 형태가 달라지지 않는다. 그런데 3인칭의 경우 '그'를 일반적인 대명사인 '그'로 받을 수 없고, '자기'로 받아야 한다. '*철수는 그의 가족을 사랑한다/철수는 자기 가족을 사랑한다.' 이처럼 한 문장 안의 명사나 대명사, 즉 선행 명사구를 다시 받을 때, 일반적인 대명사와 다른 형태를 취하는 것을 재귀칭이라 부른다.

우리말의 재귀칭에는 '자기' 이외에 '저'와 '당신', 그리고 '저'의 복수형 '저희'가 더 있다. 이들은 존비의 등분에 따라 구별되어 쓰인다.

'저'와 '자기'는 거의 자유롭게 넘나들 수 있지만 '자기'가 '저'보다는 앞에 오는 선행 명사구를 조금 더 대접해 주는 것으로 볼 수 있다. '당신'은 선행 명사구가 공대말이면서 사적인 대화의 자리에 쓰일 때 나타난다. 우리말 재귀칭은 이미 언급한 것처럼 선행 명사구가 3인칭이어야 하고 유정명사여야 한다는 조건이 필요하다.

5. 다음은 대칭 동사의 특성을 이해하기 위한 학습 자료이다. 이 자료에서 알 수 있는 대칭 동사의 특성을 대칭 동사가 아닌 경우와 비교하여 〈보기〉의 지시에 따라 서술하시오. [3점]

(1) 가. 영수가 동수와 공원에서 만났다.
　　나. 영수가 동수와 공원에서 놀았다.
(2) 가. 영수와 동수가 공원에서 만났다.
　　나. 영수와 동수가 공원에서 놀았다.

〈보기〉

1. 자료의 (1)을 참고하여 필수적 부사어가 어떤 것인지 판단하고 그것의 특성을 언급할 것.
2. 자료의 (2)를 참고하여 문장의 중의성 여부를 언급할 것.
3. 문맥에 의한 문장 성분 생략은 고려하지 말 것.

해 설　　해 설⇩

이 문제도 쉽다.
'만나다'를 표준국어대사전에서 찾아보면 다음과 같다.

「동사」

[1] 【(…과)】 ((‘…과’가 나타나지 않을 때는 여럿임을 뜻하는 말이 주어로 온다))

「1」선이나 길, 강 따위가 서로 마주 닿다.

¶ 난류가 한류와 만나는 곳/수평선과 하늘이 만나는 지점/이 길로 가면 고속도로와 만난다. ‖ 여러 물줄기들이 만나 큰 강을 이룬다.

‘…과’가 나타나지 않을 때는 여럿임을 뜻하는 말이 주어로 온다. 이 말이 대칭동사의 본질이다. 대칭동사란 말은 주어와 필수 부사어가 반드시 필요한 동사라는 뜻이다. 또 주어의 내용이 여러 주체라면 필수부사어가 없게 된다.

〈보기 1〉의 물음에는 (1가)의 동수가 필수 부사어이라고 답하면 된다. (1가)에서 ‘동수와’를 삭제하면‘*영수가 공원에서 만났다.’처럼 비문(非文 = 국어 문법에 맞지 않은 이상한 문장, 비적격문)이 된다. 이에 반해 (1나)는 ‘영수가 공원에서 놀았다.’처럼 ‘동수와’를 삭제해도 문장이 성립한다. [적격문(適格文)]

〈보기 2〉의 물음에는 (2가)는 중의성이 없고 (2나)는 중의성이 있다고 답하면 된다. 즉 (2가)는 ‘영수와 동수가 공원에서 만났다.’는 사건은 단 하나의 의미만 가지고, (2나)는 ‘영수와 동수가 공원에서 같이 놀았다. 영수와 동수가 공원에서 따로따로 놀았다.’처럼 두 사건을 의미할 수 있기 때문이다.

한편,

(2) 가. 영수와 동수가 공원에서 만났다. [*영수가 공원에서 만났다, *동수가 공원에서 만났다]

나. 영수와 동수가 공원에서 놀았다. [영수가 공원에서 놀았다, 동수가 공원에서 놀았다]

이와 같이 (2가)는 2 문장으로 분해되지 못한다. 따라서 홑문장[단문(單文)]이며 (2나)는 2문장으로 분해가 가능하므로 겹문장[중문(重文)]이다. 이러한 특성 때문에 중의성이 발생하는 것이다.

정답 필수적 부사어란 서술어로 쓰이는 용언의 의미에 따라 필수적으로 실현되는 부사어를 의미한다. (1)-가의 경우, 대칭동사 ‘만났다’는 [-와/과 만나다]의 문형을 가지므로 ‘동수와’라는 필수부사어를 요구하는 2자리 서술어이다. 따라서 ‘동수와’는 생략 불가능하다. (1)-나의 경우, ‘놀다’는 한자리 서술어이기 때문에 ‘나’에 쓰인 부사어들은 필수적이지 않고 생략 가능하다.

대칭 동사는 동사의 의미론적 요건을 충족시키기 위해 반드시 둘 이상의 동반 대상이 필요하므로 (2)-가의 구문에 쓰인 접속조사 ‘와’는 명사구 접속의 기능으로 쓰여 중의적 해석이 발생하지 않는다. 이에 비해 (2)-나의 경우는 명사구 접속과 문장 접속의 두 가지 통사적 기능이 모두 허용되어 중의적 해석이 가능하다.

[핵심 체크]

이런 문제는 채점 과정에서 정답을 명확히 제한하기가 어렵다. 문제의 조건에 부합하는 몇몇 핵심어만 기입해도 정답으로 처리를 할 것이다. 지나치게 무서워하지도 말 것이며 지나치게 길게 쓰려고도 말아야 한다. 이 문제의 경우 대칭동사의 개념, 필수부사어의 지적과 생략 불가능성, 중의성 판단 정도만 언급하면 만점을 주었을 것이다.

〈논술형 부분 문제〉

1-1. 제시된 학습 자료에서 신문자 '훈민정음'의 제자 원리를 요약하여 쓸 것.

해 설

해 설⇩

이 문제는 본문은 생략한다. 문제지를 보시라. 답안 작성도 매우 쉽다.

정답 훈민정음의 제자원리를 요약하자면 다음과 같다. 초성은 사람의 발음기관을 상형한 기본자에 가획의 원리를 적용하여 성출조려를 반영한 자질문자를 형성하였다. 중성은 상형의 원리에 따라 기본자를 만든 뒤 이를 다시 서로 결합하여 초출자와 재출자를 형성하였다.

2013년도 기출문제

13. 다음은 국어의 음운 규칙 중 일부를 정리한 것이다. ㉠~㉢에 들어갈 예시 자료로 옳은 것은?

음운규칙	설명	예시 자료
비음화	평파열음은 비음 앞에서 비음이 된다.	㉠
비음 뒤의 경음화	용언 어간 말의 비음 뒤에 오는 어미의 첫소리가 평음이면 경음으로 바뀐다.	㉡
자음군 단순화	음절의 종성에 두 개의 자음이 놓일 때 그중 하나는 탈락한다.	㉢

	㉠	㉡	㉢
①	국민[궁민]	보듬고[보듬꼬]	옮는[옴 : 는]
②	종로[종노]	앉자[안짜]	닳은[다른]
③	결단력[결딴녁]	서슴지[서슴찌]	굶느냐[굼 : 느냐]
④	듣는[든는]	봄비[봄삐]	값어치[가버치]
⑤	밥만[밤만]	껴안다[껴안따]	싫어서[시러서]

정답 ①

해 설

해 설⇩

올해도 교육론<문학<문법 순으로 어려웠습니다. 문법은 아무래도 쉽게 낼 수가 없는 과목입니다. 그래서 올해 커트라인이 작년과 비슷한 거였어요. 교육학에서 3점 정도 올랐지만 문법이 어려워서요. 올해 꼭 붙고 싶다면 저를 애청(愛聽), 혹은 애원(愛院)하시기 바랍니다.

이 문제에 나온 용어를 정확히 모르신다면 해설도 알아듣기 어렵습니다. 여기서는 정답만 보여드릴 테니까 모르는 용어는 1월에 출간되는 제 책 『국어학』을 참고하시기 바랍니다.

	㉠	㉡	㉢
①	국민[궁민] 평파열음 ㄱ의 비음 ㅁ 앞에서 비음화	보듬고[보듬꼬] 비음 ㅁ 뒤의 ㄲ 경음화	옮는[옴 : 는] 음절의 종성에 두 자음 ㄻ이 와서 ㄹ이 탈락했다. 자음군 단순화
②	종로[종노]치조비음화	앉자[안짜]음절끝소리 규칙, 경음화, 자음군단순화. '앉'의 어간 말 자음은 'ㅈ'이므로 조건에 맞지 않음.	닳은[다른] 'ㅎ' 탈락, 자음군 단순화가 아님
③	결단력[결딴녁]치조비음화	서슴지[서슴찌] 어간 말 비음 ㅁ 뒤의 ㅉ 경음화	굶느냐[굼느냐] 자음군 단순화
④	듣는[든는] 평파열음 ㄷ의 비음 ㄴ 앞에서 비음화	봄비[봄삐] 사잇소리 현상에 의한 경음화	값어치[가버치] 자음군 단순화
⑤	밥만[밤만] 평파열음 ㅂ의 비음 ㅁ 앞에서 비음화	껴안다[껴안따] 어간 말 비음 ㄴ 뒤의 ㄸ 경음화	싫어서[시러서] 'ㅎ' 탈락

[참고] 자음군 단순화는 겹받침이 자음이나 휴지를 만날 때만 발생합니다. 모음과 모음 사이에 3자음이 오게 될 때 겹받침의 하나가 탈락합니다.

14. (가)는 표준 발음법에서 규정한 표준 발음이고 (나)는 흔히 접할 수 있는 현실 발음이다. (가)와 (나)의 명사를 비교한 설명으로 옳은 것은? [2.5점]

표기	(가)	(나)
부엌이	[부어키]	[부어기]
부엌을	[부어클]	[부어글]
부엌도	[부억또]	[부억또]
부엌만	[부엉만]	[부엉만]

① 이형태의 수 : (가)가 (나)보다 더 적다.
② 기저형 : (가)는 유기음으로 끝나지만 (나)는 평음으로 끝난다.
③ 교체의 동기 : (가)는 자동적 교체를 보이지만 (나)는 비자동적 교체를 보인다.
④ 적용된 음운 규칙 : (가)는 비음운론적 제약이 필요하지만 (나)는 필요하지 않다.
⑤ 교체의 규칙성 : (가)는 규칙적 교체에 속하지만 (나)는 불규칙적 교체에 속한다.

정답 ②

해 설

이 문제는 어렵습니다. 차근차근 봅시다.

① 이형태의 수 : (가)부 엌, 부 억, 부 엉 3. (나)부 억, 부 엉 2.
준 자료의 발음을 잘 보면 [부엌+이, 부엌+을, 부억+또, 부엉+만],
[부억+이, 부억+을, 부억+또, 부엉+만]처럼 분해된다는 것을 알 수 있다. 문제에서 답을 설정할 근거를 모두 제공하고 있다. 임용 시험의 문법 문제는 기본 개념을 아는 사람에게는 보너스 점수 주기가 된다.

② 기저형은 가장 복잡한 형태를 취합니다. 또 다른 이형태를 음운 규칙의 적용으로 설명할 수 있습니다. (가)는 /부엌/이 기저형입니다. 따라서 'ㅋ'으로 끝나고 이것은 유기음입니다. (나)는 /부 억/이 기저형이고 'ㄱ'이니까 평음입니다.

③ 자동적 교체는 음운 규칙대로 되는 것을 말합니다. 비자동적교체는 '밥이, 밥가'처럼 발음은 잘 되지만 '밥가'를 쓰지 않고 '밥이'만 쓰는 것을 가리킵니다. [부어케, 부억또, 부엉만]처럼만 발음할 수밖에 없죠? 다른 발음은 불가능하지요? 그렇다면 (가, 나) 모두 자동적 교체입니다.

④ 비음운론적 제약은 음운 규칙에 '자음 모음' 이외에, 형태론적인 용어가 등장하는 제약을 뜻합니다. 가령 '용언 어간 말 자음이 'ㄴ, ㅁ'일 때 후행 평음은 경음화를 보인다'와 같이 '용언 어간 말'과 같은 형태론적 요소가 음운 규칙에 들어 있는 것을 가리킵니다. '부엌'에는 그런 것이 없어요.

⑤ (가, 나) 모두 규칙적 교체입니다. 규칙적 교체라는 것은 언제나 예외가 없다는 뜻입니다.

15. (가)와 (나)는 중세 국어와 현대 국어의 단모음 체계를 분류기준에 따라 도표화한 것이다. (가)에서 (나)로의 변화 결과에 대한 설명으로 옳지 않은 것은?

(가)

	舌不縮	舌小縮	舌縮
[+口蹙]		ㅜ	ㅗ
[-口蹙, -口張]	ㅣ	ㅡ	·
[+口張]		ㅓ	ㅏ

(나)

	전설		후설	
	평순	원순	평순	원순
고	ㅣ	ㅟ	ㅡ	ㅜ
중	ㅔ	ㅚ	ㅓ	ㅗ
저	ㅐ		ㅏ	

① 입술 모양에 의해 대립하는 모음의 수가 더 늘어났다.
② '전설 : 후설'의 이원적 대립이 모든 단모음에서 나타나게 되었다.
③ 입술 모양에 따라 'ㅗ'와 대립하는 모음이 '·'에서 'ㅓ'로 바뀌었다.
④ 모음조화에 참여하는 모음들의 대립이 모음 체계와 부합하게 되었다.
⑤ '縮'에 의해 대립하던 'ㅡ'와 'ㅣ'가 '후설 : 전설'의 대립을 보이게 되었다.

정답 ④

해 설

해설⇩

이 문제는 매우 쉬운 것인데 도표에 한자가 나오니 틀릴 마음의 준비를 하고 틀려버린 문제입니다. ㅠ ㅠ

① 원순모음 중세 ㅜㅗ, 현대 ㅜ ㅗ ㅟ ㅚ
② 전설 : 후설, 도표 (나)에 그렇게 되어 있음.
③ 중세 'ㅗ'에 붙어 있는 두 모음은? 'ㅜ, ·' 현대 'ㅗ'에 붙어 있는 두 모음은? 'ㅜ, ㅓ' 따라서 '·'가 'ㅓ'로 바뀌었네요.
④ 모음조화는 중세가 비교적 잘 지켜졌어요. 현대 국어에는 모음조화가 흔적만 남아 있어요. 축소된 것이지요. 현대국어의 양성모음은 'ㅏ, ㅗ' 둘뿐이지요? (나)의 체계와 아무런 상관이 없어요. 오류. 정답.
⑤ 별로 할 말이 없어요. 도표를 보면 그렇게 되어 있어요.

16. 다음은 한글 맞춤법의 기본 원리를 설명하기 위한 수업 계획이다. ㉠~㉣ 중 학습 자료로 적절한 것은 고른 것은? [1.5]

	학습내용	학습 자료	
도입	발음과 표기가 일치하는 예와 그렇지 않은 예를 제시하여 차이점을 생각하게 한다.	〈활동지〉 ※ 다음 두 부류의 표기는 어떤 차이가 있는지 알아보자. 집집이, 잎사귀 ⇔ 지붕, 이파리	
전개	한글 맞춤법 총칙 제 1항을 표기 원리의 측면에서 설명하고, 이것이 한글 맞춤법의 세부 조항에 어떻게 반영되었는지 살핀다.	• "소리대로 적되" : 표음주의. 소리가 나는 그대로 적는 방식. 형태 음소적 표기 • "어법에 맞도록" : 표의주의. 형태를 밝혀 적는 방식. 음소적 표기.	㉠
		• 표음주의를 반영하는 세부 조항 ◦ 제5항. 한 단어 안에서 뚜렷한 까닭없이 나는 된소리는 다음 음절의 첫소리를 된소리로 적는다. (예) 오빠, 으뜸 ◦ 제31항. 두 말이 어울릴 적에 'ㅂ'이나 'ㅎ' 소리가 덧나는 것은 소리대로 적는다. (예) 좁쌀, 수캐	㉡
		• 표의주의를 반영하는 세부 조항 ◦ 제15항. 용언의 어간과 어미는 구별하여 적는다. (예) 입어, 입으니 ◦ 제33항. 체언과 조사가 어울려 줄어지는 경우에는 준 대로 적는다. (예) 그건, 그게	㉢
정리	학습 내용을 제대로 이해했는지 평가한다.	〈평가지〉 ※ 다음 표기를 표음주의와 표의주의로 구분한 후 각각의 이유를 설명해 보자. 없애다. 싫증, 우습다. 끄트머리	㉣

① ㉠ ㉡ ② ㉠ ㉢ ③ ㉡ ㉢ ④ ㉡ ㉣ ⑤ ㉢ ㉣

정답 ④

해 설

이 문제는 올 해 문제 중 가장 쉬운 문제입니다. ㉠의 '음소주의 = 표음주의'와 '표의주의 = 형태주의 = 형태음소주의'는 반대말입니다. 반대말을 같다고 했으니 오류.

㉢ 표의주의 항목에 준말 '그건'을 넣으면 안 됩니다. '그것을'이라고 해야 표의주의입니다.

17. 자료에 대한 설명으로 적절하지 않은 것은? [1.5]

	자료	설명
①	㉠ 그는 얌전하게 생겼다. ㉡ 그는 건방지게 굴었다.	㉠, ㉡처럼 부사어도 서술어가 필수적으로 요구하는 경우에는 생략할 수 없다.
②	㉠ 시내가 강이 되었다. ㉡ 이 시내는 폭이 좁다.	㉠과 ㉡은 서술절을 포함하고 있고, 전체 문장의 주어와 서술절의 주어는 전체-부분의 관계를 형성한다.
③	㉠ 그는 입을 다물었다. ㉡ *그는 창문을 다물었다.	㉠과 ㉡에서 알 수 있듯이, 서술어가 특정한 의미적 속성을 갖는 목적어를 요구할 수 있다.
④	㉠ 나는 고향에 온 친구를 만났다. ㉡ 나는 그가 고향에 왔다는 사실을 몰랐다.	㉠은 관형절에서 생략된 주성분이 있으나 ㉡은 관형절에서 생략된 주성분이 없다.
⑤	㉠ 우리 학교에서 어제 토론 대회를 열었다. ㉡ 우리 학교에서 어제 토론 대회가 열렸다.	㉠과 ㉡에서는 같은 형태의 조사가 결합된 문장 성분이 서로 다른 기능을 가진다.

정답 ②

해 설 해 설⇩

통사론 문제인데 너무 쉬워요.

선지 ②가 오류입니다. '시내가 강이 되었다'는 서술어절이 없어요. [주어+보어+서술어]의 홑문장입니다.

18. 〈자료〉 (가)와 (나)의 밑줄 친 단어들이 공통으로 가지는 특성을 〈보기〉에서 모두 고른 것은?

〈자료〉

(가)

나는 내 길을 걸을 <u>따름</u>이다.

우리는 무엇이든 할 <u>수</u> 있다.

땅이 젖은 것은 비가 왔기 <u>때문</u>이다.

(나)

나는 책을 읽고 <u>있다</u>.

그는 그 사과를 먹어 <u>버렸다</u>.

그 사람들이 그 건물을 잘 찾았을까 <u>싶다</u>.

〈보기〉

ㄱ. 홑문장에서는 나타날 수 없다.

ㄴ. 선행어의 활용 형태가 제한적이다.

ㄷ. 다른 단어를 지시하는 기능을 가진다.

ㄹ. 문장 내의 다른 구성 요소에 의존적이다.

① ㄱ, ㄴ ② ㄱ, ㄷ ③ ㄱ, ㄹ ④ ㄴ, ㄹ ⑤ ㄷ, ㄹ

정답 ④

해 설 해 설⇩

의존명사와 보조용언을 문제로 냈어요. 보조용언은 본용언과 합쳐서 1의 서술어를 구성합니다. 따라서 ㄱ.은 오류.

ㄷ. 다른 단어를 지시하는 기능은 지시어들이지요. 지시대명사, 지시 관형사, 지시부사, 수사도 그런 기능이 있지요. 의존명사와 보조용언은 문법적인 뜻을 추가해주는 기능만을 수행합니다. 오류.

ㄱ. 나는 내 길을 [걸을/*걷는/*걸던/*걸은] 따름이다.

ㄹ. 관형어에 의존, 본용언에 의존.

19. 다음에 제시된 사동 관련 구문에 대한 설명으로 적절한 것은?

(가) 오빠가 동생에게 밥을 먹였다.
(나) 동생이 누나에게 말을 높였다.
(다) 어머니가 딸에게 유산을 남겼다.
(라) 어머니가 아이에게 젖을 물렸다.

① (가)와 (나)는 주어의 행위가 피사동주의 행위에 대해 간접적이다.
② (가)와 (다)는 부사어를 목적으로 바꿀 수 없다.
③ (나)와(다)는 동일한 의미의 장형 사동문으로 고칠 수 없다.
④ (나)와 (라)는 대응하는 주동문이 있다.
⑤ (다)와 (라)는 주어를 가리키는 재귀대명사가 목적어를 수식할 수 없다.

정답 ③

해 설 해 설⇩

단형사동문은 접미사 '이 히 기 리 우 구 추 이우 애' 등에 의한 사동문이고, 장형사동문은 통사적 구성 '-게 가다'에 의한 사동문이다.

(가) 오빠가 동생에게 밥을 먹였다. → 동생이 밥을 먹게 했다.
(나) 동생은 누나에게 말을 높였다. → *동생은 누나에게 말을 높게 했다.
(다) 어머니가 딸에게 유산을 남겼다. → * 어머니가 딸에게 유산을 남게 했다.

20. 다음은 단어의 의미 관계를 이해하기 위한 수업 자료이다. (가)~(마)에 들어갈 설명으로 적절하지 않은 것은?

자료	설명
∘ 고맙다–감사하다 ∘ 담낭–쓸개 ∘ 죽다–돌아가다	(가)
∘ 살다–죽다 ∘ 넓다–좁다 ∘ 가다–오다	(나)
∘ 과일–사과, 귤, 포도, 배……	(다)
∘ (글을) 쓰다–(모자를) 쓰다–(도구를) 쓰다	(라)
∘ 높다 ㉠ 아래에서 위까지의 길이가 길거나 사이가 크다. ㉡ 지위나 신분 따위가 보통보다 위에 있다. ㉢ 꿈이나 이상 따위가 크고 원대하다. ⋮	(마)

① (가) : 유의 관계는 문제의 차이, 전문어의 사용, 금기 등에 의해 형성된다.
② (나) : 반의 관계는 상호 배타적으로 의미 영역을 양분하는 유형, 등급이 있는 유형, 방향상의 대립 관계를 가지는 유형 등으로 나눌 수 있다.
③ (다) : 상하 관계의 단어들을 '의미 성분'으로 표시하면 일반적이고 포괄적인 의미 영역을 갖는 단어가 개별적이고 한정적인 의미 영역을 갖는 단어보다 '의미 성분'의 수가 적다.
④ (라) : 동음이의어는 역사적 언어 변화에 따라 형태가 동일해지면서 발생하므로 서로 의미적 유연관계를 가진다.
⑤ (마) : 다의어는 한 단어의 중심 의미가 문맥이나 상황에 따라 다양한 의미로 확장되어 발생한다.

정답 ④

해 설 해설⇩

너무 너무 너무 쉬워요. 동음이의어(同音異義語)는 우연히 발음만 같은 전혀 다른 단어들을 가리키는 용어입니다.

의미적 유연(有緣) 관계는 다의어(多義語)에 있어요. 서로 의미의 인연(관련성)이 있다는 뜻이지요. 이 글을 지금 읽는 그대와 이 글을 지금 쓰는 저는 대단한 인연을 가지고 있는 거예요. 그렇다면 우리는 새로 유연관계에 놓인 거라구요. ㅎ ㅎ

21. 다음은 중세 국어 선어말어미 '-더-'의 특징을 이해하기 위한 수업 자료이다. 자료에 대한 설명으로 적절하지 않은 것은?

	자료	설명
①	그ᄢᅴ ᄒᆞᆫ 菩薩 比丘ㅣ 일후미 常不輕이러라 〈월인석보〉	'-더-'는 서술격 조사와 결합할 때 교체를 보인다.
②	네 이 念을 뒷던다 아니 뒷던다 對答ᄒᆞᅀᆞᄫᅩᄃᆡ 實로 뒷다이다 〈월인석보〉	'-더-'는 1인칭 평서문과 2인칭 의문문에 사용될 수 있다.
③	ᄃᆞ욇 相이로다 善慧 듣ᄌᆞᆸ고 깃거ᄒᆞ더시다 〈월인석보〉	'-더-'는 화자의 내면 심리를 표현하는 심리 형용사 구분에 사용될 수 있다.
④	須達이 보니 여슷 하ᄂᆞ래 宮殿이 싁싁ᄒᆞ더라 〈석보상절〉	'-더-'는 화자가 직접 경험하지 않은 상황을 진술하는 문장에 사용될 수 있다.
⑤	내 아ᄃᆞ리 지븨 잇던ᄃᆡᆫ 輪王이 ᄃᆞ외리러니 出家ᄒᆞ야 ᄒᆞᆫ 일도 몯 일우도다 〈월인석보〉	'-더-'는 과거의 어떤 상황을 가정하는 문장에 사용될 수 있다.

정답 ③

해 설 해 설⇩

이 문제는 선지의 중세 국어를 번역만 할 수 있으면 틀릴 수 없는 문제랍니다. 번역을 보여드리지요.

① 그때 한 보살비구가 이름이 상불경이더라(이러라)

② "네가 이 생각을 했던다? 아니 했던다?" 공손히 대답하되, "실로 했더이다."

③ 이 꿈의 인연은 네가 장차 부텨가 될 징조이로다. 선혜가 공손히 듣고 기뻐하시더라.

④ 수달이 보니 여섯 하늘에 궁전이 엄청나더라.

⑤ 내 아들이 집에 있었더라면 윤왕이 되겠더니 출가하여 한 일도 못 이루었도다.

자 밑줄 친 단어는 동사입니까? 형용사입니까? 파생동사입니다.

따라서 ③ 심리 형용사는 오류.

22. 다음 밑줄 친 단어와 품사가 다른 것은?

廣熾ᄂᆞᆫ <u>너비</u> 光明이 비취닷 ᄠᅳ디오 〈월인석보〉

① 三明은 세 가짓 <u>ᄇᆞᆯ기</u> 아ᄅᆞ샤미니睺 〈월인석보〉
② 옷 밧고 北戶ᄅᆞᆯ 열오 <u>노ᄑᆡ</u> 벼개 볘여 〈두시언해〉
③ 늘근 모매 녯 뎌레 ᄇᆞᄅᆞ미 <u>ᄆᆞᆯ기</u> 부놋다 〈두시언해〉
④ 羅睺阿脩羅王ᄋᆞᆫ 本來ㅅ 모ᇝ <u>기릐</u> 七百 由旬이오 〈석보상절〉
⑤ 벼슬 노폼과 <u>키</u> 가ᅀᆞ며롬과 싁싀기 勇猛홈과 〈능엄경언해〉

정답 ④

해 설 해 설 ⇩

출제를 얼마나 하기 싫었으면 뭐 이런 문제를 ㅋ! 아니, 수험생들을 널리 어엿비 여기샤 마음이 푸근하도록 배려하신 걸까????? 어쨌든 번역만 할 수 있으면 끝!

광치는 <u>널리</u> 광명이 비취다 하는 뜻이고. 품사 : 부사

① 3명(明)은 세 가지의 <u>밝게</u> 아심이니	부사
② 옷 벗고 북창을 열고 <u>높이</u> 베개 베어	부사
③ 늙은 몸에 옛 절에 바람이 <u>맑게</u> 부는구나	부사
④ 라후아수라 왕은 본래 몸 <u>길이</u>가 7백 유순이고	명사
⑤ 벼슬 높음과 <u>크게</u> 부유함과 씩씩하게 용맹함과	부사

[참고] 7백 유순(2,200km. 1유순 = 80리 = 31.44km, 1리는 0.393km). ㅎ 세계에서 제일 뻥이 센 종족은 인도인들이랍니다.

23. 다음은 단어 내적 구조의 변화 양상을 알아보기 위하여 현대 국어 사전에 제시된 어원 정보를 찾아본 결과이다. 단어를 단일어, 파생어, 합성어로 나눌 때 중세 국어에서 ㉠과 ㉡의 단어 종류가 서로 <u>다른</u> 것은?

(가) ㉠ 아깝다 【<앗갑다〈석보상절〉 ← 앗기-+-아ᇦ-】
　　㉡ 그립다 【그립다〈월인천강지곡〉 ← 그리-+-ᄫᅳ-】
(나) ㉠ 아뢰다 【≪알외다〈용비어천가〉 ← 알-+-오-+-이-】
　　㉡ 여쭙다 【<엳ᄌᆞᇦ다〈석보상절〉 ← 엳-+-ᄌᆞᇦ-】
(다) ㉠ 다니다 【<ᄃᆞ니다<ᄃᆞᆫ니다<ᄃᆞᆮ니다〈용비어천가〉 ← ᄃᆞᆮ-+니-】
　　㉡ 만나다 【<맛나다〈석보상절〉/맞나다〈월인천강지곡〉 ← 맞-+나-】
(라) ㉠ 키우다 【<킈우다〈신중유합〉 ← 크-+-이-+-우-】
　　㉡ 기르다 【기르다〈석보상절〉 ← 길-+-으-/기ᄅᆞ다〈석보상절〉 ← 길-+-ᄋᆞ-】
(마) ㉠ 주검 【주검〈석보상절〉 ← 죽-+-엄】
　　㉡ 꾸지람 【<ᄭᅮ지람/ᄭᅮ지럼<구지람〈월인석보〉 ← 구짇-+-암/
　　　　구지럼〈석보상절〉 ← 구짇-+-엄】

① (가)　② (나)　③ (다)　④ (라)　⑤ (마)

정답 ②

해 설 　　　　해 설⇩

이것도 쉬운 문제.

(가) 동사에서 형용사로 바뀐 파생어.

(나) 알+외(다). 동사에서 사동사로 파생. 엳 (+ᄌᆞᇦ+다) 이들은 어미. 따라서 단일어. 'ᄌᆞᇦ'이 선어말어미이지 파생접미사가 아니라는 것을 모르시는 수험생도 있었을까요? 네 전국에서 한 7명 정도 있겠지요? 그런데도 이 문제의 정답률은 ㅠ ㅠ

(다) 합성어.

(라) 사동사 파생어.

(마) 동사에서 명사로 바뀐 파생어.

24. 다음 중세 국어 자료에 대한 이해로 옳은 것은? [2.5점]

그ᄢᅴ 善慧 부텻긔 가아 出家ᄒᆞ샤 世尊ㅅ긔 ᄉᆞᆯᄫᆞ샤ᄃᆡ 내 어저ᄭᅴ 다ᄉᆞᆺ 가짓 ᄭᅮ믈 ᄭᅮ우니 ᄒᆞ나ᄒᆞᆫ 바ᄅᆞ래 누ᄫᅳ며 둘흔 須彌山ᄋᆞᆯ 볘며 세ᄒᆞᆫ 重生ᄃᆞᆯ히 내 몸 안해 들며 네ᄒᆞᆫ 소내 ᄒᆡᄅᆞᆯ 자ᄇᆞ며 다ᄉᆞᄉᆞᆫ 소내 ᄃᆞᄅᆞᆯ 자보니 世尊하 날 爲ᄒᆞ야 니ᄅᆞ쇼셔

〈월인석보〉

① '出家ᄒᆞ샤'와 '니ᄅᆞ쇼셔'에서 '-시-'와 '-쇼셔'가 높이는 인물은 동일하다.
② '世尊ㅅ긔'와 '世尊하'에 포함된 조사는 높임 등급상 각각 다른 형태와 대립을 이룬다.
③ '내 어저ᄭᅴ'와 '내 몸'에서 보이는 '내'의 문장 성분은 동일하다.
④ 'ᄭᅮ우니'와 '자보니'에서 '-니'에 선행하는 '-우-'와 '-오-'는 기능이 다른 형태소이다.
⑤ '세ᄒᆞᆫ', '안해'에 나타나는 'ㅎ'은 형태론적으로 성격이 다르다.

정답 ②

해 설 해설⇩

이것도 번역만 할 수 있으면 끝.

그때 선혜가 부처께 가 출가하셔 세존께 아뢰시되 "내가 어저께 다섯가지 꿈을 구니 하나는 바다에 누우며 둘흔 수미산을 베며 셋은 중생들이 내 몸 안에 들며 넷은 손에 해를 잡으며 다섯은 손에 달을 잡으니 세존이시여 날 위하여 (해몽을) 일러주소서

① 선혜가 출가. 해몽을 말하는 것은 부처.
② ᄭᅴ(높임, 경칭) : 긔=의긔(평칭), 하(높임) : 여, 이여(조금 높임) : 아, 야 (안 높임) 정답.
③ 내가(주어) 어저께 다섯가지 꿈을 구니 하나는 바다에 누우며 둘흔 수미산을 베며 셋은 중생들이 내(관형어) 몸 안에
④ 둘 다 같은 1인칭 주어에 호응하는 의도법으로 '오/우'
⑤ 둘 다 같은 ㅎ종성체언.

2012년도 기출문제

13. 다음은 '음소 /ㅎ/과 /ㅇ/의 분포적 특성을 이해한다.'라는 학습 목표로 학생이 탐구 활동을 한 것이다. 적절한 것만을 있는 대로 고른 것은?

	예	해석
㉠	• 힘[힘] : 임[임] • 휴교[휴교] : 유교[유교]	/ㅎ/과 /ㅇ/은 최소 대립쌍을 이룬다.
㉡	• 낳다[나타], 낳지[나치], 낳고[나코] • 종도[종도], 종조차[종조차], 종과[종과]	종성 /ㅎ/은 뒤에 오는 /ㄷ, ㅈ, ㄱ/과 결합하여 /ㅌ, ㅊ, ㅋ/이 되지만, 종성 /ㅇ/은 /ㄷ, ㅈ, ㄱ/이 뒤에 와도 변화가 없다.
㉢	• 낳소[나쏘] • 종소리[종쏘리]	종성 /ㅎ/은 뒤에 오는 /ㅅ/과 결합하여 /ㅆ/이 되고, 종성 /ㅇ/은 뒤에 오는 /ㅅ/을 된소리로 바꾼다.
㉣	• 낳는다[난는다], 낳니?[난니] • 강남[강남]	종성 /ㅎ/은 뒤에 /ㄴ/이 오면 /ㄴ/으로 실현되지만, 종성 /ㅇ/은 변화가 없다.
㉤	• 낳으니[나으니], 낳아[나아] • 종이[종이], 종으로[종으로]	종성 /ㅎ/은 뒤에 모음이 오면 탈락 하지만, 종성 /ㅇ/은 종성과 후행 음절의 초성으로 실현된다.

① ㉠, ㉢ ② ㉡, ㉢ ③ ㉡, ㉣ ④ ㉠, ㉢, ㉣ ⑤ ㉡, ㉣, ㉤

정답 ③

해 설 해 설⇩

선지 ㉠은 틀린 것이다. 이 문제는 음소의 개념과 '분포'라는 용어의 의미를 확인하는 문제이다. '음소(音素 소리 음, 요소 소)'란 국어에서 자음(子音)과 모음(母音)을 가리키는 용어이다.

'분포(分布)'란 어떤 음소가 처한 환경을 가리키는 용어이다. 가령 '박'이라는 음절에서 모음 'ㅏ'의 분포는 자음 'ㅂ' 뒤이며 자음 'ㄱ' 앞인 것이다. 또 가령 '먹이'라는 말에서 'ㄱ'은 분포가 모음과 모음 사이인 것이다.

음운론에서 중요한 것은 표기법을 보고 판단하지 말고 [발음]을 확인한 뒤 그 발음으로 변화를 따져봐야 한다는 것이다. 즉 '먹이'라는 표기법은 [머기]라는 발음을 가진다.

따라서 '먹이'의 'ㅇ'는 음소가 아니다. 그냥 문자이다. 음가가 없는 문자이다. 가령 '아'를 발음기호로 적으면 [a]이다. 따라서 자음은 없으며 모음뿐이다. 이런 초성 자리의 'ㅇ'는 음가가 없는 형식문자(形式文字)라고 부른다.

이 'ㅇ'는 초성에서와 종성에서 다른 특성을 가진다. 가령 '강'의 'ㅇ'는 종성 자리에 나타났다. '강'을 발음기호로 적으면 [kang]가 된다. 따라서 종성 위치의 'ㅇ'는 'ng'라는 음가를 가진다. 따라서 이 'ㅇ'는 자음이며 음소의 하나인 것이다.

이렇게 보면 문자 'ㅇ'는 두 가지 기능이 있다. 초성 자리에 나타나는 = 음가가 없는 'ㅇ'와, 종성 자리에만 나타나는 = 음가가 있는 = [ng]를 표시하는 'ㅇ'. 이 사실은 기초적인 것인데도 모르는 교사들이 너무 많아서 이번에 출제한 것으로 보인다.

㉠의 선지에서 '최소대립쌍'이라는 말은 어떤 두 말이 다 같은데 단 하나의 자음이나 모음이 다른 것을 가리키는 것이다. 가령, '달 : 말'을 보면 'ㄷ : ㅁ'만 다를 뿐 'ㅏㄹ'은 똑같다. 이런 경우 '달 : 말'이 최소대립쌍이 된다. 또 '달 : 돌'에서 다른 것은 모음 'ㅏ : ㅗ'뿐이다. 이런 경우 '달 : 돌'이 최소대립쌍이 된다. 그런데 ㉠의 선지의 '힘 : 임'은 '힘 : ㅣㅁ'이므로 최소대립쌍이 되지 못한다. 즉 [him] : [im]이므로 [h]가 있고 없고의 차이가 있을 뿐이다. '힘 : 님'이거나 '옴 : 임'이라면 최소대립쌍이 된다.

또 최소대립쌍이란 'ㅎ : ㄴ'이 아니고 '힘 : 님'처럼 형태소 전체의 쌍을 가리키는 용어이다. 따라서 ㉠의 선지는 이래저래 틀린 진술이 된다.

선지 ㉡은 타당한 진술이다.

'낳다 = [나타]' 좌변의 'ㅎ, ㄷ'이 우변의 'ㅌ'이 되었고 해석도 그러하다. 이런 현상을 자음 축약, 'ㅎ' 축약이라고 부른다. '종도 = [종도]'의 좌변과 우변이 같으므로 어떠한 음운 현상도 발생하지 않았다.

선지 ㉢은 틀린 진술이다.

'낳소 =[나쏘]'의 예만 보면 'ㅎ + ㅅ'='ㅆ'처럼 보인다. 그러나 그렇게 설명하지 않는다. 이런 경우에는 음운 현상이 여럿 들어 있다.

1. '낳소' → [낟소] 음절 끝소리 규칙의 적용
2. [낟소] → [낟쏘] 평폐쇄음 뒤에서 경음화 발생
3. [낟쏘] → [나쏘] 'ㄷ'의 탈락 발생.

마지막 단계에서 'ㄷ' 탈락을 시키지 않으면 [낟쪼]가 생산되므로 입력부의 어미가 변형되어 의미 전달에 큰 지장이 생기므로 반드시 'ㄷ'은 탈락시켜야 한다.

'종소리'가 [종쏘리]로 발음된다. 이것은 경음화 현상이다. 된소리되기 현상이라고도 한다. 경음화의 발생 원인 중 하나가 사잇소리 현상인데 이 경우에 해당한다. 즉 합성명사에서 '종'+'소리' 사이에 'ㅅ'이 첨가되어 발음되는 것이다. 물론 이 발음의 첨가는 옛날부터 되어오는 것이고 통시적인 음운 현상에 해당한다.

15세기에 'ㅅ'은 관형격조사로 기능하고 있었다. 가령, 나랏말쏨. 앞뒤의 두 명사가 관형어와 피수식명사의 관계로 묶일 때 사용되는 것이었다. 가령 '나ᄋᆡ 책'과 같은 경우와 대립되어 사용되고 있었다. 현대에 쓰이는 관형격조사 '의'의 중세 때 모습은 '의/ᄋᆡ/애/에/예'의 다섯 가지 형태가 있었고, 그 출현 조건은 앞 명사가 '평칭(平稱) 유정명사(有情名詞)'라는 것이었다. 이와 대립하는 관형격조사 'ㅅ'은 출현조건이 앞 명사가 '경칭(敬稱) 혹은 무정명사'라는 것이었다.

이 사실을 안다면 '종소리'의 중세어는 '종ㅅ소리'였음을 알 것이고 따라서 문제에 제시된 '종성 /ㅇ/이 초성 /ㅅ/을 된소리로 바꾼다는 말은 전혀 근거가 없는 말이라는 것도 분명히 알 것이다. 가령 '농사, 콩사랑(식당 이름), 공수……'처럼 같은 환경을 만들어 보면 된소리가 되지 못한다. {퀴즈 : 어느 것이 무표항인가? = 어느 것이 무표적인가?}

따라서 문제의 해석이 둘 다 틀린 것이다.

선지 ㉣은 설명할 것이 없다. '낳는다 = [난는다]'에서처럼 종성 /ㅎ/은 뒤에 /ㄴ/이 오면 /ㄴ/으로 실현되었다. 실현이라는 말은 결과적으로 그렇게 되었다는 뜻이다, 음운론에서는. 또 '강남 = [강남]'에서 종성 /ㅇ/는 /ㄴ/ 앞에서 변화가 전혀 없다. 당연한 말이지?

선지 ㉤은 해석의 후반만이 틀렸다. 해석의 전반은 '낳으니[나으니]'에서 종성 /ㅎ/은 뒤에 모음이 오니까 탈락하였다는 것으로 당연한 진술이다.

후반은 '종이[종이]'의 종성 /ㅇ/이 종성과 후행 음절의 초성으로 실현된다고 해석하였다. 우습기 짝이 없는 해석이다. 가령 내가 '앞에[아페]'의 /ㅍ/이 종성이면서 초성이라고 말한다면 기가 막히지 않을까? 현대 국어에서 음가 있는 /ㅇ/은 음절 초성으로 발음될 수가 절대로 없다. 가령 '아'[nga]를 발음할 수 있는 한국인은 없다. 이 현상을 절대적 두음법칙 혹은 절대 초성제약이라고 부른다.

14. 〈자료〉는 '모음의 교체를 유형별로 분류하고 그 특성을 파악한다.'라는 학습 목표로 탐구 활동을 한 것이다. (가)를 바탕으로 (나)를 정리한 것 중 옳은 것은? [2.5점]

〈자료〉

• 탐구 내용

(가) 모음의 교체를 유형별로 분류해 보자.

교체 유형	예
동화	㉠ 아기[애기], 아비[애비]
첨가	㉡ 피-어서[피여서], 나누-어서[나누워서]
축약	㉢ 피-어서[펴 : 서], 나누-어서[나눠 : 서]
탈락	㉣ 가-으면[가면], 쓰-어서[써서]
	㉤ 서-어[서], 개-어[개]

(나) 각 교체의 특성을 파악해 보자.

① ㉠은 /ㅣ/ 모음 역행 동화이므로 '이마→[이매]', '가마→[가매]'가 예로 추가될 수 있다.
② ㉡은 같은 환경에서 ㉢으로도 실현된다는 사실에서 필수적인 현상은 아니다.
③ ㉡은 첨가되어 음소의 개수가 하나 늘었지만 ㉢은 축약되어 음소의 개수가 하나 줄었다.
④ ㉣, ㉤은 탈락되는 모음은 다르지만 항상 모음 뒤에서 탈락한다는 점은 같다.
⑤ ㉠~㉤ 모두 모음이 연접되는 상황을 피하기 위한 각기 다른 방식의 교체라는 점에서 공통적이다.

정답 ②

해 설 해설⇩

이 문제는 매우 쉬운 것이다. 하나씩 살펴보자.

㉠에서

'아기'→[애기]는 /ㅏ/가 /ㅐ/로 변화한 것이다. 그 원인은 뒤의 모음 /ㅣ/ 때문이다. /ㅣ/는 전설 고모음이다. /ㅐ/는 전설 저모음이다. /ㅏ/는 후설 저모음이다. 이렇게 뒤에 오는 모음 /ㅣ/

의 영향으로 앞의 모음이 후설에서 전설로 바뀌는 현상을 움라우트라고 부른다. '이 모음 역행(逆行) 동화'라고도 부른다. 그런데 이런 현상은 근대 국어에서 일어난 일이고 현대에서는 더 이상 발생하지는 않는다. 그저 일어난 것만 알 수 있을 뿐이다.

선지의 [이매], [가매]와 같은 발음은 존재하지 않는다. [이마], [가마]일 뿐이다. 따라서 같은 예로 추가할 수 없으며 틀린 선지이다. 또 '이마'가 [이매]가 되었다고 해도 앞의 '이'가 뒤의 '아'를 '애'로 바꾼 것이니까 '이 모음 순행(順行) 동화'가 된다. 음운론에서는 같아 보이는 현상의 순서까지도 따질 줄 알아야 한다.

이런 문제는 다음의 모음 체계만 외우면 어려울 것이 전혀 없다. 다음 표를 완전하게 외우시오. 한참 생각해서 외우면 아니 되오.

[꼭 암기]	전설모음(前 앞 전 舌 혀 설)		후설모음(後 뒤 후 舌 혀 설)	
	평순모음	원순모음	평순모음	원순모음
고모음(高母音)	ㅣ	ㅟ	ㅡ	ㅜ
중모음(中)	ㅔ	ㅚ	ㅓ	ㅗ
저모음(抵)	ㅐ		ㅏ	

평순모음 = (平평평할 평 脣입술 순) 원순모음 = (圓둥글 원 脣입술 순)

㉡에서

'피어서'는 [피어서/피여서/펴 : 서] 중의 어느 하나로 발음된다. [피어서]는 일반적인 발음이며 [피여서]는 반모음 첨가이며, [펴 : 서]는 반모음화이다. 이 중 어느 하나만 반드시 일어나는 것이 아니므로 필수적인 음운 현상은 아니다. 따라서 수의적인 음운 현상이라고 부른다. 수의적(隨意的)이라는 말은 자기 마음을 따른다는 뜻으로 자의적(恣意的)과 비슷한 말이다. '필수적'의 반의어(=반대말)이다.

'피어서'를 발음기호로 적으면 [pi ə sə]이다. '피여서'를 발음기호로 적으면 [pi yə sə]이다. 잘 보시오. 무엇이 달라졌소? 그렇죠! 천재적 관찰력이야! 뒤에 y가 더 생겼네요. 그러니까 y 첨가! y는 반모음(半母音) = 반자음(半子音) = 활음 = 음소.

반모음에는 하나가 더 있어요.

뭘까? w.

'와'를 발음기호로 적으면 [wa]. 위의 선지에서 '나누어서'를 발음기호로 적으면 [na nu ə sə] 맞죠? '나누워서'를 발음기호로 적으면 [na nu wə sə] 맞죠? 다시 잘 관찰하세요. 뭐가 달라졌나요? 네! w가 더 생겨났죠? 천재적 관찰력이넹. ㅎㅎ

이렇게 앞 모음 '이'의 영향을 받으면 반모음 y가 더 생기고 앞 모음 '오/우'의 영향을 받으면 반모음 w가 더 생기기도 합니다. 이런 모든 경우를 반모음 첨가 현상이라고 불러요. 쉽죠?

이제 정답이 나왔어요. 선지 ㉡에서 첨가와 축약은 필수적인 현상은 아니라고 했으니까 수의적인 현상이라는 뜻이죠. 위의 설명대로 이해되시죠.

㉢을 봅시다.

'㉡은 첨가되어 음소의 개수가 하나 늘었지만 ㉢은 축약되어 음소의 개수가 하나 줄었다'라고 했지만 이 진술은 틀린 말입니다. ㉡의 예는 '피어서, 나누어서' [피여서], [나누워서]입니다. 발음기호로 적으면 각각 'pi ə sə' [pi yə sə], 'na nu ə sə', [na nu wə sə]. 발음기호 하나하나가 음소이므로 글자수를 세면 5, 6, 7, 8이네요. 1음소씩 증가했어요.

㉢의 예는 [펴 : 서], [나눠 : 서]이니까 발음 기호로 적으면 [pyə : sə], [na nwə : sə]가 됩니다.발음기호의 개수를 세면 5, 7입니다. 음소의 개수가 동일합니다.

' : '는 장음 부호입니다. 長音(긴 장, 소리 음). 현대 표준 국어에 존재하는 유일한 초분절 음소입니다. 초분절 음소란 超 分節 音素입니다. 초월할 초, 나눌 분, 마디 절. 여기에는 음장 = 장음, 강세 = 악센트, 억양 = 인토네이션 등이 있어요. 자음이나 모음과 같이 똑똑 떼어낼 수 없고 모음에 같이 붙어서 실현된다는 의미로 분절을 할 수 없는 음소라는 뜻입니다. 앞에서 운소라고도 말했지요?

우리가 흔히 말하는 음소는 분절음소와 동일한 말입니다. 그러나 음소의 정의를 '말의 뜻을 구별시켜 주는 가장 작은 말소리'라고 하면 초분절 음소도 음소로 볼 수 있어요. 이들 초분절 음소를 포함시키면 음소의 수는 6, 8이 됩니다. 오히려 하나씩 증가한 셈입니다.

따라서 선지 ㉢은 어떻게 보아도 오류임을 알 수 있어요.

④를 봅시다.

'㉣, ㉤은 탈락되는 모음은 다르지만 항상 모음 뒤에서 탈락한다는 점은 같다'는 말은 너무 판별이 쉬운 오류입니다. '가으면'[가면], '쓰어서'[써서], '서어'[서], '개어'[개]. 잘 관찰해 보세요. 순서대로 '으' 탈락, '으' 탈락, '어' 탈락, '어' 탈락입니다.

'가으면'[가면], 모음 '아' 뒤에서 '으' 탈락,

'쓰어서'[써서], 모음 '어' 앞에서 '으' 탈락.

'서어'[서], 모음 '어' 앞의 '어' 탈락. 혹은 모음 '어' 뒤에서 '어' 탈락.

'개어'[개]. 모음 '애' 뒤에서 '어' 탈락.

'가면'과 '써서'의 예만 보아도 이 선지는 오류임이 명백하지요? '서어' 같이 어간의 모습과어미의 모습이 같아서 어느 것이 탈락한 것인지 불투명할 때는 어간의 일부가 떨어진 것으로 파악합니다. 가령 '감이 얼마나 달+니?'는 '감이 얼마나 다니?'가 되지요? 어간의 일부가 탈락해도 의미는 전달에 아무런 장애가 없지요? 그러나 어미는 워낙 중요한 문법적 정보가 담겨 있어서 함부로 탈락을 겪지 않습니다.

⑤를 봅시다.

㉠~㉤ 모두 '모음 연접'을 피하려는 것이라고 했지만 ㉠은 모음 연접이 보이지 않습니다. '모음 연접'이란 모음끼리 연속된다는 말입니다. 연접(連연속할 연 接만날 접) = 연속 =연쇄.

㉠은 '아기[애기], 아비[애비]'입니다. 발음기호로 적어 보세요. [agi], [abi] 모음끼리 연접되지 않지요? 21세기를 책임질 중등 국어 교사 선발 시험에 이렇게 쉬운 문제를 출제해도 되는 건가요?

15. 다음은 '학교 문법의 품사 분류 기준을 알고 품사를 분류할 수 있다.'라는 학습 목표를 달성하기 위한 활동의 일부이다. 적절한 것만을 있는 대로 고른 것은?

(가) 다른 말을 수식하는 말을 구분해 본다.
(나) '무엇이 어떠하다'에서 '무엇'에 해당하는 말과 '어떠하다'에 해당하는 말을 구분해 본다.
(다) '무엇이 어찌한다'와 '무엇이 무엇을 어찌한다'에서 '어찌한다'에 해당하는 말을 구분해 본다.
(라) 체언 뒤에 붙어서 문법적 관계를 나타내는 말 중에서 생략될 수 있는 것과 생략될 수 없는 것을 구분해 본다.
(마) 주어나 목적어 위치에 나타나는 말 중에서 구체적인 대상의 이름을 나타내는 말, 사람이나 사물을 지시하는 말, 수량이나 순서를 나타내는 말을 구분해 본다.

① (가), (나)
② (다), (라)
③ (가), (나), (마)
④ (가), (다), (마)
⑤ (나), (다), (라)

정답 ③

이 문제는 품사 분류 기준을 정확히 이해하는지를 확인하는 문제입니다.

우선 국어의 9품사부터 외웁시다. 다음 순서대로 외우시오.

(감탄사)	1
((관형사, (명사, 수사, 대명사)), 조사)	5
(부사, (동사, 형용사))	3

입으로 소리를 크게 내서 외우세요. 내 강의 중에는 한두 번이면 다들 외운답니다. 무조건 외우고 보세요. 관형사는 명사 앞에 주로 나타나는 말이고 부사는 용언(=동사+형용사) 앞에 주로 나타납니다. 순서 틀리지 마세요. 순서가 아주 중요해요.

품사(品종류 품 詞 단어 사)란 단어를 문법적 특징을 기준으로 분류하여 서로 유사한 것끼리 집합으로 나누어 놓은 것을 뜻합니다. 즉 같은 문법적 특징을 가진 단어들을 분류한 것이라는 뜻입니다.

품사 분류 기준이라는 말은 단어를 분류하는 문법적 특징이라는 말인데 형태, 통사, 의미의 셋이 있어요. 문법의 3대 영역이 형태론, 통사론, 의미론이죠? 그에 일치하니까 이해하기도 외우기도 쉽지요. 좀 길게 말하면 **형태 변화, 통사적 기능, 문법적 의미**입니다. 무조건 지금 입으로 외우세요. 좋은 말로 할 때 외우세요. 다르게 외웠다면 그건 잊어버리고 내 말대로 외우기 바랍니다. 나는 평생 국어를 연구하며 가르치고 있는 사람입니다.

형태 변화란 동사와 형용사를 묶어내기 위한 기준입니다. 가령 '먹다/먹고/먹으니/먹어서/먹지/먹었다/먹었겠다/먹는구나 ………………'처럼 어간 '먹-'에 다양한 어미들이 결합하는 것을 활용이라고 합니다. 이 현상을 지칭(指가르킬지 稱부를 칭)하는 용어가 바로 형태 변화입니다. 다르게 말하면 활용하는 말을 용언(用쓸 용, 그러나 여기서는 활용 용 言)이라고 부릅니다. 형용사의 경우에도 활용을 합니다. '춥다/춥고/추워/춥네 ………………'처럼.

형태 변화란 활용을 가리키는 말입니다. 즉 형태 변화하는 말이란 활용하는 말이라는 뜻입니다. 활용하는 말은 용언이라는 뜻입니다. [암기 사항입니다.]

명사의 경우 '떡'에 격조사가 결합하는 것은, '떡이/떡을/떡에/떡과 ………………'처럼, 곡용(曲用)이라고 불러요. 이것도 체언(體言 = 명사, 수사, 대명사의 총칭(總모두 총 稱부를 칭))을 분류하는 기준이 될 수 있어요. 그러나 현행 학교 문법에서는 조사를 단어로 분류하고 있기 때문에 형태 변화에는 용언만을 포함시키지요.

통사적 기능이란 어떤 단어가 문장에서 어떤 성분으로 쓰이는가를 따지는 기준입니다. 우선 국어의 7성분을 외웁시다. 이 경우에도 큰 소리로 외치면서 외우시기 바랍니다.

(관형어 (주어 목적어 보어)), (부사어 (서술어)) (독립어)

다 외운 사람만 다음을 읽기 바랍니다.

가령 명사 '떡'은 어떤 성분으로 쓰이나 검토해 보세요.

"떡 맛이 좋다."	여기서는 관형어로 쓰였네요.
"떡이 다 됐다."	여기서는 주어로 쓰였네요.
"떡을 다 먹었다."	여기서는 목적어로 쓰였네요.
"어제 나는 떡이 되었다."	여기서는 보어로 쓰였네요.
"떡에 꿀을 바르시오."	여기서는 부사어로 쓰였네요.
"이것이 그 떡이구나."	여기서는 서술어로 쓰였네요.
"아, 떡!"	여기서는 독립어로 쓰였네요.

이렇게 혼자서 쓰이거나 조사와 결합하여 쓰이거나 간에,

모든 문장 성분으로 쓸 수 있는 말은 체언입니다. 명사, 수사, 대명사가 다 동일합니다. [암기사항 : 체언은 모든 성분으로 사용될 수 있다.]

그런데 주로 체언 뒤에 결합하여 문법적 의미를 추가해주는 품사가 또 있습니다. 조사가 그 품사입니다. 가령 '내가/ 나를/ 나에게/ 그것은 나(이)다/ 나도/ 나만 ………' 등에서 체언 '나/내' 뒤에 결합한 말들이 조사로서 하나의 품사를 구성합니다. 조사는 다시 격조사, 보조사, 접속조사의 셋으로 분류됩니다. 암기사항입니다.

동사와 형용사는 어떨까요?

가령 '먹다'를 가지고 해 봅시다.

"나는 떡을 먹는다."	여기서는 서술어로 쓰였네요.
"나는 떡을 먹기가 싫다."	여기서도 서술어로 쓰였네요.
	[주의 1. 아래 설명을 나중에 읽으시오.]
"네가 먹는 떡을 내게 줄래?"	여기서도 서술어로 쓰였네요.

“내가 떡을 먹게 네가 가져와.” [주의 2. 아래 설명을 나중에 읽으시오.]
여기서도 서술어로 쓰였네요.
[주의 3. 아래 설명을 나중에 읽으시오.]

어떤 경우에도 동사는 서술어로만 쓰인다는 사실을 알 수 있어요. 형용사도 동일하죠.

“김태희가 예쁘다.” 여기서는 서술어로 쓰였네요.
“김태희가 너보다 예쁘기가 쉬워.” 여기서도 서술어로 쓰였네요.
“너보다 예쁜 김태희를 보았니?” 여기서도 서술어로 쓰였네요.
“김태희처럼 예쁘게 수술해 주세요.” 여기서도 서술어로 쓰였네요.

[주의 1, 2, 3]

‘나는 떡을 먹-’이 하나의 기본 문장(=근문(根文))입니다. 동사나 형용사의 어간까지만이 서술어로 기능합니다. 이 간단한 사실을 대개의 문법학자들은 몰랐었지요. 아직도 모르는 교수들도 많은 듯!!!!! 도대체 공부에는 관심 없는 교수들이 왜 이리 많은지…. 이 기본 문장에 어미들이 결합하여 명사처럼, 관형사처럼, 부사처럼 쓰이게 되는 것입니다. 그런 일을 담당하는 어미들이 각각 명사형 전성어미(=명사형 어미), 관형사형 전성어미, 부사형 전성어미 등입니다. 이 문제의 해설을 마친 후 [주의 1, 2, 3]을 다시 설명하겠어요.

이와 같이 용언은 언제나 서술어의 기능을 발휘합니다. 용언이 서술어 외의 기능으로 쓰이려면 전성어미의 도움을 받으면 가능합니다.

다시 앞의 예를 가져와봅시다.

“나는 떡을 먹는다.” 여기서는 본용언 서술어로 쓰였네요.
“나는 떡을 먹기가 싫다.” 여기서는 명사절로 쓰였네요.
“네가 먹는 떡을 내게 줄래?” 여기서는 관형사절로 쓰였네요.
“내가 떡을 먹게 네가 가져와.” 여기서도 부사절로 쓰였네요.

“김태희가 예쁘다.” 여기서는 본용언 서술어로 쓰였네요.
“김태희가 너보다 예쁘기가 쉬워.” 여기서는 명사절로 쓰였네요.
“너보다 예쁜 김태희를 보았니?” 여기서는 관형사절로 쓰였네요.
“김태희처럼 예쁘게 수술해 주세요.” 여기서도 부사절로 쓰였네요.

정리하면, 하나의 문장을 가지고서 종결어미를 붙이면 종결문이 되고 전성어미를 붙이면 하나의 새로운 품사처럼 변신하게 되고 그 품사 자격을 가진 문장은 다시 하나의 성분처럼 기능한다 이런 말입니다.

여기까지 '활용어 = 가변어'를 설명했어요.

그 다음에 수식을 하는 품사가 둘이 있습니다. 관형사와 부사입니다. 관형사는 주로 명사의 앞에 놓여 명사를 꾸며주는 기능을 합니다. 부사는 주로 용언의 앞에 놓여 용언을 꾸며주는 기능을 합니다. 이렇게 꾸며주는 기능은 같지만 무엇을 꾸미는가가 다릅니다. 즉 명사에 얹히는 것은 관형사, 용언에 얹히는 것을 부사로 부릅니다.

[암기 사항]

관형사(冠 모자 관 形 꾸밀 형 詞 단어 사, 명사의 모자가 되는 단어들)

ex. 이, 그, 저, 요, 고, 조, 이런, 그런, 저런, 새, 헌, 다른, 모든; 한, 두, 세, 네…………

부사(副 도울 부 詞 주로 용언을 돕는 단어들)

ex. 이리, 그리, 저리, 같이, 달리, 함께, 어서, 빨리, 과연, 그리고. 안, 못 …………

마지막으로 문장과 직접 관련되지 않는 감탄사가 있습니다. '아이쿠, 에, 저, 거시기, 허허, 에라, 옳지, 여보, 왜, 오냐, 만세 …………

이 정도의 지식을 정확히 외우고 있다면 이 문제는 아주 쉽게 처리됩니다.

(가) 다른 말을 수식하는 말을 구분해 본다. — 이 말은 수식어의 기능을 하는 말을 찾으라는 것입니다. 품사 분류 기준이 형태, 통사, 의미라고 했는데 통사적 기능을 언급하고 있으니 참인 선지입니다.

(나) '무엇이 어떠하다'에서 '무엇'과 '어떠하다'에 해당하는 말을 찾아본다. - 이 말은 주어와 형용사를 찾는 방법입니다. 참인 선지입니다.

(다) '무엇이 어찌한다'와 '무엇이 무엇을 어찌한다'에서 어찌한다에 해당하는 말을 구분해본다. — 이 경우는 자동사와 타동사를 구분하는 방법입니다. 자동사(自動詞)는 목적어가 필요 없는 동사를 가리키는 말이며 타동사(他動詞)는 목적어가 반드시 필요한 동사를 가리키는 말입니다. 이것은 9품사에 들지 못합니다. 동사의 하위 분류에 해당하지요. 이런 것을 멋있게 동사의 하위범주(下位範疇)라고 부릅니다. 이 선지가 함정에 해당합니다. 국어의 9품사에는 관형사, 명사, 수사, 대명사, 조사, 부사, 동사, 형용사, 감탄사뿐입니다. 동사를 자동사, 타동사로 분류하면 9품사를 넘게 되므로 품사 분류 기준에는 들지 못합니다.

(라) '체언 뒤에 붙어서 문법적 관계를 나타내는 말 중에서 생략될 수 있는 것과 생략될 수 없는 것을 구분해 본다.' — 체언 뒤에 붙는 것은 오직 조사뿐입니다. 조사를 다시 하위 분류하면 격조사, 보조사, 접속조사로 나뉘지만 이것도 품사 분류의 다음 과정입니다. (다)와 똑같은 이유로 오류입니다.

결국 국어의 9품사를 정확히 외우고 있었다면 쉽게 답을 고를 수 있는 문제입니다.

(마) 이 선지는 체언을 다시 명사, 수사, 대명사로 하위 분류하라는 것입니다. 이것이 품사 분류 기준의 의미가 적용되는 과정입니다. 형태와 기능은 명사, 수사, 대명사가 모두 같으므로 제3의 기준인 의미를 활용해야 이 세 품사가 구분되는 것입니다. 이 셋을 묶어서 체언이라고 부르는데 모두 활용을 하지 않으니까 불변어입니다. 기능상으로 모두 모든 문장 성분으로 쓰입니다. 따라서 형태와 기능만으로는 더 이상 분류할 수가 없습니다. 그래서 사물의 이름, 명사의 대용어, 수량명사 등의 의미로 다시 구분한 것입니다.

의미의 기준이 필요한 것에는 용언도 있습니다. 움직임은 동사, 상태는 형용사.
국어의 9품사부터 외웁시다.

((관형사, (명사, 수사, 대명사)), 조사) (부사, (동사, 형용사)) (감탄사)

또 일단 외우자.

어말어미(語末 語尾 서술어의 맨 마지막 어미)
1. 종결어미
2. 연결어미
3. 전성어미

이것은 매우 중요한 사실이므로 좀 더 자세히 설명하겠어요.

어말어미란 서술어의 맨 끝에 오는 어미이다. 가령 '(밥을) 먹다, 먹는다, 먹겠다, 먹었다 ……' 등에서 맨 마지막에 오는 어미는 무엇일까? 당연히 '-다'이다. '-다' 다음에는 마침표가 온다. 그 다음에는 새로운 문장의 첫 말이 올 것이다. 이런 어미를 어말어미 중의 하나인 종결어미라고 부른다. 종결어미(終結語尾)란 더 길게 말하면 문장 종결어미(文章 終結語尾)가 된다.

이 종결어미 '-다'는 문장을 평범하게 말하는 방식으로 끝을 낸다. 그래서 평서형 종결어미라고 부른다.

또 일단 외우자.

종결어미에는
평서형 종결어미 (대표 형태소 -다)
의문형 종결어미 (대표 형태소 -까)
명령형 종결어미 (대표 형태소 -라)
청유형 종결어미 (대표 형태소 -자)
감탄형 종결어미 (대표 형태소 -구나)

또 가령 '안녕하십니까?'의 성분은 무엇일까? 7 성분은 (관형어 (주어 목적어 보어)), (부사어 (서술어)) (독립어)라고 했습니다. 외웠나요? '안녕하십니까/안녕하세요/안녕하시죠……' 이렇게 활용하는 단어는 용언 (= 동사, 형용사)이라고 배웠죠? 용언은 서술어로 사용되는 것이 본분입니다. 따라서 '안녕하십니까?'의 성분은 서술어가 됩니다. 서술어는 어간과 어미로 구성되며 어미는 다시 선어말어미와 어말어미로 구성됩니다.

또 외웁시다.

서술어 = 어간(語幹) + (선어말어미(先)) + 어말어미(語末語尾)

우리 국어에서 서술어는 반드시, 절대로, 언제나 위의 구조를 만족시켜야 합니다. 선어말어미는 필요에 따라 나타나기도 하고 나타나지 않기도 합니다. 그래서 ( )를 씌운 겁니다. 또 필요에 따라서 두세 개가 결합되기도 합니다. 어간과 어말어미는 반드시 나타나야 합니다. 예를 봅시다.

'안녕하십니까'의 어간은 '안녕하-' : 활용할 때 변하지 않는 앞부분.

[암기] 여기서와 같이 명사 뒤의 '하'는 용언 파생 접미사.

'안녕하십니까'의 어미는 '-십니까'

'안녕하십니까'의 선어말어미는 '-시-+-ㅂ니-'

'안녕하십니까'의 어말어미는 '-까'

[참고] '안녕하+시+ㅂ니+까'처럼 분석해야 하는 이유는 '안녕합니까'처럼 주체높임 선어말어미'시'는 생략된 어형이 존재하지만 '*안녕하시니까', '*안녕하십까'처럼 'ㅂ'만 혹은 '니'만 결합하는 경우가 국어에는 전혀 없기 때문이다. 현대 국어만으로 연구하는 공시적 형태론에서는 이런 경우 하나의 형태소로 설정한다.

'안녕하십니까'의 어말어미는 '-까'라는 것을 알았겠죠? 이 어말어미는 문장의 종결/연결/전성 중 어떤 기능을 할까요? 물음표가 뒤에 따라나오니까 문장의 종결입니다. 따라서 '-까'의 문법적 명칭은 하십시오체 의문 종결어미가 됩니다.

[참고] 우리말은 어말어미가 상대높임법도 동시에 표현합니다. 상대방을 언어적으로 대우하는 등급이 준비되어 있습니다. 이것도 무조건 외워야 합니다.
1. 격식체(格式體) : 하십시오체, 하오체, 하게체, 하라체
2. 비격식체 = 일상 언어체 : 해요체, 해체.

또 가령 '(밥을) 먹자'의 어말어미는 무엇일까? 어말어미는 서술어의 맨 마지막 어미라고 했습니다. '먹자'는 서술어에 해당됩니다. 그 서술어의 맨 끝 어미는 '-자'입니다. 대개 국어의 어말어미는 1음절입니다. 이 '-자'를 문법적 명칭을 붙여봅시다. 상대방에게 무엇을 같이 하자고 권유할 때 쓰는 말이라는 것은 우리 모두가 다 알고 있지요? 그러니까 '해체 청유형 종결어미'가 됩니다.

또 가령 '(너는 밥을) 먹는구나'의 어말어미를 분석해 봅시다. 어간은 '먹다'와 비교해서 '먹-'이 분명해 보이니까, 어미 전체는 '-는구나'입니다. 이 '-는구나'가 어말어미일까? 이것을 알기 위해서는 다른 어형과 비교를 해보아야 합니다. '먹었구나'와 비교해 보면 무엇이 다른 지 분명히 알 수 있습니다. 따라서 '-는-'과 '-었-'은 어말어미가 아닙니다. 이런 형태소를 어말어미 앞에 온다고 해서 선어말어미(先 먼저 선 語末 서술어의 맨끝 語尾 서술어의 꼬리)라고 부릅니다.

그렇다면 '-구-, 혹은 -나-'가 선어말어미인가, 어말어미인가?

이것을 확인하려면 '*먹는구', '*먹는나' 등의 말이 국어에 존재하는지를 검사하면 됩니다. 그런데 우리는 그런 말이 국어에는 없다는 것을 잘 알고 있습니다. 따라서 '-구나'는 2음절이지만 1형태소이며 바로 어말어미임을 판정할 수 있습니다.

어말어미에는 종결어미, 연결어미, 전성어미의 3종류가 있다고 했습니다. '먹는구나'의 어말어미 '-구나'는 셋 중의 무엇에 해당할까? '먹는구나' 뒤에는 !가 올 수 있다. 이것은 감탄의 의미를 표현하는 마침표이다. 마침은 문장의 마침이며 종결이라고 표현한다. 따라서 해체 감탄형 종결어미가 된다.

앞에서

[주의 1, 2, 3]
'나는 떡을 먹-'이 하나의 기본 문장(=근문(根文))이다. 동사나 형용사의 어간까지만이 서술어로 기능한다. 이 간단한 사실을 대개의 문법학자들은 몰랐다. 아직도 모르는 교수들도 많다. 이 기본 문장에 어미들이 결합하여 명사처럼, 관형사처럼, 부사처럼 쓰이게 되는 것이다. 그런 일을 담당하는 어미들이 각각 명사형 전성어미(=명사형 어미), 관형사형 전성어미, 부사형 전성어미 등이 있다. 이들을 먼저 설명하고 [주의 1, 2, 3]을 다시 설명하겠다.

라고 설명했어요.

이제 전성어미(轉成 옮겨서 새로 이룸 轉成語尾 = 품사를 변화시켜 주는 어미)를 설명할 차례입니다.

전성어미란 하나의 문장을 명사처럼 관형사처럼 부사처럼 기능하게 만들어 주는 어말어미입니다. 어말어미는 종결어미, 연결어미, 전성어미의 3종류가 있다고 앞에서 말했지요? 종결어미는 문장이 끝났음을 보여주는 어미입니다. 그런데 문장을 전체 문장의 한 성분으로 사용할 필요가 있다면 문장에 전성어미를 결합시켜 명사형, 관형사형, 부사형을 만들어 주면 되는 겁니다. 예를 봅시다.

ex. 철수가 밥을 먹었다.

이 예문은 틀림없는 문장이지요? 맨 끝의 '-다'는 어말어미이지요? 이 문장의 어말어미 '-다'를 빼고 명사형어미를 붙여봅시다. 명사형어미는 명사형 전성어미의 줄임말입니다.

무조건 외워야 합니다.
명사형어미는 '-음/기', 관형사형어미는 '-은/는/던/을'.
부사형어미는 외울 필요가 없습니다.

ex. 철수가 밥을 먹었음.
철수가 밥을 먹었기.

이렇게 바꾸어 놓고 보면 종결어미 '-다'와 전성어미 '-음/기'가 교체될 수 있음을 알 수 있습니다. 이렇게 만들어진 문장은 명사절이 됩니다. 이 명사절은 하나의 명사처럼 더 큰 문장에 쓰입니다. 예를 봅시다.

ex. 철수가 밥을 먹었음이 틀림없다.
cf. 그것이 틀림없다.
ex. 철수가 밥을 먹었기 때문에 오늘 힘이 넘쳤다.
cf. 날씨 때문에 오늘 힘이 넘쳤다.

명사절들은 각각 '그것'과 '날씨'에 해당하는 기능을 보여주고 있습니다. 각각 주어와 관형어의 역할을 수행하고 있습니다.

[주의] 명사는 모든 성분으로 기능할 수 있습니다. 국어의 성분의 종류를 외워보시오.

이 명사절은 명사형어미 '음/기'까지입니다. '철수가 밥을 먹었음이 틀림없다.'에서 밑줄 부분이 명사절입니다. 이 명사절 뒤에 결합한 '이'는 주격조사입니다. 주어는 '명사절+주격조사'입니다. "떡이 다 되었다."에서 주어가 '떡이'인 것과 평행합니다.

그러니까 명사형어미는 하나의 문장의 맨 끝에 결합하면서 그 문장을 하나의 명사처럼 바꾸어 주는 기능을 합니다. '철수가 밥을 먹었음'이라는 것은 명사절이므로 하나의 문장입니다.'철수가'는 그 문장의 주어입니다. '밥을'은 그 문장의 목적어입니다. '먹었'은 그 문장의 서술어입니다. '-음'은 이 문장이 전체가 하나의 명사로 기능함을 표시해주는 형태소입니다.

여기서 주의할 것은 명사형어미는 어말어미이며 그 뒤에는 조사나 다른 명사와 같은 큰 문장의 다른 요소가 결합되게 된다는 것입니다. 또 명사형어미는 서술어에만 결합되는 것이 아니라 앞 문장 전체에 결합된다는 사실입니다.

이제 관형사형어미를 봅시다.

ex. 밥을 든든하게 먹은 철수는 씩씩하게 길을 나섰다.
cf. 철수는 밥을 든든하게 먹었다. 철수는 씩씩하게 길을 나섰다.

cf의 두 문장의 공통항은 '철수'입니다. 그래서 앞 문장을 약간 변형하여 철수를 꾸미는 문장을 만들 수 있습니다. 첫 번째로 공통항을 앞 문장에서 삭제합니다. 중복은 싫으니까요. 서술어를 보고 약간의 변형이 필요한데 '먹었다'의 시제는 과거 완료입니다. 이런 경우 관형사형 어미 중 '-은'이 선택됩니다. 즉 '-었다=-은'입니다.

즉 관형사형어미 '-은'은 동사문의 경우 [과거완료]와 [관형사절 표지]의 두 문법적 의미를 표시합니다.

ex. 철수는 밥을 먹는다. 철수는 기뻐 보인다.
cf. 밥을 먹는 철수는 기뻐 보인다.

이런 예문을 비교해 보면 '철수는 밥을 먹는다'의 '-는다'가 관형사절의 '-는'으로 바뀐 것을 알 수 있습니다. 즉 관형사형어미 '-는'은 [현재진행]의 의미와 [관형사절 표지]의 두 문법적 의미를 표시합니다.

ex. 철수가 밥을 먹더라. 밥이 여기 있다.
cf. 철수가 먹던 밥이 여기 있다.

이런 예문을 비교해보면 '밥'과 ' 밥'이 공통됩니다. 따라서 앞 문장의 '밥'을 생략하고 관형사절을 만들면 '철수가 먹던'이 됩니다. 즉 종결형의 '-더라'가 관형사형의 '-던'이 됩니다. 역시 '-던'은 [화자의 과거 경험]이라는 시제적 의미와 [관형사형 표지]의 두 문법적 의미를 표시합니다.

ex. 내가 내일 그 곳에 가겠다. 그 곳에는 봄 꽃이 활짝 피었다더라.
cf. 내가 내일 갈 그 곳에는 봄 꽃이 활짝 피었다더라.

이 경우에는 '그 곳에'가 공통항이 되므로 앞 문장의 '그 곳에'가 생략됩니다. 그리고 평서문의 어미 '-겠다'는 관형사형 어미 '-을'로 바뀝니다. 이 '-을'은 종결형의 선어말어미 '-겠-, -리-'의 대체형입니다. 따라서 관형사형 어미 '-을'은 [미래 추측]의 의미와 [관형사형 표지]의 두 문법적 의미를 표시합니다.

여기까지의 설명을 도식화하면 다음과 같습니다. 당연히 외워야 합니다.

과거 종결어미 -었다	과거 관형사형 어미 -은
현재 종결어미 -는다	현재 관형사형 어미 -는
과거 경험 종결어미 -더라	과거 경험 관형사형 어미 -던
미래 추측 종결어미 -겠다	미래 추측 관형사형 어미 -을

정리해서 봅시다.

평서문의 종결형은 관형사형으로 바뀔 때 시제 선어말어미와 종결어미가 동시에 관형사형 어미로 바뀝니다. 따라서 엄밀히 말하면 관형사형 어미는 단순한 어말어미가 아니라 선어말어미를 포함한 어말어미입니다. 주의해야 할 것은 학교문법에서는 관형사형어미를 단순히 어말어미 속에 넣고 있습니다.

이제 명사절과 관형사절을 묶어서 종결문과 비교해 봅시다.

ex. 철수가 밥을 먹었다.

cf. 철수가 밥을 먹었음.

cf. 철수가 밥을 먹은.

종결형과 명사형과 관형사형은 문장 구조가 대체로 비슷하며 필요에 따라서 어말어미를 바꾸어서 사용된다는 것을 알 수 있습니다. 단순히 문장을 끝내려고 하면 종결형을 선택합니다. 긴 문장의 한 성분으로 조사의 도움을 받으려면 명사형이 선택됩니다. 다른 명사를 꾸미려면 관형사형을 선택하게 됩니다.

도식화하면

한 문장을 한 문장으로 끝내려면 ――――→ 종결형을 선택.

한 문장을 7성분 중 하나로 사용하려면 ――――→ 명사형을 선택.

한 문장으로 오로지 다른 명사를 수식하려면 ――――→ 관형사형을 시제에 맞추어 선택.

이렇게 1. 종결형 어미와 2. 전성어미(명사형 어미와 관형사형 어미)가 포괄되는 어미의 이름은 어말어미가 됩니다.

어말어미에는 하나 더 있습니다. 연결어미가 마지막 어말어미입니다. 이것은 학교문법에서 설정한 명칭입니다. 그런데 지난 지도서에서 이 연결어미를 부사형 전성어미로 볼 수도 있다고 규정하여 이중적 지위를 누리게 되었습니다. 즉 연결어미는 부사형 전성어미와 동일하게 되어서 임용 시험에서는 출제를 피하려고 하는 분야에 해당합니다. 예를 보면서 이해해 봅시다.

ex. (나는) 밥을 배불리 먹어서 (나는) 기분이 좋아졌다.

이 예문은 '나는 밥을 배불리 먹었다', '나는 기분이 좋아졌다'의 두 문장이 이어진 것입니다. 이어졌다는 말은 연결되었다는 뜻이지요. 연결에 필요한 어미가 연결어미랍니다.

그런데 앞 문장의 어미는 '-었다'입니다. 그것이 어미 '-어서'로 바뀌어 있습니다. 이 둘 사이의 차이를 찾아보세요. 우선 과거 시제 선어말어미 '-었-'이 생략되어 있습니다. (나는)과 같이 앞 문장 뒷 문장에 공통으로 출연하는 어휘는 하나 혹은 둘 다 생략될 수가 있습니다. 마찬가지로 선어말어미도 양쪽에 공통으로 출현한다면 일반적으로 앞 문장의 선어말어미가 생략됩니다. 생략된다고 하더라도 그 의미를 해석하는 데는 아무런 문제가 없습니다. 연결어미는 반드시 그 정도의 의미를 담고 있기 때문입니다.

둘째로 관찰되는 차이는 '-었다'의 어말어미 '-다'가 '-어서'로 바뀐 것입니다. 한 문장의 맨 끝에 오는 어미라는 점에서는 동일합니다. 그러나 그 기능이 문장의 종결과 문장의 연결이라는 점에서 차이가 있습니다. 그래서 어미 '-어서'는 어말어미이면서 연결어미로 규정이 됩니다. 또 그 의미는 앞 문장의 내용이 뒷 문장의 내용의 원인임을 표시해 주는 것입니다. 따라서 뒷 문장의 '-었-'이 표현하는 과거 시제보다 먼저 발생한 사실임도 표현하게 됩니다.

[주의] 이런 현상을 상대적 시제라고 합니다.

이 예문의 앞 문장과 뒷 문장은 연결어미 '-어서'에 의하여 연결되어 있습니다. 이렇게 연결된 문장의 뒷 문장을 주절(主節 = 주인이 되는 문장 = 중심이 되는 문장)이라고 합니다. 언제나 절대로 결단코 국어의 연결문에서는 맨 마지막 문장이 주절이 됩니다. 따라서 선어말어미와 종결어미는 주절 서술어에 결합되어야 하는 의무와 사명이 있습니다.

그런데 연결문의 앞 문장은 그 의미 해석에 있어서 반드시 뒷 문장의 의미 해석에 기여하게 됩니다. 가령 "가.", "학교에 가.", "빨리 가."를 비교해 봅시다. '학교에'나 '빨리'는 서술어 '가'의 의미에 더 섬세한 의미를 더해주고 있음을 알 수 있습니다. 이렇게 서술어의 의미를 보완해 주는 성분을 부사어라고 부릅니다. 또 이런 부사어는 서술어라는 하나의 성분을 수식한다고 해서 성분 수식부사어라고 부릅니다.

부사어에는 한 종류가 더 있는데 문장 수식 부사어가 있습니다. 가령 "설마 네가 떨어지겠니!", "설령 네가 이번 시험에 떨어진다 해도 아빠는 널 믿는단다." 이런 문장의 '설마, 설령'과 같은 부사들을 문장 수식 부사, 즉 문장 수식 부사어가 됩니다. 이런 부사들은 생략해도 의미 전달에는 별로 지장이 없습니다. 생략되지 않으면 문장의 의미를 좀 더 명료하게 표현하게 되는 것일 뿐입니다.

연결문에서 앞 문장은 뒷 문장의 서술어를 수식하거나 뒷 문장의 의미 전체에 특정한 의미를 더해준다는 점에서 성분 수식 부사어와 문장 수식 부사어와 비슷한 기능을 수행합니다. 이런 사실들을 근거로 연결문의 앞 문장은 모두가 부사절이 됩니다.

[외우자 : 연결문의 앞 문장은 부사절이며 6차의 그 이름은 종속적으로 이어진 문장이었다.]

6차 고교 문법에서는 연결문을 대등하게 이어진 문장과 종속적으로 이어진 문장의 둘로 구분하였습니다. 다른 용어로는 대등 접속문과 종속 접속문이라고 합니다. 대등 접속문은 앞 문장과 뒷 문장의 의미가 완전히 대등해야 합니다. 따라서 앞 문장과 뒷 문장의 순서를 서로 바꾸어도 되는 연결문을 가리키게 됩니다.

ex. 산은 푸르고 물은 맑다. = 물은 맑고 산은 푸르다.
ex. 철수는 연세대를 갔으며 영수는 고려대를 갔다.
= 철수는 고려대를 갔으며 영수는 연세대를 갔다.
ex. 철수는 연세대를 갔으나 영수는 고려대를 갔다.
= 철수는 고려대를 갔으나 영수는 연세대를 갔다.

이런 대등 접속문은 문법적인 지위가 아주 비슷하므로 앞 문장을 부사절로 볼 근거를 찾기가 어렵습니다. 따라서 이런 대등 접속문의 경우는 단순히 대등하게 이어진 문장이라고 말하는 수밖에 없습니다.

연결문장에서 대등 접속문을 제외하면 모두 종속 접속문만 남게 됩니다. 종속 접속문은 전부 부사절로 볼 수 있다고 7차 지도서에서 규정하고 있습니다.

ex. 철수가 이번 시험에 합격하게 자네가 좀 도와 주게.
ex. 철수가 이번 시험에 합격하도록 자네가 좀 도와 주게.

이런 연결문에서 연결어미는 '-게, 도록'으로 나타나 있습니다. 이와 같은 연결어미는 동시에 부사형 전성어미로 기능하면서 앞 문장을 부사절로 만들게 됩니다. 국어의 연결어미는 그 수가 많아서 다 외우지 못합니다. 그저 두 문장이 이어져 있다면 앞 문장이 부사절이고 동시에 종속적으로 연결된 문장이라고 이해하면 충분합니다. 다만 대등 접속문만 주의하면 됩니다.

16. (가)~(바)에 대한 설명으로 적절하지 않은 것은?

(가) 영희가 철수와 만났음이 분명하다.
(나) 영희가 밥을 먹은 사실이 드러났다.
(다) 영희가 동생이 산 책을 읽었다.
(라) 영희가 목이 쉬게 소리를 질렀다.
(마) 영희가 집에 가기에 바쁘다.
(바) 영희가 밥을 먹기가 어렵다.

① (가)와 (나)의 안긴 문장은 종류가 다르고 안은 문장에서의 문장 성분도 다르다.
② (나)와 (다)의 안긴 문장은 안은 문장에서의 문장 성분은 같으나 안긴 문장 속에 생략된 문장 성분이 있느냐의 여부가 다르다.
③ (다)와 (마)의 안긴 문장의 주어는 안은 문장의 주어와 다르다.
④ (라)와 (마)의 안긴 문장은 종류는 다르나 안은 문장에서의 문장 성분은 같다.
⑤ (마)와 (바)의 안긴 문장은 종류는 같으나 안은 문장에서의 문장 성분은 다르다.

정답 ③

해 설 해설⇩

이 문제는 통사론의 기초 개념을 묻고 있다. 즉 안긴 문장(내포문(內包文)의 개념과 종류와 기능을 아는가를 묻고 있다. 매우 간단한 개념이니까 선지부터 따져보고, 정답을 골라낸 다음, 아래 설명의 요점을 암기하기 바랍니다.

(가) 영희가 철수와 만났음이 분명하다.
명사절. 명사절의 주어는 영희. 전체주어는 영희가 철수와 만났음이.

(나) 영희가 밥을 먹은 사실이 드러났다.
관형사절. 관형사절의 문장 내 성분은 언제나 관형어. 관형사절의 주어는 영희.
전체 주어는 영희가 밥을 먹은 사실이.
표제명사(= 피수식명사 = 관형사절이 수식하는 명사) '사실'은 관형사절 안으로 들어갈 수 없다. 따라서 관계관형절(= 동격관형절).

(다) 영희가 동생이 산 책을 읽었다.

관형사절. 관형사절의 주어는 동생이. '동생이 책을 샀다'가 가능하므로 관계관형절.

전체 주어는 영희가.

(라) 영희가 목이 쉬게 소리를 질렀다.

부사절. 부사절의 주어는 영희가. 전체문장의 주어도 영희가.(영희가 소리를 질렀다.)

(마) 영희가 집에 가기에 바쁘다.

명사절. 명사절의 주어는 영희가. 전체문장의 주어도 영희가. (영희가 ___에 바쁘다.) '영희가 집에 가기에'는 부사어.

(바) 영희가 밥을 먹기가 어렵다.

명사절. 명사절의 주어는 영희가. 전체 문장의 주어도 영희가. '영희가 밥을 먹기가'는 주어. '(영희가) 밥을 먹기가'도 주어.

정답은 3. (마)의 설명이 오류.

17. 다음은 높임 표현에 대한 수업 자료와 교사의 지도 내용이다. 지도 내용으로 적절하지 않은 것은? [1.5점]

	수업 자료	지도 내용
①	㉠ 자, 어서 와서 좀 드시게. ㉡ 어머니가 할아버지를 잘 모신다.	선어말어미 '-시-'는 ㉠, ㉡처럼 주체뿐 아니라 청자나 객체를 높이는 데에 쓰이기도 한다.
②	㉠ 아버지께서 장에 가신다. ㉡ (손녀가 할아버지께) 할아버지, 아버지는 장에 갔어요.	청자가 주체보다 높으면 주체 높임이 나타나지 않을 수 있다.
③	㉠ 할아버지의 손이 크다. ㉡ 할아버지는 손이 크시다.	'손'은 높임의 대상이 아니지만, 할아버지의 신체 일부이기 때문에 높일 수 있다.
④	㉠ 제 말씀 좀 들어 보세요. ㉡ 선생님께서 말씀을 하시겠습니다.	㉠의 '말씀'은 낮춤 표현이고, ㉡의 '말씀'은 높임 표현이다.
⑤	㉠ 손녀 : 할아버지, 어디 가세요? ㉡ 손녀 : 할아버지, 어디 가?	친밀한 관계에서는 높임 표현을 사용하지 않을 수 있다.

정답 ①

해 설

해설⇩

이 문제는 점수를 그냥 주려고 출제한 것이다. 그 이유는 뭘까?

정답은 1번이다. 국어의 주체높임은 주로 선어말어미 '-시-'를 서술어의 어간에 결합함으로써 성립된다. 그래서 '-시-'의 명칭이 주체높임 선어말어미이다. 이 형태소는 객체나 상대를 높일 수 없다. 주체는 주어(행위자)를 지칭한다. 객체는 목적어(행위자)나 필수부사어(행위자)를 지칭한다. 상대는 말 듣는 사람 곧 청자를 뜻한다.

'자, 와서 좀 드시게.'는 상대와 주체가 일치하는 경우이지만 '-시-'가 높이는 것은 주체일 뿐이고, 하게체 어말어미 '-게'는 상대를 약간 낮춘 표현이다. '어머니가 할아버지를 잘 모신다.'는 객체 높임일 뿐 주체높임은 아니다. 동사 '모시다'는 그 자체가 하나의 단어이므로 선어말어미 '-시-'를 분석해낼 수 없다. '모다'라는 말이 현대 국어에는 없다. 따라서 1번의 설명과 예는 일치하지도 않는다. 다만 높임법은 매년 출제 가능성이 있고 2차로 출제하기에도 참 좋은 영역이다.

18. 〈자료〉를 통해 단어의 상하 관계에 대하여 이해하는 활동을 하고자 한다. 〈보기〉에서 상하 관계에 대한 설명으로 적절한 것끼리 바르게 고른 것은?

〈자료〉

(가) ㄱ. 비둘기는 새의 일종이다.
ㄴ. 새는 동물의 일종이다.
ㄷ. 비둘기는 동물의 일종이다.

(나) ㄱ. 어제 공원에서 영희가 비둘기를 보았으면 어제 영희가 새를 본 것이다.
ㄴ. *어제 공원에서 영희가 새를 보았으면 어제 영희가 비둘기를 본 것이다.

(다) ㄱ. 어떤 사람이 남성이면 여성이 아니다.
ㄴ. 어떤 사람이 여성이면 남성이 아니다.

〈보기〉

㉠ 하의어가 둘뿐이면 반의 관계를 형성한다.

㉡ 하의어는 여러 층위의 상의어를 가질 수 있다.

㉢ 상의어의 의미 영역은 하의어의 의미 영역을 포함한다.

㉣ 상의어를 포함한 문장은 하의어를 포함한 문장을 함의한다.

㉤ 상의어와 하의어는 한 가지 의미 특성을 제외하고 나머지 의미 특성이 같다.

① ㉠, ㉡, ㉢ ② ㉠, ㉡, ㉤ ③ ㉠, ㉣, ㉤ ④ ㉡, ㉢, ㉣ ⑤ ㉡, ㉣, ㉤

정답 ①

해 설

해 설⇩

상의어(上意語)란 전체 집합이고 하의어란 그 상의어의 진부분집합을 말한다. 가령 '과일 : 사과'의 관계이다. '사람'의 하의어는 '남자 : 여자'라고 하면 '남자, 여자'에 대등한 하의어는 더 없다. 그런데 이들은 반의어 관계이므로

㉠은 타당하다.

㉡은 '동물, 새, 비둘기'의 관계에서 알 수 있다. 타당.

㉢은 새가 동물에 속한다. 비둘기는 새다. 따라서 비둘기는 동물이다. 이처럼 설명된다.

㉣은 (나㉡)의 예를 이해하면 오류라는 것을 알 수 있다. 함의란 명제 상호 간의 관계의 하나이다. 두 명제 p, q에 있어서 p가 참이면 반드시 q가 참이 되는 경우 p는 q를 함의한다고 한다.

㉤은 '새'와 '비둘기'를 비교해보면 알기 쉽다. 의미 특성의 공통점은? 차이점은? 그런 것을 말하는 것 자체가 불가능하다는 것을 알 수 있다. 또 이 선지는 주어진 자료에서 만들 수 있는 명제가 아니다.

19. 다음은 어문 규정에 맞게 표기된 띄어쓰기의 용례와 그에 대한 설명이다. 설명이 옳은 것은?

띄어쓰기 용례	설명
㉠ 그 녀석 울음소리 한번 크구나. ㉡ 이말 저말 다 들어 보아야 한다.	(가) ㉠의 '한번'과 ㉡의 '이말', '저말'은 '관형사+명사'의 구성이나 '한번'은 순서를 나타내므로 붙여 쓸 수 있고 '이말', '저말'은 단음절로 된 단어가 연이어 나타나므로 붙여 쓸 수 있다.
㉠ 어서 집으로 돌아가세요. ㉡ 불이 꺼져만 간다.	(나) ㉠의 '돌아가세요'는 본용언과 보조용언의 구성이므로 붙여 쓸 수 있다. ㉡의 '꺼져만 간다'처럼 본용언과 보조용언 사이에 조사가 들어갈 적에는 붙여 쓸 수 없다.
㉠ 하루 종일 잠만 잤다. ㉡ 집채만 한 파도가 몰려 온다.	(다) ㉠의 '만'은 조사, ㉡의 '만'은 접미사인데 모두 단어가 아니므로 붙여 쓴 것이다.
㉠ 비가 올 듯하다. ㉡ 과일에는 배, 감 들이 있다.	(라) ㉠의 '듯', ㉡의 '들'은 의존명사이므로 띄어 쓴 것이다.
㉠ 서류를 검토한바 몇 가지 미비한 사항이 발견되었다. ㉡ 볼 것은 많은데 시간이 모자란다.	(마) ㉠의 '-ㄴ바', ㉡의 '-은데'는 '관형사형 어미의 존명사'의 구성에서 유래하였으나 하나의 연결어미가 되어 '바'와 '데'가 단어의 지위를 상실했으므로 붙여 쓴 것이다.

정답 ⑤

해 설 해 설⇩

이 문제는 규범처럼 보이지만 형태론과 통사론적 지식을 묻는 문제이다. 좀 복잡해 보이지만 기초 개념만 알고 있다면 간단히 풀 수 있다.

(가)는 '그 녀석 울음 소리 한번 크구나.'에서 '한번'이 순서의 의미가 전혀 없다. 따라서 틀린 진술이 된다.

(나)는 '돌아가다'가 합성동사이므로 붙여쓴다. 이렇게 고쳐야 한다. 본동사+보조동사 구성은 아니다.

(다)는 '집채만 한'의 '만'도 보조사이지 접미사가 아니다.

(라)는 '듯하다'가 보조형용사이다. '올'은 본동사이다. 그래서 띄어쓴 것이다. '듯하다'의 '듯'을

의존명사로 볼 수는 없다. 명사 공부에 용언파생접미사 하다를 결합시키면 '공부하다'가 된다. 가령 "철수가 열심히 공부한다."와 같은 문장에서 '공부하다'는 동사일 뿐이다. '열심히 공부한다'에서 띄어쓰기를 하는 것은 단어와 단어가 결합되었기 때문이다. 이 선지를 가지고 논란이 있었는데 바보들의 땡깡이라고밖에 볼 수 없었다. 내 책의 독자들은 모르면서 우기지 않는 착한 국어 선생님이 되시길 바랍니다.

형태론은 단어의 구성을 따지는 영역이고 그 경우에 '듯하다'의 구성을 '듯하+다' = [어간+어미], 다시 '듯하' = '듯+하' = [의존명사+용언파생접미사]처럼 말하는 것이다.

띄어쓰기는 단어 이상에 적용되는 것이라는 사실도 알아두시오.

(마)는 적절한 설명입니다. 정답.

20. 〈보기〉는 〈표준 발음법〉 '제2장 자음과 모음' 조항의 일부이다. 각 조항에 대해 교사가 설명한 것 중 적절하지 않은 것은?

〈보기〉

제2항 표준어의 자음은 다음 19개로 한다.

ㄱ ㄲ ㄴ ㄷ ㄸ ㄹ ㅁ ㅂ ㅃ ㅅ ㅆ ㅇ ㅈ ㅉ ㅊ ㅋ ㅌ ㅍ ㅎ

제3항 표준어의 모음은 다음 21개로 한다.

ㅏ ㅐ ㅑ ㅒ ㅓ ㅔ ㅕ ㅖ ㅗ ㅘ ㅙ ㅚ ㅛ ㅜ ㅝ ㅞ ㅟ ㅠ ㅡ ㅢ ㅣ

제4항 'ㅏ ㅐ ㅓ ㅔ ㅗ ㅚ ㅜ ㅟ ㅡ ㅣ'는 단모음으로 발음한다.

[붙임] 'ㅚ, ㅟ'는 이중 모음으로 발음할 수 있다.

제5항 'ㅑ ㅒ ㅕ ㅖ ㅘ ㅙ ㅛ ㅝ ㅞ ㅠ ㅢ'는 이중 모음으로 발음한다.

다만 2. '예, 례' 이외의 'ㅖ'는 [ㅔ]로도 발음한다.

다만 4. 단어의 첫음절 이외의 'ㅢ'는 [ㅣ]로, 조사 '의'는 [ㅔ]로 발음함도 허용한다.

① 제2항 : 자음의 배열 순서는 조음 위치 순서대로 되어 있지 않다.

② 제4항, 제4항 [붙임] : 현대 국어 단모음 체계는 최대 10모음 체계, 최소 8모음 체계이다.

③ 제5항, 제4항 [붙임] : 국어의 이중 모음 목록은 최소 11개, 최대 12개이다.

④ 제5항 '다만 2' : 자음과 이중 모음 'ㅖ'의 연쇄를 피하려는 제약이 있지만, 이 제약이 필수적이지는 않다.

⑤ 제5항 '다만 4' /ㅢ/가 하향 이중 모음으로 실현될 때와 상향 이중 모음으로 실현될 때의 차이이다.

정답 ⑤

해 설

해 설⇩

현대 표준어에서 '의'는 유일한 하향 이중모음이다. 상향 이중모음이란 'ㅑ'와 같은 것이다. 이것을 발음기호로 적으면 [ya]가 된다. 반모음이 앞에 있는 것을 가리킨다. 그런데 'ㅢ'는 [ɨy]처럼 적는다. 반모음이 뒤에 오는 것이다. 그런데 그 'ㅢ'를 [i]나 [e]로 적는 것은 단모음화(單母音化) 혹은 축약 정도에 해당한다. 도대체 상향이든 하향이든 이중모음 자체가 아닌 것이다. 따라서 오류임이 분명하다.

기가 막힌 것은 내가 임용 강사들의 책을 훑어보니까 이 모음 'ㅢ'를 정확히 설명한 게 없더라는 거라우. 국어의 모음도 모르는 그런 강사한테 배우는 사람들은 또 뭔지….

선지 1.

자음의 체계표를 외우세요.

순서는 양순음 ㅁ　치조음 ㄴ, ㅅ　경구개음 ㅈ　연구개음 ㄱ　후음 ㅎ

선지 2.

제4항을 보시오. 단모음은 10개 제시되었소. [붙임]에서 2개를 뺐소. 따라서 타당함.

선지3.

제5항에서 이중모음은 11개 제시되었소. 제4항 붙임에서 'ㅚ, ㅟ'는 이중모음이라도 무방하다고 했소. 따라서 13이 되어야 하지만 'ㅚ'와 'ㅞ'는 그 발음이 같소. [we] 따라서 하나를 빼면 12가 맞소.

선지4.

'예, 례' 이외의 자음 뒤의 'ㅖ'는 [ㅔ]로 발음해도 좋다고 했소. 그런데 '례'는 허용하지 않았으니까 모든 경우도 아니고, 설명에 보조사 '도'를 붙였으니까 이래도 저래도 된다는 설명. 따라서 이걸 찍었다면 수능부터 풀어야 합격의 길이 보일 겁니다.

21. 다음 설명에서 제시된 예와 같이 음운의 변화에 의해 표기가 혼란된 것만을 〈자료〉에서 있는 대로 고른 것은?

음운의 변화는 음운 체계에 변화를 일으키며 또한 음운 변화의 결과 형태소의 형태도 바뀐다. 이러한 음운의 변화는 표기에 직접적으로 또는 간접적으로 반영된다. 대부분의 경우 표기의 보수성으로 인해 일정 시기 동안 변화가 일어나기 전의 형태와 변화가 일어난 형태가 함께 나타난다. 이러한 사실을 바탕으로 우리는 '어버ᅀᅵ~어버이(『정속언해』, 1518년)'의 혼기(混記)를 /ㅿ/이 Ø로 변화했음을 보여 주는 증거로 해석할 수 있게 된다.

〈자료〉

	15세기 형태	혼기의 예
㉠	ᄂᆞᆷ[他]	ᄂᆞᆷ~남(『성경직해』, 1892년)
㉡	벋[友]	벋과~벗도(『중간두시언해』, 1632년)
㉢	ᄡᅥᆨ	ᄡᅥᆨ~ᄢᅥᆨ(『박통사신석언해』, 1765년)
㉣	ᄀᆞ장	ᄀᆞ장~ᄀᆞ장(『몽산법어』, 1677년)
㉤	쟝(醬)	쟝~장(『규합총서』, 1869년)

① ㉠, ㉤　② ㉡, ㉢　③ ㉣, ㉤　④ ㉠, ㉣, ㉤　⑤ ㉡, ㉢, ㉣

정답 ①

해 설

해 설⇩

제시문의 요점을 알아야 풀 수 있습니다. '어버ᅀᅵ 어버이'와 같이 변화 전후의 어형이 나타나면 음소가 소멸하거나 변화한 것으로 추정한다는 것입니다. 그러나 이것은 약간의 함정입니다. 국어 사적 지식이 있어야 쉽게 푸는 문제입니다.

㉠ 아래 아 'ㆍ'는 17세기에 소멸합니다. 따라서 타당한 예시입니다.

㉡ '벋과 벗도'에서 표기가 혼기된 것은 맞지만 음소 'ㄷ'이 'ㅅ'이 된 것은 아닙니다. 표기는 그렇게 변화했지만 발음은 [버꽈 버또]가 됩니다. [벋]이 [벋]으로 그대로 남아 있습니다. 현대 국어에서도 '깃'으로 쓰지만 그 발음은 [긷]입니다. 음소 'ㄷ'은 언제나 'ㄷ'으로 유지되고 있습니다. 알기 쉽게 말해서 받침 'ㄷ'은 세종 이래 똑같은 상태를 유지하는 중입니다.

㉢ '썩 떡'은 혼기입니다. 잘못된 표기에 불과한 것입니다. 이 시기에는 [떡]이 옳은 발음입니다. 그런데 옛날식으로 적다보니 모르고 그렇게 적은 겁니다. 또 이 표기를 보고 옳다고 한다면 'ㅅ'이 'ㅂ'으로 바뀌었다고 해야 하는데 그런 일은 결코 있을 수 없습니다.

㉣ 'ᄀᆞ장 ᄀᆞ장'의 경우 발음을 적어 보면 [kajang kajang]입니다. 음소의 변화가 전혀 없으며 표기법만 변화한 것입니다.

㉤ '쟝 장'의 경우에는 'ㅈ'다음에 반모음 y가 결합되다가 탈락을 보여주게 됩니다. 국어사적으로 'ㅈ'은 치음이다가 구개음이 됩니다. 치음일 때는 '샤, 셔, 쇼, 슈'처럼 반모음 y와 결합할 수 있었는데 구개음이 되면서 반모음이 탈락해야 하는 현대어의 상태가 된 것입니다.

더 쉽게 풀면 제시된 보기가 자음 탈락인데 '쟝 장'은 반모음 탈락이니까 음소 탈락이라는 공통점이 있으므로 정답이라는 것을 짐작할 수 있습니다.

22. 『훈민정음』 해례본에 실려 있는 내용에 대한 설명으로 타당하지 않은 것은? [1.5점]

	해례본의 내용	설명
①	• 성음의 청탁으로 말할 것 같으면 'ㄱㄷㅂㅈㅅㆆ'은 전청이 되고 'ㅋㅌㅍㅊㅎ'은 차청이 되고 'ㄲㄸㅃㅉㅆㆅ'은 전탁이 되고 'ㆁㄴㅁㅇㄹㅿ'은 불청불탁이 된다.〈제자해〉	〈제자해〉의 앞부분에서 초성은 모두 17자라고 하였는데, 이는 왼쪽의 23자에서 전탁자를 뺀 것이다.
②	• 종성은 다시 초성 글자를 쓴다.〈예의〉 • 초성이 다시 종성이 되고 종성이 다시 초성이 된다.〈제자해〉	종성의 글자를 따로 만들지 않았는데, 이는 초성과 종성의 관련성을 인식하고 있었기 때문이다.
③	• 정음의 초성은 곧 운서의 자모(字母)이다.〈초성해〉 • 중성은 자운(字韻) 중에 있는데 초성과 종성을 아울러 음절을 이룬다.〈중성해〉	초성과 달리 중성을 운서의 용어로 직접 지칭하여 정의하지 않은 것은 중국 성운학의 음절 구분 체계가 훈민정음과 다르기 때문이다.
④	• '괴여'는 '(내가 남을) 사랑하여'라는 뜻이고, '괴ᅇᅧ'는 '(남에게 내가) 사랑 받아'라는 뜻이다.〈합자해〉	현대 국어와 달리 예사소리인 'ㅇ'과 된소리인 'ᅇ'이 상관적 관계를 이룬 별개의 음소로 존재했음을 보여 준다.
⑤	• 초성의 'ㆆ'은 'ㅇ'과 서로 비슷해서 우리말에서는 통용될 수 있다.〈합자해〉	'ㆆ'은 우리말의 소리를 나타내기 위해 만든 글자라기보다는 한자음 표기를 염두에 두고 만들어진 것임을 보여 준다.

정답 ④

해 설

다 맞는 말이다. 그런데 ④번 선지는 황당한 오류가 들어 있다. '괴여'의 'ㅇ'는 형식문자이다. 따라서 음가가 없다. 모음 표시이다. 현대 국어의 '아빠'의 'ㅇ'와 같다. 설마 이 'ㅇ'를 자음이라고 생각하는 독자는 없겠지? 아냐 있을지도 몰라.

'ㅇ'이 가짜인데 'ㆀ'은 음가가 있겠어요? 이런 표기는 초창기의 표기법이 아직 정제되지 않아서 혼란을 보이던 예랍니다.

23. 다음은 현대 국어의 어미들이 보이는 현상을 중세 국어의 예와 관련하여 가르치기 위해 만든 자료이다. 대응되는 중세 국어의 예를 제시한 것으로 적절하지 않은 것은?

	현대 국어 어미의 현상	중세 국어의 예
①	공손의 선어말어미 '-오/옵-'이 '하오니', '하옵고'와 같이 뒤에 오는 어미의 종류에 따라 다르게 나타난다.	• 夫人이 王씌 ᄉᆞᆯᄫᆞᄃᆡ 오ᄂᆞᆯ 여희ᅀᆞᄫᆞᆫ 後에 • 어버ᅀᅵ 여희ᄉᆞᆸ고 ᄂᆞᄆᆞᆯ 브터 이쇼ᄃᆡ
②	선어말어미 '-시-'는 '입으시고'와 같이 'ㅂ' 뒤에서 매개 모음이 나타나나 청유형 어미 '-ㅂ시다'는 '시' 앞에 매개 모음이 나타나지 않는다.	• 그제 부테 옷 니브시고 바리 가지샤 • 일후믈 薩婆悉達이라 ᄒᆞᄉᆞᆸ사이다
③	연결 ㄹ어미 '-아'가 서술격 조사 뒤에서는 '-라'로 나타난다.	• 내 처ᅀᅥᆷ 道場애 안자 세 닐웻ᄉᆞᅀᅵᄅᆞᆯ ᄉᆞ랑ᄒᆞ요ᄃᆡ • 내 겨지비라 가져가디 어려ᄫᅳᆯ 씨 두 줄기ᄅᆞᆯ 조쳐 맛디노니
④	종결어미 '-노라'가 서술격 조사 뒤에서는 '-로라'로 나타난다.	• 나ᄂᆞᆫ 如來 ᄉᆞᄉᆞᆼᄫᆞᆯ 쩌글 ᄎᆞ마 보ᄉᆞᆸ디 몯ᄒᆞ야 가노라 ᄒᆞ시고 • 서글품과 깃붐과 내 어디로라 ᄒᆞᄂᆞᆫ ᄆᆞᅀᆞᄆᆞᆯ 降伏케 홈만 ᄀᆞᆮ디 몯ᄒᆞ니라
⑤	'해라체'의 종결어미 '-니라'는 '니' 뒤에 '라'로 나타나지만 '하십시오체'의 종결어미 '-습니다'는 '니' 뒤에 '다'로 나타난다.	• 中國ᄋᆞᆫ 皇帝 겨신 나라히니 우리 나랏 常談애 江南이라 ᄒᆞᄂᆞ니라 • 恭敬 ᄆᆞᅀᆞᄆᆞ로 ᄀᆞᄌᆞᆫ 道ᄅᆞᆯ 듣ᄌᆞᆸ고져 ᄒᆞᄉᆞᆸᄂᆞ이다

정답 ④

해 설

해 설⇩

다 맞는 설명이고 ④번 선지만 오류. 이것도 아주 기초적인 오류인데 '-노라'는 '-ᄂᆞ-+-오-+-다'의 합음이다. 여기의 '-ᄂᆞ-'는 현대 국어의 현재 선어말어미 '-는-'(먹는다의 는)의 15세기 형태이다. 이 형태는 "내가 학생인다."처럼 사용될 수 없다. 현대에서나 중세에서나.

예문의 "내 어디로라"는 [내가 어질다]의 의미이며 '어딜+오+다'의 구성이다. 여기의 '오'는 화자 표시, 의도법, 인칭 활용의 '오'이다. 틀리기 어려운 문제인데 자신감이 없으면 이렇게 쉬운 것도 보이지 않는다. 모든 것은 자신감에서 온다.

24. ㉠~㉥에 대한 설명으로 옳은 것은? [2.5점]

반종(潘綜)이 아비 더블오 도ᄌᆞᆨ ㉠ <u>ᄧᅩ쳐</u> 가더니
아비 닐오ᄃᆡ "㉡ <u>내</u> 늘거 ᄲᆞᆯ리 몯 가리로소니 네나 살아라" ᄒᆞ고 ᄡᅡ해 앉거늘
潘綜이 도ᄌᆞᄀᆡ 그에 마조 가 머리 조ᅀᅡ 닐오ᄃᆡ "아비 늘그니 ㉢ <u>사ᄅᆞ쇼셔</u>"
도ᄌᆞ기 다ᄃᆞᆮ거늘 그 아비 ᄯᅩ 請호ᄃᆡ "㉣ 내 아ᄃᆞ리 날 爲ᄒᆞ야 잇ᄂᆞ니 내ᅀᅡ 주거도 ᄆᆞ던커니와
이 아ᄃᆞᄅᆞᆯ ㉤ <u>사ᄅᆞ고라</u>"
도ᄌᆞ기 그 아비ᄅᆞᆯ ㉥ <u>버히거늘</u> 潘綜이 아비ᄅᆞᆯ 안고 업데어늘

〈삼강행실도 효자도 20〉

① ㉠은 'ᄧᅩᆾ-'의 사동사 'ᄧᅩ치-'에 연결어미 '-어'가 결합한 것으로 '추격하여'의 의미이다.
② ㉡과 ㉣은 문장 성분은 다르지만 성조는 같다.
③ ㉢은 동사 '살-'에 명령형 어미 '-쇼셔'가 결합한 것인데 현대 국어와 달리 매개 모음이 개재되었다.
④ ㉢과 ㉤은 청자가 다르므로 다른 등급의 상대 높임 어미를 사용하였다.
⑤ ㉥은 연결어미 '-어늘/거늘'이 '-거늘'로 통일되어 가는 과정을 보여 준다.

정답 ⑤

해 설

① ㉠피동사

② ㉡과 ㉣은 문장 성분은 다르고 성조도 다르다. ㉡ 주어, 거성. ㉣ 관형어, 평성.

③ ㉢은 사동 접미사 'ᄋᆞ'.

④ ㉢과 ㉤은 청자가 도적들로 같다.

⑤ ㉥은 연결어미 '-어늘/거늘'이 '-거늘'로 통일되어 가는 과정을 보여 준다. 정답. 15세기에는 타동사 어간에는 '-어늘'이 결합했다. 시간이 가면서 '-거늘'로 통일된다.

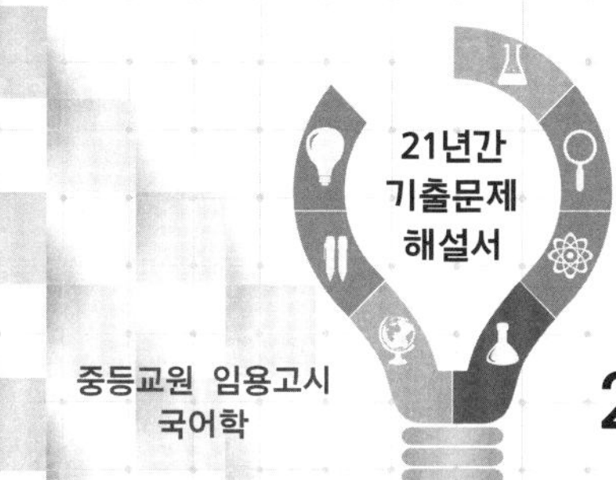

2011년도 기출문제

13. ㉠~㉢에 공통적으로 나타나는 음운 현상에 대한 설명으로 옳은 것은?

㉠ 숯+도→ [숟또], 솟+고→ [솓꼬], 부엌+과→ [부억꽈]
㉡ 밭+만→ [반만], 빗+는→ [빈는], 좇+는데→ [존는데]
㉢ 읊+고→ [읍꼬], 읊+지→ [읍찌], 읊+더라→ [읍떠라]

① 종성의 자음이 탈락한다.
② 자음의 조음 위치는 바뀌지 않는다.
③ 종성에 오는 자음의 가짓수가 제한된다.
④ 후행 자음에 동화되어 종성의 자음이 바뀐다.
⑤ 폐쇄과정을 거쳐 발음되는 자음에서만 일어난다.

정답 ③

해 설 해 설⇩

① 종성의 자음이 탈락한다.
가령 '숯도'가 [숟또]가 되었을 때 종성의 자음이 탈락한 것은 아니다. 'ㅊ'이 'ㄷ'이 되었을 뿐이다. 따라서 이 선지의 진술은 오류.

② 자음의 조음 위치는 바뀌지 않는다.
앞에서 자음 체계표를 외워 두라고 했다. 빨리 그려 보라. 맨 위의 용어들이 조음 위치이다. 맨 왼 쪽의 용어들은 조음 방법이다. 가령 '숯도'에서 'ㅊ'의 조음 위치는 어디인가? 'ㄷ'의 조음 위치는 어디인가? 그렇다. 경구개(딱딱한 입천장)와 치조(=치경=윗잇몸)이다. 따라서 조음 위치가 바뀌기도 한다. 따라서 이 선지도 오류.

③ 종성에 오는 자음의 가짓수가 제한된다.

준 예들을 보면 '솟고'가 [솓고]가 되어 있다. 이 현상으로 알 수 있는 것은 소위 7종성법이다. 근대 국어로부터 시작하여 현대 국어에서도 여전히 종성에서 발음되는 것은 'ㄱ, ㄴ, ㄷ, ㄹ, ㅁ, ㅂ, ㅇ'의 7자음인 것이다. 이런 관점에서 전체를 살펴보면 모두 동일한 현상이라는 것을 확인할 수 있다. 편안하게 정답 체크! 문법 문제의 시작이라서 워밍업을 하라고 늘 제일 쉬운 문제를 13번에 배치하는 경향이 있다. 럭키 13번!

④ 후행 자음에 동화되어 종성의 자음이 바뀐다.

이 말은 역행 동화가 발생한다는 뜻이다. 준 예에서 '숯+도→[숟또], 솟+고→[솓꼬], 부엌+과→[부억꽈]'에서 역행동화가 발생하는가? 아니다. 따라서 오류. 역행동화의 예는 '신라→[실라]'이다. 아래의 보충학습을 잘 기억해 두기 바란다.

⑤ 폐쇄과정을 거쳐 발음되는 자음에서만 일어난다.

이 선지가 이해가 안 된 수험생도 있을 것이다. 국어 자음에서 폐쇄 과정을 거치는 자음은 무엇일까? 자음 체계표를 놓고 보라. 폐쇄음(=파열음) 'ㄱ, ㄷ, ㅂ'계열이 전형적이다. 여기다가 한 종류가 더 있다. 폐쇄 마찰음(=파열 마찰음) 'ㅈ'계열이다. 나머지는 마찰음 'ㅅ'계열, 비음 'ㄴ, ㅁ, ㅇ', 유음 'ㄹ'인데 이들은 폐쇄의 과정이 없다. 여기서 폐쇄란 숨을 순간적으로 멈추었다가 터트리는 것을 뜻한다. 이런 기본 지식이 있다면 준 예의 종성에 'ㅅ, ㄹ'이 들어 있는 것이 보일 것이다. 따라서 오류.

[보충학습] [7종성법 = 평폐쇄음화](『소리와 발음』에서 인용)

평폐쇄음화는 어떠한 조건 아래에서 평폐쇄음이 아닌 소리가 평폐쇄음, 구체적으로는 'ㄱ, ㄷ, ㅂ'의 세 소리로 대치되는 현상을 이른다. 이때의 평폐쇄음이란 평음이면서 폐쇄음인 소리를 가리키므로 평폐쇄음화는 평음이 아닌 소리(이 경우에는 격음이나 경음)가 평음으로 바뀌는 '평음화'와 폐쇄음이 아닌 소리(이 경우에는 마찰음이나 파찰음)가 폐쇄음으로 바뀌는 '폐쇄음화'를 포함하게 된다. '앞'과 '옷'을 예로 들어 보자.

앞→압, 앞-도→압도(→ 압또)

옷→옫, 옷-도→옫도(→ 옫또)

'앞'은 격음 'ㅍ'를 말음(末音)으로 가진 단어다. 그러므로 '앞'이 모음으로 시작하는 조사 '-이, -을'과 연결되었을 때에는 '앞이[아피], 앞을[아플]'에서 보듯 그 말음 'ㅍ'가 잘 실현된다. 하지만 '앞'이 그것으로 말이 끝났거나 자음으로 시작하는 조사에 연결되었을 경우에는 'ㅅ'가 'ㄷ'로 바뀌어 발음된다. 즉, 'ㅅ'가 음절 종성 위치에 나타났을 경우에는 마찰음 'ㅅ'가 폐쇄음 'ㄷ'로 바뀌는 폐쇄음화가 일어나는 것이다.

이와 같이 음절 종성에서 격음이나 경음이 평음으로, 또 마찰음이나 파찰음이 폐쇄음으로 바뀌는 것은 음절 종성 위치에 나타날 수 있는 자음이 불파음이어야 한다는 한국어의 특성 때문이다. 그런데 격음과 경음 그리고 마찰음과 파찰음은 불파음으로 발음할 수 없다. 따라서 이 자음들이 음절말 위치에 오게 되면 그것을 평음 또는 폐쇄음으로 바꾸어 줌으로써 그 위치에서 불파음으로 실현될 수 있도록 해 주는 것이다.

한국어에서 불파음으로 발음할 수 있는 자음은 'ㄱ, ㄴ, ㄷ, ㄹ, ㅁ, ㅂ, ㅇ[ŋ]' 일곱 개뿐이다. 이 중에 'ㄴ, ㄹ, ㅁ, ㅇ[ŋ]'은 공명음이고 'ㄱ, ㄷ, ㅂ'은 장애음이다. 따라서 모든 공명 자음은 다 음절말 위치에 나타나지만 장애음 중에는 'ㄱ, ㄷ, ㅂ' 세 자음만 이 위치에 나타난다고 할 수 있다.

14. 〈자료〉를 활용하여 국어사전에 대해 설명할 내용으로 타당한 것은?

〈자료〉

나누다[나누어 나눠, 나누니] 동

1 【… 을…으로】 ㉠ 하나를 둘 이상으로 가르다.

¶ 사과를 세 조각으로 나누자.

㉡ 여러 가지가 섞인 것을 구분하여 분류하다.

¶ 나는 이 물건들을 불량품과 정품으로 나누는 작업을 한다.

2 【…을…에/에게】 몫을 분배하다.

¶ 이익금을 모두에게 공정하게 나누어야 불만이 생기이 않는다.

3 【(…과)…을】 ('…과'가 나타나지 않을 때는 여럿임을 뜻하는 말이 주어로 온다)

㉠ 음식 따위를 함께 먹거나 갈라 먹다.

¶ 나는 그녀와 술을 한 잔 나누면서 여러 가지 이야기를 했다.

㉡ 말이나 이야기, 인사 따위를 주고받다.

¶ 고향 친구와 이야기를 나누는 일은 언제나 즐겁다.

㉢ 즐거움이나 고통, 고생 따위를 함께하다.

¶ 고통은 주위 사람과 나누면 작아지고, 즐거움은 나누면 커진다고 한다.

① 1, 2, 3과 같은 기호들은 '나누다'가 동음이의어임을 나타낸다.

② 〈자료〉에서 보듯이 동사의 뜻은 '종차(種差)+유개념(類概念)'으로 풀어준다.

③ 예를 들어 '빵을 나누기가 어렵다.'에서 '나누기'는 명사이므로 '나누다'와 구별하여 따로 표제어로 등재한다.

④ ㉠, ㉡……은 중심적 의미에서 주변적 의미의 순서로 배열하는데, 3-㉠은 '나누다'의 중심적 의미이며 3-㉡, 3-㉢은 주변적 의미이다.

⑤ 【 】 기호는 통사 정보를 나타내는데, '선생님은 키에 따라 청군과 백군으로 학생들을 나누어 편을 갈랐다.'는 1-㉡의 용례로 추가할 수 있다.

정답 ⑤

해 설

해 설⇩

① 1, 2, 3과 같은 기호들은 '나누다'가 동음이의어임을 나타낸다.

동음이의어(同音異義語)는 같을 동, 소리 음, 다를 이, 뜻 의, 말씀 어. 가령 '먹는 배'와 '타는 배'에서의 '배'. 임용 수험생을 웃겨주려는 출제 교수들의 따뜻한 배려!

② 〈자료〉에서 보듯이 동사의 뜻은 '종차(種差)+유개념(類概念)'으로 풀어준다.

이 설명도 아직 따뜻하다. 동사에서가 아니고 명사에서 주로 그러하다. 오류. 준 예 어디에도 '종차(種差)+유개념(類概念)'으로 풀어준 것은 없다.

종차란 종류 종, 차이 차. 따라서 종차란 한 유개념 속의 어떤 종개념이 다른 종개념과 구별되는 요소. 이를테면 동물에 속하는 사람이 다른 동물과 비교할 때 이성적이며 언어를 가졌다는 차이 따위이다.

유개념의 유는 종류 류, 종과 류는 진부분 집합과 전체 집합의 분류학적 명칭. 따라서 유개념이란 어떤 개념의 외연(外延)이 다른 개념의 외연보다 크고 그것을 포괄할 경우, 전자를 후자에 대하여 이르는 말. 예를 들면, 소나무·매화나무 따위의 종개념(種概念)에 대하여 식물이 이에 해당한다.

외연이란 일정한 개념이 적용되는 사물의 전 범위. 이를테면 금속이라고 하는 개념에 대해서는 금, 은, 구리, 쇠 따위이고 동물이라고 하는 개념에 대해서는 원숭이, 호랑이, 개, 고양이 따위이다.

'종차(種差)+유개념(類概念)'으로 풀어준 예를 표준 국어 대사전에서 찾아보면, 가령

시(詩): 문학의 한 장르. 자연이나 인생에 대하여 일어나는 감흥과 사상 따위를 함축적이고 운율적인 언어로 표현한 글이다.

이것을 좀 더 정밀하게 만들면 '시란 언어 예술이다'가 된다. 종차는 언어, 유개념은 예술이 된다.

③ 예를 들어 '빵을 나누기가 어렵다.'에서 '나누기'는 명사이므로 '나누다'와 구별하여 따로 표제어로 등재한다.
'나누기'를 분석해보라. '나누+기'. 여기의 '-기'의 문법적 명칭은 무엇인가? 명사형 전성어미. 명사형의 '형'이란 무슨 뜻인가? 형(形) = 꼴 = 짝퉁! 따라서 명사인가 아닌가? 아니다. 원래의 품사를 그대로 가지고 있다. 무엇? 동사. 이 짧은 지식은 임용 시험에서는 대단히 중요하다. 매년 반복적으로 출제될 것이다. 요컨대 이 예문의 '나누기'는 동사이고 곱셈의 반대말 '나누기'는 명사이다. 그 문법적 구분을 어떻게 하는지에 대해서 잘 익혀 두기 바란다. 2011년에 2차 문제 혹은 1차 문제로 출제될 가능성이 높다. 필자는 물론 이 문제에 대해서 자세히 알기 쉽게 강의할 계획이다. 필자 직강!

④ ㉠, ㉡……은 중심적 의미에서 주변적 의미의 순서로 배열하는데, [3]-㉠은 '나누다'의 중심적 의미이며 [3]-㉡, [3]-㉢은 주변적 의미이다.
[1], [2], [3]의 순서가 중심적 의미에서 주변적 의미의 순서로의 배열이다. '나누다'의 중심적 의미는 [3]이 아니라 [1]이며 [3]-㉠, -㉡, -㉢은 모두 주변적 의미이다.

⑤【 】기호는 통사 정보를 나타내는데, '선생님은 키에 따라 청군과 백군으로 학생들을 나누어 편을 갈랐다.'는 [1]-㉡의 용례로 추가할 수 있다.
당연한 진술이다. 통사적 정보란 주로 성분끼리의 관계를 의미한다. '누가 무엇을 어찌한다'와 같은 문장의 구조적 정보를 통사적 정보라고 한다. 용례도 적절하다. 이런 사전을 이해하는 문제를 노량진 모의고사에서 필자 말고도 출제한 강사가 있는지 궁금하다. 필자는 수험생의 입장에서 출제 교수들이 무슨 문제를 낼까를 늘 숙고한다. 양쪽의 사정을 두루 알기 때문에 예측이 대개 맞는다. 아직 필자가 강조하지 않은 데서 나온 문제는 없다. 다른 강사들도 그렇겠지만…. 2010 2차는 뭐 4회 분량의 모의고사에서 그대로 출제되었다. 모 교대 교수처럼 유출 논란거리가 아니고 기본에 충실한 공부를 하다보면 다 적중되게 되어 있다는 말이다. 그저 충실하게 기본 개념만 잘 익혀도 합격은 충분하다.

15. 〈자료〉의 평가 문항을 고려할 때 ㉠에 들어갈 내용으로 가장 적절한 것은?

〈자료〉

• 학습 내용 : 본말과준말의특성

• 평가 목표 : [㉠]

• 평가 문항 : 다음 괄호 안에 표기의 옳고 그름을 ○, ×로 표시한 후 동일한 사례를 더 찾아보시오.

문항	사례
1. 흙길에 발을 [디디니( )/ 딛으니( )] 기분이 매우 상쾌하다.	
2. 아직은 일에 [서툴러서( )/ 서툴어서( )] 가끔 실수를 한다.	

① 준말을 정의할 때 필요한 요소가 무엇인지 안다.

② 본말과 준말의 의미에는 아무런 차이가 없음을 안다.

③ 본말이 준말로 줄어들 때 어떤 음이 탈락하는지 안다.

④ 본말 대신 준말을 선택하여 얻을 수 있는 표현 효과를 안다.

⑤ 본말에 붙는 어미가 준말에는 붙지 못하는 경우가 있음을 안다.

정답 ⑤

해 설 해 설⇩

이 문제는 정식으로 풀자면 대단히 어려운 문제가 된다. 단편적인 암기 실력이 필요하기 때문이다. 요점만을 말하면, 표준어 규정 제16항 단서 조항에 '머무르다, 서두르다, 서투르다'는 '머물다, 서둘다, 서툴다'처럼 준말로 써도 표준어로 인정하지만 모음어미가 연결될 때는 준말의 활용형을 인정하지 않는다고 했다. 따라서 선지 5가 답이 되고 문제의 '딛으니, 서툴어서'는 틀린 표기가 된다.

아직 이해가 되지 않는 독자는 아래 보충학습을 잘 읽기 바란다. 끝부분에 큰 활자로 강조한 부분이 이 문제의 해설이다. 따라서 임용 문법은 방송통신대학교 교재가 최고라는 것을 다시금 확인할 수 있을 것이다.

그러나 이 문제를 요령으로 풀면 간단히 풀린다. 문제를 보면 '표기의 옳고 그름'을 따지라고 했다. 따라서 둘 중 하나는 틀린 것이라는 뜻이 전제된다. 이 사실로 선지를 역산하면 답은 5번이 된다.

왜냐하면 ① 준말을 정의할 때 필요한 요소가 무엇인지 안다: 정의(定義)와 옳고 그른 예는 아무런 관련이 없다.

② 본말과 준말의 의미에는 아무런 차이가 없음을 안다: 표기형의 옳고 그름과 의미와는 아무런 관련이 없다.

③ 본말이 준말로 줄어들 때 어떤 음이 탈락하는지 안다: '디디니, 딛으니'에서 본말이 준말로 줄어들면서 모음 '이'가 탈락했다. '서툴러서, 서툴어서'에서는 'ㄹ'이 탈락했다. 그런데 탈락한 음을 안다고 해도 어느 표기형이 옳고 그른지를 판단할 수는 없다. 따라서 오류.

④ 본말 대신 준말을 선택하여 얻을 수 있는 표현 효과를 안다: 표기형의 옳고 그름과 의미와는 아무런 관련이 없다.

⑤ 본말에 붙는 어미가 준말에는 붙지 못하는 경우가 있음을 안다: 이 선지의 '붙지 못하는 경우가 있음'이라는 말이 '붙으면 틀림'이란 말이다. 따라서 정답임을 눈치 챌 수 있다. 이렇게라도 풀 수 있어야 한다. 4대 규정에서 출제할 때는 비록 외우지 못했더라도 풀 수 있는 여지를 남기려고 출제 교수들이 고심한다. 그 마음을 받아주는 자세도 꼭 필요하다.

[보충학습] [준말의 문법](『맞춤법과 표준어』에서 인용)

'준말'의 맞춤법은 「한글 맞춤법」 제4장 제5절에 규정되어 있다.

「한글 맞춤법」에서 준말의 맞춤법을 어떻게 할 것인가 하는 문제에 대한 것은 제32~40항에 규정되어 있다. 여기서는 흔히 잘못 쓰기 쉬운 준말의 표기를 몇 가지 용례를 중심으로 설명하고자 한다.

(1) 되요/돼요, 되서/돼서, 되니/돼니

준말 가운데에는 발음이 같아서 혼동되는 예들이 있다. 자주 틀리는 것 가운데 하나가 '되다' 활용형의 준말 표기이다. '되어, 되었다'의 준말이 '돼, 됐다'인데, 오늘날 대부분의 사람들은 '되'와 '돼'의 발음을 똑같이 한다. 'ㅚ'가 이중모음 [ㅞ]로 발음되고, [ㅔ]와 [ㅐ]의 구별이 없어진 결과이다. 그러다 보니 '돼'를 써야 할 자리에 '되'를 쓰기도 하고, 그 반대로 '되'를 써야 할 자리에 '돼'를 쓰기도 한다. 이런 경우의 준말은 문법적으로 구분하여 표기할 수밖에 없다. '되+어=돼'라는 등식을 항상 염두에 두어야 한다. 문제는 활용어미 '-어'가 들어 있는지, 들어 있지 않은지를 판별하는 일이다.

위의 ‘되요’, ‘되서’는 문법에 어긋난 것이다. 이들은 ‘되+어+요’, ‘되+어+서’의 구조를 가져야 하기 때문이다. ‘되-’가 아닌 다른 동사 어간을 대신 넣어 보면 이 사실을 쉽게 알 수 있다. ‘보다[見]’의 어간을 넣어 보면, ‘보아요(봐요), 보아서(봐서)’가 되지 ‘*보요, *보서’가 되지는 않는다. ‘-요’나 ‘-서’는 항상 그 앞에 연결어미 ‘-어/아’를 필요로 한다는 것을 알 수 있다. ‘되니/돼니’의 경우는 이와 반대이다. 연결어미 ‘-니’는 어간에 바로 붙기 때문이다. ‘보니(보+니)’이지 ‘*봐니(보+아+니)’가 아니지 않은가. 그러므로 ‘되니’가 올바른 표기가 된다.

이와 관련된 규정은 「한글 맞춤법」 제35항이다. 특히 [붙임 2]의 규정은 ‘괴어, 되어, 뵈어, 쇠어, 쐬어’를 준말인 ‘괘, 돼, 봬, 쇄, 쐐’로, ‘괴었다, 되었다, 뵈었다, 쇠었다, 쐬었다’를 준말인 ‘괬다, 됐다, 뵀다, 쇘다, 쐤다’로 적을 수 있는 예를 보인 것이다. 그런데 이 규정은 ‘괴다, 되다’ 등과 같이 모음 ‘외’ 앞에 자음이 있는 어간에만 적용된다. 자음이 없는 ‘외다’의 경우는 ‘왜, 왜서, 왰다’와 같이 축약이 일어나지 않으므로 ‘외어, 외어서, 외었다’의 표기만이 인정된다.

(2) 적잖은/적쟎은, 만만찮다/만만챦다

‘가지어, 가지었다’의 준말을 ‘가져, 가졌다’로 적는 「한글 맞춤법」 제36항의 규정을 여기에 그대로 확대 적용하면, 어미 ‘-지’에 ‘않-’이 어울릴 경우 ‘-쟎-’이 되어야 하고, ‘하지’가 줄어든 ‘-치’에 ‘않-’이 어울릴 경우에도 ‘-챦-’이 되어야 한다. 그러나 올바른 표기법은 ‘적잖은’과 ‘만만찮다’이다. 이들은 이미 줄어진 형태가 굳어져 하나의 낱말로 대접받고 있는 것이므로, 굳이 어원을 밝혀서 줄어진 과정을 보일 필요가 없다고 판단하여 소리대로 적기로 한 것이다. 물론 이 경우의 ‘-잖-’이나 ‘-찮-’이 독립된 하나의 낱말은 아니지만 낱말의 경우를 준용하여 하나의 음절로 줄어지는 경우에는 모두 ‘-잖-’과 ‘-찮-’으로 적기로 하였다.

제39항 어미 ‘-지’ 뒤에 ‘않-’이 어울려 ‘-잖-’이 될 적과 ‘-하지’ 뒤에 ‘않-’이 어울려 ‘-찮-’이 될 적에는 준 대로 적는다.

본말	준말	본말	준말
그렇지 않은	그렇잖은	만만하지 않다	만만찮다
적지 않은	적잖은	변변하지 않다	변변찮다

예전의 「통일안」에서는 ‘점잖다’(위에서 말한 것처럼 이 단어는 ‘젊지 않다’에서 온 것이나 이미 본말의 뜻에서 멀어졌다.)만을 소리대로 적고 ‘적쟎다’ 등은 줄어진 과정을 보이게 적어 서로 구별 표기하였으나, 「한글 맞춤법」 제39항은 이러한 구별을 없앤 것이다.

(3) 섭섭지/섭섭치, 생각건대/생각컨대

'섭섭하지'의 준말은 '섭섭지'일까, '섭섭치'일까? '섭섭치'로 적지 않고, '섭섭지'로 적는 것은 현실 발음에 따른 것이다. '생각건대'도 마찬가지이다. 이는 「한글 맞춤법」 제40항, 특히 [붙임 2]의 규정과 관련이 있다. 우리말에서 "~하다"의 '하-'가 줄어질 때에는 두 가지 유형이 있다. 하나는 '하'의 'ㅏ'만 탈락하는 것이고, 또 하나는 '하' 전체가 탈락하는 경우이다. 그렇다면 언제 'ㅏ'만 탈락하고, 언제 '하' 전체가 탈락하는가? 이는 '하' 앞에 오는 말이 무엇이냐에 따라 결정된다.

(가) '하' 앞의 말이 모음이나 유성자음 'ㄴ, ㄹ, ㅁ, ㅇ'인 경우
→어간 끝 음절 '하'의 'ㅏ'가 줄고 'ㅎ'이 다음 음절의 첫소리와 어울려 거센소리로 된다. 예 연구하도록(연구토록), 간편하게(간편케), 흔하지(흔치), 흔하다(흔타), 편안하지(편안치), 정결하다(정결타), 다정하다(다정타), 다정하지(다정치), ……

(나) '하' 앞의 말이 무성자음 'ㄱ, ㅂ, ㅅ'인 경우
→어간의 '하'가 아주 줄어 없어진다. 예 거북하지(거북지), 넉넉하지(넉넉지), 생각하다 못해(생각다 못해), 익숙하지(익숙지), 섭섭하지(섭섭지), 깨끗하지(깨끗지), ……

사람에 따라서는 (나)의 경우에도 '하'의 'ㅏ'만이 줄어든 [넉넉치], [익숙치] 등으로 발음하기도 한다. 그러나 이는 표준 발음이 아니다. [넉넉찌], [익숙찌]가 표준 발음이므로 이 발음에 따라 표기한 '넉넉지, 익숙지'가 맞춤법에 맞는 것이다(이들을 된소리로 적지 않는 이유에 대해서는 이미 제5강에서 설명한 바 있다). 이 용례들이 자신의 발음과 같다면 아무 문제가 없겠지만, 자신의 평소 발음과 다르다면, 앞의 원리를 잘 익혀서 맞춤법에 맞는 표기를 하여야 한다.

준말의 맞춤법은 줄어진 발음대로 쓰는 것이 대원칙이다. 그러나 발음이 같은 경우, 문법적으로 구별하여 적는 것이 꼭 필요할 때가 있다. 우선 쉬운 예부터 차례대로 살펴보기로 한다.

(1) 안 한다/않 한다

'안'과 '않'의 표기는 조금만 주의하면 구별하여 쓸 수 있다. '안'은 부사 '아니'의 준말이요, '않'은 동사 '않다'의 어간이다. '안=아니'이므로 '안 한다, 안 간다, 안 먹는다' 등에서 '안' 대신에 '아니'를 넣어도 잘 성립한다. '않-'은 어간이므로 어미 없이 단독으로 쓰이는 일은 없고, 반드시 '않고, 않아서, 않는다, 않는' 등과 같은 활용형으로만 사용된다. '않다'는 기원적으로 '아니하다'에서 줄어진 말로 그 활용형이 [안타], [안코], [안치] 등으로 발음되나 어간과 어미를 구분하여

적는 원칙에 따라 '않다, 않고, 않지'로 표기하는 것이다.

(2) 이렇든/이러튼, 어떻든/어떠튼, 아무튼/아뭏든

'이렇든, 그렇든, 저렇든, 어떻든, 아무렇든'에서는 'ㅎ' 받침을 쓰는데, 이와 비슷한 구조를 가지고 있는 '아뭏든/아무튼, 하옇튼/하여튼'에서는 'ㅎ' 받침을 쓰지 않고 소리 나는 대로 적는 이유는 무엇일까? 우선, '이렇든, 그렇든' 등에서 'ㅎ' 받침을 쓰는 것은 이들이 '이러하다, 그러하다'에서 줄어든 '이렇다, 그렇다'의 활용형이기 때문이다. '이렇다'를 예로 들자면, '이렇다, 이렇고, 이렇지, 이렇든지'와 같이 '이렇-'을 어간으로 한 규칙적인 활용의 모습을 보여 준다. 앞에서 본 '아니하다'의 준말 '않다'에서 어간의 끝소리로 굳어진 'ㅎ' 받침을 적는 것과 똑같은 원리이다. 그러나 '아무튼, 하여튼'은 '*아뭏다, *하옇다'의 활용형이 아니다. 기원적으로는 '아무하다, 하여하다' 등에서 온 것이라 하더라도, 이미 독립한 별개의 단어로 굳어진 말이다. '부터[自]'라는 부사가 본래 '붙다[附]'의 활용형 '붙어'로부터 온 것이지만, 이미 원래의 어간이 가지는 본뜻과는 거리가 멀어져 새로운 단어가 된 것과 같다. 이러한 경우에는 원래의 어간과 어미를 구별하여 적지 않는 것이다. 「한글 맞춤법」 제40항의 [붙임 1]과 [붙임 3]에 이들 표기와 관련된 규정이 명시되어 있다.

(3) 꽃이에요/꽃이예요, 나무에요/나무예요, 뭐에요/뭐예요

체언에 서술격조사 '이-'가 붙어서 활용하는 경우, 그 준말의 맞춤법이 좀 까다로운 편이다. 우선, '-이에요'는 '-이어요'의 구어체인데, '-이예요, -이여요'로 쓸 수는 없다. '-이어요'는 '이+어+요'로 분석되고, 이때의 '-어'는 '먹어(먹+어)'의 '-어'와 같은 기능을 하는 것이므로, 기본형 '-어'를 고정시켜 표기해야 한다. '(꽃이) 피였다'로 적지 않고 '피었다'로 적는 것과 똑같은 원리이다. 그래서 '꽃이에요(꽃이어요)'가 맞고 '꽃이예요(꽃이여요)'가 잘못된 표기이다. 그런데 우리말에서 서술격조사 '이-'는 모음 뒤에서 줄어드는 경우가 있다. 그런데 표면적으로는 생략되었어도 그 뒤에 모음 어미가 오면 표기에 반영된다. 즉, '-이에요, -이어요'의 준말은 '-예요, -여요'로 표기되는 것이다. 그러므로 '(무늬만) 나무예요'가 올바른 표기이다. '(사랑이) 뭐에요/뭐예요'의 경우도 마찬가지이다. '뭐'는 '무엇'의 준말이다. 앞에서 '나무+이에요'를 줄여서 '나무예요'로 적는 것과 마찬가지로 '뭐+이에요'는 '뭐예요'로 적어야 한다.

(4) 호랑이에요/호랑이예요, 아니에요/아니예요

앞에서 '-이에요'가 맞고 '-이예요'가 잘못된 표기라고 한 것을 여기에 그대로 적용하여 '호랑이에요'로 적으면 안 된다. '호랑이예요'는 '호랑이'라는 명사에 '-이에요'의 준말 '-예요'가 붙은 것이기 때문이다. 즉, '호랑+이예요'가 아니라 '호랑이+예요'의 구성인 것이다. '(제가) 영숙이에요'가 아니라 '영숙이예요'가 되어야 하는 것도 같은 원리이다.

'아니에요/아니예요'는 사정이 전혀 다르다. 얼핏 잘못 생각하면 '아니+이에요'로 생각하여 '아니예요'로 적어야 할 것 같지만(마치 '딸기예요'처럼), '아니'는 명사가 아니라 형용사 '아니다'의 어간이다. 활용형이므로 '아니+어+요'의 구조를 가진다. '깊어요(깊+어+요)'와 같은 구조인 것이다. 이 '아니어요'가 구어체인 '아니에요'가 된 것이므로 '아니에요'로 적어야 한다.

준말에 대한 규정은 「한글 맞춤법」뿐만 아니라 「표준어 규정」과도 관련된다. 「표준어 규정」의 제1부 '표준어 사정 원칙' 제14~16항은 준말과 본말 가운데 표준어로 삼는 단어를 규정하고 있다.

(5) 표준어 사정 원칙(준말과 본말)

(가) 준말이 널리 쓰이고 본말이 잘 쓰이지 않는 경우에는, 준말만을 표준어로 삼는다. (제14항)

(나) 준말이 쓰이고 있더라도, 본말이 널리 쓰이고 있으면 본말을 표준어로 삼는다. (제15항)

(다) 준말과 본말이 다 같이 널리 쓰이면서 준말의 효용이 뚜렷이 인정되는 것은, 두 가지를 다 표준어로 삼는다. (제16항)

이 규정은 준말과 본말의 관계에서 어느 것이 널리 쓰이는가에 따라 표준어를 선정한다는 기준을 말하고 있는 것인데, 이에 따라 현실적으로 널리 쓰이는 말을 각각의 경우에 따라 정하였다. 그 예를 몇 가지씩 들면 다음과 같다(괄호 속은 비표준어).

(가) 귀찮다(귀치 않다), 똬리(또아리), 무(무우), 뱀(배암), 생쥐(새앙쥐), 솔개(소리개), ……

(나) 경황없다(경없다), 귀이개(귀개), 돗자리(돗), 수두룩하다(수둑하다), ……

(다) 노을/놀, 막대기/막대, 망태기/망태, 시누이/시뉘/시누, 외우다/외다, 찌꺼기/찌끼, ……

이러한 경우의 맞춤법은 당연히 표준어로 정해진 단어를 적는 것이다. 이미 앞서도 여러 차례 말했지만, 「한글 맞춤법」은 '표준어를 소리대로 적되'에서 보듯이 '표준어'를 전제로 하는 것이기 때문이다.

(다)의 경우와 같이 본말과 준말이 모두 표준어로 인정되더라도 활용형에 따라 달라지는 경우가 있고, 또는 본말과 준말의 관계가 비슷한 발음을 가진 경우라도 개별 단어에 따라 표준어 선정이 달라지는 경우가 있으므로 주의하여야 한다. 다음의 예를 보자.

(6) 머무르다/머물다, 짓무르다/짓물다

'머무르다/머물다, 서두르다/서둘다, 서투르다/서툴다'는 본말과 준말을 모두 표준어로 삼았다. 그러나 모음 어미가 연결될 때에는 준말의 활용형을 인정하지 않는다는 단서가 달려 있다. '머무르다'의 활용형 '머무르지, 머무르고, 머물러(←머무르+어), 머물렀다(←머무르+었+다)'는 모두 표준어인 반면에, '머물다'의 활용형 '머물지, 머물고, 머물어, 머물었다' 가운데 '머물어(←머물+어), 머물었다(←머물+었+다)'는 비표준어인 것이다. '서둘어, 서둘었다' 등도 마찬가지이다.

'짓무르다/짓물다'는 본말과 준말의 관계가 '머무르다/머물다'와 비슷하다. 같은 유형의 단어라 할 수 있겠으나, 제17항에서 '짓무르다'만을 표준어로 인정하고 '짓물다'는 비표준어로 처리하였다. 제17항의 규정은 "비슷한 발음의 몇 형태가 쓰일 경우, 그 의미에 아무런 차이가 없고, 그 중 하나가 더 널리 쓰이면, 그 한 형태만을 표준어로 삼는다"이다. 결국 표준어 사정에서는 일률적인 규정은 어렵고 단어마다 개별적으로 정할 수밖에 없는 것이라 하겠다.

16. 〈자료〉를 중심으로 조사 사용의 적절성을 판단하는 학습 활동을 하였다. 밑줄 친 부분을 가장 잘 설명한 것은? [1.5점]

〈자료〉

(가) 철수는 여의도에 한 회사에 취업했다.
(나) 한 컴퓨터 회사가 관공서 직원들에 선물을 주었다.
(다) 영주는 마루에 자는 강아지를 안아 주었다.
(라) 그 독립투사는 혈서를 쓰려고 칼에 손가락을 베었다.
(마) 그는 전주를 거쳐 남원에 자동차를 타고 떠났다.

① (가)의 '에'는 그대로 두는 게 좋겠어. 비교의 대상이 되는 장소 뒤에는 '에'가 어울리지.
② (나)의 '에'는 '에게'로 고치는 게 좋겠어. 기구나 단체를 뜻하는 명사 뒤에는 '에게'를 쓰잖아.
③ (다)의 '에'는 '에서'로 고치는게 좋겠어. 행동이 이루어지고 있는 장소 뒤에는 '에서'를 쓰잖아.
④ (라)의 '에'는 맞는 표현이지만 '로'로 고쳐도 좋겠어. '에'와 '로'는 의도적으로 수단이나 도구를 이용할 때 쓰잖아.
⑤ (마)의 '에'는 맞는 표현이지만 '으로'로 고쳐도 좋겠어. '남원'이 목표점이니까 '으로'도 어울리지.

정답 ③

해 설

해 설⇩

이 문제는 통사론의 기본을 묻는 문제이다. 선지를 읽어 나가면서 바로바로 틀린 부분을 찾아 내야 한다. 맞히는 것이 문제가 아니라 빠르게 풀 수 있어야 한다. 그래야 어려운 문제에서 시간을 쓸 수가 있고 고득점을 하게 된다. 하나씩 살펴보자.

① (가)의 '에'는 그대로 두는 게 좋겠어. 비교의 대상이 되는 장소 뒤에는 '에'가 어울리지.
준 예문과 선지의 진술을 비교해 보면 밑줄 친 부분이 난데없는 말임을 알 수 있다. 따라서 오류. 밑줄친 부분을 타당하게 만드려면 "서울보다 시골에서 사는 것이 더 좋다." 정도.

② (나)의 '에'는 '에게'로 고치는 게 좋겠어. 기구나 단체를 뜻하는 명사 뒤에는 '에게'를 쓰잖아.
준 예문의 '관공서 직원들에'는 개인일 뿐이지 기구나 단체를 뜻하는 명사가 아니다. 따라서 오류.

③ (다)의 '에'는 '에서'로 고치는 게 좋겠어. 행동이 이루어지고 있는 장소 뒤에는 '에서'를 쓰잖아.
타당한 진술이다.

④ (라)의 '에'는 맞는 표현이지만 '로'로 고쳐도 좋겠어. '에'와 '로'는 의도적으로 수단이나 도구를 이용할 때 쓰잖아.
준 예문과 선지의 밑줄 친 부분이 어울리지 않는다. 따라서 오류. '칼에 손을 베였다'와 같이 쓰면 의도가 개입할 수 없다.

⑤ (마)의 '에'는 맞는 표현이지만 '으로'로 고쳐도 좋겠어. '남원'이 목표점이니까 '으로'도 어울리지.
밑줄 친 부분이 오류이다. 이런 통사론의 문제는 자신감의 문제이다. 수험생이라면 누구든지 그냥 풀 수 있는 문제이다. 이렇게 쉬운 문제를 스스로 의심해서는 곤란하다.

17. 〈자료〉를 활용한 수업에서 교사의 지도 내용으로 적절하지 않은 것은?

〈자료〉

※ 다음 글에서 합성어를 찾아 그 특성에 대해 이야기해 보자.

지금은 양옥집으로 바뀌었지만 어릴 적 우리 집은 아담한 초가집이었습니다. 집 옆에는 큰 소나무가 한 그루 있었고, 대문 안 쪽에는 국화꽃이 가득 심어져 있었습니다. 나는 새벽이 밝아오는 것을 기다려 책꽂이에서 낡은 책들을 하나씩 꺼내 읽는 것을 좋아 했습니다. 어머니는 항상 바쁘셨지만 어쩌다 짬이 나면 비빔냉면을 만들어 주곤 하셨습니다.

학생 활동		지도 내용
저는 '책꽂이'가 합성어라고 생각해요. 그리고 '책꽂이'는 '책을 꽂다'에다가 장소를 나타내는 '이'가 붙어서 '책을 꽂는 장소'를 나타내요.	①	'책꽂이'는 '[[책꽂-]-이]'로 분석하여 파생어로 보기도 해. 그리고 책꽂이'의 '-이'가 장소를 나타내는 것은 아니야.
저는 '소나무'를 찾았어요. '소나무'는 '솔나무'에서 왔잖아요. 그런데 왜 'ㄹ'이 떨어지죠?	②	합성어가 될 때, 'ㄹ'과 조음 위치가 같은 'ㄴ', 'ㅅ' 등의 자음 앞에서 'ㄹ'이 떨어지는 경우가 있어. 이런 예로는 '버드나무', '화살' 등이 더 있단다.
저는 '밝아오다'의 의미가 구성요소인 '밝다'와 '오다'의 의미를 합친 것이니까 합성어라고 생각해요. 물론 합성어는 한 단어니까 '밝아오는'처럼 붙여야겠지요.	③	구성 요소의 의미가 합쳐져서 합성어의 의미가 형성된 예는 얼마든지 더 있어. 〈자료〉에 있는 '심어지다'가 그렇고 그 밖에 '띄어 쓰다', '막아내다' 등도 있어.
저는 '비빔냉면'이 합성어라고 생각해요. '비냉'이라고 줄일 수도 있으니까요.	④	줄일 수 있다고 반드시 합성어는 아니야. '남한과 북한'을 '남북한'으로 줄일 수 있지만 '남한과 북한'이 합성어는 아니잖아.
저는 '초가집'이 합성어라고 생각해요. '초가'에서 '가'가 '집'을 뜻하는 것 같은데, 또 '집'을 붙였네요.	⑤	'한자어+고유어' 합성어에서 이런 현상이 많아. 〈자료〉에도 이런 현상을 보이는 합성어인 '양옥집', '국화꽃'이 더 있구나.

정답 ③

해 설

해 설⇩

이 문제도 대단히 쉽다. 다만 시험장의 압박 속에서 평정심을 유지할 수 있느냐의 문제일 뿐이다. 최종 합격이 너무너무 어렵다고 하는 임용 시험이지만 속을 들여다보면 이렇게 쉬운 것이다. 경쟁률이 '50 : 1'이란 것은 허수이다. 1차 시험에서 만점을 받는다면 아마 거의 최종 합격할 것이다. 그런데 이런 문제를 틀리는 근본적인 원인은 생활 습관의 문제이거나 시험 시간 내내 강한 집중을 하지 못하거나, 객관식 문제 풀이 연습을 진지하게 하지 않았거나 정도일 것이다. 임용 시험 준비를 가을에 잠깐 집중해서 합격하려고 하니까 잘 안 되는 것이다. 늦어도 1월부터 꾸준히 아침 6시에 일어나면서 술, 친구, 애인, 쇼핑, 각종 경조사, 티비, 영화, 스포츠, 스마트폰, 인터넷, 수많은 카페, 무익한 스터디 등의 폐해로부터 벗어나서 공부를 하면 아마 초수라도 1년 안에 합격할 것이다. 인생의 많은 분야에서 그러하듯이 1년 정도의 미치는 시간이 설렁설렁 10년의 노력보다 더 큰 결과를 가져올 것이다.

정답을 찾는 것은 어이가 없을 정도이다. 선지 3번에서, '심어지다'는 흔히 파생어로 처리를 한다. 이 예만이 틀린 것이다. 그런데 '-어지다'가 피동의 파생 접미사라는 것을 외우고 있을 독자는 왜 이 어형이 접미사로 처리되는지를 설명할 수 있는가? 이 질문은 2차 시험에 날 수 있다. 우리말 문법론을 잘 찾아보면 답이 설명되어 있다. 반드시 찾아서 정리를 해 두기 바란다. 정답을 작성했다면 필자에게 이메일을 보내서 검토 받아도 좋다.

선지 1번에서, '책꽂이'는 직접 구성 성분 분석 자체가 논란 거리이다. 즉 '책+꽂이'와 '책꽂+이'의 두 가지가 다 가능성이 있다. 필자는 전자를 선호한다. 그 이유는 '편지꽂이, 명함꽂이, 연필꽂이, 붓꽂이, 꽃꽂이, 칼꽂이……' 등의 어형이 있고, '꽂이'라는 말을 독립시킬 수도 있어 보인다. 그래서 'X꽂이'라는 말을 자연스럽게 만들 수도 있어 보인다. 그러나 '책꽂다' 식의 말은 없는 것이다. 굳이 이유를 대자면 '책을 꽂다'에서 목적격조사와 어미를 삭제하고 연결한 다음 명사파생접미사 '-이'를 붙이는 복잡한 과정을 설정하여 설명해야 한다. 국어 화자들이 이런 과정을 거치면서 'X꽂이'라는 말을 습득하여 사용할 것 같지는 않다.

선지 2번에서 '솔+나무'에서 'ㄹ' 탈락이 발생하여 '소나무'가 된다. 원래의 어형을 중시하면 합성어가 맞다. '버들+나무, 활+살'도 똑같다. 그런데 이런 어형의 'ㄹ+X'(x=치조 자음)는 조음 위치가 같다. 잇몸이다. 같은 자리에서 연속적으로 발음을 생산하기가 힘이 들어서 앞의 'ㄹ'을 탈락시킨 것이다. 이런 현상은 고대로부터 내려오는 것이다. 그러나 현대에 들어오면서 외국어 교육의 결과로 '달님, 술님'처럼 표기상으로도 발음상으로도 'ㄹ'을 유지하는 경향이 생겼다.

선지 4번과 5번도 읽어보면 타당하다.

18. 〈보기〉의 수업에 활용할 수 있는 언어 자료와 그에 관한 지도 내용으로 적절하지 않은 것은? [2.5점]

〈보기〉

- 학습 목표 : 구체적인 장면에서 심리적 태도를 드러내는 다양한 표현 방식을 이해한다.
- 주요수업내용
  - ‘장면’과 ‘심리적 태도’의 개념 소개하기
    - 장면 : 의사소통이 이루어지는 시·공간
    - 심리적 태도 : 화자가 사태를 파악하는 방식 심리적 거리와 관련됨.
  - 구체적인 장면에서 심리적 태도를 드러내는 표현방식탐구하기

	언어 자료	지도 내용
①	(예쁜 모자를 쓰고 있는 옆 사람에게) (가) 이 모자 어디서 샀어. (나) 그 모자 어디서 샀어.	‘모자’와 화자의 물리적 거리가 동일한데도 (가)처럼 ‘이’를 쓰거나 (나)처럼 ‘그’를 쓸 수 있음을 파악 시킨 뒤, 지시물에 대한 화자의 심리적 거리가 지시 표현에 어떻게 반영되는지 분석시킨다.
②	(철수가 나타나지 않음.) 민수 : 철수는 못 왔어. 영수 : 안 온 거겠지.	철수의 부재를 능력 부정으로 표현하거나 의지 부정으로 표현할 수 있음을 파악시킨 뒤, 화자의 심리적 태도와 부정 표현의 관계를 분석시킨다.
③	(텔레비전을 보다가) 영미 : 엄마, 경찰이 드디어 도둑을 잡았어. 엄마 : 도둑이 드디어 경찰에게 잡혔구나.	동일한 사태를 경찰을 중심으로 파악할 수도 있고 도둑을 중심으로 파악할 수도 있음을 이해시킨 뒤, 화자의 심리적 태도가 피동 표현에 어떻게 반영되는지 분석시킨다.
④	(책상 위에 책이 있음.) (가) 철수가 책을 책상 위에 올렸구나. (나) 철수가 책을 책상 위에 올리게 했구나.	동일한 상황을 (가)처럼 직접 사동으로 표현하거나 (나)처럼 간접 사동으로 표현할 수 있음을 파악시킨 뒤, 화자와 대상물과의 심리적 거리가 사동표현에 어떻게 반영되는지 분석시킨다.
⑤	(애인끼리 영화관 앞에서) 영희 : 우리 같이 본 영화잖아! 철희 : 같이 봤다고(잠시침묵) 아, 그러셨군요. 그 친구에게 나가시죠!	동일 인물에게 높임 표현을 달리 사용할 수 있음을 파악시킨 뒤, 화자와 청자의 심리적 거리가 높임 표현에 어떻게 반영되는지 분석시킨다.

정답 ④

해 설

해설⇩

이 문제도 매우 쉬운 문제이다. 다 맞는 진술인데 선지 4번이 심하게 틀렸다. 준 예문 '(가) 철수가 책을 책상 위에 올렸구나.'는 사동문이 아니다. 단순한 주동문이다. 이에 비해 준 예문 '(나) 철수가 (가령, 영수에게) 책을 책상 위에 올리게 했구나.'는 장형 사동문이다. 또 간접 사동문이다. 따라서 정답을 찾아낼 수 있다.

사동문의 본질적 특징은 주체가 객체에게 어떤 행위를 하게 시키는 것이다. 따라서 주체, 객체가 행위자여야 한다. 더 쉽게 말해서 어떤 사람이 다른 사람(혹은 동물, 식물)에게 어떤 행동을 하게 시키는 문장이 사동문인 것이다. 이 간단한 사실만을 알아도 이 문제는 해결된다. 다른 선지들은 모두 당연한 진술이다.

19. 시간 표현 형태들이 다양한 문맥에서 쓰이는 양상을 지도하기 위해 자료를 수집하였다. 자료에 대한 설명으로 적절하지 않은 것은?

	자료	설명
①	철수 : 참외 하나 골라줘. 영희 : 이 참외가 잘 익었다	'-었-'이 사태가 완료되어 그 결과가 지속됨을 나타내는 문맥에서 사용됨.
②	철수 : 다 끝났니 영희 : 일이 너무 밀렸어. 오늘 밤 잠은 다 잤다.	'-았-'이 미래의 어느 시점에 실현될 것을 확정적인 사실로 받아들임을 나타내는 문맥에서 사용됨.
③	철수 : 꽃이 하나도 없네. 영희 : 지난 여름에는 꽃이 가득 피었었어.	'-었었-'이 발화시 이전에 사태가 완료된 후 상황의 변화가 있음을 나타내는 문맥에서 사용됨.
④	철수 : 영수 지금 뭐하디? 영희 : 자기 방에서 책 읽더라.	'-더-'가 현재 일어나는 사실을 추정하여 인식함을 나타내는 문맥에서 사용됨.
⑤	철수 : 어제 시험 문제 어려웠다며 영희 : 아니, 그 문제는 나도 풀겠더라.	'-겠-'과 '-더-'가 함께 쓰여 경험 당시의 가능성을 나타내는 문맥에서 사용됨.

정답 ④

이 문제도 더 쉽게 낼 수 없을 정도로 쉽다. 정답은 4번이다. 회상시제 '-더-'의 의미 기능을 묻는 문제이다. '철수가 자기 방에서 책을 읽더라'라는 말은 '(철수가 자기 방에서 책을 읽)는 것을 내가 직접 보았다' 정도의 뜻이다. 이것이 '-더-'의 본질적 기능이다. 따라서 '추정(推定)=미루어 생각하여 판정함'이 아니다.

1번 '이 참외가 잘 익었다'에서 '익음'의 상태를 생각해 보라. 어느 시기에 '익음'이 완성된 후 그 상태가 지속되어 발화시에 유지되고 있다. 그것을 표현하는 것이다.

2번 '오늘 밤 잠은 다 잤다'는 발화시 이후의 일을 말하고 있다. '오늘 밤 잠은 전혀 못 잘 것이다'와 같이 말해야 할 것이다. 그러나 자기 말에 재미를 넣거나 강조하기 위해서 과거 완료 시제를 선택한 것이다. 가령 "너는 내일 죽었다"와 같이 과거 완료의 '-었-'을 미래 완료로 전용한 용법이다.

3번 '-었었-'은 선지의 설명이 정설이다. 따라서 사태의 변화가 없는데도 '-었었-'을 써서는 안된다는 것을 학생들에게 지도할 수 있어야 한다.

5번 '아니, 그 문제는 나도 풀겠더라.'와 같이 시상의 선어말어미가 겹칠 때는 뒤에서부터 설명하면 된다. '-더-'가 뒤에 있으므로 '……하는 것을 내가 직접 보았다'를 염두에 두고 그 앞을 보면 '그 문제는 나도 풀겠-'이 있으므로 추정의 의미가 더 들어가야 한다. 따라서 둘을 합성하면 선지의 말처럼 '경험 당시의 추정'이 생산된다. 따라서 준 예문은 "내가 과거의 어느 순간에 무엇을 경험했는데, 그 경험 내용은 내가 그 문제를 푼다면 풀 수 있겠다는 것이다" 정도의 의미를 표현한다.

20. 다음은 반의 관계에 관한 탐구 활동의 일부이다. (가)~(다)에 공통적으로 들어갈 수 있는 것은?

<table>
<tr><td>탐구 자료</td><td colspan="2">길다 / 짧다, 밝다 / 어둡다, 높다 / 낮다, 크다 / 작다,
깊다 / 얕다, 넓다 / 좁다, 무겁다 / 가볍다</td></tr>
<tr><td rowspan="4">탐구 내용</td><td>탐구 항목</td><td>추가 예</td></tr>
<tr><td>• 명사 파생이 가능한가?
예 길다 / 짧다, 밝다 / 어둡다
{길이 / *짧이}, {밝기 / *어둡기}</td><td>(가)</td></tr>
<tr><td>• 척도를 묻는 의문문에서 사용되는가? 예 길다 / 짧다
(고무줄의 길이를 몰라서 물어볼 때)
고무줄이 얼마나 {기니? / *짧니?}</td><td>(나)</td></tr>
<tr><td>• 동사로도 사용되는가?
예 길다 / 짧다
┌ 너는 머리가 참 길구나.
└ 너는 머리가 참 빨리 기는구나.
┌ 너는 머리가 참 짧구나.
└ 너는 머리가 *짧는구나.</td><td>(다)</td></tr>
<tr><td>탐구 결론</td><td colspan="2">반의 관계에 있는 형용사 쌍 중에서 적극적 의미를 담고 있는 한 쪽이 더 활발하게 사용된다.</td></tr>
</table>

① 높다/낮다 ② 크다/작다 ③ 깊다/얕다 ④ 넓다/좁다 ⑤ 무겁다/가볍다

정답 ②

해 설

이 문제도 대단히 쉽다. 조건만 찾으면 된다. 문제의 조건은 적극적인 의미를 담고 있는 한 쪽이 더 활발하게 사용된다는 결론에 있다. 또 준 예들에서 하나는 되지만 반의어는 성립하지 않아야 한다는 조건도 있다. 조건대로 해보자.

(가) 명사 파생의 가능성

높이/*낮이, 크기/*작기, 깊이/*얕이, 넓이/*좁이, *무겁기/*가볍기

(나) 척도를 묻는 의문문의 사용 가능성

그 산이 얼마나 높니?/*낮니?
그 동물이 얼마나 크니?/*작니?
그 연못이 얼마나 깊니?/*얕니?
마당이 얼마나 넓니?/*좁니?
무게가 얼마나 무겁니?/*가볍니?

(다) 동사로 사용 가능성

*높는구나, 크는구나, *깊는구나, *넓는구나, *무겁는구나

따라서 정답은 2번 '크다/작다'이다. 이 문제는 앞의 조건은 그림자 조건이고 조건 (다)에 의해서 정답이 확보되는 문제이다. 침착하게 관찰하는 능력이 요구된다.

21. 〈조건〉을 모두 만족시키는 문장을 〈보기〉에서 고른 것은? [1.5점]

〈자료〉

- 홑문장일 것.
- 관형사가 들어 있을 것.
- 객체를 높이는 서술어가 들어 있을 것.

〈보기〉

ㄱ. 손자는 새 옷을 할아버지께 드렸다.
ㄴ. 어머니는 할머니를 온갖 정성으로 모셨다.
ㄷ. 학생들은 어려운 내용을 선생님께 여쭀다.
ㄹ. 아버지께서 우리에게 옛 추억을 들려주셨다.

① ㄱ, ㄴ　② ㄱ, ㄷ　③ ㄴ, ㄷ　④ ㄴ, ㄹ　⑤ ㄷ, ㄹ

정답 ①

해 설

해 설⇩

어쩌자고 이렇게 쉬운 문제를 출제하는지 모르겠다. 대한민국의 국어교사가 될 분들에게 '홑문장, 관형사, 객체 높임'의 뜻을 묻고 있다.

홑문장이란 주어와 서술어가 하나씩 존재하는 문장이다. 찾아보면 ㄱ, ㄴ, ㄹ이다. ㄷ은 '어려운=어렵+은'이라서 관형사형 전성어미가 통합된 관형절이라서 안은 문장이다. 따라서 홑문장이 아니고 겹문장이다. 아주 단순하게 말해서 '어렵다, 여쭙다' 두 서술어가 있으니 홑문장은 아니다.

관형사란 체언 앞에 놓여서, 그 체언의 내용을 자세히 꾸며 주는 품사. 조사도 붙지 않고 어미 활용도 하지 않는데, '순 살코기'의 '순'과 같은 성상 관형사, '저 어린이'의 '저'와 같은 지시 관형사, '한 사람'의 '한'과 같은 수 관형사 따위가 있다. 표준국어대사전의 뜻풀이이다. 따라서 ㄱ의 '새'가 이에 해당한다. ㄴ의 '온갖'이 이에 해당한다. ㄹ의 '옛'이 이에 해당한다. 이렇게 되면 조건 두 개의 정답이 완전히 중복된다. 또 출제의 잉여가 발생했다.

객체란 목적어나 필수 부사어를 뜻한다. 객체 높임이란 그런 객체가 존귀한 분이라는 뜻이다. 따라서 높임의 객체를 찾으면 '할아버지, 할머니'뿐이다. 따라서 정답이 색출된다.

2011년 임용 문법도 이런 식으로 출제된다면 만점 아니면 불합격이라는 마음가짐으로 공부를 해야 한다. 특히 상대적으로 중세 국어가 중요하게 될 것이 명약관화이다. 그러나 시험의 난이도란 늘 출렁거리므로 어려운 문제를 예상하고 공부할 일이다.

22. 〈자료 1〉에 나오는 중세 국어 단모음에 대한 내용을 보충 설명하기 위해 〈자료 2〉를 준비하였다. ㉠, ㉡의 활용 방안으로 가장 적절한 것은?

〈자료 1〉

ㆍ은 혀를 오그라지게 해서 조음하고[舌縮] 소리는 깊다[聲深].

ㅡ는 혀를 조금 오그라지게 해서 조음하고[舌小縮] 소리는 깊지도 얕지도 않다[聲不深不淺].

ㅣ는 혀를 오그라들지 않게 조음하고[舌不縮] 소리가 얕다[聲淺].

ㅗ는 ㆍ과 한 종류인데 입을 오므린다[口蹙].

ㅏ는 ㆍ과 한 종류인데 입을 벌린다[口張].

ㅜ는 ㅡ와 한 종류인데 입을 오므린다[口蹙].

ㅓ는 ㅡ와 한 종류인데 입을 벌린다[口張].

— '훈민정음'의 '제자해'

〈자료 2〉

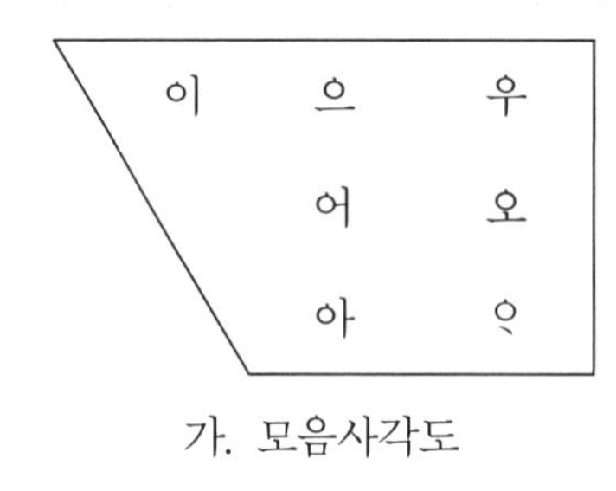

가. 모음사각도

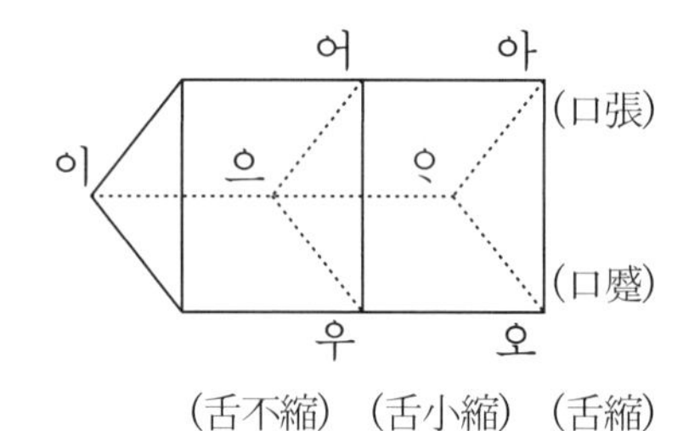

	㉠	㉡
①	단모음의 음가 설명	단모음의 대립 관계 설명
②	단모음의 음가 설명	단모음의 조음 위치 설명
③	단모음의 분포 조건 설명	단모음의 대립 관계 설명
④	단모음의 음운 현상 설명	단모음의 분포 조건 설명
⑤	단모음의 음운 현상 설명	단모음의 조음 위치 설명

정답 ①

이 문제도 자료의 공포만을 제거하면 앞의 문제들만큼이나 쉬운 것이다. '자료 1'의 내용은 단모음들의 조음 방법적인 특징과 청음 음성학적인 특징들이다. 간단히 말해서 단모음들이 어떤 모음인가하는 설명인 것이다. 요즘처럼 녹음기가 있다면 '아, 이, 에, 우, 오'식으로 발음을 들려주면 된다. 그러나 처음 만든 문자의 음가를 15세기에 어떻게 설명하겠는가? 위의 설명 중 '아'를 필자가 설명한다면 '입을 최대로 벌려라. 그리고 소리를 질러라. 그 소리가 바로 '아'이다'처럼 설명할 것이다.

또 '자료 2의 ㄱ'은 모음 체계표이다. 모음 체계표가 보여주는 것은 단모음들의 조음위치를 표시하여 각각의 단모음의 음가를 설명하는 것이다. 가령 '이'는 전설 고모음을 표시하는 것이다. 인간이라면 누구나 혀를 입 앞으로 높게 올려서 모음을 발음하면 '이'가 된다는 뜻이다. 따라서 '자료 2의 ㄴ'을 설명하는 선지들 중 2, 5번은 오류가 된다.

분포조건이란 문제의 요소가 출현하는 환경을 말한다. 통사론 형태론에서도 사용하는 용어인데 가령 주체높임 선어말어미의 분포 조건은 [높임의 주어가 나타난 문장의 서술어의 어간 바로 뒤]정도가 된다. 즉 어떤 문법적 대상이 문장에 출현할 때의 조건이 분포조건이다. 또 가령 주격조사의 분포 조건이라고 하면 [주어 역할을 하는 체언 뒤]정도가 될 것이다.

이렇게 보면, 단모음 'ㅏ'의 분포조건이란????? 아무도 설명할 수 없다. 겨우 '아무 자음 뒤이거나, 자음이 없거나, 아무 자음 앞이거나 자음이 없는 앞이거나……'처럼 설명해야 한다. 도대체 단모음의 분포조건이란 말할 수도 없는 무의미한 개념인 것이다. 따라서 '자료 2의 ㄱ, ㄴ' 모두 분포조건과는 아무 관련이 없다.

또 선지 4, 5의 음운 현상 설명이라고 하는 것도 말이 안 된다. 음운 현상이란 단어들의 결합 속, 혹은 형태나 음절, 음운의 연쇄에서 발생한다. 가령 '천리 → [철리]'에서 유음화가 발생했다. 이 음운 현상은 'ㄴ ㄹ'의 연쇄가 있기에 생겨나는 것이다. 따라서 단모음 하나 가지고 어떤 음운 현상도 설명할 수 없는 것이다. 따라서 모음 사각도를 통해서 선지가 1, 2번만 타당하다는 것이 금방 드러난다.

그 다음, 그림 ㉡을 보고 검토할 선지의 내용은 분포조건과 대립과 조음 위치이다. 분포조건이 오류임은 이미 말한 바와 같다. 또 이 중 조음 위치는 '자료 2의 ㄱ'이 표시한다고 설명한 바와 같다. 또 조음 위치를 '자료 2의 ㄴ'으로는 알 수 없다. 그 이유는 같은 수직선 위에 두 모음씩이 있고 같은 수평선 위에 세 모음이 있으니 중복적 분류가 되기 때문이다. 그러니까 도표의 '어'와 '우'가 같은 조음 위치를 가져야 할 것인데 모음 사각도를 통해서 보면 그렇지 않음을 알 수 있다. 따라서 대립 관계만이 답이 된다.

대립 관계라는 말은 어떤 기준에 의하여 구분된다는 뜻이다. 전혀 다른 두 원소를 대상으로 대립 관계라는 말을 쓰지는 않는다. 가령 '아빠'와 '엄마'는 대립 관계를 가진다. 그에 비해서 '아빠'와 '자갈'은 대립 관계를 설정할 수가 없다.

'자료 2의 ㄴ'을 보면 구장(口張), 구축(口蹙) 등의 기준이 제시되어 있다. 그 기준으로 볼 때 '아/오'가 구분된다는 것이다. 따라서 대립 관계는 성립한다. 현대 언어학적인 개념과는 다르지만 일정한 구분 기준을 주고 원소들을 분류해 놓았으므로 모종의 대립 관계는 보여 줄 수 있다. 물론 자료의 기준들이 현대 언어학으로 확실히 무엇을 말하는지 옮겨지지는 못한다.

따라서 정답은 선지 1이다. 선지에 나오는 용어에 대한 기본적인 이해만 되어 있었어도 이 문제는 빠르게 지나갈 수 있었을 것이다. 임용 준비란 국어국문학 전반의 용어에 대한 정확한 이해에 불과한 것이다. 개론서를 보는 목적이 여기에 있음을 명심하고 공부하기 바란다.

23. 다음 〈자료〉에서 중세 국어 해당 용례가 맞는 것을 고른 것은?

현대 국어 불규칙의 통시적 변화 과정		중세 국어 해당 용례
'ㅅ' 불규칙 : 모음 어미와 결합할 때 'ㅿ'을 가지던 단어가 'ㅿ'의 소멸로 'ㅅ' 불규칙이 됨.	ㄱ	님금 지ᅀᆞ샨 그리라 임금이 지으신 글이라 鹿母 夫人이 ᄲᅧ를 주ᅀᅥ 녹모부인이 뼈를 주워(줍+어)×
'ㅂ' 불규칙 : 모음 어미와 결합할 때 'ㅸ'을 가지던 단어가 'ㅸ'의 변화로 'ㅂ' 불규칙이 됨.	ㄴ	熱惱ᄂᆞᆫ 더ᄫᅥ 셜ᄫᅳᆯ 씨니 열뇌는 더워 서러워한다는 말이니 近은 갓가ᄫᅳᆯ 씨라 근은 가까울 하는 말이다
'여' 불규칙 : 어미 '-아/어' 대신 '-야'가 결합하던 단어가 차츰 '-야' 대신 '-여'가 결합하여 '여' 불규칙이 됨.	ㄷ	닐굽 고ᄌᆞᆯ 因ᄒᆞ야 일곱 꽃을(>에) 기인하여 ᄑᆞ리 퍼러ᄒᆞ야 풀이 파래× ('퍼러ᄒᆞ야'는 소멸됨)
'르' 불규칙 : 'ᄅᆞ/르'로 끝나는 단어가 모음 어미와 결합할 때 'ㄹㅇ'으로 나타나다가 'ㄹㄹ'로 합류하여 '르' 불규칙이 됨.	ㄹ	中國에 달아 중국에 달라 여러 ᄇᆡ예 올아셔 여러 배에 올라서

① ㄱ, ㄴ ② ㄱ, ㄷ ③ ㄴ, ㄷ ④ ㄴ, ㄹ ⑤ ㄷ, ㄹ

정답 ④

해 설

해 설⇩

이 문제는 중세 국어 울렁증만 아니라면 누구나 빨리 풀 수 있는 문제이다. 번역을 붙였으니 보라. 이 정도의 번역 실력과 현대 국어의 불규칙 용언에 대한 기본 지식을 갖추고 있었다면 우스운 문제가 아닌가?

[보충학습] [현대 국어 불규칙 용언](『맞춤법과 표준어』에서 인용)

국어의 대부분의 용언은 어간과 어미가 결합할 때 그 형태가 변하지 않는 규칙적인 모습을 보인다. 그런데 일부 용언의 경우에는 어간이 변하거나 어미가 변하고, 또 때로는 어간과 어미가 함께 변하는 경우가 있다. 이러한 것들을 불규칙용언, 또는 변칙용언이라 하는데, 예를 들면 '묻다[問]'의 경우에 '묻고, 묻는다, 물으니, 물으면'과 같이 되어 어미에 따라 '묻'이 '물'로 바뀌기도 하는 것이다. 이와는 달리 '가다'나 '먹다'의 경우에는 '가고, 간다, 가니, 가면', '먹고, 먹어서, 먹으니, 먹으면' 등으로 되어 어미에 상관없이 어간 형태가 '가-'와 '먹-'으로 일정하게 유지된다.

국어 표기법의 기본 원칙은 용언의 어간이 상황에 따라 그 형태(발음형)가 변하더라도 어떤 하나의 대표적인 형태로 표기를 고정시키는 것이다. 그래서 '잡-'의 경우에 '잡고, 잡으니' 등에서는 [잡]으로 발음되고 '잡는다'와 같이 비음 앞에서는 [잠]으로 바뀌어 발음되지만 표기할 때는 이러한 발음 변화를 반영하지 않고 항상 '잡'으로 고정시키고 있다. 이러한 논리를 그대로 적용하면 불규칙용언인 '묻-[問]'의 경우에도, 상황에 따라 어간의 발음 형태가 [묻](묻고, 묻지)과 [물](물으니, 물어서), [문](묻는, 묻는다)으로 바뀐다 하더라도 '묻'으로 고정시켜 표기해야 한다. 그런데도 불규칙활용을 하는 용언에 대해서는 이렇게 표기를 고정시키지 않고 변화되는 형태를 표기에 반영하는, 즉 소리 나는 대로 '묻'과 '물'로 나누어 적는 것은 이것들이 그야말로 불규칙한 (발음)형태 변화를 보이기 때문이다. 같은 'ㄷ' 받침을 가진 '묻다[埋]'나 '굳다'의 경우에는 '묻고, 묻으니, 묻어서, 묻으면', '굳고, 굳으니, 굳어서, 굳으면' 등과 같이 규칙적으로 활용하기 때문에 형태가 변화하지 않는다. 물론 이들 용언도 '묻는, 굳는'처럼 비음 앞에서는 비음동화를 겪어 [문]과 [군]으로 발음 형태가 변하지만, 폐쇄음이 비음 앞에서 비음동화를 겪는 것은 국어에서 규칙적인 현상이기 때문에 그 성격이 다른 것이다. 즉, 규칙적으로 변화할 때에는 국어 표기의 기본 원칙에 따라 하나의 형태로 표기하지만, 똑같은 조건을 가진 일부의 단어만 변화할 때, 다시 말하면 특별한 이유 없이 불규칙하게 변화할 때에는 그러한 불규칙적인 변화는 표기에 그대로 반영하는 것이 합리적이라 할 수 있다. 그래서 현행 맞춤법에서도 불규칙적인 변화를 보이는 용언의 경우에는 그 변화형들을 표기에 그대로 반영하도록 하고 있다.

'ㄹ' 불규칙용언은 일정한 조건에서 'ㄹ'이 규칙적으로 탈락하기 때문에 학자에 따라서는 불규칙용언이 아니라 단순히 'ㄹ'이 탈락하는 용언으로 다루기도 한다. 어쨌든 'ㄹ' 불규칙용언은 여러 가지 조건에서 'ㄹ'이 탈락하는데, 표기법과 관련하여 특히 문제가 되는 것은 '-ㄴ, -는' 앞에서 'ㄹ'이 탈락하는 경우이다. '하늘을 날으는 비행기('날으는/나는 원더우먼')', "비행기가 하늘을 날은다"라고 할 때의 '날으는'이나 '날은다'라든가, "요즘에 바둑이 많이 늘은 것 같은데"라고 말할 때의 '늘은' 등이 대표적인 예이다. 유행가 가사나 시 등에서 이러한 표현들이 많이 쓰이면서 일반 사람들이 혼동을 하는 경우가 많다. 그러나 '-ㄴ'이나 '-는' 앞에서는 반드시 'ㄹ'을 탈락시키고 표기도 그렇게 하는 것이 올바르다. 즉, '하늘을 나는 비행기', '비행기가 하늘을 난다', "요즘에 바둑이 많이 는 것 같은데"와 같이 해야 하는 것이다.

어떤 경우에 'ㄹ'이 탈락하는지를 구체적으로 외우고 있으면 가장 좋겠지만 꽤 복잡하기 때문에 현실적으로 쉽지 않고 또 그렇게 할 필요도 별로 없다. '-ㄴ' 앞이나 '-는' 앞을 제외하면 대부분의 경우에는 'ㄹ'을 탈락시켜서 발음도 하고 표기도 하기 때문에 문제가 없다고 할 수 있기 때문이다. 'ㄹ'을 탈락시킨 형태가 가능할 때에는 'ㄹ'을 탈락시킨 형태를 옳은 것으로 생각하고 사용하는 것이 하나의 요령이 될 수 있다. 가령 '하늘을 나는 비행기'가 가능하기 때문에 '나는'을 올바른 표기로 판단하는 것이다.

'ㄹ' 불규칙용언에서 하나 더 생각할 수 있는 것은 '말다'이다. '말다'의 활용에서 문제가 되는 것은 명령형으로 쓰일 때인데, 예를 들면 "오늘은 학교에 가지 말아라/마라"와 같은 경우이다. '말아라'와 '마라' 두 가지 형태가 모두 쓰이는 것을 볼 수 있는데, 현행 표기 규정에는 '마라'만 올바른 형태로 되어 있다. '말아라'보다 '마라' 형태가 더 널리 쓰이는 것이어서 이것만을 올바른 것으로 정했기 때문이다.

'ㄹ' 불규칙용언과 관련해서 또 하나 생각해 볼 수 있는 것은 명사형 어미를 취할 경우이다. 명사형은 흔히 노트 필기나 메모를 할 때 간략하게 표현하기 위해서 사용하는데, 어간이 'ㄹ'로 끝나는 용언일 때에는 잘못 쓰는 경우가 적지 않다. 예를 들어 "물은 0℃에서 언다"를 명사형으로 만들 경우를 생각하면 어떻게 써야 하는지 망설이게 된다. 즉, "물은 0℃에서 얾/엄/얼음" 중에서 어떤 것이 맞는지 고개를 갸우뚱하게 된다. "종이로 만듬/만듦"의 경우에도 마찬가지이다. 그러나 어간이 'ㄹ'로 끝났을 경우에 명사형 어미 '-(으)ㅁ'이 연결되면 받침이 'ㄻ'꼴이 되어야 한다는 점을 유념해야 한다. 즉, '얾', '만듦'이 올바른 표기이며, '졸다', '울다' 등의 경우에도 명사형 어미가 연결되면 '졺', '욺'이 되는 것은 마찬가지이다.

'ㅎ' 받침은 파열음 'ㄱ, ㄷ, ㅂ'이나 파찰음 'ㅈ'과 만날 경우에는 'ㅎ' 받침의 특징을 뚜렷하게 드러내지만, 그 밖의 자음(발음할 때 기류가 막히지 않고 어느 틈으로 새어 버리는 자음들)과 만날 경우에는 'ㅎ' 받침의 특징을 나타내지 못하고 마침내는 전혀 나지 않게 되고 만다. 예를 들어 '하얗다'의 어간 '하얗-'에 '-게, -고, -다, -더라, -지' 등과 같은 어미가 연결되면 [하야케, 하야코, 하야타, 하야터라, 하야치]로 발음되어 'ㅎ' 받침이 분명하게 드러난다. 그러나 '-니, -ㄴ, -면' 등과 같은 어미가 연결되면 [하야니, 하얀, 하야면]으로 발음되어 'ㅎ' 받침이 전혀 나타나지 않는다. 이러한 경우에 나타나지 않는 'ㅎ' 소리는 나타나지 않는 대로 표기하자는 것이다. 'ㅎ' 소리가 줄어드는 불규칙용언은 모두 형용사로서 그 어간이 두 음절 이상으로 되어 있다. '좋다'와 같이 어간이 한 음절로 된 형용사는 규칙용언이다.

'ㅂ' 불규칙용언은 어간의 'ㅂ'이 모음으로 시작되는 어미와 결합할 때 'ㅜ'로 바뀌는 용언이다. '돕다'에 보조적 연결어미 '-아/어'가 결합하면 '도와'가 되는 것이 그 예라 할 수 있다. 'ㅂ' 불규칙용언이 표기법상으로 문제가 되는 것은 모음조화와 관련되는 경우인데, 이 부분에 대해서는 제8강에서 이미 설명한 바 있다.

'ㅂ' 불규칙용언과 관련해서 생각해 볼 수 있는 것은 "선생님께 여쭈워/여쭈어 보세요"의 경우에 어느 것이 맞느냐 하는 문제이다. '여쭈다'와 '여쭙다'는 모두 '윗사람에게 물어보다'는 의미로 쓰이는 복수 표준어이다. 따라서 '여쭙다'는 'ㅂ' 불규칙용언으로서 그 활용형은 '여쭈워, 여쭈우니, 여쭙는'과 같이 되고, '여쭈다'의 활용형은 '여쭈어, 여쭈니, 여쭈는'과 같이 된다. 이와 유사한 예로 '가엽다/가엾다'가 있다. 이 역시 복수 표준어이기 때문에 "얘들이 가엾어서/가여워서 못 보겠다"와 같이 쓸 수 있다.

'르' 불규칙용언은 어간의 끝 음절인 '르'의 모음 'ㅡ'가 줄어들고, 그 뒤에 오는 어미가 '-아/어'일 때 이것이 '-라/러'로 바뀌는 용언을 말한다. 예를 들어 '오르다'가 '오르+아→올라'와 같이 되는 것이다. 이 경우에도 표기법상으로 문제가 되는 것은 별로 없는데, 이와 관련해서 생각할 수 있는 것은 '머무르다/머물다'와 같이 본말과 준말이 복수 표준어인 경우이다. '머무르다'와 '머물다'가 단독형으로는 모두 표준어, 즉 올바른 형태이지만 특정 활용어미와 결합하여 쓰일 때에는 차이가 나기도 한다. 예를 들어 "고향에서 이틀 머물렀다/머물었다"와 같은 경우에는 '머물렀다' 형태만 올바른 것으로 사용된다. 이것은 모음으로 시작되는 어미 앞에서는 본말 형태인 '머무르다'만 쓰일 수 있기 때문이다. 그래서 가령 과거시제의 선어말어미 '-었-'이 결합할 경우에 '머무르+었+다 → 머물렀다'는 가능하지만 '머물+었+다 → *머물었다'는 가능하지 않게 된다. 이와 같은 예에는 '서두르다/서둘다', '서투르다/서툴다' 등이 있다. '서두르다/서둘다'에 명령형 어미가 결합하면 본말인 '서두르다'에 결합한 '서둘러라'는 가능하지만 '서둘다'에 결합한 '*서둘어라'는 가능하지 않다. 마찬가지로 "일이 서툴러서 안 되겠다"는 가능하지만 "일이 서툴어서 안 되겠다"는 가능하지 않다.

24. ㉠~㉤에 대한 설명으로 옳은 것은? [2.5점]

玉 華 宮

시내 횟돈 ᄃᆡ 솘 ᄇᆞᄅᆞ미 기리 부ᄂᆞ니	시내가 휘도는 곳에 솔바람이 길게 부느니
프른 쥐 녯 디샛 서리예 ㉠숨ᄂᆞ다	푸른 쥐가 옛 기와 사이에 숨는다
아디 몯ᄒᆞ리로다 ㉡어느 님긊 宮殿고	알지 못하겠다 어느 임금의 궁전인가
기튼 지슨 거시 ㉢노ᄑᆞᆫ 石壁ㅅ 아래로다	남은 건물이 높은 석벽 아래이로다
어득ᄒᆞᆫ 房앤 귓거싀 브리 ᄑᆞᄅᆞ고	어두운 방엔 귀신불이 푸르고
믈어딘 길헨 슬픈 므리 흐르놋다	어물어진 길엔 슬픈 물이 흐르도다
여러 가짓 소리	여러 가지 소리가
㉣眞實ㅅ 뎌와 피릿 소리 ㉤ᄀᆞᆮ도소니	진실한 생황과 피리 소리 같으니
ᄀᆞᅀᆞᆳ비치 正히 ᄀᆞᆺᄀᆞᆺᄒᆞ도다	가을빛이 정말 깨끗하도다

〈두시언해〉

① ㉠은 '숨-+-ᄂᆞ-+-다'로 분석되는데, '-ᄂᆞ-'는 '행동의 완료'의 의미를 나타낸다.

② ㉡은 '아디 몯ᄒᆞ리로다'의 목적어로 해석되는 설명 의문문인데, 체언 뒤에 '이다' 없이 바로 '고'가 결합하였다.

③ ㉢은 '노ᄑᆞᆫ 石壁ㅅ 아래'에 '이-+-로-+-다'가 결합된 것으로 분석되는데, 이때 '이-'는 '잇-'[有]의 이형태이다.

④ ㉣은 존경 대상과 관련된 명사에 관형격 조사 'ㅅ'이 결합된 구성인데, 뒤에 오는 명사인 '뎌'를 수식한다.

⑤ ㉤은 'ᄀᆞᆮ-+-돗-+-오-+-니'로 분석되는데, '-돗-'은 '감탄', '-오-'는 '의도'의 의미를 나타낸다.

정답 ②

해 설

① ㉠은 '숨- + -ᄂᆞ- + -다'로 분석되는데, '-ᄂᆞ-'는 '행동의 완료'의 의미를 나타낸다.
'-ᄂᆞ-'는 현재 시제, 진행상을 주로 나타낸다.

② ㉡은 '아디 몯ᄒᆞ리로다'의 목적어로 해석되는 설명 의문문인데, 체언 뒤에 '이다' 없이 바로 '고'가 결합하였다.

선지의 설명대로이다. '어느 님긊 궁전고 아디 몯ᄒᆞ리로다' ='어느 임금의 궁전인가 알지 못하겠구나'와 같다. 중세 국어에서는 명사 바로 뒤에 의문 보조사 '-가/고'가 결합했다. 현대 구어에서는 반드시 서술격조사가 붙은 다음에 '가'가 결합한다. 가령, "이것이 그것인가?"

설명의문문은 의문사가 있는 의문문이며 중세 국어에서는 의문 보조사 중 '-고/노/오'가 결합한다.

③ ㉢은 '노ᄑᆞᆫ 石壁ㅅ 아래'에 '이- + -로- + -다'가 결합된 것으로 분석되는데, 이때 '이-'는 '잇-'[有]의 이형태이다.

'이-+-도-(감동법)+-다'가 결합한 것이며 이때 '-이'는 서술격조사(지정사,계사)이다. 존재사 이시다(>있다)는 이형태가 많다. '잇-/이시-/시-/ㅅ-' 등이다.

④ ㉣은 존경 대상과 관련된 명사에 관형격 조사 'ㅅ'이 결합된 구성인데, 뒤에 오는 명사인 '뎌'를 수식한다.

'진실 ㅅ'구성이다. '진실'은 존경 대상과 관련된 명사는 아니다. 단순한 추상명사이다. 오류. 뒤에 오는 명사구 '뎌와 피릿 소리'를 수식한다.

⑤ ㉤은 'ᄀᆞᆮ- + -돗- + -오- + -니'로 분석되는데, '-돗-'은 '감탄', '-오-'는 '의도'의 의미를 나타낸다.

'ᄀᆞᆮ+-돗-+ᄋᆞ+-니'로 분석된다. '-ᄋᆞ-'는 매개모음이다. 매개모음이 앞 음절의 모음에 동화되어 [오]로 동화된 것이다.

이 문제도 중세 국어의 기본적인 사실만을 물었다. 따라서 2011년 임용문법도 기본 개념 위주의 공부를 해야 한다는 사실이 분명해 보인다. 독자의 건투를 빈다. 언제라도 도움이 필요하면 찾아오기 바란다.

2010년도 기출문제

13. (가)는 '한글 맞춤법' 총칙의 일부이고 (나)는 '한글 맞춤법'의 각 조항 중 일부를 정리한 것이다. (나)의 ㄱ~ㅁ이 (가)의 ㉠, ㉡ 중 어느 원리를 반영하는지 바르게 짝지은 것은? [1.5점]

(가) 제1항. 한글 맞춤법은 표준어를 ㉠소리대로 적되, ㉡어법에 맞도록 함을 원칙으로 한다.

(나) ㄱ. 제10항. 한자음 '녀, 뇨, 뉴, 니'가 단어 첫머리에 올 적에는 두음 법칙에 따라 '여, 요, 유, 이'로 적는다. (예) 여자(女子), 요소(尿素), 유대(紐帶), 익명(匿名)

ㄴ. 제14항. 체언은 조사와 구별하여 적는다. (예) 떡이, 떡을, 떡에, 떡도, 떡만

ㄷ. 제16항. 어간의 끝 음절 모음이 'ㅏ, ㅗ'일 때에는 어미를 '-아'로 적고, 그 밖의 모음일 때에는 '-어'로 적는다. (예) 막아, 돌아, 겪어, 되어

ㄹ. 제18항. 다음과 같은 용언들은 어미가 바뀔 경우, 그 어간이나 어미가 원칙에 벗어나면 벗어나는 대로 적는다. (예) 그렇다 : 그러니, 그럴, 그러면, 그러오

ㅁ. 제26항. '-하다'나 '-없다'가 붙어서 된 용언은 그 '-하다'나 '-없다'를 밝히어 적는다. (예) 딱하다, 시름없다

	㉠	㉡
①	ㄱ, ㄴ, ㄷ	ㄹ, ㅁ
②	ㄱ, ㄷ, ㄹ	ㄴ, ㅁ
③	ㄱ, ㄹ, ㅁ	ㄴ, ㄷ
④	ㄴ, ㄷ, ㅁ	ㄱ, ㄹ
⑤	ㄴ, ㄹ, ㅁ	ㄱ, ㄷ

정답 ②

이 문제는 시작하면서 쉽게 풀라고 준 문제다. 틀린 사람은 별로 없을 듯한 문제이다. 만약 틀렸다면 아래에 부기한 개본 개념을 충실히 기억해 두어야 한다.

문제의 조건 ㉠ 소리대로 적되, ㉡ 어법에 맞도록 함을 더 압축하면 [소리=음운론 / 어법=소리가 아닌 것, 형태=문법]가 될 것이다. 따라서 선지들이 소리에 관한 것인가 아닌가, 소리인가 형태인가만 따지면 되는 단순한 문제이다. 임용 문법 문제를 풀 때 긴장할 필요가 없다. 주어진 문제의 핵심어를 찾고 그대로 비교해 나가면 그만인 것이다. 스스로 '나는 문법을 몰라, 아마도 많이 틀릴거야 벌벌벌'하기 때문에 쉬운 것도 틀리게 되는 것이다. 착실하게 공부하고 자신 있게 풀어야 한다. 2010년, 2011년 모두 문법이 쉬웠다. 2012년에 조금 어려워진다고 해도 푸는 방법은 동일하므로 필자의 말을 믿고 쉽게 접근하기 바란다.

ㄱ. 제10항. 한자음 '녀, 뇨, 뉴, 니'가 단어 첫머리에 올 적에는 두음 법칙에 따라 '여, 요, 유, 이'로 적는다.
(예) 여자(女子), 요소(尿素), 유대(紐帶), 익명(匿名)

이 진술은 핵심어가 두음법칙(頭音法則)이다. 여기의 음(音)은 소리 음이다. 따라서 소리에 관한 규칙이라는 것을 순간적으로 알아야 한다. 두음법칙이 형태론에 속한다고 생각하는 사람은 없을 것이다. 혹시 있을지 모르므로 첨언해두면 형태론은 형태소 이상이라야 가입되는 영역이다. 형태소의 정의를 떠올려 보라. 즉 의미를 다루어야 형태론이고 의미가 갖추어져 있지 않다면 음운론의 영역인 것이다.

ㄴ. 제14항. 체언은 조사와 구별하여 적는다. (예) 떡이, 떡을, 떡에, 떡도, 떡만

체언에는 의미가 들어 있는가? 체언의 원소들은 무엇인가? 그 원소들은 의미를 가지고 있는가? 조사는 의미를 가지고 있는가? 이 질문에 즉답이 줄줄줄 나와야 한다. 체언은 명사, 수사, 대명사를 통합한 명칭이다. 명사는 의미가 있다. 실질적 의미와 문법적 의미가 모두 있다. 가령 '떡'에는 음식이라는 실질적 의미와 명사의 문법적 특성이라는 문법적 의미를 모두 가지고 있다. 조사는 문법 형태소이므로 실질 의미는 없고 문법적 의미만 가지고 있다.

그렇다면 제14항의 진술은 음운론적인가, 형태론적인가? 이것을 안다면 문법은 별로 어렵지 않은 것이다. "뭐? 음운론적이라고? dTL"

또 제14항의 진술은 형태 고정의 원리라고도 설명이 된다. 발음대로 적지 않고 형태를 고정시

켜서 적는다는 것이다. 발음대로 적으면 '떠기, 떠글'처럼 될 것이다. 그러나 이렇게 적으면 독서에 불편하므로 형태를 고정시켜 적으라는 규정이다. 요컨대 분철이라면 형태 중심의 원리이고 어법 중심의 원리인 것이다.

ㄷ. 제16항. 어간의 끝 음절 모음이 'ㅏ, ㅗ'일 때에는 어미를 '-아'로 적고, 그 밖의 모음일 때에는 '-어'로 적는다. (예) 막아, 돌아, 겪어, 되어

이 진술의 핵심어를 뽑아내면 [모음, 어미, 아/어]이다. 이 진술을 유식한 전문적인 학술 용어로 무엇이라고 부르는가? 그렇다. 母音調和! 의미가 개입될 여지가 있는가? 없다. 따라서 소리에 관한 진술이다.

ㄹ. 제18항. 다음과 같은 용언들은 어미가 바뀔 경우, 그 어간이나 어미가 원칙에 벗어나면 벗어나는 대로 적는다. (예) 그렇다 : 그러니, 그럴, 그러면, 그러오

이들은 '그렇니, 그렇ㄹ, 그렇면, 그렇오'로 적는다면 형태 고정의 원리를 준수한 것이 되겠지만 너무도 이상하게 느껴질 것이다. 그래서 형태를 고정시키지 않고 발음대로 적게 한 것이다. 따라서 소리 중심의 표기법인 것이다.

ㅁ. 제26항. '-하다'나 '-없다'가 붙어서 된 용언은 그 '-하다'나 '-없다'를 밝히어 적는다. (예) 딱하다, 시름없다

'딱하다, 시름없다'를 소리대로 적으면 '따카다, 시르멉따'가 될 것이다. 상당히 어지러워진다. 따라서 이런 경우는 파생접미사 '하다, 없다'의 의미를 분명히 제공하기 위해서 분철을 규정한 것이다. 분철이라면 형태 고정이며 따라서 어법을 중심으로 한 규정이 된다.

[주의] '하다, 없다, 되다' 등은 유명한 파생접미사이다. 이들이 결합한 '딱하다, 시름없다, 피살되다' 등을 합성어라고 부르는 실수는 저질러서는 안 될 것이다. 왜 이들을 합성어로 처리할 수 없는지 잘 연구해 두기 바란다. 언제든지 임용 2차에 나올 문제이고 일단 나오면 답안을 작성하기가 매우 어려울 것이다. 필자는 올해 이 문제를 2차 수업으로 강의할 예정이다.

[보충학습] [한글 맞춤법의 원리](『맞춤법과 표준어』에서 인용)

「한글 맞춤법」은 본문 6장과 '부록'으로 구성되어 있다.

(1) 「한글 맞춤법」의 체재

제1장 총칙	제5장 띄어쓰기
제2장 자모	제6장 그 밖의 것
제3장 소리에 관한 것	부 록 문장 부호
제4장 형태에 관한 것	

이 가운데 한글 맞춤법 전체에 대한 기본 원리는 제1장 총칙에 나와 있다. 총칙에서는 한글 맞춤법 전체에 대한 정신, 즉 큰 강령이라고 할 수 있는 것을 다음의 3항목으로 규정하고 있다.

(2) 제1장 총칙의 내용

> 제1항 한글 맞춤법은 표준어를 소리대로 적되, 어법에 맞도록 함을 원칙으로 한다.
> 제2항 문장의 각 단어는 띄어 씀을 원칙으로 한다.
> 제3항 외래어는 '외래어 표기법'에 따라 적는다.

총칙 제1항은 이미 「한글 맞춤법 통일안」에 있던 내용이다. 다만, 전단의 "표준말"을 "표준어"로 바꾸고, 후단의 "어법에 맞도록 함으로써 원칙을 삼는다"를 "어법에 맞도록 함을 원칙으로 한다"로 문안을 다듬은 것뿐이다. 이 조항에는 다음의 세 가지 요소가 포함되어 있다.

(가) 표준어
(나) 소리대로
(다) 어법에 맞도록

(가)는 표준어를 맞춤법 규정의 대상으로 삼는다는 뜻이다. 비표준어, 즉 사투리는 맞춤법의 대상이 아니라는 것이다. 이 첫째 요소는 이 책의 제16강과 제17강에서 자세히 다룬다.

(나)는 표준어로 인정하여 선택한 말은, 그 발음대로 충실히 적어야 한다는 뜻이다. 표음 문자인 한글로서는 너무나 당연한 규정이다.

(다)는 표준어이고 또 발음대로 기록한 철자라도, 어법에 맞지 않고 어그러져서는 안 된다는 뜻이다. 이는 독서의 능률과도 관련된 것으로, 현행 맞춤법에서 가장 핵심이 되는 사항이다.

그런데 여기서 (나)와 (다)의 요소는 서로 상충되는 듯이 보일 수도 있다. '葉'을 뜻하는 [나문닙]이라는 우리말을 (나)에 따라서 소리대로 적으면 '나문닙'이 되고, (다)에 따라서 어법에 맞도록 적으면 '나뭇잎'이 되는 것으로 이해한다면, 이는 마치 " '나문닙'으로 적되, '나뭇잎'으로 적는 것을 원칙으로 한다"와 같은 상호 모순된 규정이 되고 만다. 그러나 이는 「한글 맞춤법」 총칙 제1항의 취지를 옳게 이해하지 못한 것이다.

원래 '소리대로'라는 말은 1933년의 「통일안」에서부터 있었던 것이다. 당시 맞춤법을 정할 때에는 그 이전 시대부터 내려오는 관습적인 한글 표기가 상당히 많이 남아 있었다. 당시의 실제 발음과는 달리 그 이전 시기의 표기 방식을 그대로 답습하여 '긔ᄎᆞ, 샤회, 녀ᄌᆞ, 엇개, ᄲᅡᆯ내' 등과 같이 적는 경우가 많았다. 말은 변화하였지만 표기법은 보수적이기 때문이다. 이러한 표기법을 역사적 표기법이라고 한다. 총칙의 '소리대로'라는 말은 이러한 역사적 표기법을 버린다는 뜻이다. 즉, 이 규정을 통해 현실 발음대로 '기차, 사회, 여자, 어깨, 빨래' 등과 같이 쓰도록 한 것이다.

오늘날에는 전통적 표기법이 이미 사라졌다. 그러나 이 '소리대로'라는 말이 여전히 규정에 들어 있는 것은 또 다른 의미를 지닌다. '한글'이란 문자가 표음문자이므로 "실제 말하는 소리대로 적는다"는 당연한 사실에 대한 원칙적인 선언의 의미로 이해할 수 있다. 또한 이제부터 설명할 '어법에 맞도록'이란 후단 규정에 대해 견제와 보완의 의미도 가진다.

한글 맞춤법 원리의 핵심은 이 후단 규정 "어법에 맞도록"에 들어 있다. 사실 "어법에 맞도록 적되, 소리대로 적음을 원칙으로 한다"가 더 타당할 정도로 '어법'의 실제적 비중은 크다. 그런데 여기서의 '어법'이란 말은 그다지 명확한 개념이 아니다. 우선 우리가 학술적으로 사용하는 '문법'의 개념과는 차이가 있다. 포괄적인 의미에서는 '문법'과 통할 수 있는 개념이지만, 여기에서는 "어법에 맞도록"이란 말을 '원형(原形)을 밝혀' 정도의 뜻으로 이해하면 편리하다. 여기서 '원형'이란 말은 언어학 용어 '기본형(basic form)'과도 일맥상통한다.

이 말은 한번 정해진 철자는 혹시 다르게 소리 나는 경우가 있더라도 언제나 일정하게 적는다는 원칙이다. 예를 들어 '흘글, 흑또, 흥만'과 같이 적으면, 하나의 뜻을 가지고 있는 단어 '흙'이 '흙, 흑, 흥'으로 달리 나타나게 되어, 읽는 사람이 그 의미를 파악하는 데 어려움을 겪을 것이므로, '흙을, 흙도, 흙만'과 같이 '흙'을 고정시켜 적는다는 것이다.

하나의 개념이 같은 표기로 적히면 독서의 능률이 크게 향상된다. 한글은 표음 문자이므로 발음대로 적기에는 무척 편리한 글자이다. 그러나 적기에 편리한 것이 읽기에도 항상 편리한 것은 아니다. 결국, '쓰는 사람' 위주로 할 것이냐, '읽는 사람' 위주로 할 것이냐의 문제에서, 한글 맞춤법은 '읽는 사람' 쪽에 더 비중을 둔 셈이다. 한글 창제 당시에는 쉽게 읽는 것보다 쉽게 쓸 수 있도록 하는 것이 더 우선이었겠지만(그래서 당시에 음소적 표기법을 채택한 것으로 볼 수 있다), 오늘날의 사회 여건으로 보면 읽는 사람의 편의를 중시하는 형태음소적 표기법이 더 타당할 수 있다.

그렇다고 해서 모든 형태를 다 원형을 밝혀 적는 것은 아니다. 불규칙용언의 경우, 그 활용형이 '더워, 더우니'가 되지만 이때 어간의 원형을 밝혀 '덥-'으로 고정하여 적지는 않는다. 만약 원형을 밝혀 적는다면 '덥어, 덥으니'가 되어 현실 발음과 너무 멀어지기 때문이다. "소리대로 적되"라는 전단 규정이 효력을 발휘하는 것이다.

발음이 똑같다 하더라도 원형을 밝혀 적지 않기도 한다. '우습다, 미덥다'와 같은 경우, 이들은 틀림없이 '웃-, 믿-'이 그 원형일 것이나 '웃읍다, 믿업다'처럼 원형을 밝혀 적지 않고 소리대로 적도록 한 것이다. '묻-'에서 온 '무덤'이나 '맞-'에서 온 '마중'도 같은 방식의 표기이다.

결국, '어법에 맞도록'이라는 원칙이 너무 지나치게 적용되지 않도록 '소리대로'라는 원칙이 끊임없이 견제를 하고 그럼으로써 한글 맞춤법은 조화를 이루는 것이라 할 수 있다. 이런 점에서 총칙 제1항의 끝에 "원칙으로 한다"는 표현을 사용하여 예외가 있을 수 있다는 여유를 둔 것이다.

[모음조화]

모음조화는 여러 음절의 단어에서 모음끼리 일정한 자질을 공유하는 것이다. 모음조화 현상은 알타이어의 공통 특질로 지적되는 것인데, 국어도 중세 국어 단계까지만 하더라도 현대 국어보다 비교적 엄격하게 지켜졌다. 그러나 근대 국어를 거치면서 점차 약화되어 현대 국어에서는 의성·의태어와 몇몇 어미에만 국한되는 현상으로 남아 있다.

모음조화는 양성모음은 양성모음끼리, 음성모음은 음성모음끼리 같이 나타나는 것을 말한다. 그런데 현대 국어에서 양성모음으로 간주되는 것은 'ㅏ' 모음과 'ㅗ' 모음에 국한된다. 즉, 어간의 끝 음절 모음이 'ㅏ' 또는 'ㅗ'일 때에만 양성모음 어미를 취하고 나머지 모음들은 모두 음성모음 어미를 취하는 것이다. 현재에도 모음조화는 계속 약화되어 가는 양상을 보이는데, 그 방향은 양성모음의 세력이 약화되어 양성모음이었던 것이 음성모음으로 바뀌는 쪽이다.

모음조화의 기본 원칙은 어간의 끝 음절 모음이 'ㅏ' 또는 'ㅗ'일 경우에는 '-아, -아서, -아도, -아라, -았-' 등과 같은 양성모음 어미를 취하고 그 밖의 모음일 때에는 '-어, -어서, -어도, -어라, -었-' 등과 같은 음성모음 어미를 취하는 것이다. 그리고 이러한 원칙은 의성·의태어에도 그대로 적용되는데, 이들의 경우에는 특히 엄격하게 지켜져 왔다고 할 수 있다. 그러나 이들 예에서조차 모음조화가 깨지는 현상이 나타나고 있다. 의태어 '깡충깡충'이 그 예인데, 1989년에 한글 맞춤법이 개정되기 전까지만 하더라도 '깡총깡총'과 '껑충껑충'이 '작은말-큰말'의 짝이었는데, 이제는 모음조화가 깨진 '깡충깡충'이 표준어여서 '깡충깡충'과 '껑충껑충'이 이러한 짝을 이루고 있다. 이전에 모음조화를 지켰던 의성·의태어 가운데 최근에 와서 모음조화가 깨진 예는 이것이 유일하다.

나머지의 경우에는 모음조화 규칙에 따라 적용하면 된다. '하얗다/허옇다'가 모음조화에 따라 '하얘지다/허예지다'와 같이 되는 예나, '시커멓다/새까맣다'의 과거형이 '시커멨다/새까맸다'와 같이 되는 것, 그리고 '(삼키지 말고) 뱉어라'와 같이 되는 것 등이 그 예가 될 것이다. '뱉어라'를 '뱉아라'와 같이 발음하는 경우도 적지 않지만, 어간의 끝 음절 모음이 'ㅐ'이므로 음성모음 어미가 결합해야 한다.

그런데 우리의 일상적인 발음을 들어 보면 모음조화 규칙에 맞지 않는 발음이 상당히 많이 나타나고 있음을 확인할 수 있다. 여전히 표기법 규정은 모음조화 규칙을 따르도록 하고 있는데, 일반 사람들의 실제 발음은 모음조화 규칙을 따르지 않는 경우가 많다는 점은 곧바로 표기법상의 혼란으로 이어지게 된다. 몇 년 전의 한 TV 토크쇼 프로그램에서 '맞아 맞아 베스트 5'라는 코너가 있었는데, 이것을 처음에는 '맞어 맞어 베스트 5'라고 했었다. 공공성을 띤 방송이기 때문에 표기법에 대해서 상당히 신경을 썼음에도 불구하고 이러한 잘못을 범하는 가장 큰 이유는 우리의 실제 발음이 (모음조화 규칙에 따른) '맞아 맞아'가 아니라 '맞어 맞어'로 나타나기 때문이다. 현재 서울말에서 "여기 좀 앉아", "이것 좀 잡아 봐" 대신에 "여기 좀 앉어", "이것 좀 잡어 봐"와 같이 발음하는 것이 일반적인 것도 같은 맥락이다. 그러나 현행 표기법에서는 이러한 현실을 전혀 인정하지 않고 있다. 즉, 모음조화 규칙을 철저하게 따르도록 하고 있는 것이다.

모음조화와 관련된 표기 문제는 대부분 이와 같이 현실 발음과 표기법상 옳은 것으로 되어 있는 것과의 차이에서 비롯된다. "네 말이 맞는 것 같아"와 같은 문장의 경우에도 이렇게 발음하는 것은 거의 볼 수 없다. 대부분의 사람들은 "네 말이 맞는 것 같애"와 같이 발음하는 것이다. 물론 이것은 모음조화에 따라 선택해야 할 어미를 선택하지 않은 것으로서 실제 발음이 모음조화를 따르지 않는 데서 문제가 발생하는 예에 해당한다.

모음조화와 관련된 것으로 'ㅂ' 불규칙용언을 들 수 있다. '돕다, 눕다, 가깝다, 두렵다' 등의 불규칙용언들도 예전에는 모음조화에 따라 '-아/어, -아서/어서' 등이 결합되었다. 즉, '도와, 도와서, 누워, 누워서, 가까와, 가까와서, 두려워, 두려워서'로 표기했던 것이다. 그러나 '가깝다, 괴롭다'와 같이 어간이 2음절 이상인 경우에는 양성모음 어간이라 하더라도 음성모음 어미를 취하는 발음, 즉 [가까워(서)], [괴로워(서)]와 같은 발음이 일반적이라는 현실을 받아들여 이를 표기에 반영하도록 하고 있다. 표기를 현실 발음에 일치시켜 '가까와(서), 괴로와(서)' 등을 '가까워(서), 괴로워(서)' 등으로 바꾼 것이다. 물론 어간이 1음절인 경우에는 발음도 그렇지 않거니와 표기도 그렇게 하지 않고 있다. 'ㅂ' 불규칙용언은 어간이 1음절일 때에는 모음조화에 따라 어미를 취하지만, 어간이 2음절 이상일 때에는 항상 음성모음 어미를 취하도록 하고 있다.

동사 '잠그다', '담그다'를 명령형으로 사용할 때에도 모음조화 문제가 관련된다. '문을 잠그다'라는 문장을 명령문으로 바꿀 때 우리는 흔히 "문을 잠궈라"와 같이 사용하는 경향이 있다. 그런데 이와 같이 '잠궈라'가 되려면 용언의 기본형이 '잠구다'가 되어야 한다. '잠구+어라'의 구성이어야만 '잠궈라'가 될 수 있기 때문이다. 그러나 용언의 기본형은 '잠그다'이므로, 이 용언의 어간에 명령형 어미가 결합하려면 '-어라'가 결합해야 한다. 명령형 어미의 결합은 모음조화 규칙을 따르는 것이기 때문이다. 그런데 이렇게 결합하게 되면 '잠그+어라 → 잠거라'가 되어야 하는데, 표기법상 올바른 것은 '잠가라'이다. 이것은 어간 '잠그-'에 명령형 어미 '-아라'가 결합했기 때문이다.

그러면 이것은 모음조화 규칙에 대해 일종의 예외가 되는 셈이 되는데, 이렇게 된 데에는 역사적인 이유가 있었던 것으로 볼 수 있다. '잠그다'는 원래 어간이 '·' 모음을 가진 단어('ᄌᆞᄆᆞ다/ᄌᆞᆷ다')였는데, 근대 국어 단계에서 '·' 모음이 소실되면서 '·' 모음 대신에 'ㅡ' 모음이 들어가게 된 것이다. '잠그다'가 원래 '·' 모음, 즉 양성모음을 가진 단어였기 때문에 양성모음 어미가 결합되었던 것이고(ᄌᆞᆷ+아→ᄌᆞᆷ가), 어간이 바뀐 후에도 형태가 변하기 이전의 결합 규칙이 그대로 적용된 결과이다. '담그다'의 경우에도 이와 마찬가지여서 명령형은 '담그+아라→담가라'가 된다.

14. '국어의 로마자 표기법'에서 규정한 단모음과 이중 모음의 표기법을 분석한 결과로 옳지 않은 것은?

제1항. 모음은 다음 각호와 같이 적는다.

1. 단모음

ㅏ	ㅓ	ㅗ	ㅜ	ㅡ	ㅣ	ㅐ	ㅔ	ㅚ	ㅟ
a	eo	o	u	eu	i	ae	e	oe	wi

2. 이중 모음

ㅑ	ㅕ	ㅛ	ㅠ	ㅒ	ㅖ	ㅘ	ㅙ	ㅝ	ㅞ	ㅢ
ya	yeo	yo	yu	yae	ye	wa	wae	wo	we	ui

① 'ㅐ', 'ㅚ'의 로마자 표기 'ae', 'oe'는 'ㅐ', 'ㅚ' 각각에 대립하는 후설 모음의 로마자 표기를 포함한다.

② 'ㅕ', 'ㅝ' 각각에 포함된 단모음은 동일하지만 로마자 표기 'yeo', 'wo'에서는 단모음을 다르게 표기한다.

③ 'ㅒ'의 로마자 표기 'yae'는 이 이중 모음이 반모음과 단모음 'ㅐ'로 이루어졌다는 사실을 드러낸다.

④ 'ㅖ', 'ㅞ'의 로마자 표기 'ye', 'we'는 이 이중 모음들의 차이가 반모음에 있다는 사실을 보여준다.

⑤ 'ㅢ'의 로마자 표기 'ui'는 이중 모음이 '단모음+반모음'의 순서로 구성된다는 사실을 반영한다.

정답 ⑤

① 'ㅐ', 'ㅚ'의 로마자 표기 'ae', 'oe'는 'ㅐ', 'ㅚ' 각각에 대립하는 후설 모음의 로마자 표기를 포함한다.

이 문제는 로마자 표기법을 제시한 뒤 음운론의 기초를 묻는 문제이다. 앞에서 모음 체계표를 외워 두라고 한 바 있다. 그 표를 이해하고 있으면 이 선지가 타당함을 그냥 알 수 있다. 그 표를 다시 가져와서 함께 보자.

혀의 앞 뒤 / 혀의 높이	전설모음		후설모음	
	평 순	원 순	평 순	원 순
고모음	ㅣ	ㅟ	ㅡ	ㅜ
중모음	ㅔ	ㅚ	ㅓ	ㅗ
저모음	ㅐ		ㅏ	

'ㅐ', 'ㅚ'에 대립하는 후설모음은 무엇인가? 그렇다. 각각 'ㅏ'와 'ㅗ'인 것이다. 이들의 로마자 표기는 무엇인가? 그렇다. 각각 a와 o이다. 따라서 'ae', 'oe'에는 a와 o가 포함되어 있다. 따라서 이 선지는 타당하다. 어떤가? 어려운가? 문법적 용어를 이해하고 그 뜻대로 읽어 나가면 임용 문제는 그냥 풀리게 된다.

② 'ㅕ', 'ㅝ' 각각에 포함된 단모음은 동일하지만 로마자 표기 'yeo', 'wo'에서는 단모음을 다르게 표기한다.

'ㅕ'는 발음 기호로 적으면 [yə]이고 'ㅝ'는 발음 기호로 적으면 [wə]이다. 따라서 단모음은 동일하다. 그러나 로마자 표기법은 알파벳을 이용해야 한다. 발음기호 'ə'는 알파벳에 없는 글자이다. 따라서 로마자 표기법을 따라서 'yeo', 'wo'로 적게 한 것이다. 'weo'로 적지 않게 한 이유는 영어 철자법으로 볼 때 기묘하게 보이기 때문이다. 영어에서 'we'는 [wi]로 발음이 나므로 'weo'로 적으면 [wio]로 발음이 될 가능성이 높으며 [워]와는 큰 차이가 날 것 같아서 wo'로 적게 한 것이다.

③ 'ㅒ'의 로마자 표기 'yae'는 이 이중 모음이 반모음과 단모음 'ㅐ'로 이루어졌다는 사실을 드러낸다.

'y'는 반모음을 나타낸다. 'ae'는 단모음 'ㅐ'를 나타낸다. 따라서 'ㅒ'는 'yae'로 적고 있다. 타당하다.

④ 'ㅖ', 'ㅞ'의 로마자 표기 'ye', 'we'는 이 이중 모음들의 차이가 반모음에 있다는 사실을 보여 준다.

진술 그대로이다. 더 덧붙여 할 말이 없다.

⑤ 'ㅢ'의 로마자 표기 'ui'는 이중 모음이 '단모음+반모음'의 순서로 구성된다는 사실을 반영한다.

이 진술은 오류이다. 제시된 로마자 대응표에서 i는 '이'에 대응되고 있다. 확인해 보라. 그런가? 그런데 이 선지에서는 갑자기 '반모음'이라는 용어를 쓰고 있다. 이 점이 틀린 것이다.

이처럼 대부분의 임용 문법 문제를 풀 때, 아주 기본적인 지식이 갖추어져 있다면 문제를 잘 관찰하면 답이 추출된다. 따라서 수험생들은 문법을 무서워하지 않는 자세가 필요하다. 아래에 로마자 표기법의 기본 원리를 인용해 둘 터이니 잘 이해해 두어야 한다.

[보충학습] [로마자 표기법](『맞춤법과 표준어』에서 인용)

로마자라고 하면 흔히 영어에서 사용하는 알파벳을 떠올리는 경우가 많다. 그러나 영어에서 사용하는 알파벳과 로마자는 동일한 개념이 아니다. 로마자는 라틴 문자라고도 하는 것으로 영어뿐만 아니라 프랑스어, 독일어, 이탈리아어, 스페인어 등 서구의 여러 나라 말의 표기에 쓰이는 문자를 가리킨다. 따라서 로마자 표기는 우리말을 한글의 자음과 모음이 아니라 이러한 로마자를 이용해서 표기하는 것이다. 로마자 표기법은, 외국에서 들어온 단어들을 우리의 문자인 한글로 표기하는 외래어 표기법과 대비된다고 할 수 있다.

그러나 로마자 표기는 우리말을 그 발음을 기준으로 해서 일정한 규정에 따라, 즉 로마자 표기법에 따라 로마자로 표기한 것이기 때문에 이것이 영어가 아니라는 점을 분명히 인식할 필요가 있다. '김선영'이라는 이름을 로마자로 표기할 때 'Kim Sunyoung'로 하는 경우가 대부분이다. 우리말의 '선'을 'Sun'으로 표기하고 '영'을 'young'로 표기하는 것이다. 그런데 이것은 우리말의 '선'과 '영'의 발음과 비슷하다고 생각하는 '(쉬운) 영어 단어'를 그대로 가져다 쓴 것에 불과하다. 성씨 중의 하나인 '박'을 'Park'로 적는 것 또한 마찬가지이다. 만약 우리말의 발음과 비슷한 영어 단어를 그대로 가져다 쓴다면 로마자 표기법을 따로 정할 필요가 없을 것이고, 개인에 따라 서로 다른 단어를 가져다 쓰기 때문에 통일성이 없어질 것은 명약관화하다. 그리고 영어에는 없는 경음 표기 등은 어떻게 할 것인가 하는 문제가 생길 것이다. 로마자 표기가 영어 스펠링일 수 없는 이유가 바로 여기에 있다. 로마자 표기도 우리가 사용하는 표기법의 하나이기 때문에 반드시 일관성 있게 표기해야 하고, 따라서 표기 규정을 따로 정해야 하는 것이다.

[로마자 표기의 기본 원칙]은 로마자 표기 규정의 제1항에 명시되어 있다. 로마자 표기 규정

제1항을 보면 "국어의 로마자 표기는 국어의 표준 발음법에 따라 적는 것을 원칙으로 한다"고 되어 있다. 이것은 이른바 전사법(轉寫法)이라는 표기 방식을 따르겠다는 것인데, 이 전사법은 현실 발음(표준 발음)을 표기에 최대한 반영한다는 원칙의 표기법이다. 이와 대립되는 표기 방식을 전자법(轉字法)이라고 하는데, 전자법은 한글 맞춤법에서 같은 글자로 표기된 것은 언제나 동일한 로마자로 대응되게 한다는 원칙에 따른 표기법이다. 예를 들어 '신라'의 경우에 실제 발음과 상관없이 글자대로 'Sinra'로 적는 것이 전자법에 따른 표기이고, 표기는 '신라'이지만 실제 발음이 [실라]이니까 'Silla'로 적는 것이 전사법에 따른 표기인데, 현행 로마자 표기법은 전사법을 기본 원칙으로 하겠다는 것이다.

전자법에 따라 글자대로 적는 것은 국어의 발음을 보여 주는 것이 아니고 국어의 철자 정보를 보여 주는 것이기 때문에 외국인들의 경우에는 어떻게 발음하는지를 알기 어렵게 될 수 있다. 외국인들이 현실적으로 로마자 표기를 보고 발음을 시도한다는 점을 생각하면 로마자 표기로써 발음 정보를 제공해 주는 전사법의 방식이 더 합리적이라 할 수 있다.

국어의 모음과 자음을 어떤 로마자에 대응시키는가를 차례대로 보이면 아래와 같다.

(1) 단모음

ㅏ	ㅗ	ㅜ	ㅣ	ㅔ
a	o	u	i	e

ㅓ	ㅡ	ㅐ	ㅚ	ㅟ
eo	eu	ae	oe	wi

'ㅏ'는 'a', 'ㅗ'는 'o', 'ㅜ'는 'u', 'ㅣ'는 'i', 'ㅔ'는 'e'에 대응되는데, 이러한 대응은 국어와 영어의 발음을 생각하면 지극히 당연한 것이기 때문에 누구나 쉽게 이해할 수 있다. 그런데 'ㅓ, ㅡ, ㅐ, ㅚ, ㅟ' 등의 모음은 하나의 로마자로는 대응시킬 수 없어서 두 개의 로마자를 합쳐서 대응하도록 만들었다.

(2) 이중모음

ㅑ	ㅕ	ㅛ	ㅠ	ㅒ	ㅖ	ㅘ	ㅙ	ㅝ	ㅞ	ㅢ
ya	yeo	yo	yu	yae	ye	wa	wae	wo	we	ui

위의 표를 보면 이중모음을 로마자에 대응시킬 때, 국어에서 반모음 'y'를 가진 경우에는 'y'와 단모음의 결합형으로 만들고, 반모음 'w'를 가진 경우에는 'w'와 단모음의 결합형으로 만들어 대응시키고 있음을 알 수 있다. 다만 'ㅢ'의 경우에는 'ui'를 대응시키고 있는 것이 좀 다르다고

할 수 있다.

그런데 여기에서 주의할 것은, 'ㅢ'가 'ㅣ'로 소리 나더라도 항상 'ui'로 적는다는 것이다. 국어에서 'ㅢ'는 'ㅣ'로 소리 나는 경우가 많은데, 전사법에 따르면 당연히 'ㅣ'로 적어야 하지만 이때에는 그렇게 하지 않겠다는 것이다.

그래서 예를 들어 '광희문'은 'Gwanghimun'이 아니라 'Gwanghuimun'으로 적어야 한다.

(3) 파열음

ㄱ	ㄲ	ㅋ	ㄷ	ㄸ	ㅌ	ㅂ	ㅃ	ㅍ
g, k	kk	k	d, t	tt	t	b, p	pp	p

파열음 중에서 'ㄱ'은 'g'와 'k', 'ㄷ'은 'd'와 't', 'ㅂ'은 'b'와 'p' 등 각각 두 개의 로마자에 대응되고 있는데, 이들은 환경에 따라 구별되어 사용된다. 즉, 모음 앞의 'ㄱ, ㄷ, ㅂ'은 'g, d, b'로 적고, 자음 앞이나 어말의 'ㄱ, ㄷ, ㅂ'은 'k, t, p'로 적는다. '구미'와 '영동'의 'ㄱ'과 'ㄷ'은 각각 모음 'ㅜ'와 'ㅗ' 앞에 나타나는 것이기 때문에 'g'와 'd'로 적어 'Gumi'와 'Yeongdong'이 되고, 자음 앞에 나타나는 '옥천'의 'ㄱ'과 어말에 나타나는 '합덕'의 'ㄱ'은 'k'로 표기하여 'Okcheon', 'Hapdeok'이 된다.

파열음의 된소리는 같은 글자 두 개를 겹쳐 쓰는 방식을 취하는데, 이러한 방식은 일찍이 초기의 서양 선교사들이 사용했던 방식이다. 로마자 두 글자를 합친다고 해서 된소리가 되는 것도 아니고, 서양에서 이러한 방식이 있었던 것도 아니다. 된소리를 표기할 마땅한 수단이 없기 때문에 선교사들이 한글을 로마자로 표기할 때 사용했던 방식을 빌린 것으로 이해되는데, 이것을 로마자 표기에서도 원용한 것이다.

(4) 기타 자음

파찰음, 마찰음, 비음, 유음 등의 대응 관계는 다음과 같다.

ㅈ	ㅉ	ㅊ	ㅅ	ㅆ	ㅎ	ㄴ	ㅁ	ㅇ	ㄹ
j	jj	ch	s	ss	h	n	m	ng	r, l

유음 'ㄹ'이 'r'과 'l' 두 가지에 대응되고 있는데, 이 역시 환경에 따라 구별되어 쓰인다. 즉, 모음 앞에 있는 'ㄹ'은 'r'로, 자음 앞이나 어말에 나타나는 'ㄹ'은 'l'로 적는 것이다. 그러나 두 개의 'ㄹ'이 연이어 실현되는 'ㄹㄹ'은 'll'로 적는다. '구리', '설악[서락]' 등의 'ㄹ'은 모음 앞에 나타나는 것이기 때문에 'Guri', 'Seorak'으로 적고, '칠곡'의 'ㄱ'은 자음 앞에 나타난 것이기 때문에 'Chilgok'이 되며, '대관령[대괄령]'의 경우에는 두 개의 'ㄹ'이 연이은 것이기 때문에 'Daegwallyeong'이 되는 것이다.

15. 음운의 탈락에 관한 학습지에서 틀린 부분을 고쳐 주었다. 덧붙일 설명 내용으로 적절한 것은?

※ 다음을 음운 탈락의 성격에 따라 세 부류로 나누시오.

옴는(옮+는)	사냐(살+냐)	안는(않+는)	마느니(많+으니)
여덜과(여덟+과)	나아(낳+아)	우는(울+는)	

- 부류 1 : 여덜과(여덟+과)
- 부류 2 : 안는(않+는), 마느니(많+으니), 나아(낳+아)
- 부류 3 : 사냐(살+냐), 우는(울+는), 옴는(옮+는)

네모 친 두 단어는 부류 1로 이동시켜라.

① 탈락이 일어나는 음운을 기준으로 분류한다.
② 탈락이 일어나는 필연성을 기준으로 분류한다.
③ 탈락이 일어나는 보편성을 기준으로 분류한다.
④ 탈락이 일어나는 음운 환경을 기준으로 분류한다.
⑤ 탈락이 일어나는 문법 범주를 기준으로 분류한다.

정답 ④

해 설

해 설⇩

① 탈락이 일어나는 음운을 기준으로 분류한다.
이렇게 해보면 부류 1에는 '않는, 여덟, 옮는'에서 'ㅎ, ㅂ, ㄹ'이 각각 탈락하는 자음이 된다. 부류 2에는 '많으니, 낳아'에서 'ㅎ'이 탈락하는 자음이 된다. 부류 3에서는 'ㄹ'이 탈락하는 자음이 된다. 세 부류의 원소들이 중복되고 있다. 분류의 기본 규칙은 중복을 허용하지 않는다는 것이다.

② 탈락이 일어나는 필연성을 기준으로 분류한다.
탈락이 일어나는 필연성이란 말은 언제나 어떤 탈락 현상이 반드시 발생한다는 뜻이다. 제시된 어형들에서는 모두가 필연적으로 탈락이 발생한다. 분류에서 중복도 허용되지 않지만 모두에게 공통된 기준은 분류 기준이 될 수 없다. 문법 용어로 필연성이라는 말은 잘 쓰지 않지만 그 반대말은 수의성, 임의성이 된다.

③ 탈락이 일어나는 보편성을 기준으로 분류한다.

2번 선지와 똑같은 말이다. 보편성(普遍性)이란 모든 원소들의 공통성이라는 뜻이다. 일반성이라는 말의 유의어이다. 다라서 선지2와 3은 동시에 지워져야 한다. 2009년 문제에서 문법이 지나치게 어려웠다는 불평들이 많았기 때문에 문제의 수준이 갑자기 크게 떨어진 결과이다. 2010년도 쉽게 출제될 것을 예측하게 하는 선지들이다. 2011년도 문법 1차는 이런 수준을 유지할 것으로 보인다. 따라서 문법은 만점을 받아야 한다는 결론이 나온다.

④ 탈락이 일어나는 음운 환경을 기준으로 분류한다.

직감적으로 이 선지가 정답이라는 것을 알아야 한다. 음운 규칙은 음운 환경의 지배를 받는다는 것이 음운론의 대원칙인 것이다. 비슷하게 말해서 모든 문법 규칙은 해당 환경의 지배를 받는다. 언어 현상이 환경 없이 발생하는 일은 결코 없다. 선지를 하나하나 검토해보자.

부류 1은 '안는(앉+는), 여덜과(여덟+과), 옴는(옮+는)'으로 구성된다. 이들만의 공통점은 받침이 2개씩이라는 것이다. 이런 경우 전문 용어로 자음군(子音群)이라고 한다. 그 자음군의 어느 하나가 탈락했다. 국어의 음절 연쇄 규칙에는 모음과 모음 사이에는 반드시 자음의 수가 2 이하여야 한다는 제약 조건이 있다. 그런데 이 예들에는 모음과 모음 사이에 자음의 수가 3이나 들어 있다. 따라서 어느 하나가 탈락해야 한다. 어느 자음이 탈락해야 하느냐 하는 것은 자의적이다. 규칙화할 수가 없다.

부류 2는 '마느니(많+으니), 나아(낳+아)'이다. 공통점은 종성의 'ㅎ'의 탈락이다. 그런데 그 환경을 보라. 공명음 사이라는 점이 동일하다. 따라서 'ㅎ' 탈락은 그 음운 환경이 공명음 사이가 된다. 부류1과 음운 환경이 다르다는 것에 주의하라. 참고로 공명음이란 모음과 유음(ㄹ)과 비음(ㅁ, ㄴ, ㅇ)을 가리키는 말이다. 공명음의 반대말은 장애음이다. 장애음에는 폐쇄음, 마찰음, 파찰음이 있다. 앞에서 말한 자음체계표를 외운 사람은 다 잘 알고 있을 것이다.

부류 3은 '사냐(살+냐) 우는(울+는)'이다. 'ㄹ' 탈락 현상이다. 이 'ㄹ'은 그 조음 방법과 조음 위치가 'ㄴ'과 겹치기 때문에 'ㄹㄴ'을 현속해서 발음하기가 어렵다. 한국인은 이 발음을 하지 못한다. 영국인은 쉽게 한다. 그런데 국어를 구사하다보면 'ㄹㄴ'연쇄가 만들어질 때가 있다. 이때 해결 방법은 두 가지이다. 이 문제의 예에서처럼 뒤의 요소가 더 중요할 때는 앞의 'ㄹ'을 탈락시켜 버리는 방법이 그 하나이다. 다른 하나는 가령 '칼날[칼랄]'과 같이 뒤의 'ㄴ'을 'ㄹ'로 바꾸어 버리는 방법이다. 요컨대 'ㄹ' 탈락의 음운 환경은 'ㄴ'앞이고 이런 음운 환경은 위의 세 부류에서 모두 다르다. 따라서 분류 기준으로 적당하다.

⑤ 탈락이 일어나는 문법 범주를 기준으로 분류한다.

이 선지는 보자마자 지워야 한다. 왜냐하면 음운론적 현상은 문법 범주와는 관련이 없기 때문이다. 가령 'ㄹ 탈락 현상'이 문법 범주 때문이라는 것은 말이 안 된다. 뒤에 오는 'ㄴ' 때문인데 이 'ㄴ'이 무슨 문법 범주가 될 수는 없는 것이다.

[보충학습] [문법범주(文法範疇)]

동일한 의미 또는 문법적 기능을 나타내는 형태류의 총칭.

문법적 카테고리라고도 한다. 성(性)·수(數)·격(格)·법(法)·시제(時制) 등, 각 언어에 있어서 단어 등의 언어형식(일정한 의미에 대응되는 語形)은 그 용법상의 공통성에 기초를 둔 범주를 이루고 있다. 예를 들면 '보았다, 먹었고, 하였는데' 등을 '보다, 먹고, 하는데' 등과 비교해 보면 전자는 각각 형태 '-았-, -었-, -였-'을 가지고 과거의 뜻을 표시한다.

이 현상은 특정한 단어뿐 아니고, 조건만 충족되면 모든 단어에서 일어나므로 그들 형태는 한 무리를 이룬다고 인정된다. 이 경우 그들은 하나의 범주를 이룬다고 하고, 범주의 명칭은 '과거'라고 한다.

문법범주 가운데 가장 전형적인 것은 단어의 범주(품사)이다. 한 언어에 어떠한 품사가 있느냐는 단어 용법상의 공통성 연구에 따라 밝혀지겠지만, 품사의 구별은 우선 형태상의 공통성(어형변화 또는 불변 등)을 고려해야 하며, 아울러 의미적인 내용도 참고해야 한다. 흔히 품사에는 그 내부에 하위범주를 포함한다.

문법범주에는 주어·서술어·목적어·관형어·부사어와 같은 기능범주(functional category), 단어·문장 또는 명사·대명사·수사·동사·형용사 등 품사상에 보이는 형태·기능범주까지도 포함된다.

16. 〈자료〉는 국어 문법 형태소의 이해를 위한 교재 구성 계획이다. (가)~(마)에 들어갈 예시 자료로 적절하지 않은 것은?

〈자료〉

교수학습요소	자료 구분 기준	예시 자료	
어간과 어근의 구분	어미와의 직접 결합 여부	어간 잡히다, 잡는다, 잡았고	어근 깨끗하다, 아름답다
파생 접사와 어미의 구분	분포 제약	(가)	
	새 단어 형성	(나)	
	어근/어간의 품사 변화	(다)	
	접사/어미의 의미 고정	(라)	
	어근/어간의 의미 고정	(마)	

		파생 접사	어미
①	(가)	넓히다, *보히다	넓고, 보고
②	(나)	깊이	깊고, 깊지, 깊었다
		접히다	접고, 접지, 접었다
③	(다)	알리다	알아, 알고, 알지
		잡히다	잡아, 잡고, 잡지
④	(라)	놀이, 미닫이, 신문팔이	놀고, 살고, 높고, 깊고
⑤	(마)	먹이	밥을 먹었다, 겁을 먹었다, 욕을 먹었다
		높이	산이 높다, 가격이 높다, 악명이 높다

정답 ③

해 설

해 설⇩

이 문제도 형태론의 기본 개념을 묻는 문제이다. 접사와 어미의 기능상의 차이점을 이해하고 있는가를 묻고 있다. 정답은 어이없을 정도로 쉽다.

파생에서 분포 제약이라는 것은 결합 제약이라는 말과 같다. 어떤 어근과 어떤 접미사가 각각 아무 접미사와 아무 어근과 자유롭게 결합할 수 있다면 분포 제약은 없다고 말한다. 그러나 파생 접미사는 특수한 의미를 가지고 있기 때문에 분포제약이 거의 반드시 있다. (가)에서 '넓히다'는 결합이 가능하지만 '*보히다'는 생산이 저지된다. 한국인이 그렇게 말하지 않기 때문이다. 따라서 파생 접미사 '-히-'는 분포 제약이 분명히 있음을 알 수 있다.

이에 비해서 어간과 어미는 결합에 제약이 별로 없다. 있기는 하지만 어근과 접사에 비해서는 없는 것과도 같다. (가)에서 '넓고, 보고'는 둘 다 성립하고 있다. 따라서 선지 1은 타당한 진술이다. 참고로 어근(語根)은 단어 형성법=조어법에서 사용하는 용어이고, 어간(語幹)은 용언의 활용에서 사용하는 용어이다. 둘 다 중심의미(=어휘적 의미, 실질적 의미)를 담당한다는 점에서는 같으나 그 영역이 어디냐에 따라서 구분해서 사용해야 한다.

(나)에서 새 단어 형성에 관해서 물었다. 파생접사가 결합하면 반드시 새 단어가 생겨난다. 어떤 단어 A에 어떤 접미사 b를 결합시킨다면 Ab가 생겨난다. A와 Ab는 같은가 다른가? 따라서 언제나 접미사는 새로운 단어를 생산한다. 이에 비하여 어미는 어간에 결합해서 서술어를 구성한

다. '먹다, 먹고, 먹으니, 먹어서, 먹었다, 먹겠느냐……' 이 모든 활용형들을, 엄청 많아서 아직도 하나의 동사의 활용형의 총 개수가 몇인지 아무도 모른다, 다 새로운 단어라고 할 수는 없다고 생각해서 하나의 동사의 여러 활용형이라고 정의를 한 것이다. 만일 이런 활용형을 모두 새 단어라고 한다면 국어사전은 만들 수가 없다. 왜 그럴까 생각해 보라. 따라서 (나)도 타당한 진술이다.

(다)에서 '어근/어간의 품사 변화'를 물었다. 품사가 무엇인지 모르는가? 아래에 인용한 품사론을 숙지하기 바란다. 문제부터 풀어 보자. 국어의 품사는 흔히 9품사로 나눈다. 명사, 수사, 대명사, 동사, 형용사, 관형사, 부사, 조사, 감탄사이다. 이 순서대로 외우고 있어야 한다. 그래야 시험장에서 혼동이 생기지 않는다. 9품사에는 동사뿐이다. 피동사, 사동사 등의 용어는 품사가 아니다. 이들은 동사의 하위 범주명이라고 부른다. 가령 능동사 '잡다'에 피동 접미사 '-히-'를 결합시키면 피동사 '잡히다'가 생산된다. 물론 새 단어가 생산된 것이다. 그러나 이 '잡히다'의 품사는 여전히 동사인 것이다. 하위 범주만이 바뀐 것이지 품사 자체가 바뀐 것은 아니다.

물론 품사를 바꾸는 접미사 결합도 있다. 가령 명사 '생각'에 동사 파생접미사 '-하-'를 결합시키면 동사 '생각하다'가 생산된다. 따라서 문제에서 제시한 어형들을 꼼꼼히 하나하나 관찰할 필요가 있다. '알리다, 잡히다'는 각각 '알다, 잡다'에서 파생된 것이지만, 각각 사동사, 피동사이지만 동사라는 점에서는 변화가 없다. 따라서 이 선지는 품사 변화가 파생접사에서도 어미에서도 성립하지 않으므로 오류가 된다.

시험 문제 풀이의 대원칙은 주어진 용례만을 검토해야 한다는 것이다. 그 밖의 용례까지 생각해 내면 실력은 좋겠지만 합격하지는 못한다. 시험의 요령을 모르는 사람은 반사회적 성격이라서 교사를 해서는 곤란하다. 그런 분들은 재야 학자를 해야 한다. 우리나라에는 온갖 분야에 탁월한 재능을 가진 숨은 인재들이 대단히 많다. 그분들의 공통점이 친사회성의 부족이다. 시험은 잘 치는 필자도 그런 편이다. 그래서 교수를 못한다. 교사는 사회성이 탁월해야 하는 직업이다. 사회성에 문제 있는 사람이 교사가 되고 교감 교장이 되면 마녀, 마왕 소리를 듣게 된다.

(라) 접미사와 어미의 의미 고정은 어미가 훨씬 강력하다. 연결어미 '-고'는 특히 의미의 변동이 적다. 언제나 '연결'의 의미만이 표현되는 것 같다. 어미들도 문장에 따라서 약간의 의미 변동이 있으나 미미한 변화에 그친다. 그러나 접미사의 경우에는 의미의 변동폭이 상대적으로 크다. 가령 준 예, '놀이, 미닫이, 신문팔이'는 각각 '추상명사, 구체명사=물건, 사람'의 의미로 변동한다. 따라서 이 선지도 타당하다.

(마) 어근과 어간의 의미 고정은 반대이다. 어근이 의미가 고정되고 어간의 의미는 문장에 따라서 변동한다. 가령 '먹이, 높이'의 어근들은 자기가 가진 의미 중 가장 기본적인 의미를 표현한다. 이에 비하여 어간들은 문장 전체의 의미에 따라서 변화된 의미를 표현하고 있다. 이 현상은 파생어의 경우 그 의미의 영역이 한 단어에 국한되지만 어간의 경우에는 문장 전체의 도움을 받기 때문에 그 의미의 변동이 넓어지게 된다. 따라서 이 선지도 타당하다.

[보충학습] [품사](『바른 국어생활과 문법』에서 인용)

단어를 그 문법적 성질을 기준으로 몇 갈래로 나누어 이해하는 일은 한 언어의 문법 구조를 이해하는데 큰 도움을 주는데, 단어를 문법적 성질로 나눌 때 가장 널리 쓰이는 분류가 품사 분류(品詞 分類)이다. 문법을 기술하고 설명하기 위하여 수십만에 이르는 단어를 문법적 성질이 공통되는 몇 개의 갈래로 구분하는 일을 품사 분류라 하며, 품사(品詞, parts of speech)란 단어를 문법적 성질의 공통성에 따라 분류한 한 갈래 한 갈래를 가리킨다. 품사는 곧 단어들의 유(類, word-class)인 것이다. 단어가 모여 문장을 이루는 규칙을 연구하는 것이 문법론의 과제인 만큼 단어를 품사로 분류하는 일은 문법론에서 매우 중요하다.

국어 문법에서 품사 분류의 기준으로 들고 있는 것은 일반적으로 '형태', '기능', '의미'의 세 가지이다. 품사가 단어를 문법적 성질에 따라 나눈 갈래라고 할 때 '문법적 성질'은 크게 두 가지로 나눌 수 있다. 하나는 형태(形態, form) 면에서의 성질이고, 다른 하나는 기능(機能, function) 면에서의 성질이다. 문장 속에서 단어들이 나타나는 모습이나 하는 일을 살펴보면 서로 성질이 같거나 다른 단어들이 있음을 알 수 있다. 이러한 공통점이나 차이점에 따라 단어들을 몇 개의 부류로 묶을 수 있으며, 묶인 부류는 품사가 되는 것이다.

단어를 몇 개의 품사로 분류할 때 우선 '형태'라는 기준을 고려할 수 있다. 품사 분류에서 문제 삼는 '형태'는 문장 속에서 단어들이 나타나는 모습을 말한다. 단어는 문장 속에 나타날 때 형태가 변하는 부류와 변하지 않는 부류로 나눌 수 있다. 그러므로 단어의 품사를 분류할 때는 먼저 그 단어가 문장 속에서 형태가 변하는지 변하지 않는지에 따라 분류한다.

다음 (2)에 제시한 단어들은 문장 속에서 형태가 변하는 단어들이다.

(2) 가. 꽃이 피었다, 꽃이 피었고 새가 울었다, 꽃이 핀 정원
　나. 손이 크다, 손이 커서 물건을 많이 산다, 손이 큰 사람
　다. 철수는 학생이다, 철수는 학생이므로 공부를 한다, 학생인 철수

(2가)의 '피다'는 문장 속에 나타날 때 '피었다, 피었고, 핀' 등으로 형태가 변한다. (2나)의 '크다'도 마찬가지이다. 이렇게 문장 속에 나타날 때마다 형태가 변하는 단어를 가변어라고 하는데, 가변어의 대표적인 단어 부류로는 (2가)의 '피다'와 같은 동사와 (2나)의 '크다'와 같은 형용사가 있다. 이 밖에 (2다)의 서술격 조사 '이다'도 가변어라고 할 수 있다. '학생이다'의 '이다'는 체언 '학생'에 결합되므로 조사로 분류되나 다른 조사와는 달리 문장 안에서 사용될 때 형태가 변하는 특성을 보인다. 즉 어미를 취하여 활용을 하는데, 이 점 때문에 '이다'를 특별히 서술격 조사라고 부른다. 조사는 불변어인데 서술격 조사는 가변어이므로 특별한 성질을 지니고 있는 조사라고

할 수 있다.

가변어에 속하는 단어들은 형태가 변한다는 점에서는 공통적이지만 형태가 변화하는 방식은 동일하지 않으므로 그에 따라 다시 하위 분류를 할 수 있다.

(3) 가. 읽었다, 읽는다, 읽는구나, 읽어라
  나. 높았다, *높는다, *높는구나, *높아라
  다. 책이었다, *책이는다, *책이는구나, *책이어라

(3가)는 동사, (3나)는 형용사, (3다)는 서술격 조사이다. 동사는 어미로 ‘-는다, -는구나’를 취할 수 있지만 형용사의 경우에는 ‘-는다’ 대신 ‘-다’, ‘-는구나’ 대신 ‘-구나’를 취한다. 이와 유사하게 서술격 조사도 ‘-는다’, ‘-는구나’ 대신 ‘-다’, ‘-구나’를 취한다. 또한 형용사와 서술격 조사는 명령형 어미 ‘-어라’도 취하지 못하는 특성을 보인다. 따라서 가변어로 분류된 단어들도 형태가 변화하는 방식에 따라 다시 하위 분류될 수 있다.

가변어와는 달리 문장 속에서 형태가 변하지 않는 단어들도 있다. 형태가 변하지 않는 단어는 불변어라고 한다. 불변어는 자신의 형태는 변하지 않지만 조사와의 결합 여부에 따라 다시 여러 가지 유형으로 나눌 수 있다.

불변어 가운데는 조사와 결합할 수 있는 단어 부류가 있다.

(4) 가. 꽃이 피었다.
  나. 그를 보았다.
  다. 셋으로 나누었다.

(4가)의 ‘꽃’, (4나)의 ‘그’, (4다)의 ‘셋’은 문장 속에 나타날 때 자신의 형태는 변하지 않지만 일반적으로 뒤에 조사가 결합되어 나타난다. 즉 (4가)의 명사, (4나)의 대명사, (4다)의 수사는 문장 속에서 자신의 모습은 변하지 않지만 조사와 결합되어 나타난다는 점에서 형태상으로 공통점을 지닌다.

불변어 가운데는 앞에 다른 단어가 결합되어야 하는 단어 부류가 있다.

(5) 가. 꽃이 피었다.
  나. 꽃을 샀다.
  다. 나비가 꽃에 앉았다.

(5가)의 '이', (5나)의 '을', (5다)의 '에' 등은 조사인데, 이 부류의 단어들은 자신의 형태는 변하지 않으나 앞에 언제나 체언이 결합된다는 점에서 형태상 특징을 지닌다.

불변어 가운데는 앞이나 뒤에 아무것도 결합되지 않는 단어 부류가 있다.

(6) 가. 새 옷을 샀다.
　　나. 빨리 달렸다.
　　다. 아니, 이럴 수가!

(6가)의 '새', (6나)의 '빨리', (6다)의 '아니'는 문장 속에서 형태가 변하지 않고 언제나 같은 모습으로 나타나며, 일반적으로 앞이나 뒤에 아무 것도 결합되지 않은 모습으로 나타난다는 점에서 형태상 공통점을 지닌다. 즉 (6가)의 관형사, (6나)의 부사, (6다)의 감탄사는 문장 속에 나타날 때 뒤에 조사가 결합되지도 않고 어미를 취하여 활용하지도 않는다는 점에서 형태상으로 공통점을 지닌다.

그러므로 형태를 기준으로 하여 단어를 분류하면 다음과 같다.

(7)

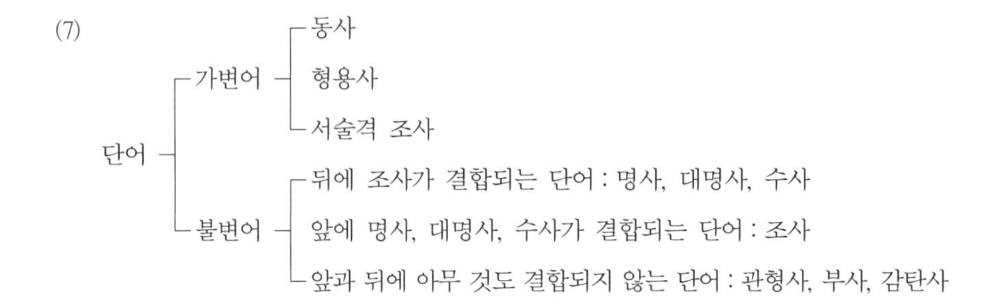

단어의 품사를 분류할 때는 '형태' 외에 '기능'도 고려한다. 여기서 말하는 '기능'은 통사적인 성질이라고 할 수 있는데, 어떤 단어가 한 문장 안에서 하는 일을 말한다. 한 문장 안에서 어떤 단어가 다른 단어와 맺는 관계가 그 단어의 통사적 성질, 즉 기능이다. 기능은 단어 부류에 따라 달라지므로 품사 분류에서는 기능도 고려하게 된다. 특히 형태 변화를 하지 않는 단어들은 기능에 의존하여 품사 분류를 하게 되며, 형태 변화를 하는 단어들도 한편으로는 기능을 고려하여 품사 분류를 하게 된다. 현재 학교 문법의 9품사 체계는 기능을 고려하면 몇 개의 하위 범주로 나뉜다.

(8) 가. 영희가 책을 샀다.
　　나. 그도 이것을 샀다.

다. 모자 하나가 없어졌다.

(8가)의 명사, (8나)의 대명사, (8다)의 수사는 문장에서 주체(주어, 몸, 임자)의 기능을 하는 경우가 많으므로 체언(體言)[임자씨]이라고 부른다. 물론 목적어나 부사어, 서술어로 나타나는 경우도 있으나 문장의 주어 자리에 사용된다는 것이 뚜렷한 기능으로 인식되어 전통적으로 체언이라는 말을 사용해 왔다.

한편 (8)의 예문에 사용된 체언에는 '가, 을, 도' 등의 단어가 결합되어 있다. 이 단어들은 체언에 붙어 그 단어와 다른 단어와의 관계를 나타내는 조사(助詞)인데, 이들 단어의 중요한 기능이 관계적인 것이라 하여 관계언(關係言)[걸림씨]이라고 부른다.

(9) 가. 하늘이 푸르다.

나. 새가 날아간다.

(9가)의 '푸르다'와 (9나)의 '날아간다'는 문장 안에서 주체를 서술하는 기능을 하고 있다. 이러한 점에 근거하여 '푸르다'와 같은 형용사, '날아가다'와 같은 동사를 묶어 용언(用言)[풀이씨]이라고 부른다.

(10) 가. 새 책을 샀다.

나. 날씨가 매우 덥다.

(10가)에서는 '새'가 '책'을 수식하고 (10나)에서는 '매우'가 '덥다'를 수식하고 있다. 따라서 '새'와 '매우'는 문장 안에서의 기능이 같다. '새'와 같은 관형사, '매우'와 같은 부사는 다른 단어를 수식해 주는 기능상의 공통점 때문에 수식언(修飾言)[꾸밈씨]으로 묶을 수 있다.

(11) 가. 아! 벌써 가을이구나!

나. 네, 저 여기 있어요.

(11가)의 '아'나 (11나)의 '네'는 감탄사인데, 기능적인 면에서 볼 때 뒤에 오는 문장의 어느 한 단어와 관련을 맺지 않고 독립해서 쓰인다. 이러한 점 때문에 이 단어들은 기능적인 면에서 독립언(獨立言)[홀로씨]이라고 부른다.

그러므로 기능을 기준으로 하여 단어들을 분류하면 다음과 같이 나뉜다.

(12) ┌ 체언 : 명사, 대명사, 수사
├ 관계언 : 조사
├ 용언 : 동사, 형용사
├ 수식언 : 관형사, 부사
└ 독립언 : 감탄사

단어들을 품사로 분류할 때에는 문법적 성질인 형태와 기능을 우선적으로 고려하지만 의미(意味, meaning)를 고려하기도 한다. 품사 분류의 기준이 되는 '의미'는 특정 단어가 지니고 있는 개별적인 어휘 의미가 아니라, 일정한 단어 부류의 범주적 의미를 말하는 것이다.

(13) 가. 먹이, 덮개
나. 먹다, 덮다

만일 품사가 개별적인 어휘 의미를 문제 삼는다면 (13가)의 '먹이'와 (13나)의 '먹다'가 같은 부류로 묶이고, (13가)의 '덮개'와 (13나)의 '덮다'가 같은 부류로 묶일 것이다. '먹이'와 '먹다'는 '먹-'이라는 공통 요소를 가지고 있고 그 의미도 공통적으로 '食'을 가리키며, '덮개'와 '덮다'는 '덮-'이라는 공통 요소를 가지고 있고 그 의미도 공통적으로 '蓋'를 가리키기 때문이다. 그러나 이러한 의미는 어휘적 의미로서 품사를 분류하는 데는 별로 기여하지 못한다.

품사는 개별적인 어휘 의미가 아니라 범주적 의미를 문제 삼기 때문에 (13가)의 '먹이'와 '덮개'가 같은 품사로 묶이고 (13나)의 '먹다'와 '덮다'가 같은 품사로 묶인다. '먹이'와 '덮개'는 '사물의 이름'이라는 공통 의미를 지니고 있고, '먹다'와 '덮다'는 '사물의 움직임'이라는 공통 의미를 지니고 있다. 이러한 공통 의미가 바로 '명사'와 '동사'의 범주적 의미이며, 이러한 범주적 의미가 품사를 분류하는 데에 기여하는 '의미'이다. 문법적 성질이 같아서 같은 품사로 분류되는 단어들은 대체로 범주적 의미의 측면에서도 공통점을 가지기 때문에 이러한 의미상의 특징을 품사 분류의 기준으로 삼는 것이다.

품사를 분류하는 데에 의미를 이용해야 하느냐 하지 말아야 하느냐에 대해서는 문법가들 사이에서 많은 논란이 있었다. 의미를 품사 분류의 기준으로 채택하기를 주저했던 첫 번째 이유는 의미가 객관성이 없다는 것이었고, 두 번째 이유는 품사는 문법적 성질로 나누는 어류(word-class)이므로 문법적 성질인 형태나 기능만을 그 분류의 기준으로 삼아야 한다는 것이었다.

그러나 동일한 품사에 속하는 단어들이 어떤 공통된 의미를 가진다는 점은 부인할 수 없다. 명사는 주로 사물의 명칭을 나타내는 말이며, 동사는 주로 사물의 움직임을 나타내는 말이다. 그러므로 품사를 분류할 때 지나치게 의미에 의존하는 것은 바람직하지 않지만 의미를 전적으로 배제할 수도 없다.

더욱이 범주적 의미는 형태나 기능에 따라 분류된 단어의 범주를 하위 분류하는 데 유용한 기준이 될 수 있다.

(14) 가. 영희가 책을 샀다.
　　나. 그도 이것을 샀다.
　　다. 모자 하나가 없어졌다.

(14가)의 '영희'와 '책', (14나)의 '그'와 '이것', (14다)의 '모자'와 '하나'는 형태를 기준으로 하면 문장 속에서 자신의 형태는 변하지 않지만 뒤에 조사가 결합된다는 점에서 공통적이다. 또한 기능을 기준으로 하였을 때도 주로 문장의 주어 역할을 한다는 점에서 체언으로 묶인다. 그런데 의미를 기준으로 하면 (14가)의 '영희'와 '책'은 사람이나 사물의 이름을 나타내는 말이므로 명사로 분류한다. (14나)의 '그'와 '이것'은 명사를 대신하여 쓰이는 말이므로 대명사로 분류되고, (14다)의 '하나'는 사물의 수량을 나타내는 말이므로 수사로 분류된다. 그러므로 (14)의 밑줄 친 단어들은 형태와 기능을 기준으로 하면 동일한 범주로 묶이지만 의미를 기준으로 하면 명사, 대명사, 수사로 하위 분류되는 것이다.

(15) 가. 동생이 웃는다, 바람이 분다
　　나. 동생이 착하다, 하늘이 푸르다

(15가)의 '웃는다', '분다'와 (15나)의 '착하다', '푸르다'는 문장 속에서 형태가 변한다는 점에서 모두 가변어에 속한다. 그러나 형태가 변화하는 방식은 조금 다르므로 그에 따라 다시 하위 분류를 할 수 있었다. 한편 이 단어들은 문장 안에서 서술어의 기능을 한다는 점에서 기능상으로는 동일한 범주인 용언에 속한다. 그러나 의미를 기준으로 하면 이 단어들은 두 범주로 나뉜다. (15가)의 '웃는다'와 '분다'는 움직임을 나타내는 단어이다. '웃는다'는 사람의 움직임, 즉 동작을 나타내고 '분다'는 자연의 움직임, 즉 작용을 나타낸다. 둘 다 공통적으로 움직임을 나타내기 때문에 동사로 분류된다. 한편 (15나)의 '착하다'와 '푸르다'는 성질이나 상태를 나타내는 단어이다. '착하다'는 사람의 성질을 나타내고 '푸르다'는 사물의 상태를 나타낸다. 둘 다 공통적으로 성질이나 상태를 나타내므로 형용사로 분류된다. 그러므로 동사와 형용사는 문장에서의 기능은 동일하여 용언으로 묶이지만 형태가 변화하는 방식과 의미에서는 차이를 보이므로 동사와 형용사로 하위 분류되는 것이다.

(16) 가. 새 책을 샀다, 여러 사람이 모였다

나. 날씨가 매우 덥다, 집에 빨리 갔다

(16가)의 '새'와 '여러', (16나)의 '매우'와 '빨리'는 문장 안에서 형태가 변하지 않으므로 불변어에 속한다. 또한 뒤에 오는 다른 단어를 수식한다는 점에서 기능상으로 동일한 범주인 수식언에 속한다. 그러나 수식하는 대상과 의미를 기준으로 하면 두 부류로 나뉠 수 있다. (16가)의 '새'와 '여러'는 뒤에 오는 체언 '책'과 '사람'을 수식하되, '어떠한'의 방식으로 좀더 분명하게 제한하는 의미를 지니고 있다. 이러한 특징 때문에 '새'와 '여러'는 관형사로 분류된다. 한편 (16나)의 '매우'와 '빨리'는 뒤에 오는 용언 '덥다'와 '갔다'를 수식하되, '어떻게'의 방식으로 좀더 분명하게 제한하는 의미를 지니고 있다. 이러한 점 때문에 '매우'와 '빨리'는 부사로 분류된다. 그러므로 관형사와 부사는 형태나 기능을 기준으로 하면 하나의 범주로 묶이지만 수식의 대상이나 의미를 기준으로 하면 관형사와 부사의 두 범주로 나뉘는 것이다.

(17) 가. 아! 벌써 봄이 왔구나!

나. 그래, 그렇게 하는 것이 좋겠다.

(17가)의 '아'와 (17나)의 '그래'는 형태를 기준으로 하면 불변어이다. 한편 기능을 기준으로 하면 독립언이다. 의미를 기준으로 하면 (17가)의 '아!'는 화자의 느낌을 나타내고 (17나)의 '그래'는 응답을 나타내는 단어이다. 기능과 의미상의 특징에 근거하여 이러한 단어들을 감탄사라고 부른다.

일반적으로 품사 분류에서 설정하는 범주적 의미는 다음과 같다.

(18) 가. 명사 : 사람이나 사물의 이름을 나타냄.

나. 대명사 : 사람이나 사물의 이름을 대신 나타냄.

다. 수사 : 사람이나 사물의 수량이나 순서를 나타냄.

라. 동사 : 사람이나 사물의 동작이나 작용을 나타냄.

마. 형용사 : 사람이나 사물의 성질이나 상태를 나타냄.

바. 관형사 : 체언 앞에 놓여 그 체언의 내용을 '어떠한'의 방식으로 제한함.

사. 부사 : 용언 또는 다른 말 앞에 놓여 그 뜻을 '어떻게'의 방식으로 제한함.

아. 감탄사 : 화자의 감정을 나타내거나 응답을 나타냄.

이상에서 품사 분류의 세 가지 기준인 형태, 기능, 의미를 살펴보았다. 따라서 품사를 분류할 때는 다음과 같은 기준을 고려하여 분류할 수 있다. ① 형태 변화를 하는 단어들과 하지 않는 단어들을 분류한다. ② 형태 변화를 하는 단어들은 형태 변화의 모습과 기능에 따라 하위 분류한다. ③ 형태 변화를 하지 않는 단어들은 기능으로 하위 분류한다. ④ 형태와 기능으로 구분되지 않는 단어들은 의미로 하위 분류한다. 그러므로 품사를 분류할 때는 형태, 기능, 의미의 세 가지 기준을 고루 참조하여야 한다.

세 가지 기준을 고루 참조하여 현재 학교 문법에서는 국어의 품사를 다음과 같이 분류하고 있다.

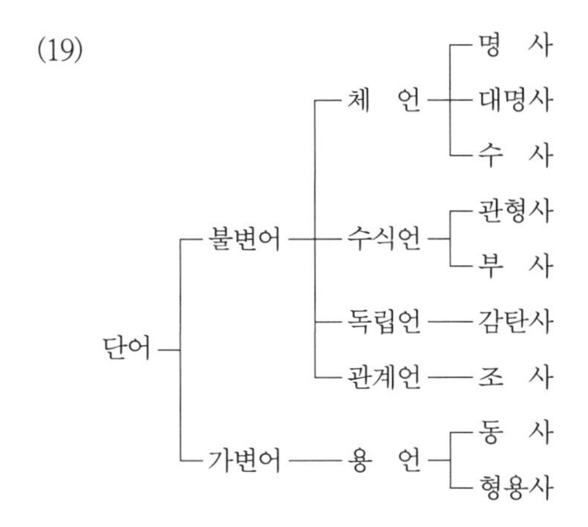

17. 다음은 학교 문법에서 각 품사가 어떠한 문장 성분으로 쓰이는지 설명하기 위한 것이다. 이에 대한 설명으로 옳지 않은 것은?

	(가)	(나)	(다)
품사	명사, 대명사, 수사	동사, 형용사	관형사

	㉠	㉡	㉢	㉣	㉤	㉥	㉦
문장 성분	주어	목적어	보어	서술어	관형어	부사어	독립어

① (가)가 ㉠~㉦으로 쓰일 때 이를 표시하는 각각의 격조사가 존재한다.

② (가)가 ㉠으로 쓰일 때 결합하는 조사는 모두 ㉢으로 쓰일 때도 결합한다.

③ (나)가 ㉠으로 쓰이면 이 성분은 항상 안긴 문장의 형식으로 나타난다.
④ (나)가 ㉡, ㉢으로 쓰일 때에는 전성어미가 결합한다.
⑤ (다)는 ㉤으로 쓰일 때 다른 문법 형태소와 결합하지 않는다.

정답 ②

해 설

해 설⇩

① (가)가 ㉠~㉦으로 쓰일 때 이를 표시하는 각각의 격조사가 존재한다.
체언에 결합하는 격조사의 종류를 묻고 있다. 당연히 타당하다. 격조사의 종류에는 주격 조사, 관형격(속격) 조사, 목적격(대격) 조사, 보격 조사, 부사격 조사, 호격 조사, 서술격 조사가 있다.
주격 조사에는 '이/가','께서','에서'가 있다.
목적격조사는 '을/를'이 있다.
보격조사에는 '이/가'가 있다. 주격조사보다 그 원소가 적다. '께서/에서'가 보격조사가 될 수는 없다. 그래서 선지 2번이 정답이 된다.
서술격조사에는 '-이-'가 있다.
관형격조사에는 '의'가 있다. 중세어에는 높임명사 뒤에는 'ㅅ'이 왔었다.
부사격조사에는 '에/에게/와/로/……' 등이 있다.
독립격조사에는 '아/야/여' 등이 있다.
② (가)가 ㉠으로 쓰일 때 결합하는 조사는 모두 ㉢으로 쓰일 때도 결합한다.
객관식 문제에서 '모두'가 나오면 기뻐하라. 거의 오류일 가능성이 매우 높다. 차분히 검토해보면 그럴 것이다. 검토의 능력이 없다면 그냥 찍어도 무방하다. 함부로 의심에 의심을 더하지 말라. 임용 문법에는 함정이란 없다. 출제 교수들이 수험생들의 수준을 너무도 잘 알기 때문에 어떻게 하면 한 문제라도 더 맞게 하나를 고심하고 있다. 그 눈물나는 노력이 이런 '모든'과 같은 정답 표지를 마구 쓴다는 것이다.
높임명사 표시 '께서'와 단체명사 표시 '에서'는 보격조사로는 결코 쓰이지 못한다.

"나는 교사가 되었다."
"*나는 교사께서 되었다/ *나는 교사에서 되었다"

따라서 오류. 정답.

③ (나)가 ㉠으로 쓰이면 이 성분은 항상 안긴 문장의 형식으로 나타난다.

(나)동사, 형용사가 ㉠주어로 쓰이려면, 가령 '먹다'가 주어로 쓰이려면 어떻게 해야 하는가? "먹기가 싫다."처럼 명사형 전성어미 '음/기' 혹은 '은/는/던/을 것' 등의 도움을 받아야 한다. 그 결과 항상 안긴 문장이 된다. 여기에도 '항상'이 들어 있다. 그렇다고 무조건 찍으면 곤란하다. 내용을 음미할 수 있어야 한다.

④ (나)가 ㉡, ㉢으로 쓰일 때에는 전성어미가 결합한다.

선지 3번과 똑같은 진술이다. 따라서 3=4. 같이 지워야 하는 선지들이다.

⑤ (다)는 ㉤으로 쓰일 때 다른 문법 형태소와 결합하지 않는다.

타당하다. 관형사는 언제나 형태 변화가 없는 품사로 유명하다. 관형사 뒤에는 어떤 조사도 올 수 없다. 이점에서 부사와 다르다.

관형사가 문장에 쓰이면 관형어가 된다. 가령, "저 새를 좀 봐!"에서 품사의 순서를 연쇄시키면 '관형사+명사+조사+부사+동사'이다. 성분의 순서를 연쇄시키면 '관형어+목적어+부사어+서술어'가 된다. IC분석을 문장에 도입하면 좀 달라진다. IC분석이 뭐냐고? 직접 구성 성분 분석이라고 이 책 앞쪽에서 설명한 적 있다. 문장에서도 사용하기도 한다. 일단 하나의 전체를 둘로만 쪼개 나가는 분석 방법이다. 2분법(2分法)의 묘용을 취하자는 것이다.

"저 새를 / 좀 봐",

"[저 새를]목적어구 / [좀 봐]서술어구",

"[저 새]명사구/[를]목적격조사", [[좀]부사=부사어/[봐]서술어]

"[저]관형사=관형어/새[명사]

즉 '저 새'에 '를'이 결합하여 목적어구가 된다는 뜻이다. '새', '저 새', '저 새를'처럼 확장되어나간다는 것이다.

관형사는 반드시 관형어가 된다. 그러나 모든 관형어가 관형사는 아니다. 따라서 관형어가 관형사를 완전히 포함하는 관계이다. 수학적으로 진부분집합의 관계이다.

[보충학습] [관형사](『바른 국어생활과 문법』에서 인용)

1. 관형사의 특징

관형사는 체언 앞에서 그 체언의 뜻을 분명하게 제한하는 품사이다.

(1) 가. 우리는 이 집에 이사온 지 10년이 넘었다.
나. 서점에 가서 책 세 권을 샀다.
다. 헌 차를 팔고 새 차를 샀다.

(1가)의 '이', (1나)의 '세', (1다)의 '헌'과 '세' 등이 관형사인데 '이'는 명사 '집'을 수식하고, '세'는 '권'을 수식하며, '헌'과 '새'는 '차'를 수식하고 있다. 관형사는 언제나 체언을 수식한다는 점이 특징이다.

그런데 관형사가 나란히 놓여 있을 때는 앞의 관형사가 뒤의 관형사를 수식하는 것처럼 보이는 경우가 있다.

(2) 가. 저 새 집은 누구네 집이야?
나. 이 헌 책이 제 것입니다.

(2가)의 '저'는 뒤에 오는 관형사 '새'를 수식하는 것이 아니라 명사구 '새 집' 전체를 수식한다. (2나)의 '이'도 뒤에 오는 관형사 '헌'을 수식하는 것이 아니라 명사구 '헌 책' 전체를 수식한다. 그러므로 관형사의 궁극적인 수식 대상은 명사이다.

관형사는 체언을 수식하는 것이 일반적이다. 그러나 체언이라고 해서 모두 관형사의 수식을 받을 수 있는 것은 아니다. 명사 중에서도 고유명사는 어느 하나를 특정적으로 가리키기 때문에 관형어의 수식에 많은 제약을 받는다. 특히 여러 개 중에서 하나를 선택하는 의미를 나타내는 관형어의 수식은 대체로 허용되지 않는다.

(3) 가. *어느 한글이 표음문자입니까?
나. *이 경주가 저 경주보다 유서 깊은 도시이다.

그러나 고유명사라 하더라도 가리키는 대상이 여럿 있을 경우에는 관형어의 수식을 받을 수 있다.

(4) 가. 이 영희가 저 영희보다 키가 크다.

나. 어느 새마을호를 타고 왔니?

한편 체언 중에서 대명사도 관형사의 수식을 받기 어렵고 용언의 관형사형에 의하여 수식된다.

(5) 가. *저 그들, *이 당신, *새 나

나. 저러한 그들, 이러한 당신, 새로운 나

(5가)에서 보듯이 관형사는 대명사를 수식할 수 없지만, (5나)에서 보듯이 용언의 관형사형은 대명사를 수식할 수 있다.

수사도 특수한 경우를 제외하고는 관형사나 용언의 관형사형의 수식을 받기 어렵다.

(6) 가. 어느 하나, 다른 하나

나. *어느 둘, *새 하나, *돌아온 하나

(6가)에서만 특별히 관형사의 수식을 받을 수 있고, 나머지 경우에는 (6나)에서 보는 것처럼 관형사의 수식을 받을 수 없다.

다른 품사에 비해 관형사에 속하는 단어는 그 수가 적다. 그런데도 관형사가 독립된 품사의 대접을 받는 것은 형태 및 기능상의 특수성이 인정되기 때문이다.

(7) 가. 새 책

나. 새로운 책

(7가)의 '새'와 (7나)의 '새로운'은 의미에 있어서 큰 차이가 없다. 그러나 '새로운'은 '새롭다'의 관형사형으로 활용된 말이지만 '새'는 특별한 활용의 흔적이 없다. '새로운'은 '새롭다, 새롭고, 새로우니' 등으로 활용할 수 있지만 '새'는 모습이 바뀌지 않는다. 또한 '새'에는 조사도 결합되지 않는다. 품사 면에서 '새'는 관형사이고, '새로운'은 형용사이다. 관형사는 형태상으로 불변어이고 기능상으로는 수식언인 특징을 가지고 있으므로 독립된 품사로 설정된다.

2. 관형사의 종류

관형사는 지시 관형사, 수 관형사, 성상 관형사로 나뉜다. 지시 관형사는 발화 현장에 있거나 이야기에 나타나는 대상을 가리키는 관형사를 말한다.

(8) 이, 그, 저; 요, 조, 고; 이런, 그런, 저런; 무슨, 어느, 아무

(8)은 지시 관형사의 예이다. '요, 조, 고'는 '이, 그, 저'의 작은 말이고, '이런, 그런, 저런'은 형용사 '이렇다, 그렇다, 저렇다'의 관형사형 '이러한, 그러한, 저러한'이 줄어든 말인데 전통적으로 관형사로 다루어 왔다. '무슨, 어느, 아무'는 의문이나 부정(不定)을 의미하는 지시 관형사이다.

지시 관형사는 지시 대명사와 모습이 비슷하여 혼동하기 쉬운데, 뒤에 체언이 오면 지시 관형사이고 조사가 바로 결합되면 지시 대명사이다. 또한 지시 대명사 '이, 그, 저'는 '이것, 그것, 저것'으로 대치할 수 있지만, 지시 관형사는 대치할 수 없으므로 이 점에서도 구분된다.

수 관형사는 뒤에 오는 체언의 수나 순서를 나타내는 관형사를 말하는 것인데, 수량 관형사라고도 한다.

(9) 가. 한, 두, 세, 첫째, 둘째, 셋째 …
　　나. 한두, 두세, 서너, 여러, 모든, 온갖 …

(9)는 수 관형사의 예이다. (9가)는 정수(定數)이고, (9나)는 부정수(不定數)이다. 수 관형사는 수사와 대등한 체계를 형성하고 있어서 수사와 형태가 같은 것이 대부분이지만 기본적 수 관형사는 형태를 달리하는 일이 많다. 수사 '하나, 둘, 셋, 넷, 다섯, 여섯 …… 열 하나, 열 둘, 열 셋, 열 넷, 열 다섯 … 스물 … 여럿' 등은 관형사로 쓰일 때는 '한, 두, 세, 네, 닷, 엿 … 열 한, 열 두, 열 세, 열 닷 … 스무 … 여러'가 되기도 한다. 그리고 '셋, 넷'은 특수한 단어 '말[斗]' 앞에서는 '서, 너'로 실현되고 '장' 앞에서는 '석, 넉'으로 나타난다.

성상 관형사는 사물의 성질이나 상태를 실질적으로 제한하는 관형사를 말한다.

(10) 새, 헌, 옛, 온, 참, 순, 갖은

(10)은 성상 관형사의 예이다. 성상 관형사는 '과학적, 범국민적, 전적' 등과 같이 한자어에 '-적(的)'이 붙는 예를 제외하면 종류가 그렇게 많지 않다.

둘 이상의 관형사가 하나의 체언을 수식할 때는 지시 관형사, 수 관형사, 성상 관형사의 순으로 온다.

(11) 가. <u>이</u> <u>네</u> 집

나. 모든 새 옷
다. 이 헌 옷

(12) 가. 이 세 옛 친구
나. 저 모든 헌 옷

(11가)는 지시 관형사가 수 관형사의 앞에 오는 것을 보여 주는 예이고, (11나)는 수 관형사가 성상 관형사의 앞에 오는 것을 보여 주는 예이며, (11다)는 지시 관형사가 성상 관형사의 앞에 오는 것을 보여 주는 예이다. (12))는 세 관형사가 모두 배열될 때는 '지시 관형사→수 관형사→성상 관형사'의 순으로 오는 것을 보여 주는 예이다.

3. 관형사와 접두사의 구별

관형사와 접두사는 뒤에 오는 체언과 관련을 가진다는 점에서 매우 유사하다. 그러나 관형사에는 분리성이 있는 반면 접두사에는 분리성이 없다는 커다란 차이가 있다.

(13) 가. 새 옷
나. 새 큰 옷

(14) 가. 맨발
나. *맨 큰 발

관형사와 체언 사이에는 (13나)처럼 다른 요소가 들어갈 수 있으나, 접두사와 체언 사이에는 (14나)처럼 다른 요소가 들어갈 수 없다. 그리고 (13가)처럼 관형사는 체언과 띄어 쓰지만, (14가)처럼 접두사는 체언에 붙여 쓴다.

또한 관형사는 다음의 (15가)처럼 체언 앞에 두루 쓰일 수 있으나, 접두사는 (15나)처럼 특정한 몇 가지 체언에만 붙을 수 있다는 점도 관형사와 접두사의 차이점이다.

(15) 가. 이 손, 이 발, 이 일, 이 옷, 이 구두, 이 사람
나. 맨손, 맨발, *맨일, *맨옷, *맨구두, *맨사람

18. (가)~(라)의 '학습 자료'에 대한 설명이 적절한 것만을 모두 고른 것은?

	학습 자료	설명
(가)	ㄱ. 오늘은 비가 오지 않는다. ㄴ. 철수는 오늘 학교에 {안/못} 간다. ㄷ. 이 물질은 엑스레이가 통과하지 {않는다/못한다}.	'안' 부정문은 동작주의 의도나 의지를 나타내는 부정문이고, '못' 부정문은 동작주가 능력이 부족하여 동작주의 의지대로 되지 않음을 나타내는 부정문이다.
(나)	ㄱ. 이번 선거 결과는 불확실하다 ㄴ. 철수는 도서관에 안 가지 않았다.	부정 접두사를 포함한 단어가 쓰인 문장은 의미상 부정적이나 통사적으로는 긍정문이고, 이중 부정문은 의미상 긍정적이나 통사적으로는 부정문이다.
(다)	ㄱ. 철수는 키가 {*못 작다/*작지 못하다}. ㄴ. 요즘은 가정 형편이 {*못 좋다/좋지 못하다}.	'못' 부정문은 형용사가 서술어인 경우 잘 성립하지 않으나, 일부 형용사의 경우 그것이 의미하는 기대나 기준에 이르지 못함을 나타낼 때 장형 부정문에 한하여 사용 가능하다.
(라)	ㄱ. 학생들이 학교에 안 갔다. ㄴ. 학생들이 학교에 가지 않았다.	부정사가 어떤 문장 성분을 부정하는가에 따라 전체 문장의 의미가 달라진다.

① (가), (다) ② (나), (라) ③ (가), (나), (다) ④ (가), (다), (라) ⑤ (나), (다), (라)

정답 ⑤

해 설

이 문제는 통사론의 기본 개념을 알고 있는지를 확인하는 문제다.

(가)를 검토해보자. 일반적으로 선지의 기술 "'안' 부정문은 동작주의 의도나 의지를 나타내는 부정문이고, '못' 부정문은 동작주가 능력이 부족하여 동작주의 의지대로 되지 않음을 나타내는 부정문이다.'는 타당하다. 그러나 이 기술이 일반적으로 타당하다고 하더라도 그 예문이 상응해야 한다. 예문 ㄱ과 ㄷ이 틀려있다. 'ㄱ. 오늘은 비가 오지 않는다. ㄷ. 이 물질은 엑스레이가 통과하지 {않는다/못한다}.'의 주어는 각각 '비가, 이 물질은'이다. 이들은 유정명사(특히 사람) 주어가

아니기 때문에 '의도나 의지'는 애초에 부여할 수 없다. 따라서 오류이다. 이처럼 이미 알고 있는 문법적 지식이라고 해도 그 용례를 검토하여 일치하는지를 판단할 수 있어야 한다. 단순히 문법 공부를 암기로만 하려는 사람들은 합격이 어렵다는 것을 명심하라.

(나)의 기술, '부정 접두사를 포함한 단어가 쓰인 문장은 의미상 부정적이나 통사적으로는 긍정문이고, 이중 부정문은 의미상 긍정적이나 통사적으로는 부정문이다.'는 타당하다. 아래에 인용한 부정문의 일반론을 잘 익혀 두기 바란다.

(다)의 기술, "'못' 부정문은 형용사가 서술어인 경우 잘 성립하지 않으나, 일부 형용사의 경우 그것이 의미하는 기대나 기준에 이르지 못함을 나타낼 때 장형 부정문에 한하여 사용 가능하다. '는 타당하다. 준 예문을 보면 기술대로 되어 있다. 'ㄱ. 철수는 키가 {*못 작다/*작지 못하다}, ㄴ. 요즘은 가정 형편이 {*못 좋다/좋지 못하다}.'에서 ㄱ은 두 예문 모두 성립하지 않는다. 그러나 ㄴ의 장형 부정문은 성립하므로 선지의 기술이 타당하다고 판단할 수 있다.

(라)의 기술, '부정사가 어떤 문장 성분을 부정하는가에 따라 전체 문장의 의미가 달라진다.'는 기술도 일반적으로 타당하다. 준 예에서 '학생들이'와 '학교에'를 부정할 수 있다. 즉, '부모들이 학교에 갔다.'와 '학생들이 바다에 갔다'처럼 해석될 수가 있다. 이런 부정문의 애매성(=중의성(重義性))은 언제나 발생한다. 따라서 부정문은 사용할 때 늘 주의를 해야 한다.

이렇게 되면 (가)만 틀린 것이 된다.

[보충학습] [부정문](『바른 국어생활과 문법』에서 인용)

20.1 부정문과 긍정문

20.1.1 부정문 설정의 기준 문제

문장은 그 표현 내용을 중심으로 어떤 사실을 긍정하는가 부정하는가에 따라 '긍정문(肯定文, affirmative sentences)'과 '부정문(不定文, negative sentences)'으로 나뉜다. 이렇게 보면 긍정문과 부정문의 구분은 아주 자명한 듯이 보인다. '철수가 학교에 간다'와 같이 간다는 사실을 긍정하면 긍정문이 되고, '철수가 학교에 가지 않는다'와 같이 간다는 사실을 부정하면 부정문이 된다. 그러나 이러한 기준이 엄격히 지켜질 수 있는 것이 아니라는 데 부정 문제의 어려움이 있다.

화자가 의미하는 것은 분명히 부정이지만 그 형식은 부정문이 아닌 것도 있고, 부정을 나타내는 형태가 쓰인 것이라고 하더라도 그 의미는 부정이 아닌 것도 있다. 의미라는 것에 화자의 의도라는 것을 더 포함시킨다면 문제는 더욱 어려워진다. 극단적으로는 어떤 사람이 겉으로는 가라고 하지만 내심 속으로는 가지 말라고 하는 암시를 주는 경우, 그것은 긍정인가 부정인가

하는 문제까지 발생할 수 있다.

의미론적인 기준은 문제를 어렵게 한다. 따라서 가능하면 형식적인 기준에 의존하여 문제의 범위를 정하는 것이 바람직하다. 여기서 우리가 중시하려는 것은 부정소와 부정 서술어이다.

20.1.2. 부정소와 부정 서술어

어떤 문장을 부정문으로 만드는 요소를 흔히 '부정소(不定素, negative element)'라 한다. 국어의 부정소에는 부정 부사 '아니(안)'와 '못'이 있고, 다시 이들을 내포한 '아니다, 아니하다, 못하다, 말다'와 같은 요소가 있다. 부정 부사를 포함한 형식을 여기서는 부정 서술어란 이름으로 부르기로 한다.

(1) 가. 철수가 회의에 갔다.
나. 철수가 회의에 안 갔다/못 갔다.
다. 철수가 회의에 가진 않았다(아니하였다)/못했다(못하였다).
라. 너는 집에 가지 말아라.

(1가)에는 아무런 부정소도 없다. 내용도 긍정이며, 형식도 긍정문이다. (1나)에는 '안'과 '못', (1다)에는 '아니하다'와 '못하다', (1라)에는 '말다'가 쓰이고 있다. 부정소나 부정 서술어를 가진 문장을 '부정문'이라 하면, (1나, 다, 라)는 '부정문'이다. 다시 다음 예를 보기로 하자.

(2) 가. 그는 우리 제안에 반대한다.
나. 동생이 형의 제의를 거절했다/거부했다/비판한다/비난한다.

(3) 가. 그것은 아주 비현실적(非現實的)이다.
나. 아이들이 아주 몰지각(沒知覺)하다.

(2가, 나)는 '거절문'이라 할 수 있는 것으로 내용은 부정이나, 형식은 부정문이라고 할 수 없다. (2)에는 부정소나 부정 서술어가 안 쓰였기 때문이다. (3가, 나)에는 '비(非)-, 몰(沒)'과 같은 '부정 접두사'가 쓰인 문장이다. 내용은 부정이나, 형식은 부정문이 아니다. 부정소나 부정 서술어가 쓰이지 않았기 때문이다. 부정의 의미와 부정의 형식이라는 것이 상당한 거리에 있게 된다.

(4) 가. 철수가 회의에 안 가지 않았다.

나. 철수가 그런 곳에 가겠습니까?

(4가)는 '이중 부정(二重不定, double negation)'이다. 부정의 부정은 긍정이므로 내용은 긍정이다. 그러나 이를 형식상 긍정문이라고 하지 않는다. (4나)는 '수사 의문(修辭疑問, rhetorical question)'이다. 화자가 의미하는 것은 부정이지만 이를 부정문이라고 하지는 않는다. 부정문과 긍정문을 내용에 의존해서만 나눌 수 없음이 분명하다. 따라서 여기서는 '긍정'과 '부정'은 내용에 따라 구분하고, '긍정문'과 '부정문'은 형식에 따라 구분하기로 한다.

20.2. 부정문과 부정 극어

20.2.1. 극어의 성격과 종류

단어들 가운데는 부정이나 긍정과 어울리는 특별한 성질을 가진 단어들이 있다. 이러한 성질을 '극정(極性, polarity)'이라 한다. 부정과 어울리는 특성을 '부정 극성'이라 하고, 긍정과 어울리는 특성을 '긍정 극성'이라 한다. 이러한 극성을 가진 단어들을 '극어(極語, polarity item)'라 한다. '긍정 극어(肯定極語, affirmative polarity item)'는 긍정과만 어울리는 성질을 가진 단어를 말하며, '부정 극어(不定極語, negative polarity item=NPI)'는 부정과만 어울리는 단어를 말한다.

(5) 가. <u>드디어</u> 그가 나타났다/*안 나타났다.
　　나. 그는 <u>벌써</u> 왔다/*안 왔다.

(6) 가. 그는 <u>결코</u> 정직하지 않다/*정직하다.
　　나. 나는 <u>전혀</u> 그런 말을 안 했다/*했다.
　　다. <u>아무도</u> 그 일에 관심을 가지지 않는다/*가진다.
　　라. 그는 <u>하나도</u> 모른다/*안다.

(5가, 나)의 '드디어, 벌써'는 긍정 극어의 성격을 가진다. '그'가 안 나타나기를 기다리던 사람은 혹 (5가)의 '드디어'를 부정 문맥에 쓸 수 있을지 모르나 일반적으로는 긍정에 쓰인다. (6)은 '부정 극어'의 예를 보인 것이다. '결코, 눈꼽만큼도, 더 이상, 밖에, 손가락 하나(도), 아무 것도, 아무 데도, 아무 사람도, 아무도, 아무런 잘못도, 여간, 전혀, 좀처럼, 좀체, 털끝만큼도, 하나도' 등은 주로 부정과 공기(共起)하는 특성을 가진다. 여기서 '아무도, 손가락 하나(도), 더 이상, 하나도, 털끝만큼도, 눈꼽만큼도, 아무 것도, 아무 사람도, 아무 데도, 아무런 잘못도' 등은 하나의

단어라고 할 수 없는 것이다. 이들도 부정 극어라고 하는 일이 있으나, 포괄적으로 말하는 것이며, 정확하게는 '부정 극성 성분'이라 해야 한다.

(7) 가. 그는 아무 것도 모른다/*안다.
　나. 방안에는 아무도 없다/*있다.

(8) 가. *아무도 그것을 거절했다.
　나. *이 안은 결코 비현실적이다.

(9) 가. 철수는 결코 집에 안 가지 않았다.
　나. 철수는 결코 아무 것도 안 먹지 않았다.

(7가, 나)는 '모르다, 없다'가 '아무 것도, 아무도'와 같은 부정 극성 성분을 허용한다. 이는 '모르다, 없다'가 부정 서술어와 유사한 성격을 가짐을 의미한다. 이들을 '부정어'라 부르기로 한다. 반면 (8가, 나)는 부정 극성 성분을 허용하지 않는다. 따라서 (8가, 나)는 부정문에 포함되지 않는다. 이에 대해서 (9가, 나)는 이중 부정으로 내용은 긍정이나, 부정 극어와 공기할 수 있다. 이중 부정을 부정문에 포함시킬 수 있는 근거가 된다.

20.2.2. 특수한 구성에서의 부정 극어

다음 예를 보기로 하자.

(10) 가. *아무도 그것을 했잖니?
　나. *아무도 못산다. ('가난하다'의 뜻으로)
　다. *아무도 못생겼다.

(10가)의 '했잖니'는 기원적으로 '했지 않니'의 축약이나 부정 극성 성분을 허용하지 않고, (10나)의 '못산다'나 (10다)의 '못생기다'도 부정 극성 성분과의 공기를 허용하지 않는다. 특수한 형태화나 어휘화의 과정이 진행된 것으로 볼 수 있다. 부정소와 함께 관용구적인 의미를 가지는 예들도 동일한 양상을 보인다.

(11) 가. 그놈은 영 같잖아/*그놈은 털끝만큼도 같잖아. ('꼴 같지 않다'는 뜻으로)

나. 그놈을 참 못 됐다/*아무도 참 못 됐다.

다. 그 일은 참 안 됐다/*아무 것도 참 안 됐다.

위의 예들은 부정소가 특정한 쓰임에서 특수한 의미를 띠는 구성이라 할 수 있다. 이를 '부정 관용구'라는 이름으로 부르기로 한다. 이들이 부정 극어와 어울리지 못하는 현상을 다음과 같이 정리해 보기로 한다.

(12) 부정 관용구와 부정 극어

부정 극어(혹은 '부정 극성 성분')는 부정소가 그 본래의 기능을 유지할 때 공기(共起)할 수 있다. 부정소가 다른 요소와 합하여 특수한 의미로 굳어진 경우에는 부정극어와의 공기가 제약된다.

부정 관용구도 기원적으로 부정 구성이기는 하지만, 특수한 구성에서 부정의 의미가 약화되거나 부정의 의미론적인 기능을 잃은 것으로 보기로 한다. 부정문은 의미에 의하여 정의되는 것이 아니라 형식에 의하여 정의되는 것으로 보는 한, 이 같은 입장을 피할 수 없다.

20.2.3. 부정 함축과 부정 극어

부정의 함축을 가지는 문장에도 부정 극어가 쓰이는 일이 있다.

(13) 가. 아무도 오기 전에 여기를 떠나라.

나. 나는 아무도 보기 싫다.

다. 그 남자는 아무하고도 결혼하기 틀렸다.

라. 아무 책도 찾기 힘들다/어렵다.

(13가)의 명사절 속에는 부정소나 부정 서술어가 없다. 그런데도 (13가)에는 부정 극성 성분 '아무도'가 쓰여 정문이다. 이 점은 (13나, 다, 라)에서도 같다.

이러한 사실을 토대로 '아무도'나 '아무 것도'를 부정 극어에서 제외하여야 할 것인가? 그렇지 않다. 여기서 생각해야 할 것은 '전' 구성이나 '싫다' 구성이 부정 함축을 가진다는 것이다. '어떤 일이 일어나기 전'이라는 것은 어떤 일이 안 일어났을 때를 말하는 것이며, '무엇을 하기 싫다'는 것은 무엇을 하지 않으려고 한다는 뜻을 가진다. 따라서 이들 구성에는 의미론적으로 부정의 의미가 개재된다고 할 수 있다. 그러나 이들 구성이 광범하게 부정 극어를 허용하는 것은 아니다.

(14) 가. * 그가 아무도 때리기 전에 여기를 떠나라.
　　나. *그가 결코 오기 전에 여기를 떠나라.

(14가)의 성립은 극히 의심스럽다. '전'이 어느 경우에나 부정 극어를 허용하는 것이라면 이래서는 안 된다. (14나)는 (14가)보다 나쁘다. 성립할 수 없다. 이로써 보면, 부정 함축에 의한 부정 극어의 허용은 어느 경우에나 가능한 것은 아니라고 할 수 있다. (14나)에서 알 수 있는 것은 부정 함축을 가지는 예에서는 특히 부사적인 부정 극어의 성립이 어렵다는 것이다. 다시 다음 예를 보기로 하자.

(15) 가. 이것은 저것과 전혀 다르다.
　　나. 그는 이 일에 전혀 손방이다.

(15)는 부정 극어의 하나인 것으로 생각되는 '전혀'가 '다르다, 손방이다'와 함께 쓰일 수 있음을 보인다. '다르다, 손방이다'가 부정 함축을 가지는 것으로 볼 수도 있고, '전혀'가 부분적인 부정 극어인 것으로 볼 수도 있다. '다르다'를 '같지 않다'로, '손방이다'를 '익숙하지 않다'로 해석할 경우 부정 함축에 의한 설명이 가능해진다.

20.2.4. 부정 극어와 동절 성분 조건 및 재구조화

부정소나 부정 서술어와 부정 극어는 어떠한 위치에 있어야 하는가? 이에 대하여 제안된 조건의 하나는 '동절 성분 조건(同節成分條件, clausemate condition)'이다. 간단히 말하여 부정소와 부정 극어는 같은 절에 있어야 한다는 조건이다. 이를 다음과 같이 제시해 보기로 한다.

(16) 부정 극어 허가 조건
　　부정소와 부정 극어 혹은 부정 극성 성분은 같은 절에 있어야 한다.

이제 다음 예를 보기로 하자.

(17) 가. 사장이 아무도 안 만났다.
　　나. 사장이 아무도 만나지 않았다.

(17가)에서 부정 극성 성분 '아무도'는 부정소 '안'과 같은 절에 들어 있다. (16)의 허가 조건을

만족시킨다. 그러나 (17나)에서는 (16)의 동절 성분 조건이 어떻게 충족되는지 알 수 없다. '(주어) 아무도 만나지'를 내포절이라고 할 경우 부정 극어 '아무도'는 내포절에, 부정 서술어 '아니하다'는 모문절에 들어 있는 것이므로, 나타난 그대로는 동절 성분 조건을 충족시키지 못한다. (17나)가 동절 성분 조건을 만족시키는 것으로 보기 위해서는 '만나지 않는다'를 하나의 서술어로 분석하는 재구조화(再構造化, restructuring) 절차가 필요하다. 이를 다음과 같이 형식화하기로 한다.

(18) 장형 부정문의 재구조화 효과(아래의 (20)으로 일반화됨)

장형 부정문의 내포절과 모문절의 부정 서술어는 의미론적으로 하나의 서술어처럼 인식될 수 있다.

(17나)에서 '만나지'와 '아니하-'가 하나의 서술어처럼 행동할 수 있는 것은 (18)의 효과에 의한다. 이에 의하여 (17나)는 (16)의 허가 조건을 충족시키게 된다. (17나)가 비문이 아닌 이유가 설명된다. (17나)의 기저 구조는 (19가)와 같이, 그리고 재구조화된 구조는 (19나)와 같이 그릴 수 있다,

(19) 가. 사장이 [e 아무도 만나지] 않았다.

나. [사장이 아무도 [만나지 않]]-았다.

(19나)의 구조는 '만나지'와 '아니하-'가 하나의 서술어로 재구조화된 구조이다. (19가)에서 e는 나타나지 않는 주어를 상정한 것이다. 장형 부정에서 '-지 아니하다'는 의미가 가벼운 요소이므로, 이를 다음과 같이 일반화할 수 있다,

(20) 의미가 가벼운 서술어의 재구조화 효과

의미가 가벼운 요소는 하위문의 서술어와 상위문의 서술어가 의미상 하나의 성분처럼 인식될 수 있다.

(20)을 다음 예에 적용해 보기로 하자.

(21) 가. 나는 아무도 가기를 바라지 않는다.

나. 나는 [아무도 가-]-기를 바라지 않는다.

다. 나는 [아무도 가기를 바라지 않-]-는다.

(22) 가. 나는 아무도 간다고 생각하지 않는다.

나. 나는 [아무도 가-]-ㄴ다고 생각하지 않는다.

다. 나는 [아무도 간다고 생각하지 않-]-는다.

(23) 가. 부장은 아무 거도 남겨 놓고 싶지 않았다.

나. 부장은 [[[e 아무 것도 남겨] 놓고] 싶지] 않았다.

다. 부장은 [e 아무 것도 [남겨 놓고 싶지 않]]-았다.

(21가)는 이상을 가지지 않는다. (21나)와 같은 구조로는 (16)의 조건을 만족시킬 수 없다. (16)을 만족시키는 것은 (21다)와 같은 구조로써이다. (22가)의 경우도 같다. (23)은 부정 극성 성분이 더 깊이 내포되어 있는 경우이다. 이 경우에도 (23다)와 가은 재구조화가 행해지고 그것이 (16)의 조건을 충족시키게 된다.

20.3. 단형 부정문과 장형 부정문

20.3.1. 단형과 장형의 구별

부정소 성분이 서술어 앞에 나타나느냐 서술어 뒤에 나타나느냐에 따라 부정문은 '단형 부정문'과 '장형 부정문'으로 나뉜다. 부정소에 의한 부정은 '단형 부정' 또는 '짧은 부정'이 되고, 부정 서술어에 의한 부정은 '장형 부정' 또는 '긴 부정'이 된다.(이후 편의상 '단형 부정문'을 '단형 부정'이라 하고, '장형 부정문'을 '장형 부정'이라 부르기로 한다).

(24) 가. 철수가 오늘 학교에 안 갔다.

나. 철수가 오늘 학교에 가지 않았다.

(24가)는 '단형 부정'으로, 서술어 앞에 부정소가 직접 쓰이고 있다. (24나)는 '장형 부정'으로 부정 대상문의 서술어가 어미 '-지'를 가지게 되고, 그 뒤에 '아니하다'가 오고 있다, 장형, 단형이라 함은 이 두 문장의 길이를 기준으로 나눈 것이다. '짧은 부정, 긴 부정'이란 술어도 쓰인다.

20.3.2. 단형과 장형의 차이

그 동안 부정문에 관한 논의는 (24가, 나)와 같은 두 유형의 부정이 의미 차이를 가지는가 안 가지는가, 그 기저가 같은가 다른가에 집중되어 왔다. 대부분의 부정법 논의는 이 둘을 같은 의미를 가진 것으로, 또 같은 기저에서 생성되는 것으로 보아 왔다.

그러나 형식적인 차이만을 두고 보더라도 (24가)에는 서술어가 하나뿐이나, (24나)에는 서술어가 둘이다. 따라서 대우법 형태 '(으)시-'가 쓰일 경우 단형에는 '-(으)시-'가 하나밖에 쓰일 수 없으나, (24나)에는 '-(으)시-'가 둘이나 쓰일 수 있다. 예를 보기로 한다.

(25) 가. 아버님께서 오늘 회의에 안 가셨다.
　　나. 아버님께서 오늘 회의에 가시지 않으셨다.
　　다. 아버님께서 오늘 회의에 가시지도/는/만/조차 않으셨다.

(25가)에는 '-(으)시-'가 한 번밖에 쓰이지 않고 있으나, (25나)에는 두 번이나 쓰이고 있다. (25다)는 '-지' 뒤에 보조사가 쓰인 경우를 보인 것이다. 나타난 형식 그대로 볼 때 (25가)에는 이러한 보조사가 쓰일 수 없다. (25가)를 '안 가시기도/는/만/조차 하셨다'와 같이 바꾸어 유사한 의미를 나타낼 수는 있으나, 이에 대해서 (25다)는 '가시지 않으시기도/는/만/조차 하셨다'와 같은 형식이 대응된다. 단형 부정과 장형 부정이 혹 비슷한 의미를 나타내는 일이 있다고 하더라도 문장의 구성 자체를 동일한 것으로 보는 것은 옳지 않다. 다시 다음 예를 보기로 하자.

(26) 가. *영희가 못 예쁘다.
　　나. 영희가 예쁘지 못하다.

(26가)와 같이 형용사에 대해서는 대체로 '못'에 의한 단형 부정이 성립하지 않는다. 그러나 (26나)와 같이 '못하다'는 이상을 가지지 않는다. 부정소 '못'과 '못하다'가 형용사문에서 동일한 기능을 수행하는 것이라면 이러한 차이가 생길 리 없다.

(27) 가. 요즘도 그런 사람이 없지 않다/*안 없다.
　　나. 그는 이 일을 모르지 않는다/*안 모른다.

(28) 가. 그런 말을 하면 못 써/*쓰지 못해.
　　나. 그러면 안 돼/*되지 않아.
　　다. 참 꼴 같지 않다/*참 꼴 안 같다.
　　라. 그런 일을 당하다니 참 안 됐다/*되지 않았다.

(27가, 나)는 '없다'와 '모르다'가 장형 부정은 허용하고 단형 부정은 허용하지 않음을 보인다.

장형 부정과 단형 부정이 같은 부정이라면 이와 같은 차이가 생길 리 없다. (28가, 나)에서 단형 부정은 특수한 의미의 표현에 관계하나 장형 부정은 그렇지 않다. (28다, 라)에서는 이러한 양상이 반대가 된다. 장형 부정과 단형 부정은 어떤 경우 비슷한 의미를 표현하는 일이 있으나, 구성적 특징이나 의미의 양상이 완전히 동일한 것일 수 없는 것이다.

20.3.3. '-지'와 어휘 선택 자질

나타난 형식을 보아도 단형 부정과 장형 부정이 같은 것이라고는 할 수 없다. 장형 부정에는 단형 부정에 없는 '-지' 어미가 있는 것이다. 장형 부정에서 보문이 '-지'로 끝날 것을 요구하는 것은 '아니하다, 못하다, 말다'와 같은 부정 서술어의 어휘 선택 자질이다. 장형 부정문의 기저에 '아니하다'를 상정하지 않고 먼저 '아니'나 '못'만을 상정하고, 나중에 '하'-지지 (ha-support)와 같은 것으로 '하다'를 도입하는 것은 이와 같은 어휘 선택 양상을 설명할 수 없다.

(29) 가. 그가 손을 잡지 아니한다.
　　나. 그가 손을 안 잡는다.

말하자면 (29가)의 '손을 잡지'에서 '-지'를 요구하는 것은 '아니하다'란 서술어라는 것이다. 그것은 사전적인 정보로, 부정 서술어가 가지는 어휘적인 특이성의 하나다. 사전이 주어지지 않으면 그 앞에 '-지'가 와야 할지 혹은 다른 것이 와야 할지 알 수 없는 것이다. (29나)에서는 '-지'가 나타나지 않으므로 전혀 어휘 선택 문제가 발생하지 않는다.

20.4. '안'부정과 '못'부정

20.4.1. 부정의 두 종류

부정의 의미를 중심으로 볼 때 '안(아니)'와 '아니하다'를 무표적인 부정이라 한다면 '못'과 '못하다'는 유표적인 부정이다. '아니' 및 '아니하다'가 순수 부정이나 의도 부정의 의미를 가지는 데 대하여, '못' 및 '못하다'는 상황에 의하여 어떤 일이 이루어지지 않음을 나타내는 '상황 부정'의 의미를 가진다. 편의상 전자를 '안'부정, 후자를 '못'부정이라 부르기로 한다.

(30) 가. *쌀이 없어 그 집은 밥을 안 먹는다.
　　나. *쌀이 없어 그 집은 밥을 먹지 않는다.

(31) 가. 쌀이 없어 그 집은 밥을 못 먹는다.
나. 쌀이 없어 그 집은 밥을 먹지 못한다.

(30)은 '안'부정이 이상을 보인다. 기술된 것은 객관적인 상황이 허락하지 않는 것인데 '안' 부정이 쓰였기 때문이다. 이에 대해서 (31)은 이상을 보이지 않는다. 상황에 의한 부정의 의미가 충족되기 때문이다.

20.4.2. 순수 부정과 의도 부정

'아니'를 순수 부정으로 보고 의도 부정과는 무관한 것으로 볼 가능성이 있다. 그러나 이는 다음과 같은 예에 의하여 부정된다.

(32) 가. *철수는 그 사실을 안 안다/알지 않는다.
나. *나는 그 사실을 안 깨달았다/깨닫지 않았다.
다. *그는 더위를 안 견디겠다/견디지 않겠다.
라. *나는 온기를 안 느꼈다/느끼지 않았다.
마. *나는 진리를 안 터득했다/터득하지 않았다.

만약 '아니'가 순수 부정을 나타내는 것이라면 (32가~마)와 같은 예들이 이상을 보일 이유가 없다. '아니'가 완전한 순수 부정을 나타낸다기보다는 용언에 따라 의도 부정을 뜻하는 일이 있는 것으로 보아야 한다.

20.4.3. 불능 부정과 불급 부정

'못' 부정은 동사에 대하여는 장형과 단형이 모두 가능하나, 형용사에 대해서는 단형 부정이 성립하지 않는다. 편의상 때로 '못하다'에 의한 부정을 '못'의 장형 부정이라 부르기로 한다.

(33) 가. 철수가 요즘 못 쉰다.
나. 철수가 요즘 쉬지 못한다.

(34) 가. 창수는 한자를 못 읽는다.
나. 창수는 한자를 읽지 못한다.

(35) 가. *영희가 못 예쁘다.

나. 영희가 예쁘지 못하다.

(33가)는 동사에 대한 '못'의 단형 부정이고, (33나)는 '못하다'의 장형 부정이다. 어느 것이나 '철수'가 주변 상황에 의하여 쉬지 못함을 표현한다. 상황에 의하여 쉬는 일이 불가능한 것이다. 상황 부정이요, 불능 부정이다. (34가, 나)에서는 '창수'의 능력이 문제된다. 능력이 없어서 한자를 읽을 수 없는 것이다. 능력 부정으로 불능 부정이다. 보이지 않아서 읽을 수 없을 수도 있다. 상황 부정이다. 능력이라는 것도 주어진 상황의 하나로 볼 수 있으므로 불능 부정은 상황 부정과 그 의미가 같다.

(35가)는 형용사에 대한 '못'의 단형 부정이 성립하지 않음을 보인다. 반면 (35나)는 불급 부정의 의미로 성립한다. 단형 부정이 불능 부정이나 상황 부정의 뜻을 더 강하게 가지는 것으로 보인다. '영희가 예쁜 것'이 '영희'의 능력의 문제도 아니고 그 주변 상황이 어떻게 해 줄 수도 없는 것이므로, (35가)와 같이 성립에 큰 이상을 보이게 된 것이다.

그 동안 이 문제와 관련하여 지적된 다음과 같은 예도 이 같은 의미론을 반영하는 것으로 볼 수 있다.

(36) 가. *그녀는 못 변했다/변하지 못했다.

나. *나는 춥지 못하다.

다. *그 사람은 못 굶주린다/굶주리지 못한다.

라. *우리는 그 일에 공감이 못 간다.

(36)의 예들이 비문이 되는 것은 '변하는 것, 추운 것, 굶주리는 것'이 능력의 문제가 아니기 때문으로 해석할 수 있다. 그 긍정은 상태가 상황 의존성을 아주 강하게 가지는데, 거기에 사정이 작용하여 문제가 간단히 해소될 수 없기 때문이라고도 할 수 있다. (37)은 의도나 의지 또는 정서적인 반응을 표현하는 문장에 '못' 부정이 쓰일 수 없음을 보인다. 역시 능력의 문제가 아니거나 능력의 차원에 속한 문제가 아니다. (37나)의 약속도 의지의 표현이다. 그것은 상황에 의한 것이 아니다.

그러나 이 같은 예들이 어느 경우에나 절대적인 비문이 되는 것은 아니다.

(38) 가. *도둑이 못 잡혔다.

나. ??도둑이 잡히지 못했다.

다. 그렇게 잡으려고 애를 썼으나, 그는 아직 도둑이 잡히지 못했다.

(39) 가. *그렇게 행동하면 대중의 공감이 못 가!

나. 이렇게 만들다가는 우리가 만든 물건이 그 사람 마음에 못 든다.

다. 내가 어떻게 그런 행운을 바라겠니? 내 처지에 그런 행운은 못 바란다.

(38가)는 비문이고 (38나)는 아주 이상하나 (38다)는 다소 낫다. '도둑이 잡히는 일'이 그의 능력과 관련되는 일이기도 함을 의미할 때이다. (39)가 가능하게 되는 것도 앞에 능력과 관련되는 문맥을 도입했기 때문이다.

그러나 다음과 같은 예는 의미론적인 부적절성과 관련된다.

(40) 가. *그는 불행하지 못하다.

나. *그 남자는 불성실하지 못하다.

'불행한 것'은 인간이 흔히 바라는 것이 아니다. (40가)는 그러한 상태에 미치지 못했음을 표현하여 이상을 가지게 된 것이다. (40나)도 같다.

20.5. 부정의 범위

20.5.1. 전칭 부정과 부분 부정

부정이 어떤 요소를 부정하고 또 어떤 요소는 부정되지 못하고 하는 문제를 흔히 부정의 '범위(scope)' 또는 '작용역'이라 한다.

(41) 가. 학생들이 다 가지 않았다.

나. 학생들이 다 안 갔다.

(41가)는 두 가지 의미로 해석된다. 하나는 '가지 않은 학생이 다인 경우'이고 다른 하나는 '간 학생이 다가 아닌 경우'이다. 앞의 해석은 '다'가 부정의 범위 바깥에 있는 해석이고(전칭 부정), 뒤의 해석은 '다'가 부정의 범위 안에 있는 해석이다(부분 부정). 부정의 범위 바깥에 있는 해석을 범위나 작용역이 크다(wide scope)고 하고, 부정의 범위 안에 있는 해석을 범위나 작용역이 작다(narrow scope)고 한다.

20.5.2. 단형 부정과 작은 범위 해석

위의 (41나)는 전칭 부정의 의미만을 가지는 것으로 보는 견해가 많으나, 어렵지만 두 가지 해석이 모두 가능하다. 단지 전칭 부정의 해석이 더 잘 된다는 차이가 있을 뿐이다.

(42) 가. 그 사람만 안 갔다.
　　나. 그 사람만 가지 않았다.
　　다. 그 사람만은 안 갔다.

(43) 가. 돈 때문에 안 울었다.
　　나. 돈 때문에 울지 않았다.

(42가)만을 볼 때에는 (42나)와 달리 '그 사람'에 대한 큰 범위 해석만 가능한 것으로 보인다. 그러나 (42다)는 다른 사람도 갔음을 뜻할 수 있으므로 (42가)에 대한 작은 범위 해석이 가능한 것으로 보아야 한다. (43가)도 (43나)와 같이 큰 범위 해석, 즉 다른 이유 때문에 운 경우를 뜻할 수 있다. '돈 때문에 안 울고, 정 때문에 울었다'와 같은 해석을 가지는 경우이다.

20.6. 보문 뒤의 '이/가'와 '을/를'

장형 부정의 '-지' 뒤에는 '이/가'와 '을/를'이 나타날 수 있는데, 이들을 격조사로 보는 견해가 많으나, 이들은 격조사로 보기 어렵다.

(44) 가. 철수가 학교에 가지를/*가지가 않는다(아니한다).
　　나. 영희가 예쁘지가/예쁘지를 않다(아니하다).
　　다. 차가 가지를/가지가 않는다.

(44가)는 행동주의 행동을 나타내는 보문의 '-지' 뒤에는 '을/를'만이 쓰일 수 있음을 보인다. 이 '을/를'을 목적격 조사라고 보아서는 안 된다. (44나)에서와 같이 형용사 부정의 '-지' 뒤에도 '을/를'이 나타날 수 있기 때문이다. 같은 동사라도 (44다)와 같이 행동주가 나타나지 않을 때는 '이/가'가 쓰일 수 있다. (44가)의 '을/를'이 목적격 조사가 아닌 것은 목적격이라는 것이 그것이 연결되는 문장의 의미론에 영향을 받는 것이 아니기 때문이다.

여기서는 부정문의 '-지' 뒤에 나타나는 '이/가'나 '을/를' 모두를 주제 표지로 본다. 이들을 초점 표지로 보는 일도 있으나, '이/가'는 정적(靜的, stative)인 상황과 관련되는 주제 표지이며, '을/를'은 동적(動的, dynamic)인 상황과 관련되는 주제 표지로 보기도 한다. (42다)에 '이/가'가 쓰일 수 있는 것은 그것이 행동주 중심이 표현이 아니기 때문이다. 단순한 초점 표지라면 왜 이러한 제약을 받게 되는지 설명하기 어렵다.

20.7. 명사문의 단형 부정문과 장형 부정문

명사문 부정(정확하게 말하면 이는 형용사 '이다' 부정이다)은 흔히 '아니다'에 의하여 이루어지는 것으로 설명된다. 그래서 '아니다'에 의한 부정을 명사문의 장형 부정이라 하는 일이 있으나, 명사문에도 '-지 아니하다'에 의한 부정이 가능하므로, '아니다' 부정을 장형 부정이라 하는 것은 정확한 것이 아니다.

(45) 가. 이것은 책이 아니다.
나. *이것은 책이지 않습니다.

(45나)의 가능성에 대하여 많은 사람이 회의적이지만 이는 일반적으로 그렇게 쓰이지 않을 뿐이다.

(46) 가. 그는 적극적이다./적극적이 아니다/적극적이<u>지</u> 않다.
나. 그는 적극적이<u>지</u> <u>못</u>하다/*적극적이 못이다.
다. 왜 그 사람이 네 은인이<u>지</u> <u>않</u>고?

(46가)에는 '-지 않다'가 쓰이고 있다. (46나)에서 '못'부정은 장형밖에 가지지 않는다. 명사문에도 장형과 단형의 구별이 있음이 분명하다. 단지 단형이 더 일반적으로 쓰일 뿐이다. (46다)와 같은 표현은 명사문인데도 장형이 더 일반적이다.

20.8. 부정 명령

부정 명령이나 청유는 특이하게 '말다'를 이용한다. 그러나 '말다'가 반드시 명령에만 쓰이는 것은 아니다.

(47) 가. 철수야, 나를 떠나<u>지</u> <u>말</u>아라.
나. 우리 이 자리를 떠나지 맙시다.
다. *철수야, 나를 떠나지 않아라/안 떠나라.

(47가)는 부정 명령의 예를 보인 것이며, (47나)는 부정 청유의 예를 보인 것이다. (47다)는 구체적인 청자에 대한 명령에 '안'이나 '아니하다'가 쓰일 수 없음을 보인 것이다. 그러나 특이한 의미를 가지는 경우에는 명령이나 청유에도 '안'이나 '아니하다'가 쓰일 수 있다.

(48) 가. 그 놈의 차가 움직이지 않아라/못해라. (저주의 경우)

나. 안 쓰자. 안 입자. 안 먹자. (다짐의 경우)

(48)에서와 같이 저주나 다짐을 뜻하는 경우, '안'이나 '아니하다' 명령이 쓰일 수 있다. 형식은 명령, 청유이나, 그 실제 효력은 다른 것이다.

(49) 가. 나는 그가 가지 않기를/말기를 바란다.

나. 우리는 그가 떠나지 않았으면/말았으면 한다.

(49)는 '-지 말다'가 반드시 부정 명령이나 청유에만 배타적으로 쓰이는 것은 아님을 보인다. 희망이나 바람을 나타내는 문맥에는 '아니하다'와 '말다'가 같이 쓰일 수 있다. 그 의미론적인 효력이 명령과 다르지 않다.

19. (가)~(마)에서 알 수 있는 외래어 수용과 사용 양상에 대한 설명으로 옳지 않은 것은? [1.5점]

(가) 파울(foul), 스릴(thrill)

(나) 리본(ribbon), 레이더(radar)

(다) 생활이 루스(loose)하다/*루스다.

머리카락을 커트(cut)한다./*커튼다.

(라) 판매(販賣)-세일(sale),

다방(茶房)-커피숍(coffee shop)

(마) 배추[白菜], 붓[筆]

① (가) 파울(foul), 스릴(thrill) : 외래어가 수용될 때 국어의 음운 체계를 따른다.

② (나) 리본(ribbon), 레이더(radar) : 외래어가 수용될 때 국어의 음운 제약을 따르지 않는다.

③ (다) 생활이 루스(loose)하다/*루스다. 머리카락을 커트(cut)한다./*커튼다.
: 외래어가 수용될 때 국어의 형태 규칙을 따른다.
④ (라) 판매(販賣)-세일(sale), 다방(茶房)-커피숍(coffee shop)
: 외래어가 수용된 후 기존 어휘와 동일한 의미로 사용된다.
⑤ (마)배추[白菜], 붓[筆] : 외래어가 수용된 후 고유어화하여 더 이상 외래어로 인식되지 않는다.

정답 ④

해 설

해 설 ⇩

① (가) 파울(foul), 스릴(thrill) : 외래어가 수용될 때 국어의 음운 체계를 따른다.
당연한 진술이다. 외국어의 발음을 한국인이 그대로는 할 수가 없기 때문이다. 가령 영어의 f, th, v, q 등의 발음을 한국인이 똑같이 하는 것은 아예 불가능하다. 미국에 가서 발음 훈련을 어릴 때 한 십년 정도 하면 모를까. 또 불어의 발음이나 우간다 말의 어려운 발음들은 어떻게 할 것인가? 전 세계의 발음을 다 정밀하게 적는 것은 불가능하고 또 무의미한 일이다. 한국인이 영어 발음을 미국 사람처럼 하려고 애쓰는 것은 이해는 가지만 쓸모없는 일에 가깝다.
또 외래어란 이미 한국어가 된 말을 가리킨다. 따라서 국어의 음운 체계를 따르는 것은 당연하다.

② (나) 리본(ribbon), 레이더(radar) : 외래어가 수용될 때 국어의 음운 제약을 따르지 않는다.
이 선지는 일반적으로는 오류이다. 외래어가 수용될 때도 국어의 음운 제약을 따르기 때문이다. 그러나 예외적인 현상들이 있어서 그에 대한 특수한 규정이다. '리본, 레이더'와 같은 경우 두음법칙을 따르면 '니본, 이본, 네이더, 에이더'처럼 될 것인데 이렇게 표기하면 원어의 r이 없어지거나 n이 될 것이다. 이렇게 너무 큰 변화로 보일 경우에는 국어의 음운 규칙을 무시하고서 적기로 규정한 것이다. 이 기술이 일반적인 것이 아니라 예외 규정이라는 것도 알아 두어라.

③ (다) 생활이 루스(loose)하다/*루스다. 머리카락을 커트(cut)한다./*커튼다.
: 외래어가 수용될 때 국어의 형태 규칙을 따른다.
국어의 형태 규칙이란 명사와 같은 어근이 서술어가 되려면 '하다'와 같은 용언 파생접미사를 결합시켜야 한다는 것을 뜻한다. 준 예에서 '루스, 커트'만 가지고 바로 활용시켜서는 곤란하다는 뜻이다. 외래어가 국어에 들어올 때는 대개 어근의 자격으로 들어 온다. 어간으로 들어오는 일은 전혀 없다. 가령 '나는 너를 러브.'처럼 외래어를 사용할 수는 없다.

④ (라) 판매(販賣)-세일(sale), 다방(茶房)-커피숍(coffee shop)
: 외래어가 수용된 후 기존 어휘와 동일한 의미로 사용된다.
이 선지는 타당성 판별이 대단히 쉽다. 독자가 좋아하는 것은 '판매'인가, '세일'인가? '다방'에 가는가, '커피숍'에 가는가? 국어에 이미 있는 어휘가 차용될 때에는 모종의 의미 변화가 생긴다. 대개는 사대주의적인 의미가 덧붙게 된다. 이런 현상에 핏대를 올릴 필요는 별로 없다. 언어 대중의 취향이 그런 것이라는 것을 알고만 있으면 그만이다. 한국인 전체의 어떤 경향을 한 개인이 핏대를 올린다고 고칠 수는 없다. 국어 교사들 중에는 그런 사람들이 꽤 있는데 주위 사람들은 대개 그를 멀리할 것이다. 이 세상은 다 같이 살아가는 것이기 때문이다. 북한은 김일성 개인의 마음대로 문화어(남한의 표준어)를 규정할 수 있지만 북한 국민(남한에서는 주민이라고 표현한다)들은 그 규정을 다 따르는 것은 아니다.
이 선지에 쓰인 동일한 의미라는 말은 서로 다른 두 어휘에게는 결코 적용할 수 없는 말이다. '절대적 의미의 동의어는 없다!', 오직 유의어만 있을 뿐이다. 심지어 '아버지, 아빠, 아방, 파파, 대디……' 모두가 동일한 의미를 가지는 것은 아니다. 중심의미야 같겠지만 문맥 의미가 다 다른 것이다. 따라서 정답을 골라내는 것은 일도 아니다.

⑤ (마)배추[白菜], 붓[筆] : 외래어가 수용된 후 고유어화하여 더 이상 외래어로 인식되지 않는다.
'배추, 붓'과 같은 말을 한자어로 인식하는 것은 참 대단한 학식이 아닐 수 없다. 기원 무렵부터 차용해 온 한자어들은 발음의 변화가 크게 이루어져 원어와의 관련성이 망각되게 된다. 따라서 고유어로 인식하게 된다. 이 문제는 수험생이 '배추, 붓'이 고유어인줄로만 알고 있었을 테니 타당성을 확인하는 것은 어렵지 않았을 것이다. 이런 예는 가령 '빵, 구두, 남포, 담배' 등 찾아보면 아주 많다.

20. 문장의 중의성을 이해하기 위한 교수 학습 계획이다. '중의성의 사례'에 대한 설명으로 적절하지 않은 것은?

(가) 도입

- 문장의 중의성 : 한 문장이 여러 가지 의미로 해석되는 현상

(나) 전개

- 중의성의 사례
  - ㉠ 나는 철수와 영희를 만났다.
  - ㉡ 나를 사랑하는 친구의 여동생을 만났다.
  - ㉢ 아버지는 어머니보다 나를 더 사랑하신다.
  - ㉣ 철수는 시내에서 이발하였다.
  - ㉤ 철수는 입던 옷을 영호에게 주었다.
  - …
- 중의성의 해소

(다) 정리

① ㉠과 ㉡은 모두 주체가 중의적으로 해석된다.
② ㉡은 어순 교체로 중의성이 해소되지 않는다.
③ ㉢은 휴지, 강세 등에 의해 중의성이 해소된다.
④ ㉣의 중의성은 주어와 부사어의 관계에서 비롯된다.
⑤ ㉤의 중의성은 시상(時相)의 해석에서 비롯된다.

정답 ④

해 설 해 설⇩

① ㉠과 ㉡은 모두 주체가 중의적으로 해석된다.

㉠ '나는 (철수와 영희)를 만났다. (나는 철수)와 영희를 만났다.'로 해석 가능하다. 주체가 '나, 나와 철수'의 두 가지로 해석되는 것이다.

㉡ '(나를 사랑하는) 친구의 여동생을 만났다. (나를 사랑하는 친구의) 여동생을 만났다.'로 해석 가능하다. 주체가 '친구'일 수도 있고, '여동생'일 수도 있다.

② ㉡은 어순 교체로 중의성이 해소되지 않는다.
어순 교체로 중의성을 해소한다는 것은 가령 "저 예쁜 할머니의 손녀딸은 몇 살이지?"와 같은 문장이 '예쁜 할머니'와 '예쁜 소녀'의 중의성이 있는데, "저 할머니의 예쁜 손녀딸은 몇 살이지?"처럼 수식어의 위치를 바꾸어 주면 중의성이 해소된다는 것이다. 그러나 선지의 예문은 이러한 어순 교체가 불가능하다. 즉 '*친구의 (나를 사랑하는) 여동생을 만났다' 처럼은 말할 수 없다. 굳이 중의성을 해소하자면 "저 친구는 나를 사랑한다. 나는 저 친구의 여동생을 만났다."처럼 끊어 써야 한다. 아니면 "나는 저 친구의 여동생을 만났다. 그녀는 나를 사랑한다."처럼 써야 한다. 이런 중의성을 문장의 구조적 중의성이라고 부른다.

③ ㉢은 휴지, 강세 등에 의해 중의성이 해소된다.
㉢ 아버지는 어머니보다 나를 더 사랑하신다. 사랑받는 대상 = 나; 아버지의 사랑 〉 어머니의 사랑.

아버지는 어머니보다 나를 더 사랑하신다. 사랑받는 대상 = 어머니 〈 나

사실은 이런 문장의 구조적 중의성은 휴지나 강세로 완전하게 해소되지는 않는다. 그러나 선지 4가 명백하기에 그냥 넘어가는 것이다.

④ ㉣의 중의성은 주어와 부사어의 관계에서 비롯된다.
㉣ 철수는 시내에서 이발하였다. 이 문장의 중의성은 '이발하다'가 남의 머리를 깎는 직업적인 것이냐, 아니면 남에게 자기 머리를 한 번 깎고 온 것이냐에 달린 것이다. 따라서 부사어 '시내에서'는 중의성과는 아무런 관련이 없다. 따라서 오류가 된다. 너무나 명백하기 때문에 선지 3의 흠결이 그냥 넘어갈 수 있다. 이처럼 객관식을 풀 때는 가장 명백한 선지를 고르는 데 심혈을 기울여야 한다. 공부를 착실히 넓게 하는 것은 아름답고도 필요한 것이지만 일단 붙자면 정답을 골라낼 수 있어야 한다.

⑤ ㉤의 중의성은 시상(時相)의 해석에서 비롯된다.
㉤ 철수는 입던 옷을 영호에게 주었다. 이 문장은 밑줄 친 부분에서 중의성이 생겨난다. 철수가 영호에게 옷을 줄 때 바로 그때 입고 있던 옷을 주었느냐, 아니면 전에 입던 다른

옷을 입었느냐 하는 중의성이다. 즉 '입고 있던'과 '입었었던'의 중의성이다.

전체적으로 틀리기 어려웠던 문제이다. 그런데 이런 문제를 착각해서 틀려버리면 합격은 어려워진다. 따라서 미리미리 많은 문제를 답을 보지 말고 푸는 습관을 길러야 한다. 임고는 1년에 끝내야 남는 것이다. 장기적으로 가면 스스로에게 실망하게 된다. 하려면 전부를 쏟아부어야 한다. 직업을 가지고 한다고 해도 방법은 똑같다. 최대한 시간을 내서 최대한 강렬하게 최대한 많은 문제를 다루어야 한다. 필자와 같은 강사는 여러분의 시간을 줄여주는 효능이 있다. 단지 그것뿐이다. 이해와 기억을 위한 노력은 각자가 할 수밖에 없다.

21. 다음은 현재 일어나고 있는 어간 교체의 변화를 보인 것이다. 어간 교체의 규칙성 측면에서 변화의 양상이 이와 동일한 것은? [2.5점]

'싣-[載]'의 활용형 변화

	변화 전	변화 후
어간+고	싣고[싣꼬]	[실코]
어간+는	싣는[신는]	[실른]
어간+어	실어[시러]	[시러]

변화 전	변화 후
① ᄒᆞ고, ᄒᆞᄂᆞᆫ, ᄒᆞ야 [爲]	하고, 하는, 하여
② 돕고, 돕ᄂᆞᆫ, 도ᄫᅡ [助]	돕고, 돕는 도와
③ 오ᄅᆞ고, 오ᄅᆞᄂᆞᆫ, 올아 [登]	오르고, 오르는, 올라
④ 시므고, 시므ᄂᆞᆫ, 심거 [植]	심고, 심는 심어
⑤ 짓고, 짓ᄂᆞᆫ, 지ᅀᅥ [作]	짓고, 짓는, 지어

정답 ④

해 설

해 설⇩

이 문제는 어간 교체의 규칙성을 묻고 있다. 어간 교체란 가령 '먹다, 먹고, 먹어, 먹니……'

등의 현상을 가리킨다. 이 때 따져야 하는 것은 '(1) 어간이 하나냐, 둘이냐? (2) 어미가 하나냐 둘이냐?'뿐이다. 즉 어간과 어미의 모습이 바뀌느냐 아니냐의 문제를 따져보라는 것이다. 이것이 이 어려웠던 문제의 전부이다. 실제로 불규칙 동사를 모르는 수험생은 없을 것이다. 바로 그 문제를 이렇게 출제하니까 전혀 낯선 문제처럼 보이는 것이다.

준 어형을 분석해 보자.

'싣다'가 '싣고[싣꼬], 싣는[신는], 실어[시러]'로 제시되었다. 자기의 말을 떠올릴 필요는 없다. 제시한 자료를 가지고 하는 것이다. '싣는'이 [신는]되는 것은 비음화 현상이다. 따라서 어간 형태는 '싣-'과 '실-'의 2가지이다.

변화 후에는 [실코], [실른], [시러]만을 제시하였다. 따라서 이 발음들의 원형(기본형, 기본 형태소)을 설정해야 한다.

[실코 = 싫고]가 된다. 왜냐하면 어미는 '-고'밖에 없기 때문이다. 또 'ㅎ+ㄱ = ㅋ'을 역산해도 된다. 여기서 추출된 '싫-'을 다음에도 이용해야 한다.

[실른 =?], 앞의 '싫-'을 떠올리면, [실른 = 싫는]. '싫는'을 발음한다면 무슨 현상이 가장 먼저 발생하는가? 그렇다. 자음군 단순화 현상. 따라서 '실는'이 도출된다. 이 형태를 발음하면? [실른]이 결과된다. 역산해보자. '싫는'을 발음해 보라. [신는]? [실른]? [실른]이 맞다. 이렇게 되면 어간 형태소는 '싫-'이 확정되어 간다.이제 마지막 제시어를 보자. 이때에도 '싫-'은 힌트가 된다.

[시러], '싫어'를 발음해 보자. [실허]? [시러]? 당연히 [시러]가 맞다. "나는 이 짜장면이 싫어!" 어떤가 [시러]가 자연스러운 발음이잖은가? 이것이 'ㅎ' 탈락 현상이다. 그렇다면 어간의 원형은 '싫-'이 된다. 단일 어형이 되었음을 알 수 있다.

요컨대 어간 형태는 '싣-'과 '실-'의 2가지이었다가 '싫-'의 1이 된 것이다. 따라서 2가 1이 되었다.

이제 선지를 똑같은 방법으로 해보자.

① ᄒᆞ고, ᄒᆞᄂᆞᆫ, ᄒᆞ야[爲] : 어간 형태는 'ᄒᆞ-'뿐이다. 어미 형태는 2이다. '-어/아'가 '야'로 바뀌었다. 물론 어간 형태를 'ᄒᆞ-'와 'ᄒᆞy-'의 둘로 잡아도 된다.
바뀐 형태는 '하고, 하는, 하여'인데 어간 형태는 '하-'이고 어미 형태가 2이다. 물론 어간 물론 어간 형태를 '하-'와 '하y-'의 둘로 잡아도 된다. 따라서 변화가 없다.

② 돕고, 돕ᄂᆞᆫ, 도ᄫᅡ[助] : 어간 형태가 2이다. 한 눈에 보이기 시작하는가? '돕-/돟-' 어미는 변화가 없다.
바뀐 형태는 '돕고, 돕는, 도와'이다. 어간 형태는 몇인가? 그렇다. 둘이다. '돕-/도w-' 어미는 변화가 없다. 따라서 변화 전과 변화 후가 똑같다.

③ 오르고, 오르는, 올아[登] : 어간 형태는 2이다. '오르-'와 '올-'이다.

바뀐 형태는 '오르고, 오르는, 올라' 역시 2이다. '오르-'와 '올ㄹ-'이다. 따라서 변화 전과 변화 후가 똑같다. 주의할 것은 형태가 조금 바뀐 것을 따지라는 것이 아니라 어간 형태가 하나냐, 둘이냐를 보라는 것이다.

④ 시므고, 시므는, 심거[植] : 어간 형태는 2이다. '시므-/심ㄱ-'.

바뀐 형태는 '심고, 심는 심어'에서 '심-' 하나다. 따라서 2가 1이 되었다. 따라서 정답이 나왔다.

⑤ 짓고, 짓는, 지ᅀᅥ[作] : 어간 형태는 2이다. '짓-/징-'.

바뀐 형태는 '짓고, 짓는, 지어'. 어간 형태는 2이다. '짓-/지-'. 2→2. 따라서 오답.

이 문제는 2010년 1차 문법에서 가장 어려웠던 문제이다. 담당 출제 교수가 유능하기에 평이하지만 여러 가지 정보를 담고 있는 문제를 출제한 것으로 보인다. 임용 시험은 이제 1차에서 70점을 넘길 것을 요구하고 있다. 그러자면 이런 문제를 틀려서는 합격이 어렵다는 것을 짐작할 수 있다. 막연히 개론서를 구경한다고 해서 이런 문제의 풀이 능력이 생기는 것은 아니다. 기본 개념을 충실하게 이해하는 데 총력을 기울여야 한다.

[보충학습] [형태소의 기본형]

형태소는 뜻을 가진 최소의 언어 단위이다. 그런데 어떤 형태소라도 그 모습이 늘 하나인 것은 아니다. 가령 '손 (手)'을 예로 살펴보자. 단독형으로 발음하면 [son]이다. '손이'는 [soɲi]로 조금 바뀐다. 또 '앞 손'은 [압쏜]처럼 바뀐다. 따라서 실제로는 조금씩 달라져서 나타나는 것을 언중들은 모두 하나로 인식하는 것이다. 음소가 추상적인 소리이듯이 형태소도 추상적인 형태인 것이다. 그런데 언중들이 어떤 형태소에 대하여 대표형으로 생각하는 것이 실제로 꼭 있다. 여기서는 '손'이다. 그것을 형태소의 기본형으로 설정하는 것이다.

일반적으로 형태소의 기본형은 하나로 설정된다. 그러나 가령 '덥다/더워'와 같은 경우 '덥다'를 기본형으로 삼아 왔었는데, 그래서는 안 된다는 주장이 나왔다. 즉 '덥+어'가 '더워'가 되는 것은 공시론적으로 음운 규칙으로 만들 수가 없다는 것이다. '업어'와 같은 경우에는 '업+어'가 '어워'가 되지는 않는 것과 비교해보라. 따라서 '덥다'와 같은 경우에 기본형은 '덥-/더w-'의 두 개를 설정해야 한다는 것이다. 이런 경우 기본형이 두 개가 되므로 쌍형어라고 부른다.

22. 『훈민정음 해례』의 다음 기록을 통해 알 수 있는 사실로 적절하지 않은 것은?

	기록	알 수 있는 사실
①	아음의 ㆁ만은 비록 혀뿌리가 목구멍을 닫아서 소리의 기운이 코로 나오지만 그 소리가 ㅇ과 비슷해서 운서에서도 의모(疑母)와 유모(喩母)가 많이 혼동되어 사용된다. (제자해)	ㆁ이 아음자인데도 다른 아음자인 ㄱ, ㅋ 등과 자형이 달라진 이유
②	두 글자를 합용(合用)함에는 ㅗ와 ㅏ가 다 같이 ㆍ에서 나왔으므로 어울려서 ㅘ가 되고, (……)ㅜ와 ㅓ가 다 같이 ㅡ에서 나왔으므로 어울려서 ㅝ가 된다. (중성해)	당시 문헌의 우리말 표기에서 ᆜ, ᆝ가 나타나지 않는 이유
③	ㆁㄴㅁㅇㄹㅿ의 여섯 자는 평성, 상성, 거성의 종성이 되고 그 나머지는 모두 입성의 종성이 되나 ㄱㆁㄷㄴㅂㅁㅅㄹ 여덟 자만으로 쓰기에 족하다. (종성해)	당시의 문헌에서 'ᄉᆞᄆᆾ[通]+디'가 'ᄉᆞᄆᆺ디'로, '밑[本]+과'가 '믿과'로 표기된 이유
④	반혓소리인 ㄹ은 마땅히 우리말의 종성에나 쓰지 한자의 종성에는 쓸 수 없다. 입성인 彆(별)자는 종성이 ㄷ음이 되어야 마땅한데 우리의 습관으로 ㄹ로 발음하니 대개 ㄷ음이 변하여 가볍게 된 것이다. (종성해)	'月ᅌᅯᇙ, 戌ᄉᆔᇙ' 등의 이영보래(以影補來)에 의한 동국정운식 한자음 표기가 나타난 이유
⑤	한자와 한글을 섞어 쓸 경우에는 앞에 오는 한자음에 따라서 한글의 중성자나 종성자를 보충하는 일이 있다. (합자해)	당시의 문헌에서 '始祖ㅣ, 西水ㅅ ᄀᆞᅀᅵ'와 같은 표기가 나타난 이유

정답 ②

해 설

해 설⇩

이 문제는 단순한 독해력을 묻는 문제이다. 각 선지에 좌우에 제시된 내용을 단순히 비교하기만 해도 정답이 추출된다. 4선지는 용어까지 일치하고 있다. 그러나 선지 2는 'ㅘ', 'ㅝ'를 합용하는 것을 말했는데 여기서 당시 문헌의 우리말 표기에서 ᆜ, ᆝ가 나타나지 않는 이유를 알 수는 없다. 좌우의 내용이 전혀 상관이 없다. 따라서 오답임을 알 수 있다. 다른 선지는 좌우가 그대로 일치한다. 보충학습을 숙지해 두기 바란다.

[보충학습] [훈민정음의 요점들]

9.1. 훈민정음 체계

창제 당초의 훈민정음은 초성 17자, 중성 11자의 28자 체계였다. 중국 음운학에서는 전통적으로 한 음절을 성(聲, 첫 자음)과 운(韻, 나머지 모음과 자음)으로 나누는 이분법(二分法)을 사용했으나 훈민정음은 한 음절을 초성, 중성, 종성으로 삼분하고 있다. 이러한 삼분법(三分法)은 훈민정음의 이론적 기초가 된 독창적인 방법이었다. 한 음절을 초성, 중성, 종성으로 삼분하였지만 초성과 종성의 동일성을 인식하고 있었던 사실이 이 삼분법의 원리가 성공을 거둘 수 있었던 한 요인이 되기도 한다. 초성과 중성을 위해서는 문자를 만들었지만 종성에 대해서는 "종성부용초성(終聲復用初聲)"이라 하여 따로 문자를 만들지 않은 것이다.

9.1.1. 초성 체계

『훈민정음』 해례 초성해 첫머리에 "正音初聲卽韻書之字母也"라 있다. 이것은 정음의 초성 체계가 중국 음운학의 자모 체계와 관련되어 있음을 단적으로 나타낸 것이다. 구체적으로는 "아음(牙音), 설음(舌音), 순음(脣音), 치음(齒音), 후음(喉音), 반설음(半舌音), 반치음(半齒音)" 또는 "전청(全淸), 차청(次淸), 전탁(全濁), 불청불탁(不淸不濁)"과 같은 술어의 사용이 이것을 증명하는 것이다. 훈민정음의 초성 체계를 보이면 다음과 같다.

훈민정음 초성 17자의 제자원리는 크게 두 가지로 구분된다. 첫째는 상형(象形)의 원리이고, 둘째는 가획(加畫)의 원리이다. 이들 원리에 따라 초성 글자가 만들어진 과정을 보이면 다음과 같다(첫째 원리에 따른 것을 기본자, 둘째 원리에 따른 것은 가획자라 부르기로 한다).

	기본자		가획자			이체자
아음	ㄱ	→	ㅋ			ㆁ
설음	ㄴ	→	ㄷ	→	ㅌ	ㄹ
순음	ㅁ	→	ㅂ	→	ㅍ	
치음	ㅅ	→	ㅈ	→	ㅊ	ㅿ
후음	ㅇ	→	ㆆ	→	ㅎ	

이들 초성 가운데 기본자는 그것이 나타내는 음소를 조음하는 데 관여하는 발음기관의 모양을 본뜬 것이다(『훈민정음』 해례 제자해). 즉, 아음 ㄱ은 혀뿌리가 목구멍을 막은 모양, 설음 ㄴ은

혀가 윗잇몸에 닿은 모양, 치음 ㅅ은 이의 모양, 후음 ㅇ은 목구멍의 모양을 각각 본뜬 것이다.

제자해에 의하면 설음, 순음, 후음에서 전청자를 기본자로 하지 않고 불청불탁으로 기본 문자들을 삼은 이유는 그 소리가 가장 약하기 때문이라고 하였다. 치음에서 'ㅅ'과 'ㅈ'은 비록 둘 다 전청이지만 'ㅅ'이 'ㅈ'에 대하여 그 소리가 약하기 때문에 기본자로 삼았다는 것이다. 다만 아음에서 불청불탁을 기본자로 삼지 않은 것은 그 소리가 후음의 'ㅇ'과 비슷하기 때문이라고 하였다. 나머지 초성자들은 이들 기본자에 가획함으로써(가획자), 또는 약간의 이체(異體)를 형성함으로써(이체자) 만들어졌다.

훈민정음 초성 체계에 대해서 한 가지 덧붙여 말할 것이 있다. 『훈민정음』 해례의 용자례를 보면 후음의 'ㆆ'이 빠졌고 그 대신 순경음의 'ㅸ'이 들어 있는 것이다. 'ㆆ'은 초기의 문헌에 간혹 종성으로 그것도 단독으로 쓰인 예는 없고 'ㅭ'으로 쓰인 예가 있을 뿐이다. 이것은 이 문자가 『동국정운』의 한자음 표기를 위하여 마련된 것이기 때문이었다. 한자음 이외의 표기에 사용된 'ㆆ'의 예는 세종·세조대 문헌에 다음의 두 경우에 국한되어 있었다. 우선, 동명사 어미의 표기에서 볼 수 있다(예: 갏 길. 그러나 이것은 또 '갈 낄' '갈 길'로 표기되기도 하였다.) 그리고 정음 초기 문헌에서 사이시옷 대신 쓰인 일도 있다(예: 용비어천가 先考ㆆ뜯, 훈민정음언해 快ㆆ字, 那ㆆ字 등).

초성 글자 중에서 'ㆆ'과 'ㅸ'은 매우 단명하여 대체로 세조때까지만 쓰이고 폐지되었다. 그 결과 초성은 16자로 줄어들었다. 『훈몽자회』에 제시된 '諺文字母 俗所謂反切二十七字'는 이 체계를 보여 주고 있다.

한편 'ㆁ'은 15세기 중엽의 문헌들에서는 초성으로 자주 쓰였으나 그 예가 점차 줄어 16세기 초엽에는 겨우 몇 예가 보이다가 아주 없어지고 말았다. 그 결과, 'ㆁ'은 종성에만 쓰이는 문자가 되었다.

9.1.2. 중성 체계

훈민정음의 중성은 중국 음운학에 그 해당되는 것이 없어서 독자적으로 만들어질 수밖에 없었다. 해례 중성해의 첫머리에 "中聲者 居字韻之中 合初終而成音"이라 있음이 초성해 첫머리의 기술과 대조적이다. 따라서 여기에 사용된 술어들도 중국 음운학에서는 볼 수 없는 것들이었다.

해례 제자해에 의하면 중성의 세 기본자는 천(天), 지(地), 인(人), 삼재(三才)의 모양을 본떴다고 한다. 즉, ·은 하늘의 둥근 모양을, ㅡ는 땅의 평평한 모양을, ㅣ는 사람이 서 있는 모양을 각각 본뜬 것이다. 나머지 중성자 8글자는(ㅗㅏㅜㅓㅛㅑㅠㅕ)는 이 기본자들의 합성으로 이루어졌다.

(1) ·+ㅡ→ㅗ ㅜ

(2) ·+ㅣ→ㅏ ㅓ

(3) ·(ㅣ)+ㅗ ㅜ→ㅛ ㅠ

(4) ·(ㅣ)+ㅏ ㅓ→ㅑ ㅕ

이들 합성에서 (1)과 (2)는 1차적 합성인데 문자상의 합성일 뿐이지 음가의 합성은 아니라는 점을 알 수 있다. 단순한 제자상의 문제라 하겠다. (3)과 (4)는 2차적 합성인데 ·과 1차 합성자들과의 결합으로 만들어졌다. 음가의 측면에서 보면 ㅣ와의 합성으로 볼 수 있다.

이 합성에 있어 'ㅗ'와 'ㅜ', 'ㅏ'와 'ㅓ' 등의 자형상의 대립이 주목되는데 이것은 'ㅗ'와 'ㅏ'는 "陽"이요 'ㅜ'와 'ㅓ'는 "陰"이기 때문이다. 이것은 당시의 학자들이 국어의 모음조화 체계를 제자(制字)에 반영했음을 보여 준다.

그 밖의 중성 글자들은 이들 11자를 합용하여 쓰인다. 해례 중성해에 2자합용자(二字合用字)라 하여 ㅘ ㆇ ㅝ ㆊ, ㅣ상합자(相合字)라 하여 ㆎ ㅢ ㅚ ㅐ ㅟ ㅔ ㆉ ㅒ ㆌ ㅖ(이상 1자 중성과의 상합), ㅙ ㅞ ㆈ ㆋ(이상 2자 중성과의 상합)를 제시하고 있다. 이 가운데 ㆇ ㆊ ㆈ ㆋ는 문헌에서 용례를 볼 수 없다.

9.1.3. 병서와 연서

둘 또는 세 문자를 좌우로 결합하는 방법을 병서(並書)라 하였는데 여기에는 동일 문자를 결합하는 각자병서(各自並書)와 서로 다른 문자를 결합하는 합자병서(合用並書)가 있었다.

초성 각자병서에는 "ㄲ ㄸ ㅃ ㅉ ㅆ ㆅ" 등이 있었다. 이들 각자병서는 주로 한자음 표기(『동국정운』)에 사용되었다. 고유어 표기에서의 용례를 보면 'ㄲ ㄸ ㅃ ㅉ'는 매우 한정되어 있었다. '마ᄍᆞᄫᅵ' 등을 예외로 한다면, 동명사 어미 '-ㅭ' 밑에 사용된 것이 대부분이었다(예: 갈 낄, 볼띠니). 순수한 국어 단어의 어두음 표기에 사용된 것은 'ㅆ'과 'ㆅ'뿐이다. 이밖에 국어의 어중음 표기에 'ᅇ'과 'ᄔ'이 드물게 나타난다(예: 괴ᅇᅧ, 다ᄔᆞ니라). 그런데 각자병서는 『원각경언해』(1465)로부터 전면적으로 폐지되었다. 그리하여 '쓰-'(書), '쏘-'(射), 'ᅘᅧ-'(引)도 각각 '스-', '소-', '혀-'로 표기되기에 이르렀다. 16세기에 들어 어두음 표기의 'ㅆ'는 다시 부활되었으나 'ㆅ'은 그렇지 못했다.

초성 합용병서에 대해서는 해례 합자해에 "初聲二字三字合用並書如諺語ᄯᅡ爲地 ᄧᅡᆨ爲隻 ᄢᅳᆷ爲隙之類"라 하였다. 15세기 문헌에서 용례들을 찾아보면 'ㅺ ㅼ ㅽ, ㅳ ㅄ ㅶ ㄹㅌ, ㅴ ㅵ' 등이 자주 나타난다. 이 밖에 매우 드문 예로 'ᄮ'(예: ᄮᅡᄒᆡ소리 갓나ᄒᆡ 소리)가 있고, 여진어 지명 표기에 'ᄎᄏ'(예: 닌ᄎ퀴시)이 보인다.

한편, 연서(連書)라 하여 두 자음 글자를 위아래로 결합하는 방법이 있었다. 『훈민정음』 본문에 "ㅇ連書脣音之下 則爲脣輕音"이라 하였고 해례 제자해에서 이것을 설명하여 "ㅇ連書脣音之下 則爲脣輕音者 以輕音脣乍合 而喉聲多也"(ㅇ를 입술소리 아래 이어 쓰면 입술가벼운소리가 되는 것은 가벼운소리가 입술이 잠깐 합하지만 목구멍소리가 많기 때문이다)라 하였다. 이 방법으로 만들어진 것에 'ㅱ ㅸ ㅹ ㅹ' 등이 있었는데 'ㅸ'만이 순수한 국어 단어의 표기에 사용되었고, 그 밖의 것은 주로 중국음 표기(『홍무정운역훈』 등)에서 사용되었다.

9.1.4. 합자와 방점

훈민정음 체계의 가장 큰 특징의 하나는 초성, 중성, 종성이 음절을 표시하는 결합체를 형성한 점이다. 『훈민정음』 해례 합자해에 "初中終三聲合而成字"라 한 것이 그것이다. 이리하여 훈민정음 체계는 음소와 음절에의 이중적인 대응 관계를 수립했던 것이다. 이것은 음절을 지극히 중요시한 당시의 음운 이론을 반영한 것이다.

훈민정음 체계에 있어 방점은 중세어의 성조(聲調)를 표기한 것이다. 이처럼 성조까지 표기한 것은 중국 음운학에서 성조가 중시된 것과 관련이 있을 것이다. 훈민정음의 본문이나 해례에서 사용된 술어들 평성(平聲), 상성(上聲), 거성(去聲), 입성(入聲)이 이 사실을 명시해 준다. 그러나 중국어의 사성(四聲) 체계를 그대로 받아들이지는 않았고 국어의 성조 체계를 정확히 파악하여 그에 적합한 표기를 마련했던 것이다.

즉, 15세기의 국어에는 저조(평성)와 고조(거성) 그리고 이들의 병치(상성)가 있었는데 이것을 각각 무점(無點), 1점(一點), 2점(二點)으로 표기하도록 한 것이었다. 이처럼 성조를 표시하는 기호까지 마련함으로써 훈민정음은 가히 완벽한 문자라고 일컬을 수 있게 된 것이다.

9.2. 표기법

9.2.1. 15세기 맞춤법의 원리

어떤 언어의 문자화에 있어서 문자 체계 자체도 중요하지만 그것으로 그 언어를 표기하는 규칙들, 즉 맞춤법의 수립 또한 못지않게 중요하다. 15세기의 문헌들을 보면 그 당시에 매우 엄격한 맞춤법이 수립되어 있었음을 알 수 있다.

15세기 맞춤법의 1차적 원리는 한마디로 '음소적(音素的)'이라고 할 수 있다. 즉 각 음소를 충실히 표기하는 것을 원칙으로 하였었다. 그리하여 모든 형태음소론적 교체가 표기상에 반영되었던 것이다. 가령 '값'(價)의 곡용형은 '갑시, 갑도'로, '깊-'(深)의 활용형은 '기프니, 깁고' 등으로 표기되었다. 그러나 15세기 맞춤법에서는 다음과 같은 자음 동화는 반영하지 않았다. 가령 '믿는'(信)은 '민는'으로 표기하지 않았다. 이것은 당시의 언어에 이런 동화(同化)가 없었기 때문이 아니었다. 15세기 문헌에 있어서의 '걷너-, 건너-', 'ᄃᆞᆮ니-, ᄃᆞᆫ니-'의 공존은 이런 동화가 당시에 존재했음을 증명한다.

『훈민정음』 해례 종성해가 "ㄱㆁㄷㄴㅂㅁㅅㄹ 八字可足用也"라 하여 8종성만을 쓸 것을 규정한 것도 음소적 원리에 입각한 것이다. 이것을 설명하여 "如빗곶爲梨花 여ᇫ의갗爲狐皮 而ㅅ字可以通用 故只用ㅅ字"라고 한 것은 주목할 만하다. 이 설명에 나오는 '빗곶'이나 '여ᇫ의갗'은 당시의 학자들이 현대 맞춤법이 채택한 형태음소적 원리(15.1.2. 참조)를 이해하고 있었음을 시사하고 있으며, 그러면서도 이들을 '빗곳'이나 '엿의갓'으로 쓰도록 규정한 것은 그들이 실용의 편의를 위해 음소적 원리를 택했음을 말해 주는 것이다. 실제로 15·16세기의 문헌들을 조사해 보면 이 8종성의 통칙은 『용비어천가』(곶, 깊고, 높고, 좇거늘, 닢, 빛 등)와 『월인천강지곡』(곶, 낱, 붚, ᄌᆞᆾ, 앒, 높고, 맞나 등)에 예외가 있을 뿐, 모든 문헌에서 지켜졌음을 본다.

15세기 맞춤법의 이차적 원리는 '음절적(音節的)'이라고 할 수 있다. 즉 이 정서법에서는 각 음절이 충실히 표시되었던 것이다. 가령 '사ᄅᆞᆷ'(人)의 곡용형은 '사ᄅᆞ미, 사ᄅᆞᄆᆞᆯ'로, '먹-'(食)의 활용형은 '먹고, 머그니'로 표기되었다. 현대 맞춤법이 '사람이', '먹으니'라고 쓰도록 규정하고 있는 것과 차이가 있다. 15세기 맞춤법이 보여 주는 다음과 같은 혼동은 음절 경계의 문제와 관련하여 주목된다. 첫째, 종성의 'ㅅ'은 다음 음절의 첫 음이 'ㄱ ㄷ ㅂ ㅅ' 등일 때(즉, 초성 합용병서가 가능한 경우)에 한해서 내려 쓰는 수가 있다(예: 닷가, 다ᄭᅡ(修); 어엿브-, 어여ᄡᅳ-(憫) 등). 둘째, 'ㆁ'은 '바ᅌᅩᆯ'과 같이 초성으로 쓰이는 것이 훈민정음 창제 당년의 원칙이었으나 곧 '방올'이 더 일반화되었다.

9.2.2. '사이시옷' 표기

현대 맞춤법에서 '사이시옷'이라 불리므로 15세기의 맞춤법에 보이는 'ㅅ'도 흔히 이렇게 부르고 있으나 15세기에는 'ㅅ' 이외의 글자들도 사용되었다. 그래서 '사잇소리' 또는 '삽입자음'이란 말이 쓰이기도 한다. 그러나 엄격하게 말하면, 이것은 15세기 국어에서 속격조사였으므로(11.2.3. 참조) 이런 명칭들은 잘못된 것이다.

이 조사의 표기는 특히 『용비어천가』와 『훈민정음언해』에서 다양하게 나타나는데 그 표기에는 일정한 규칙이 있었다. 즉, 앞 단어의 말음이 불청불탁자인 경우에 그것과 같은 계열의 전청자를 사용하였다.

	선행어 말 음	속격조사 (사잇소리)	용 례
아 음	ㆁ	ㄱ	穰샹ㄱ 字쫑
설 음	ㄴ	ㄷ	君군ㄷ 字쫑
순 음	ㅁ	ㅂ	侵침ㅂ 字쫑
후 음	ㅇ	ㆆ	慈쫑ㆆ 字쫑

이 규칙에 예외가 되는 것이 'ㅅ'과 'ㅿ'이었다. 『석보상절』과 그 이후의 문헌에서 간혹 'ㄱ ㄷ ㅂ ㆆ' 등이 보이고 때로는 'ㅈ'도 보이지만, 전반적으로 가장 많이 쓰인 'ㅅ' 하나로 통일되었다. '사이시옷'이란 이름도 이리하여 형성된 것이었다. 이처럼 'ㅅ'이 선택된 이유는 자세하지 않으나, 향찰 표기에서 이 속격 어미가 '叱'로 표기된 데서 유래하는 것이 아닌가 한다. 이러한 'ㅅ'의 용법이 '된시옷'으로까지 확대되었던 것으로 믿어진다.

이 'ㅅ'은 종성으로 표기되는 것이 원칙이었다. 이미 종성이 있는 경우에는 그것과 병서된다. '䂓빼'(酉時) 등 참고. 그러나 선행어가 한자로 표기된 경우에는 부득이 따로 쓰였다. 이것은 해례 합자해에 "文與諺雜用則 有因字音而補以中終聲者 如孔子ㅣ魯ㅅ사름之類"라는 규정에 의한 것이었다.

9.2.3. 한자음 표기

후기 중세 문헌의 한자음 표기법에는 크게 두 가지가 있었다. 첫째는 『동국정운』의 표기법이었다. 이 책에 대해서는 이미 말한 바 있거니와, 그 운서로서의 특징은 91운, 23자모에 있었다. 이 체계는 우리나라의 실제 한자음(東音)의 그것이 아니었으니 가령 자모(字母)에서 전탁(全濁, ㄲㄸㅃㅆㅉㆅ)과 영모(影母, ㆆ), 의모(疑母, ㆁ) 등을 재구했던 것이다(예: 虯끃, 覃땀, 步뽕, 慈쫑, 洪뽕, 挹즙, 業업 등). 그러나 그 재구는 완전히 중국 운서의 체계에 돌아간 것은 아니요, 이것과 우리나라의 현실 체계와의 타협안이었다.

이처럼 『동국정운』의 한자음 표기법은 비현실적인 것이었으므로 오래 가지 못하였다. 세조대에 이르기까지는 모든 문헌에서 사용되었으나, 성종대에 와서 일부 불경 언해에 사용되고 폐지되었다.

둘째는 우리나라의 현실 한자음을 기초로 한 것이었다. 이 표기법이 언해 문헌에 전반적으로 채택된 것은 연산군 때의 일이었다. 『육조단경언해』와 『시식권공언해』가 대표적인 것이다. 16세기의 모든 문헌의 한자음은 이 표기법으로 되어 있는데 『훈몽자회』는 이 표기법의 좋은 편람이라고 할 수 있다.

23. 다음에서 알 수 있는 문법적 사실로 옳은 것은? [2.5점]

수달 : 主人(주인)이 므슴 차바ᄂᆞᆯ 손소 ᄃᆞᆫ녀 ᄆᆡᇰᄀᆞ노닛가

주인이 무슨 반찬을 손수 다니면서 만드나요?

太子(태자)ᄅᆞᆯ 請(청)ᄒᆞᅀᆞ바 이받ᄌᆞᄫᆞ려 ᄒᆞ노닛가

태자를 청하여 대접하려 하나요?

大臣(대신)ᄋᆞᆯ 請ᄒᆞ야 이바도려 ᄒᆞ노닛가

대신을 청하여 대접하려 하나요?

호미 : 그리 아니ᅌᅵ다

그것이 아니요.

수달 : 婚姻(혼인)위ᄒᆞ야 아ᅀᆞ미 오나ᄃᆞᆫ 이바도려 ㉠ ᄒᆞ노닛가

혼인 위하여 친척이 오거든 대접하려 하나요?

호미 : 그리 아니라 부텨와 쥬ᇰ과ᄅᆞᆯ 請ᄒᆞᅀᆞᄫᅡ려 ᄒᆞ노ᅌᅵ다

그것이 아니라 부처와 중을 청하려 해요.

수달 : ㉡ 엇뎨 부톄라 ᄒᆞᄂᆞ닛가 그 ᄠᅳ들 닐어쎠

왜 부처라 하나요? 그 뜻을 말해요.

호미 : 그듸ᄂᆞᆫ 아니 듣ᄌᆞᄫᆡᆺ더시닛가 淨飯王(정반왕) 아ᄃᆞ님 悉達(실달)이라 ᄒᆞ샤리(……)

그대는 아니 들었더뇨? 정반왕 아드님 실달이라 하시는 사람이(……)

三世(삼세)옛 이ᄅᆞᆯ 아ᄅᆞ실ᄊᆡ 부톄시다 ᄒᆞᄂᆞᅌᅵ다

삼세의 일을 아시므로 부처이시라 말해요.

수달 : 엇뎨 쥬이라 ᄒᆞᄂᆞ닛가

왜 중이라 하나요?

호미 : (……)이 사ᄅᆞᆷᄃᆞᆯ히 다 神足(신족)이 自在(자재)ᄒᆞ야

(……)이 사람들이 다 신통력이 자재하여

㉢ 衆生(중생)ᄋᆡ 福田(복전) ᄃᆞ욀ᄊᆡ 쥬이라 ᄒᆞᄂᆞᅌᅵ다

중생의 복밭이 되므로 중이라 말해요.

〈석보상절〉

① '수달'과 '호미'는 서로에게 가장 높은 등급의 상대 높임법을 사용하고 있다.

② '호미'는 모든 발화에서 '부텨'와 '즁' 모두를 높이고 있다.
③ ㉠은 서술어의 주어와 화자가 일치함을 나타내는 표지가 사용된 것으로 볼 수 없는 예이다.
④ ㉡은 형식상으로는 설명 의문문이지만 실질적으로는 판정 의문문이다.
⑤ ㉢은 'ᄃᆞ욀씨'의 의미상 주어가 관형격으로 나타난 예이다.

정답 ③

해 설

① '수달'과 '호미'는 서로에게 가장 높은 등급의 상대 높임법을 사용하고 있다.
제시문의 종결어미는 모두 ᄒᆞ야쎠체이다. 이 상대높임법의 등급은 ᄒᆞ쇼셔체보다는 낮고 ᄒᆞ라체보다는 높은 중간 등급이다. 상대를 '그듸(=그대)'로 호칭하는 정도의 높임이다. 점잖게 대우하는 높임이다.

② '호미'는 모든 발화에서 '부텨'와 '즁' 모두를 높이고 있다.
제시문 중에서 '부톄시다 ᄒᆞᄂᆞ닝다, 쥬이라 ᄒᆞᄂᆞ닝다'를 떼어내서 비교해 보면 주체높임의 선어말어미 '-시-'가 있고 없고의 차이가 눈에 띈다. 따라서 모두 높이고 있다는 것은 틀린 진술이 된다.

③ ㉠은 서술어의 주어와 화자가 일치함을 나타내는 표지가 사용된 것으로 볼 수 없는 예이다.
㉠ 'ᄒᆞ노닛가'를 분석하면 'ᄒᆞ+ᄂᆞ+오+니+ㅅ+가'가 된다. 여기의 '-오-'가 소위 의도법 선어말어미 혹은 인칭 대상 활용 표지 선어말어미이다. 그런데 이 문장은 의문문이다. 즉 "(당신은) 혼인 위하여 친척이 오거든 대접하려 하나요?"의 의미를 전달한다. 따라서 의도를 가진 주체는 서술어의 주어는 맞지만 화자가 아니라 청자라고 해야 맞다. 선지의 '화자'를 '청자'라고 고치면 타당한 진술이 된다. 선지는 '볼 수 없는 예'인가를 판정하라는 것이므로 맞다. 따라서 정답이다. 문제가 불필요하게 꼬여 있다. 큰 문제와 선지가 상충되고 있다. 큰 문제는 옳은 것을 찾으라고 해 놓고 정답 선지는 '볼 수 없다'를 배치했다. 문제를 풀다가 아무 것도 모르겠는 문제가 나오면 이런 식으로 이상한 진술을 찾는 것도 요령이다.

④ ㉡은 형식상으로는 설명 의문문이지만 실질적으로는 판정 의문문이다.
㉡ '엇뎨 부톄라 ᄒᆞᄂᆞ닛가'. 이 문장은 의문문이다. 번역을 해보면, '왜 부처라 하는가?' 정도

의 의미다. 따라서 실질적으로 설명을 해야 한다. 따라서 선지의 진술은 틀렸다. 중세 국어의 의문문은 의문 종결어미(혹은 의문 보조사)가 두 종류로 나뉘어 있었다. '오'계열과 '아' 계열. 각각 설명 의문문과 판정 의문문이다. 경상도에서는 아직도 그렇게 쓰고 있기도 하다. 가령 "니 어데 가노?", "니 와카노?", "밥 문나?" 아래 보충학습을 철저히 기억해 두기 바란다. 2010년 2차로 나왔지만 또 나올 수도 있는 내용이다.

주의할 것은 이 예문은 문장에 의문사가 들어 있지만 의문 종결어미를 꺼꾸로 쓴 것이라는 점이다. 아마 원글의 이 부분의 필자가 혼동했거나, 경상 방언권 출신이 아니어서 그런 구별을 못하는 화자였는지도 모른다. 오래 전의 일이라 추측밖에 할 수 있는 것이 별로 없다.

⑤ ㉢은 'ᄃᆞ욀ᄊᆡ'의 의미상 주어가 관형격으로 나타난 예이다.
'衆生(중생)ᄋᆡ 福田(복전)' ᄃᆞ욀ᄊᆡ 쥬이라 ᄒᆞᄂᆞ닝다 ('중생의 복밭'이 되므로 중이라 말해요.) 에서 보듯이 '중생의'는 바로 뒤 명사에 걸린다. 수식한다. 따라서 명사구를 구성하고 있다. '나의 살던 고향'과 같이 바로 뒤에 서술어가 와야 의미상의 주어를 따질 수가 있다. 따라서 명백한 오류.

[보충학습] [중세 상대높임법 = 공손법](『중세 국어 연습』에서 인용)

공손법의 체계는 조금 특이하다. 현대 국어에서 공손법은 어말어미에 의해 표현되나, 중세 국어에서는 선어말어미에 의해 실현된다. 또 공손의 등급도 현대 국어보다 단순하여, 'ᄒᆞ쇼셔'체, 'ᄒᆞ야쎠'체, 'ᄒᆞ라'체의 셋으로 나뉘는 것이 일반적이다.

'ᄒᆞ쇼셔'체는 화자가 청자(상대)를 자신보다 상위자라 판단하여, 존대하고자 할 때 사용되는 것으로 현대 국어의 '-습니다, -습니까'의 등급에 해당된다. 'ᄒᆞ야쎠'체는 청자가 자신과 같은 등분이라고 판단하되, 격식을 갖추어 약간 존대하고자 할 때 사용되는 것으로 현대 국어의 '-오'에 해당된다. 'ᄒᆞ라'체는 청자를 자신과 같거나 혹은 하위자로 판단해, 존대하지 않는 등분이다.

(4) a. 이 못 ᄀᆞᇫ 큰 珊瑚 나모 아래 무두이다(석보11 : 32)
b. 엇던 因緣으로 … 아디 어려ᄫᅳᆫ 法을 브즈러니 讚嘆ᄒᆞ시ᄂᆞ니잇고(석보13 : 44)
c. 구쳐 니러 절ᄒᆞ시고 안ᄌᆞ쇼셔 ᄒᆞ시고(석보6 : 3)

(5) a. 내 그런 ᄠᅳ들 몰라 ᄒᆞ댕다(석보24 : 32)

b. 그딋 아바니미 잇ᄂᆞ닛가(석보6 : 14)

c. 내 보아져 ᄒᆞᄂᆞ다 ᄉᆞᆲ바쎠(석보6 : 14)

(6) a. 소리ᄲᅳᆫ 듣노라(석보6 : 15)

b. 네 겨집 그려 가던다(월석7 : 10)

c. 아바닚 病이 기프시니 엇뎨ᄒᆞ료(석보11 : 18)

d. 이 아니 내 鹿母夫人ᄋᆡ 나혼 고진가(석보11 : 32)

e. 너희 大衆이 ᄀᆞ장 보아 後에 뉘웃붐 업게 ᄒᆞ라(석보23 : 11)

(4)는 ‘ᄒᆞ쇼셔’체, (5)는 ‘ᄒᆞ야쎠’체, (6)은 ‘ᄒᆞ라’체의 예이다.

‘ᄒᆞ쇼셔’체는 어말어미에 선어말어미 ‘-이-’나 ‘-잇-’을 더해 표현하며, 명령법의 경우만 ‘-쇼셔’라는 별도의 어미를 사용한다.

‘ᄒᆞ야쎠’체는 ‘-ᅌᅵ다’나 ‘-ㅅ가’, ‘-아쎠’로 표현된다. 중세 국어에서는 가장 예가 적은 등급이다. 대체로 대명사 ‘그듸’에 해당하는 청자에 대해 사용되며, ‘ᄒᆞ쇼셔’체가 병용되어 쓰이는 일도 많다. 현대 국어의 ‘해요’체의 등분에 상당하는가는 예가 적어 확인하기 어렵다.

‘ᄒᆞ라’체는 그 형태가 다양하다. 특히 의문법이 복잡하므로 형태에 주의할 필요가 있다. 앞의 의문법어미와 명령법어미를 참고하기 바란다. ‘ᄒᆞ라’체는 가장 중립적인 등분으로 특정 청자가 존재하지 않는 지문이나 설명에도 사용된다. 현대 국어의 ‘해라’체에 해당하는 것으로 보이나, 현대 국어의 반말 ‘해’체의 등분도 포함하는 것으로 보인다.

(7) a. 내히 이러 바ᄅᆞ래 가ᄂᆞ니(용가 2)

b. 부텻긔 받ᄌᆞ바 므슴 호려 ᄒᆞ시ᄂᆞ니(월석1 : 10)

중세 국어에는 (7)과 같이 선어말어미 ‘-니’나 ‘-리’로 문장이 종결되는 예가 있다. 이 역시 공손법의 한 등급일 것이나, 쓰이는 환경이 제한적이어서 정확하게 어느 등급이라 하기 어렵다. (7a)는 ‘가ᄂᆞ니이다’와의 대체 가능성을 생각하면 ‘ᄒᆞ쇼셔’체에 가까운 듯하며, (7b)는 ‘ᄒᆞ라’체와 ‘ᄒᆞ야쎠’체의 중간 정도의 등급으로 보인다. [고영근 선생님은 이 문체를 ‘반말’이라고 규정했다.]

[보충학습] [중세 의문법](『중세 국어 연습』에서 인용)

중세 국어의 의문법 체계는 현대 국어와 매우 다르다. 체언에 보조사가 붙어 의문문이 되기도 하며, 판정의문과 설명의문, 직접의문과 간접의문이 구분된다.

판정의문은 청자에게 질문에 대한 가부(可否) 결정만을 묻는 것이고, 설명의문은 의문사가 쓰여 그에 대한 설명을 요구하는 의문이다. 중세 국어에서는 판정의문과 설명의문에 사용되는 어미가 다르다. 직접의문은 청자를 앞에 두고 직접 질문하는 것이고, 간접의문은 청자를 상정하지 않은 독백적 질문이나 의념(疑念)을 나타내는 것을 말한다. 이 역시 중세 국어에서는 별개의 어미가 사용된다.

(9) a. ᄯᆞ리 너희 죵가(월석8 : 94)
b. 그 ᄠᅳ디 ᄒᆞᆫ가지아 아니아(능엄1 : 99)
c. 얻논 藥이 므스것고(월석21 : 215)
d. 뉘 이 靑雲 서리옛 器具오(두시16 : 18)

(9)는 명사에 보조사가 통합되어 의문문이 된 예이다. (a)와 (b)는 판정의문, (c)와 (d)는 설명의문의 예이다. 판정의문에는 ‘-가’, 설명의문에는 ‘-고’가 쓰인다. (b)의 ‘-아’와 (d)의 ‘-오’는 ‘ㄱ’이 약화된 것이다. 중세 국어에서 ‘ㄱ’으로 시작하는 어미는 ‘ㄹ’이나 ‘ㅣ’[y]로 끝나는 어간 뒤나 계사, 선어말어미 ‘-리-’ 뒤에서 ‘ㅇ’로 약화되는 것이 일반적이다. (b)의 ‘-아’는 계사 뒤에서 ‘-가’가 변화한 것이다. 그런데 (d)는 일반 모음 뒤인데도 ‘-오’로 되어 있어 어미와는 조금 다른 변화를 보인다. 이처럼 의문의 ‘-가/고’는 일반 모음 뒤에서도 ‘-아/오’로 나타나는 일이 있다.

(10) a. 이 大施主의 得ᄒᆞᆫ 功德이 하녀 져그녀(월석17 : 48)
b. 앗가ᄫᅳᆫ ᄠᅳ디 잇ᄂᆞ니여(석보6 : 25)
c. 아모 ᄉᆞᄅᆞ미나 이 良醫의 虛妄ᄒᆞᆫ 罪ᄅᆞᆯ 能히 니ᄅᆞ려 몯 니ᄅᆞ려(월석17 : 22)
d. ᄒᆞ마 주글 내어니 子孫ᄋᆞᆯ 議論ᄒᆞ리여(월석1 : 7)

(11) a. 究羅帝이 이제 어듸 잇ᄂᆞ뇨(월석9 : 36)
b. 다시 묻노라 네 어드러 가ᄂᆞ니오(두시8 : 6)
c. 아바닚 病이 기프시니 엇뎨 ᄒᆞ료(석보11 : 18)
d. 엇뎨 겨르리 업스리오(월석서 : 17)

(10)과 (11)은 ‘ᄒᆞ라’체의 직접의문의 용례이다. (10)은 판정의문 (11)은 설명의문의 예이다. 판정의문에는 ‘-녀’(‘-니여’)와 ‘-려’(‘-리여’)가 쓰이고 판정의문에는 ‘-뇨’(‘-니오’)와 ‘-료’(‘-리오’)가 쓰인다. 이들은 각각 선어말어미 ‘-니’-와 ‘-리-’에 ‘-가’와 ‘-고’에서 유래된 어미 ‘-어’와 ‘-오’가 통합되어 굳어진 것이다. ‘-니-’가 완료·확정적인 의미를 표현하고, ‘-리-’가 미완·추측

적인 의미를 나타내므로 '-녀'와 '-뇨'는 완료된 사태에 대한 의문을 나타내고, '-려'와 '-료'는 미완된 사태에 대한 의문을 나타낸다.

위의 (10, 11)은 주어가 1인칭이거나 3인칭이다. 중세 국어에서는 청자가 주어가 되는 2인칭 의문문에서는 다음의 (12)와 같이 '-ㄴ다'와 '-ㄹ다'('- 다')가 쓰인다.

(12) a. 네 엇뎨 안다(월석23 : 74)
b. 네 信ᄒᆞᄂᆞ다 아니 ᄒᆞᄂᆞ다(석보9 : 26)
c. 네 엇던 혜ᄆᆞ로 나ᄅᆞᆯ 免케 ᄒᆞᇙ다(월석21 : 56)

(12)에서 문장의 주어는 모두 '네'이므로 2인칭 의문문에 해당한다. 현대 국어로 (a)는 '알았느냐', (b)는 '하느냐', (c)는 '할 것이냐' 정도로 고쳐질 수 있다. 즉 (a)~(c)의 차이는 시제적인 차이인데, 이것은 이 의문어미가 관형사형어미와 보조사 '다'가 통합되어 이루어진 것이기 때문에 관형사형어미의 원래 기능이 유지되고 있기 때문이다.

앞에서 본 (9)~(12)는 모두 청자에 대한 존대 의사가 표현되지 않은 'ᄒᆞ라'체의 어미들로, 현대 국어로는 '해라'체나 반말 정도에 해당되는 것이다. 청자가 화자보다 상위자이거나 청자를 대우해 주고자 할 때는 별도의 어미가 사용된다.

(13) a. 世尊이 ᄌᆞᆺ봄 내시게 아니ᄒᆞᄂᆞ니잇가(법화5 : 92)
b. 님금하 아ᄅᆞ쇼셔 洛水예 山行 가 이셔 하나빌 미드니잇가(용가 125)
c. 사로미 이러커늘ᅀᅡ 아ᄃᆞᆯᄋᆞᆯ 여희리잇가(월곡 기143)

(14) a. 므스므라 오시니잇고(석보6 : 3)
b. 어미… 어느 길헤 냇ᄂᆞ니잇고(월석 23 : 90)
c. 내 이제 엇뎨ᄒᆞ야ᅀᅡ 地獄 잇ᄂᆞᆫ ᄯᅡ해 가리잇고(월석21 : 25)

(13)과 (14)는 화자보다 상위자인 청자에 대한 의문문으로 'ᄒᆞ쇼셔'체에 해당한다. (13)은 판정의문, (14)는 설명의문이다. 'ᄒᆞ쇼셔'체의 의문법어미로는 '니(리)…ㅅ가'와 '니(ㄹ)…ㅅ고'의 사이에 공손법 선어말어미 '-이-'가 통합된 형태가 사용된다. '-니'와 '-리'의 의미 차이나 '-가'와 '-고'의 구분이 여기서도 유지되고 있음을 알 수 있다. 'ᄒᆞ라'체에서는 2인칭 의문문의 어미가 따로 존재했지만 'ᄒᆞ쇼셔'체에서는 구분되지 않는다. 예를 들어 (14a)는 문맥상 청자가 주어가 되는 의문문인데도 여타 1·3인칭 주어의 의문문과 다르지 않다.

(15) a. 주인이 므슴 차바ᄂᆞᆯ 손소 ᄃᆞᆫ녀 밍ᄀᆞ노닛가(석보6 : 16)

b. 그딋 아바니미 잇ᄂᆞ닛가(석보6 : 14)

(16) a. 그듸내 쁘디 아니 舍利ᄅᆞᆯ 뫼셔다가 供養ᄒᆞᅀᆞ보려 ᄒᆞ시ᄂᆞ니(석보23 : 46)

b. 聖人 神力을 어느 다 ᄉᆞᆯᄫᆞ리(용가 87)

(15)는 화자가 자기와 동등하거나 비슷한 청자를 대우할 때 사용하는 'ᄒᆞ야쎠'체의 의문문이며, (16)은 반말의 의문문이다. 청자를 지칭하는 대명사로 '너'보다 조금 대우하는 '그듸'가 쓰이고 있는 점에서 이들이 'ᄒᆞ라'체보다 위이고 '-시-'가 없는 점에서 'ᄒᆞ쇼셔'체보다는 아래임을 알 수 있다. (15, 16)의 의문문에서는 판정의문과 설명의문의 구분이 없다. (15a)와 (16b)의 경우 의문사가 있음에도 불구하고 의문사가 없는 의문문과 동일한 형태를 사용하고 있다.

이상의 의문법어미가 직접 청자에 대해 발화하고 대답을 요구하는 직접의문에 사용되는 데 비해, 청자가 상정되지 않는 의문법어미도 존재한다. 다음의 (17)과 (18)이 그 예이다.

(17) a. 이 아니 내 鹿母夫人ᄋᆡ 나ᄒᆞᆫ 고진가(석보11 : 32)

b. 어더 보ᅀᆞᄫᆞᆯ까(석보24 : 43)

c. 너희 이 브를 보고 더ᄫᅳᆫ가 너기건마ᄅᆞᆫ(월석10 : 14)

d. 둘흔 他方佛이 오신가 疑心이오(원각 상1-2 : 23)

(18) a. 이 이ᄅᆞᆫ 엇던 因緣으로 이런 相이 現ᄒᆞᆫ고(법화3 : 112)

b. 뉘 能히… 妙法華經을 너비 니ᄅᆞᆯ꼬(법화4 : 134)

c. 엇던 因緣으로 得ᄒᆞᆫ고 疑心ᄒᆞ시니라(법화4 : 56)

간접의문의 어미는 관형사형 어미에 보조사 '-가'와 '-고'가 통합되어 이루어진다. 따라서 '-가'가 쓰이면 판정의문이고 '-고'가 쓰이면 설명의문이다. 또 'ㄴ'이 선행하면 완료적인 의미이고 'ㄹ'이 선행하면 미완·미래적인 의미이다.

이런 간접의문의 어미는 독백(17a,b, 18a,b)이나, '疑心ᄒᆞ-'나 '너기-'와 같은 상념(想念)의 동사가 뒤에 오는 '의념(疑念)'(17c,d, 18c)을 나타내는 데 사용된다. 또한 청자가 존재하지 않기 때문에 청자에 따른 공손법의 구분은 당연히 없다.

(19) a. 몬져 당다이 ᄂᆞ출 보려니ᄯᆞᆫ(능엄1 : 64)

b. ᄒᆞ물며 녀나ᄆᆞᆫ 쳔랴이ᄯᆞᆫ녀(석보9 : 13)

c. ᄒᆞᄆᆞᆯ며 阿羅漢果ᄅᆞᆯ 得게 호미ᄯᆞ니잇가(월석17 : 49)

(19)는 반어(反語)의 의문에 사용되는 의문법어미이다. (b, c)와 같이 'ᄒᆞᄆᆞᆯ며'가 선행하는 일이 많으며, 서술을 강조하기 위한 수사의문문으로 쓰인다.

[보충학습] [의미상의 주어, 중세 국어 연습에서 인용]

중세 국어에서는 관형절이나 명사절의 주어가 속격으로 실현되는 일이 있다. (2)는 그 예이다.

(2) a. 내ᄋᆡ 어미 爲ᄒᆞ야 發ᄒᆞᆫ 廣大誓願ᄋᆞᆯ 드르쇼셔(월석21 : 57)
b. 諸子ㅣ 아비의 便安히 안ᄌᆞᆫ ᄃᆞᆯ 알오(법화2 : 138)
c. 意根ᄋᆡ 淸淨호미 이러ᄒᆞᆯᄊᆡ(석보19 : 25)

(2a)는 관계절, (2b)는 명사구보문, (2c)는 명사절의 예이다. 현대 국어라면 '내', '아비', '意根이'와 같이 주격으로 실현될 것들이 속격으로 실현되어 있다. 중세 국어에서는 이런 환경에서 의미상의 주어가 속격으로 나타나는 것이 일반적이다. 이와 같이 형태는 속격형이지만 주어의 기능을 하는 것을 주어적 속격이라 부른다. 현대 국어에서도 '나의 살던 고향'과 같은 의고적인 표현 속에 이 현상이 남아 있다.

그런데 여기서 속격형에 주의할 필요가 있다. (2)의 밑줄 친 형태들은 중세 국어에서 일반적인 속격형이 아니다. '내'(a), '아비'(b), '意根ㅅ'(c)이 보편적인 형태이겠지만, 여기서는 모두 '-ᄋᆡ/의'가 통합되어 있다. 일반적인 속격형이 아닌 특수한 용법을 지닌 속격형임을 보이기 위한 것으로 생각된다.

24. 현대 국어의 현상을 이해하기 위해 수집한 옛말 자료이다. 자료를 수집한 목적이 적절하지 않은 것은?

	자료	목적
①	내 처ᅀᅥᆷ 城 나마 山애 드러 道 ᄇᆡ홇 제 내가 처음 성 넘어 산에 들어 도 배울 때 나히 여ᅀᅮᆫ이 넘어 나이가 예순이 넘어	‘너머’가 명사로, ‘넘어’가 동사의 활용형으로 구별되어 사용되는 현상을 이해한다. 해설: 밑줄 친 부분이 오류! ‘성을 넘어 갔다’와 같은 ‘넘어’이다. 따라서 동사로 쓰인 것이다.
②	기장 ᄡᆞᆯ만 머구ᄃᆡ 기장 쌀만 먹되 盲龍이 눈 ᄠᅳ고 눈먼 용이 눈 뜨고	‘벼’와 ‘씨’가 만날 때 ‘볍씨’와 같이 ‘ㅂ’이 덧생기는 현상을 이해한다. 해설: 중세 국어에서 ‘씨’는 ‘ᄡᅵ’였다.
③	太子ᄅᆞᆯ 請ᄒᆞᅀᆞᄫᆞ니 태자를 청하오니 나ᄂᆞᆫ 소임으로 왓ᄉᆞᆸ거니와 처음이ᄋᆞᆸ고 나는 책임자로 왔사오거니와 처음이옵고	겸손하게 표현할 때 ‘하옵니다, 하오니’와 같이 ‘옵, 오’가 쓰이는 현상을 이해한다. 해설: 너무나 당연하다.
④	工巧히 치위ᄅᆞᆯ 견듸놋다 공교히(교묘히) 추위를 견디는구나! 오듸 桑諶子 오디 뽕나무 열매	‘디디다, 잔디’ 등의 단어가 구개음화되지 않은 현상을 이해한다. 해설: 상식. 이 책의 앞의 설명 참조. 만일 앞의 설명이 바로 다 생각이 나지 않으면 자기의 기억력을 믿지 말고 혹독한 훈련을 시킬 것. 자기 자신에게 대마왕, 대마녀 노릇을 하면 무조건 성공! ㅋㅋ
⑤	이틄나래 나라해 이셔 이튿날에 나라에서 이틋날 아ᄎᆞᄆᆡ 이튿날 아침에	‘숟가락, 섣달’에서와 같이, 끝소리가 ㄹ인 말이 다른 말과 합성어를 이룰 때 ‘ㄹ’이 ‘ㄷ’ 소리로 나는 현상을 이해한다. 해설: ‘술>숟, 설>섣’. 사잇소리 현상 때문인 줄 안다? 보충학습 참고.

정답 ①

해 설

이 문제는 번역 능력만 있어도 간단히 풀리는 문제이지만 많은 수험생들이 착각해서 문제를 스스로 어렵게 만들었다. 중세 국어는 기본적으로 번역을 많이 해보는 것이 최선의 방책이다. 중세어 사전을 가지고 월인석보를 그냥 번역해보면 생각보다 중세 국어가 쉽다는 것을 알 수 있다. 읽을거리는 책을 살 필요도 없고 인터넷을 뒤지면 마구 나온다.

2009년도 기출문제

13. 국어 파생어를 이해하기 위한 교수 학습 활동의 개략적인 계획이다. 이에 대한 평가와 대안으로 적절하지 않은 것은?

교수 학습 과정 내용	예시 자료
(가) 도입	
• ㉠ 파생어와 합성어의 정의 재확인	코웃음 : 눈웃음
• 접사의 종류 재확인 : 접두사, 접미사	(생략)
(나) 전개	
• 접두 파생어	(생략)
• ㉡ 접미파생어	(생략)
• 특이한 파생어	
◦ ㉢ 파생어 구조가 독특한 경우	㉢ 맏이, 새롭다
◦ ㉣ 접두사가 이형태를 가지는 경우	㉣ 되묻다/ 뒤엎다, 맨손/ 민소매
◦ ㉤ 합성어와 구별하기 어려운 경우	㉤ 늦잠, 쇠고기, 작은아버지
…	…
(다) 정리	
• ㉥ 평가	
※ 다음 중 파생어가 아닌 것은? ① 늦잠 ② 덧신 ③ 군소리 ④ 새롭다 ⑤ 해돋이	

① ㉠의 예는 모두 직접 성분 분석의 결과가 파생어와 무관하므로 이 가운데 한 예를 '비웃음'으로 교체한다.

② ㉢의 예는 어근과 접사가 통합한 일반적인 접미 파생어들이므로 이들은 ㉡의 예로 다룬다.
　㉢ 맏이=맏+이, 새롭다=새+롭+다. 표준국어대사전의 '맏' 항목이다.

③ ㉣의 예들은 한 접두사의 이형태로 보기 어려운 것이므로 이를 '휘돌다/휩쓸다, 시뻘겋다/싯누렇다'로 교체한다.

④ ㉤의 첫째 직접 성분을 달리 파악한 사전 자료를 함께 제시하여 문제의 소재가 어디에 있는지 분명히 인식하도록 한다.

⑤ ㉥의 문항은 교수 학습 내용을 고려할 때 정답이 없을 수 있으므로 '① 늦잠'을 분명한 단일어나 합성어의 예로 교체한다.

정답 ②

해 설

해 설⇩

① ㉠의 예는 모두 직접 성분 분석의 결과가 파생어와 무관하므로 이 가운데 한 예를 '비웃음'으로 교체한다.

'코웃음=코+웃음=어근+어근=단어+단어', '눈웃음=눈+웃음=어근+어근=단어+단어'. 따라서 둘 다 합성어이다. '비웃음=비+웃음 혹은 비웃+음'. 이런 경우는 어느 것이 타당한 직접 성분 분석인지 판단하기가 어렵다. 두 가지 가능성을 다 따지는 것이 옳은 태도이다. 먼저 '비웃+음'이라면 파생어가 된다. '-음'이 명사 파생 접미사이기 때문이다. 또 '비웃다'가 생산적으로 쓰이고 있으니 설명이 자연스럽다. 다음 '비+웃음'은 좀 문제가 어렵다. 원래 이 '비'는 비방할 誹이다. 이런 사실을 알고 있는 언중에게는 합성어로 파악될 수도 있다. 그러나 요즘 언어 대중에게 이런 지식이 있을 가능성은 별로 없다. 따라서 이 '비'는 단순한 접두사의 지위로 내려앉은 것으로 보게 된다. 이렇게 보면 역시 파생어가 된다. 파생어나 합성어가 일단 만들어지면 그 순간부터 단일어화가 진행되는 것이다. 이와 마찬가지로 합성어였다가 그 구성 성분의 의미를 언중들이 망각하게 되면 파생어로 변화할 수도 있고 단일어로 바뀔 수도 있다. 아래에 인용한 우리말 문법론의 설명을 기억해 두라.

② ㉢의 예는 어근과 접사가 통합한 일반적인 접미 파생어들이므로 이들은 ㉡의 예로 다룬다.

㉢ 맏이=맏+이, 새롭다=새+롭+다. 표준국어대사전의 '맏' 항목이다.

「접사」「1」(친족 관계를 나타내는 일부 명사 앞에 붙어) '맏이'의 뜻을 더하는 접두사.

¶ 맏며느리/맏사위/맏손자/맏아들. 「2」(몇몇 명사 앞에 붙어) '그해에 처음 나온'의 뜻을 더하는 접두사.

¶ 맏나물.

이와 같이 '맏'은 접두사로 보는 것이 일반적이다. '맏이'의 '이' 역시 사람을 나타내는 접미사로 처리된다. 따라서 이 어형은 특이하게도 접두사와 접미사의 결합으로 이루어진 파생어인 것이다. 따라서 이 선지의 궁서체 부분이 잘못되었다는 것을 알 수 있다.

'새롭다'는 또 좀 복잡한 문제가 있다. '새'는 현대 국어에서는 관형사로만 사용된다. 접미사 '-롭-'은 현대 국어에서 일반적으로 '슬기롭다, 평화롭다' 등처럼 명사의 뒤에 결합하는 접미사인 것이다. 이 점에서 특이한 접미 파생어가 된다. '새롭다'의 '새'는 중세 국어에서는 명사로도 쓰이고 있다. 이 시기에 '새롭다'가 만들어 졌기 때문에 그 때에는 일반적인 파생어였지만 시간이 가면서 '새'의 명사적 기능이 소멸되어서 특이한 예가 된 것이다.

③ ㉣의 예들은 한 접두사의 이형태로 보기 어려운 것이므로 이를 '휘돌다/휩쓸다, 시뻘겋다/싯누렇다'로 교체한다.

㉣ 이형태란 하나의 형태소의 외형 즉 발음만 달라지는 것을 말한다. 의미는 똑같아야 한다는 것이 이형태의 필수 조건이다. '되묻다/ 뒤엎다'의 '되'는 '다시'의 뜻이고 '뒤'는 '뒤집어' 정도의 뜻이다. 뜻이 전혀 다르므로 이형태가 아니라 별개의 두 형태소인 것이다. '맨손/민소매'의 '맨/민'도 뜻이 다르다. 그 의미가 궁금하면 표준국어대사전을 직접 찾아보라. 따라서 이 선지는 타당하다. '휘돌다/휩쓸다, 시뻘겋다/싯누렇다'의 '휘/휩', '시/싯'의 의미는 동일하다. 그렇다면 이형태로 볼 수 있다. 따라서 이선지는 전체 진술이 타당하다.

④ ㉤의 첫째 직접 성분을 달리 파악한 사전 자료를 함께 제시하여 문제의 소재가 어디에 있는지 분명히 인식하도록 한다.

㉤의 '늦잠, 쇠고기, 작은아버지'는 흔히 합성어로 처리를 해 온 단어들이다. 그러나 접두사로 처리한 사전들도 있다고 선지에서 전제하고 있다. 그렇다면 이런 진술은 타당하다고 보아야 한다. 임용 시험은 고등학교 시험처럼 속임수를 섞어 넣을 수가 없기 때문이다. 여기서 문제의 소재란 국어에서 접두사와 어근의 구분 기준이 명확히 설정될 수 있는가 하는 어려운 물음을 가리키는 것이다. 용감한 학자들은 국어에는 접두사가 하나도 없다고 주장한 적도 있다. 그러나 그 근거가 박약해서 따르지 않는 학자들이 더 많다. 접두사와 어근의 구분 기준에 대해서는 아직도 깔끔하게 정리된 주장은 없다. 따라서 이 선지는 타당하다.

⑤ ㉥의 문항은 교수 학습 내용을 고려할 때 정답이 없을 수 있으므로 '① 늦잠'을 분명한 단일어나 합성어의 예로 교체한다.

'늦잠'은 ㉤에서 파생어일 수도 합성어일 수도 있다고 전제해 두었다. 그래서 만약 파생어로 본다면 정답이 없게 된다. 따라서 타당한 진술이 된다. '늦잠'이 무조건 비통사적 합성어인 줄 맹신하던 수험생들은 간단히 걸려드는 함정이 된 셈이다. 임용시험을 준비하는 장래의 국어 교사들은 단순히 외우고 치우려는 자세부터 버려야 할 것이다. 원리를 이해하려고 해야 한다. 그 다음은 문제의 조건을 꼼꼼히 따질 줄 알아야 한다. 그런 훈련을 스스로 하는 것이 가장 바람직하다. 그러나 그런 훈련이 하루아침에 이루어지는 것은 아니다. 힘겨운 사람들은 필자를 찾아오라. 소위 필자 직강을 들을 수 있다.

[보충학습] [형태소의 정의](『바른 국어생활과 문법』에서 인용)

형태소는 흔히 "최소의 유의적(有意的) 단위(minimal meaningful unit)"라고 정의된다. 의미를 가지는 단위로서 가장 작은 단위라는 뜻이다. 형태소에서 의미를 가진다고 할 때의 의미란 '실질적인 의미' = '어휘적 의미'(1가)와 '문법적인 의미', '형식적인 의미'(1나)의 두 가지이다.

(1) 가. 별, 나, 하나, 어느, 참
 나. 가, 을, 았, 다(내가 펜을 잡았다.)

언어를 구성하는 단위를 언어 단위(linguistic unit)라 하는데, 자음이나 모음 또는 음절과 같은 음운 단위(phonological unit)는 그 스스로는 의미를 가지지 않는다.

이에 비해 의미를 가지는 단위는 문법 단위(grammatical unit)라 한다. 그리하여 같은 'ㄴ'이더라도 '나무'나 '손발'의 'ㄴ'처럼 의미를 가지지 않는 'ㄴ'은 음운 단위이며, 그렇지 않고 '죽은 사람, 추운 겨울'의 'ㄴ'처럼 "동사나 형용사를 관형형으로 만드는 기능을 한다."는 의미와 관련하여 다룰 때의 'ㄴ'은 문법 단위가 된다. 따라서 형태소가 최소의 유의적 단위라는 말은 곧 최소의 문법 단위라는 말과 같다.

[형태소의 종류]

1. 자립 형태소(free morpheme)와 의존 형태소(bound morpheme)
2. 실질 형태소(full morpheme)와 형식 형태소(empty morpheme)
3. 어기(base) 형태소와 접사(affix) 형태소
4. 유일 형태소(unique morpheme) : '오솔길, 착하다, 아름답다, 느닷없이'에서 '오솔, 착-, 아름-, 느닷'.

[이형태]

형태소는 앞이나 뒤에 어떤 요소가 통합하느냐에 따라 모양이 바뀌기도 한다. 이렇게 형태소가 그 놓이는 자리, 즉 환경(environment)에 따라 음상(phonemic shape)을 달리하게 되면 그 각각의 모습을 별개의 것으로 보지 않고 하나의 형태소가 잠시 외양을 달리한 것이라 보아 이형태(異形態, allomorph)라고 부른다. 또 형태소가 환경에 따라 음상을 달리하는 일을 교체(alternation) 또는 변이(variation)라 하는데, 이 교체에 의해 어떤 형태소가 음상을 달리한 것이 몇 개 있으면

하나의 형태소에 둘이나 셋 이상의 이형태들이 있다고 한다.

'먹어라'에서의 '먹-'이 '먹고, 먹는다'에서는 '먹-'과 '멍-'으로 발음되는 것이 그 한 예이다. '먹-'의 경우에는 실제 발음으로는 환경에 따라 차이가 나도 맞춤법, 즉 표기에는 반영하지 않고 하나로 고정시켜 적지만, '묻고, 물어라'의 경우에는 표기에까지 이 음상의 변화를 반영한다. 이때 '묻-'과 '물-'은 별개의 형태소가 아니라 한 형태소의 이형태 관계에 있는 것이다. '웃음'의 '-음'은 '기쁨, 슬픔, 배움, 잠' 등에서는 '-ㅁ'으로 실현되는데 이것 역시 환경에 따라 음상이 달라진 예로, 그것이 표기에까지 반영된 예이다.

이형태들은 한 형태소에 속하기 때문에 동일한 의미를 가질 것이 전제된다. '값이, 값도, 값만'의 세 '값'이 실제로 발음은 다르지만 그 의미가 다르지 않다. '웃음'의 '-음'과 '달림'의 '-ㅁ'도 기능상 꼭 같은 것으로 문법적 의미에 조금의 차이도 없다. '소설을 읽는다'의 '을'과 '시를 읽는다'의 '를'도 한 형태소의 이형태 관계에 있는 것으로 꼭 같은 의미를 가진다.

[정의]

이형태란 한 형태소가 환경에 따라 다르게 실현된 모습을 그 형태소와 관련지어 부르는 이름이다.

[이형태의 조건]

어떤 형태들을 한 형태소의 이형태로 보아야 할지 전혀 관련이 없는 별개의 형태들로 보아야 할지를 결정하는 데에는 몇 가지 기준이 있다. 첫째 기준은 의미의 동일성이다. 두 번째 기준은 상보적 분포(complementary distribution)이다.

[교체의 종류]

형태소가 환경에 따라 교체될 때 그 양상은 몇 가지 기준에 의해 나뉜다. 먼저 교체가 그 언어의 음운 체계에 의해 필연적으로 일어나는 것이면 자동적 교체(automatic alternation)라 하고, 그렇지 않으면 비자동적 교체(nonautomatic alternation)라고 한다.

발음을 보았을 때 '값도'에서 'ㅅ'이 탈락하고 '앉더니'에서 'ㅈ'이, '흙손'에서 'ㄹ'이 탈락하는 현상은 자음이 3개 겹칠 수 없다는 국어의 발음 규칙상 불가피하게 나타나는 것이므로 자동적이다. '잡는다, 듣는다, 막는다'의 'ㅂ, ㄷ, ㄱ'이 각각 'ㅁ, ㄴ, ㅇ'으로 바뀌는 교체 역시 국어에서 'ㅂ, ㄷ, ㄱ' 등의 폐쇄음이 'ㄴ, ㅁ' 등의 비음에 선행할 수 없다는 음운 규칙으로 인한 필연적인 것이기에 자동적 교체라 한다.

한편, '발이 아프다'와 '머리가 아프다'의 '이~가'의 교체는 '발가 아프다'와 '머리이 아프다'가 국어의 음운 규칙상 불가능하기 때문에 일어나는 교체가 아니고 발음은 가능하지만 말하는 사람의 습관상 일어나는 교체이므로 비자동적 교체에 속한다. '듣고, 들어라'의 '듣-~들-'의 교체도 '듣어라'가 얼마든지 자연스럽게 발음될 수 있는데도 교체가 일어나고 있으므로 역시 비자동적 교체에 속한다.

교체가 음운적으로 조건된(phonemically conditioned) 것이냐 형태적으로 조건된(morph-emically conditioned) 것이냐 하는 것도 교체의 종류를 나누는 기준이 된다. '음운적으로' 대신 '음운론적으로(phonogically)', '형태적'으로 대신 '형태론적으로(morphologically)'라는 말을 쓰기도 한다. 교체를 일으키는 환경이 음운적이냐 형태적이냐에 따라 나누는 것이다.

조사 '이/가'나 '을/를'이 자음 아래에서는 '이, 을', 모음 아래에서는 '가, 를'로 분포된다고 할 때, 자음 아래이니 모음 아래이니 하는 조건은 음운적인 것이다. 따라서 이들 교체는 음운적으로 조건된 교체이다. '닫는다'의 '닫-'이 '단-'으로 되는 것은 비음 앞에서인데, 비음 앞이라는 것도 음운적인 조건이다. 따라서 '닫-~단-'의 교체도 음운적으로 조건된 교체에 속한다. '앞'이나 '흙'은 자음 앞에서뿐만 아니라 휴지 앞에서도 '압'과 '흑'으로 실현되는데, 휴지도 음운적 조건의 하나로 본다(휴지는 보통 #와 같은 기호로 표시한다).

그런데 '오너라'의 예를 보자. '막아라'의 '-아라'와 '먹어라'의 '-어라' 사이의 교체는 모음조화라는 음운적 조건으로 설명되지만, '오너라'에서 '-너라'가 나타나는 것은 '보아라, 쏘아라' 등의 예로 보아 모음 'ㅗ' 다음이기 때문이라고 할 수도 없고 어떤 다른 음운적인 조건을 찾을 수 없다. 이 교체의 조건은 음운적인 것이 아니라 '오-(來)'라는 형태 자체가 교체의 조건이 되며, 따라서 이 교체는 형태적으로 조건된 교체라고 인식한다. 형태적으로 조건된 교체는 그리 흔치 않다. 영어에서의 대표적인 예로는 복수 어미로서 'oxen'의 '-en'이나 'children'의 '-ren'과 같은 것을 들 수 있다. 'books, dishes'의 '-s'와 '-es' 사이의 교체는 음운적으로 조건된 것인데 '-en'과 '-ren'은 'ox'와 'child'와 같은 형태에 조건된 것이라고 할 수밖에 없는 것이다.

교체를 규칙적 교체(regular alternation)와 불규칙적 교체(irregular alternation)로 나눌 수도 있다. 동일한 조건에서 늘 같은 방식으로 교체가 이루어지는 것이 규칙적 교체이며, 그렇지 않은 것이 불규칙적 교체이다. 자동적 교체는 필연적이기 때문에 규칙적 교체일 수밖에 없으나, 비자동적 교체에는 규칙적인 것도 있고 불규칙적인 것도 있다. 조사 '이/가'나 '을/를'은 자음 아래에서는 예외 없이 '이'와 '을'이 분포되고, 모음 아래에서는 예외 없이 '가'와 '를'이 분포되므로 규칙적이다. 그런데 '듣고'와 '들어라'의 '듣-~들-'의 교체는, '묻어라, 쏟아라'처럼 동일한 환경에서도 'ㄷ'이 'ㄹ'로 교체되지 않는 것이 있으므로 불규칙적인 교체라 한다. 용언의 불규칙 활용은 대부분이 불규칙 교체의 예가 된다.

[기본형]

어떤 형태소가 여러 이형태들을 지니고 이들이 서로 교체될 때 이형태 중 하나를 택하여 나머지 이형태들의 대표로 삼는 경우가 있다. 이 때 대표되는 이형태를 기본형(basic allo-morph)이라 부른다. 정확히는 기본 이형태라고 해야 할 것인데 이렇게 줄여 부르는 것이다. 이를 동사나 형용사의 어간에 '-다'를 붙인 형태인 '가다, 오다, 먹다' 등의 기본형과 혼동해서는 안 된다.

여러 이형태 중 어느 것을 기본형으로 잡느냐 하는 데에는 몇 가지 기준이 있다. 그 중 가장 대표적인 것은 기본형으로부터 나머지 이형태가 음운적, 또는 형태적 환경에 따라 변이된 것이라고 순리적으로 설명되는 방향으로 기본형을 정하는 것이다. '앞'은 '앞에서, 앞으로'에서처럼 모음 앞에서는 '앞으로' 실현되지만 '앞도, 앞 사람'에서는 '압'으로 실현되고 '앞만, 앞마당'에서는 '암'으로 실현되는데, 여기서 '앞'을 기본형으로 삼으면 자음 앞에서 받침 'ㅍ'이 'ㅂ'으로 중화되고, 또 자음 중에서도 'ㅁ' 같은 비음 앞에서는 이 'ㅂ'이 다시 자음 동화를 일으켜 'ㅁ'으로 변이를 보이는 현상을 쉽게 설명할 수 있다. 'ㅋ, ㅌ, ㅍ'과 같은 유기음들이 특정 위치에서 'ㄱ, ㄷ, ㅂ'과 같은 평음들로 바뀌는 중화 현상은 '동녘, 솥뚜껑, 잎사귀' 등처럼 많은 예를 볼 수 있고, 또 이 중화를 거친 'ㅂ, ㄷ, ㄱ' 등이 다음 비음 앞에서 다시 'ㅁ, ㄴ, ㅇ'으로 바뀌는 현상은 동화 현상으로서 '잎만, 밭만, 부엌만' 등처럼 많은 예를 찾아볼 수 있다. 이처럼 어떤 이형태에서 다른 이형태로의 변이가 국어의 일반적인 규칙으로 설명이 쉽게 될 때 그 기본형은 잘 설정된 것이라고 할 수 있다.

우리의 철자법에 전범이 되고 있는 『한글 맞춤법 통일안』도 형태 음소적 원리를 따라서, 실제의 음상이 다르더라도 '값이, 값도, 값만'처럼 표기상으로는 기본형을 고정시키는 표기를 하고 있다. 그러나 기본형을 정하더라도 기본형에서 다른 이형태로의 변화가 비자동적 교체를 보여주는 경우에는 기본형만을 적었을 경우에 실제 발음이 달라지는 것을 자연스럽게 도출할 수 없으므로 변이형 즉 환경에 따른 이형태를 표기에 반영한다. '산이 보인다'와 '바다가 보인다'의 '이'와 '가'처럼, 또는 '산을'과 '바다를'의 '을'과 '를'처럼 이형태의 모습을 각각 적는 것이 그 예이다. '듣고, 들어라'의 '듣-'과 '들-'도 마찬가지인데, '듣-'과 '들-' 및 '듣는'의 '든'에서는 역시 '듣'을 기본형으로 하여야 나머지 현상이 쉽게 설명되므로 '듣-'을 기본형으로 잡기는 하지만 이것이 모음어미 앞에서 '들-'로 바뀌는 교체가 불규칙적이기 때문에 '들-'을 표기법에 반영해야만 한다. 반면 '듣-'이 '듣는, 듣는다'에서 '든-'이 되는 것은 규칙적이기 때문에 표기법에 반영하지 않는다.

기본형을 정하는 두 번째 원칙은, 이형태들의 관계가 앞에서 보인 예들처럼 어느 한쪽에서 다른 한쪽으로 바뀌었다고 설명하기가 쉽지 않을 경우 임의로 어느 하나를 기본형으로 삼는 방식이다. 주격 조사 '이'와 '가', 또는 대격 조사 '을'과 '를'의 경우가 이에 해당한다. 이 경우 통계적으로 어느 한쪽이 월등히 우세하면 그 쪽을 기본형으로 삼는 방법이 있을 수 있다. 그러나 국어의 명사 중 자음(받침)으로 끝난 명사와 모음으로 끝난 명사의 수가 큰 차이가 없기 때문에 이들 조사의 경우 통계적인 방법은 별 도움이 되지 않는다.

형태소를 표시할 때 '이/가', '을/를'처럼 사선을 이용하여 교체되는 이형태를 다 표시하는 수가 있다. 이것은 어느 한쪽을 기본형으로 삼아도 좋은, 즉 임의로 어느 하나를 기본형으로 삼을 수 있는 경우에 흔히 쓰는 방식으로, '앞'과 같이 기본형이 분명한 경우를 '앞/압/암'처럼 표시하지는 않는다.

기본형을 정하다 보면 실제 발음에 존재하지 않는 형태로 정해진 이른바 이론적 기본형(theoretical basic allomorph)을 잡게 되는 경우도 있다. '집을 짓는다'의 '짓-'은 '짓고, 짓더니'에서는 '짇-', '짓는, 짓는다'에서는 '진-', '지어라, 지으니'에서는 '지-'로 실현되어 어떤 경우에도 실제 발음이 '짓-'으로 실현되는 일은 없다. 그럼에도 현행 맞춤법에서 '짓고, 짓는다'로 쓰는 것은 '짓-'을 기본형으로 삼았기 때문이다. 이는 이론적으로 '짓-'이 모음 앞에서 '지-'로 변이를 일으킨다고 분석되고 또 역사적으로 이들이 'ㅅ' 말음을 가졌던 것을 고려한 것인데, '짓-'은 말하자면 이론적으로 세워진 기본형인 것이다. ㅅ 변칙 활용을 하는 '잇-, 젓-, 낫-' 등이 다 그러하다.

14. '표준발음법' 자료에 대한 음운론적 설명으로 타당하지 않은 것은?

(가) 젖어미[저더미]	헛웃음[허두슴]	밭 아래[바다래]	꽃 위[꼬뒤]
(나) 값어치[가버치]	값있는[가빈는]	넋 없다[너겁따]	닭 앞에[다가페]
(다) 먹히다[머키다]	맏형[마텽]	옷 한 벌[오탄벌]	낮 한때[나탄때]
(라) 솜-이불[솜 : 니불]	불-여우[불려우]	옷 입다[온닙따]	먹을 엿[머글련]

① (가)는 음절말음이 파열음의 예사소리로 바뀌는 현상을 보여준다.
② (나)는 음절 말의 겹받침이 단순화되는 현상을 보여준다.
③ (다)는 'ㅎ'과 관련된 음운의 축약 현상을 보여준다.
④ (라)는 'ㄴ' 첨가와 'ㄹ' 첨가 현상을 보여준다.
⑤ (가)~(라)는 단어뿐만 아니라 구에서도 나타나는 음운 현상을 보여준다.

정답 ④

해 설 해설⇩

① (가)는 음절말음이 파열음의 예사소리로 바뀌는 현상을 보여준다.

음절말음(音節末音)이란 음절의 끝소리이다. 가령 '젖어미'의 음절말음은 '젖'의 밑에 들어 있는 'ㅈ'이다. '어미'에는 음절말음이 없다. 'ㅓ/ㅣ'는 음절핵, 성절모음, 성절음 등으로 부른다. (가)에서 'ㅈ, ㅅ, ㅌ, ㅊ'이 모두 음절말음 'ㄷ'으로 대치되어 다음 음절로 연음되어, 음절두음(音節頭音) 'ㄷ'으로 발음되고 있다. 'ㄷ'의 명칭은 파열음의 예사소리이니까 이 선지는 타당하다.

[주의] 연음(連音) 현상은 음운의 변동이 아니다. 단순한 발음 현상에 불과하다.

② (나)는 음절 말의 겹받침이 단순화되는 현상을 보여준다.

'값, 넋, 닭' 등은 음절말음이 두 개의 자음들이다. 따라서 겹받침이다. 그 발음([ ] 안의 글자는 발음기호이다)들은 각각 [ㅂ, ㄱ, ㄱ]으로 하나의 자음이 된다. 2→1. 따라서 타당하다. 이 현상을 자음군 단순화라고 부른다.

③ (다)는 'ㅎ'과 관련된 음운의 축약 현상을 보여준다.

음운의 축약은 자음 축약과 모음 축약이 있다. 축약이란 두 개의 요소가 합쳐서 제3의 요소가 되는 것을 가리킨다. A+B→C로 형식화할 수 있다. 모음 축약은 현대 공시론에서는 성립하는 예가 없다. 통시적으로 '가이>개' 정도가 있다. 자음 축약은 현대 공시론에도 성립하는 예가 있다. 이 말은 우리가 늘 그렇게 발음하고 있다는 것이다. 그것이 'ㅎ' 축약이다. (다)를 잘 보면 먹히다[머키다], 맏형[마텽], 옷 한 벌[오탄벌], 낮 한때[나탄때]에서 'ㄱ+ㅎ=ㅋ, ㄷ+ㅎ=ㅌ, ㄷ+ㅎ=ㅌ, ㄷ+ㅎ=ㅌ'처럼 되고 있다. 이 선지는 A+B→C! 따라서 타당하다.

④ (라)는 'ㄴ' 첨가와 'ㄹ' 첨가 현상을 보여준다.

이 선지는 오류이다. 국어에는 온전한 자음 첨가 현상은 'ㄴ' 첨가만이 있다. 'ㄹ' 첨가는 아예 없다. '불여우, 먹을 엿'에서 'ㄴ' 첨가가 발생한다. '불녀우, 먹을녓'. 이 단계에서 'ㄹㄴ'의 연속 발음을 한국인은 하지 못하므로 'ㄹ'순행동화가 발생한다. 그 결과 'ㄹㄹ'이 발음된다. 따라서 한번에 'ㄹ' 첨가가 발생한 것이 아니다. 첨가된 것은 'ㄴ'이며 그 'ㄴ'이 변화된 것이다.

국어의 첨가 현상에는 반모음 첨가도 있다. 가령 '기어→[기여]', '주어도→[주워도]' 같은 경우에 반모음 w, y가 첨가되기도 한다.

[주의] 사잇소리 현상은 단순한 자음 첨가가 아니다. 중세 국어에서 'ㅅ'은 관형격 조사의 기능이 있었기 때문에 첨가된 것이라서 단순한 자음만 첨가된 것이 아니다. 따라서 'ㅅ' 첨가는 형태소의 통합 현상이다. 가령 '책들이'라는 어형에서 '책이' 사이에 '들'이 들어갔다고 해서 음절 첨가라고는 말할 수 없는 것과 마찬가지이다.

⑤ (가)~(라)는 단어뿐만 아니라 구에서도 나타나는 음운 현상을 보여준다.

단어에서 나타나는 음운 현상이라는 말은 단어 내부에서 나타난다는 뜻이고 구(句)에서 나타나는 음운 현상이란 단어의 경계에서 나타난다는 뜻이다. 가령 '솜이불'은 한 단어이다. '먹을 엿'은 구이다. 따라서 타당하다.

[주의] 문법에서 제일 쉬운 분야가 음운론이다. 그러나 수험생들이 가장 싫어하기 때문에 공부를 전혀 하지 않아서 제일 무서워하는 분야가 음운론이다. 아래에 제시한 기본 개념들을 모두 이해하고 기억해 두라.

[보충학습] **[소리와 발음]**(김성규·정승철 공저, 『소리와 발음』, 방통대 교재 요약본)

제1강 말소리의 이해

- 언어적 의사소통은 전달하는 매체에 따라 음성언어와 문자언어로 나뉜다. 이들은 서로 관련을 맺고 있으면서도 각각 독자적인 영역을 가지고 있는 의사소통 방법이다.
- 음성학 : 말소리의 실체에 물리적으로 접근하여 기술하고 분석하는 분야
  음운론 : 언어 사용자의 머릿속에 있는 말소리에 대한 지식을 체계적으로 기술하고 설명하는 분야. 심리적, 추상적인 말소리에 대한 연구.
- 조음음성학 : 말소리가 만들어지는 과정에 대한 연구
  음향음성학 : 말소리의 물리적 특성에 대한 연구
  청취음성학 : 말소리가 귀를 통과하는 과정과 뇌에서 그것을 해석하는 과정에 대한 연구
- 기류의 흐름 : 폐-기도-후두-인두-구강(또는 비강)
- 유성음은 성대의 진동이 있는 소리이고, 무성음은 성대의 진동이 없는 소리이다.

제2강 자음과 모음 (1)

자음 체계표 : 반드시 암기하라.

조음방법 \ 조음위치			양순	치조	경구개	연구개	후두
장애음	파열음	평음	ㅂ	ㄷ		ㄱ	
		유기음	ㅍ	ㅌ		ㅋ	
		경음	ㅃ	ㄸ		ㄲ	
	마찰음	평음		ㅅ			
		유기음					ㅎ
		경음		ㅆ			
	파찰음	평음		ㅈ			
		유기음		ㅊ			
		경음		ㅉ			

공명음	비음	ㅁ	ㄴ		ㅇ	
	유음		ㄹ			

자음의 음성학적 분류표 : 반드시 이해하고 암기하라.

구분			양순음	치음	치조음	경구개음	연구개음	성문음
장애음	폐쇄음	유성음	b	d			g	
		불파음	p˺	t˺			k˺	
		평음	p	t			k	
		경음	p'	t'			k'	
		유기음	pʰ	tʰ			kʰ	
	파찰음	유성음				ʤ		
		평음				ʧ		
		경음				ʧ'		
		유기음				ʧʰ		
	마찰음	유성음						ɦ
		평음			s	ʃ		h
		경음			s'	ʃ'		
공명음	비음		m	n		ɲ	ŋ	
	유음	탄설음			r			
		설측음			l			

모음 체계 : 반드시 암기하라.

혀의 앞 뒤 / 혀의 높이	전 설 모 음		후 설 모 음	
	평 순	원 순	평 순	원 순
고모음	ㅣ	ㅟ	ㅡ	ㅜ
중모음	ㅔ	ㅚ	ㅓ	ㅗ
저모음	ㅐ		ㅏ	

[주의] 1. ㅔ, ㅐ 구별이 사실 상 사라졌다. '애'도 아니고 '에'도 아닌 모음 하나로 합류되었고, Ɛ로 표기한다.
2. ㅡ, ㅓ 대립은 표준어에서는 유효하지만 동남 방언에서는 소멸되기도 했다.
3. ㅚ, ㅟ 대립은 전국적으로 소멸되어 대부분의 언중이 이중모음으로 발음함.
4. 하향 이중 모음이 아직 유지된다. : ㅢ

- 모음 : 기류가 큰 장애 없이 조음 기관을 통과하면서 만들어지는 소리.
  자음 : 조음 기관에서 기류의 흐름에 방해가 일어나면서 만들어지는 소리.
- 자음분류의 기준 : 조음 위치, 조음 방법, 기식의 유무, 후두 긴장의 유무

제3강 자음과 모음 (2)

- 모음 분류의 기준 : 혀의 높이, 혀의 앞뒤 위치, 입술의 모양
- 단모음 : 발음할 때 발음의 시작부터 끝까지 입 모양이 변하지 않는 모음
  이중모음 : 발음할 때 입 모양에 변화가 일어나는 모음

제4강 음소

- 음성 : 실제로 발음되는 말소리. 구체적인 말소리
  음소 : 특정 언어에서 하나의 소리로 인식되며 단어의 뜻을 구별해 주는 말소리의 최소 단위. 추상적인 말소리.
- 최소대립쌍 : 단어의 동일한 위치에서 단 하나의 소리만 다른 단어의 쌍.
- 대표적인 변이음의 음성표기 : [s]와 [ʃ]의 오른쪽 위에 어깨점이 찍혀있는 경우는 해당 음의 경음을 나타낸다. 그러므로 'ㅃ'는 [p']로, 'ㄸ'는 [t']로, 'ㄲ'는 [k']로, 'ㅉ'는 [ʦ']로 표기된다.
- 'ㄱ'의 변이음 실현

```
      /  k  / --------- 음소
     /   |   \
    [k]  [g]    [k']  ---- 변이음
```

- 상보적 분포 = 배타적 분포 = 다른 분포 = 겹치지 않는 분포
  말소리가 동일한 환경에서 실현되지 못하는 경우 배타적 분포를 이루고 있다고 한다. 그리고 배타적 분포를 이루는 말소리들이 합해져서 하나의 음소를 이루면 이 말소리들은 상보적으로 분포하고 있는 것인데, 이러한 상보적 분포를 이루는 말소리들은 한 음소의 변이음이다.

제5장 음운 자질

- 각각의 음성은 다른 음성과 공유하거나 다른 음성들과 구별되는 특성들로 이루어져 있다. 이를 자질이라고 하는데, 이 가운데 의미를 구별시켜 주는 기능을 하는 자질을 변별적 자질이라고 한다.
- '이'가 가지고 있는 [-후설성]의 영향으로 [+후설성]을 가지고 있는 모음들이 [-후설성]을 가지고 있는 모음으로 변했다고 기술할 수 있다. 음운 자질을 이용할 경우 이처럼 말소리의 변화에 보이는 공통점을 쉽게 추출할 수 있다. 또한 이를 통해 동일한 환경을 가지고 있는 다른 단어에서도 이러한 변화가 일어나리라고 예측할 수 있다.

제6장 음절

- 음절은 홀로 발화될 수 있는 최소 단위이다.
-

```
                음절
        /        |        \
  (초성)       중성        (종성)
     |      /   |   \        |
(자음) (활음)모음(활음) (자음)
```

- 한국어의 음절 구조 : 모두 9개

V	모음	C 자음 G 활음 V 모음
GV	활음+모음	
VG	모음+활음	
CV	자음+모음	
CGV	자음+활음+모음	
VC	모음+자음	
GVC	활음+모음+자음	
CVC	자음+모음+자음	
CGVC	자음+활음+모음+자음	

- 제약에서 벗어나는 방법 1. 둘 가운데 하나를 탈락시킴. 2. 다른 소리로 대치시킴
- 한국어에서는 초성과 종성 위치에 하나의 자음만 실현될 수 있다.
  한국어에서는 초성위치에 ŋ이 실현될 수 없다.
  한국어에서는 종성 위치에 ㄱ, ㄴ, ㄷ, ㄹ, ㅁ, ㅂ, ㅇ만 실현될 수 있다.
  한국어에서는 경구개음 뒤에 활음 'j'가 실현될 수 없다.
- 음절이 가지고 있는 가장 중요한 기능은 발화의 성립인데, 음절은 변이음이 실현되는 환경을 만든다. 또한 음절의 구조는 음소를 교체하는 역할을 하기도 한다.

제7장 운소

- 음장 : 한국어의 음장은 1차적으로 단어의 차원에서만 기능을 하는데, 발화에서는 어두에서만 장음이 실현된다. 그리고 1음절로 된 '갈다(칼을), 곱다(얼굴이)' 등의 일부 어간은 자음으로 시작하는 어미와 결합할 때는 길게 실현되지만 모음으로 시작하는 어미와 결합할 때는 짧아진다. 또한 '보+아 → 보아 → 봐 : [wa]'와 같은 음절 축약 과정에서는 음절 축약에 따른 보상적 장모음화가 실현된다.

제8장 기저형(1)

- 기저형 : 머릿속에 가지고 있다고 추정되는 형태소의 음운 정보
  표면형 : 기저형이 실제의 발화에서 실현된 형태
- 기저형은 한 형태소의 이형태를 모두 확인한 후 설정하는데, 기저형이 설정되면 해당 형태소의 표면형인 이형태들이 만들어지는 과정을 설명할 수 있다. (반드시 설명할 수 있는 건 아님.)
- 기저형 설정의 원칙
  - 형태소가 아닌 단위에 대해서는 기저형을 설정하지 않는다.
  - 기저형을 설정할 때는 표면형의 실현을 예측할 수 있어야 한다.
  - 기저형에서 표면형으로 만들어지는 과정의 규칙은 간결하고 자연스러워야 한다.

제9장 기저형(2)

- 다중 기저형 : 불규칙 활용 어간처럼 어간의 기저형을 하나로 결정할 수 없는 경우, 둘 이상의 형태가 실현 환경에 대한 정보와 함께 기저에 존재한다고 가정한다.

  ex) 덥+모음→더우 ┐ 기저형이 2개
  덥+자음→덥 ┘

제10강 말소리의 변화

- 15세기의 한국어와 현대 국어를 비교해 보면 음절 구조에서 차이를 발견할 수 있다. 15세기에는 초성 자리에서 단 하나의 자음만 실현된다는 제약이 없었으며, 비음 'ㆁ[ŋ]'이 초성 자리에도 올 수 있었다. 그리고 15세기에는 종성 자리에서 'ㄱ, ㄴ, ㄷ, ㄹ, ㅁ, ㅂ, ㆁ[ŋ], ㅅ'의 여덟 개의 자음이 실현될 수 있었으나, 이후 'ㅅ'는 'ㄷ'으로 실현되어, 현대 국어에서는 'ㄱ, ㄴ, ㄷ, ㄹ, ㅁ, ㅂ, ㅇ[ŋ]' 일곱 개의 자음만 실현될 수 있다.

제11강 음운의 변동

- 시간의 흐름에 따라 소리가 달라질 때 그것을 <u>변화 또는 변천</u>이라 한다.
  시간의 흐름과 관계없이 연결되는 말에 따라 소리가 달라질 때 그것을 <u>변동</u>이라 한다.
  이미 변화된 것은 원래의 형태로 되돌아가지 않으나, 변동된 것은 연결되는 말이 달라지면 원래의 형태로 되돌아간다.
- 음운 변화와 변동의 유형
  - 대치 : 어느 한 소리가 다른 소리로 바뀌는 것
    평폐쇄음화, 경음화, 치조비음화, 동화(유음화, 비음화, 조음위치동화, 구개음화, 움라우트), 모음조화, 활음화

◦ 탈락 : 원래 있었던 소리가 사라지는 것
자음군단순화, 'ㅎ' 탈락, 어간말 'ㅡ' 탈락, 동모음 탈락, 활음 탈락
◦ 첨가 : 없던 소리가 끼어드는 것
'ㄴ' 첨가, 활음 첨가
◦ 축약 : 둘 이상의 소리가 합쳐져 하나의 새로운 소리가 되는 것
'ㅎ' 축약, 모음 축약
◦ 도치 : 두 소리의 순서가 바뀌는 것

第12강 음운 대치(1) : 평폐쇄음화, 경음화, 치조비음화

• 평폐쇄음화 : 어떠한 조건 아래에서 평폐쇄음이 아닌 소리가 평폐쇄음(ㄱ, ㄷ, ㅂ)으로 대치되는 현상. 평음화+폐쇄음화(파열음화)

∵음절 종성에서 격음이나 경음이 평음으로, 또 마찰음이나 파찰음이 폐쇄음으로 바뀌는 것은 음절 종성 위치에 나타날 수 있는 자음이 불파음이어야 한다는 한국어의 특성 때문이다. 그런데 격음과 경음 그리고 마찰음과 파찰음은 불파음으로 발음할 수 없다. 따라서 이 자음들이 음절말 위치에 오게 되면 그것을 평음 또는 폐쇄음으로 바꾸어 줌으로써 그 위치에서 불파음으로 실현될 수 있도록 해 주는 것이다. (한국어에서 불파음으로 발음할 수 있는 자음은 'ㄱ, ㄴ, ㄷ, ㄹ, ㅁ, ㅂ, ㅇ' 일곱 개뿐이다.)

• 경음화
◦ 평폐쇄음 뒤에서의 경음화
◦ 동사나 형용사 어간의 말음 'ㄴ, ㅁ' 뒤에서의 경음화
◦ 관형형 어미 '을/ㄹ' 뒤에서의 경음화
◦ 한자어에서 'ㄹ'뒤 'ㄷ, ㅅ, ㅈ'의 경음화

cf) 어두경음화 : 연결되는 말에 따라 소리가 달라진 것이 아니므로 시간의 흐름에 따른 변화의 예가 된다. (통시적 변화)

• 치조비음화 : 어떠한 조건 아래에서 유음'ㄹ'가 치조비음'ㄴ'로 대치되는 현상.

∵장애음 또는 비음과 유음'ㄹ'를 연속해서 발음할 수 없다는 한국어의 발음 특성 때문.

第13강 음운 대치(2) : 유음화, 비음화

• 동화 : 어떤 소리가 주위에 있는 다른 소리의 영향을 받아서 그 소리와 같거나 비슷하게 바뀌는 현상
◦ 직접동화, 인접동화 : 동화음과 피동화음이 직접 붙어 있을 때 일어나는 동화 ┐ 거
◦ 간접동화, 원격동화 : 동화음과 피동화음이 직접 붙어 있지 않을 때 일어나는 동화 ┘ 리

◦ 순행동화, 지연동화 : 동화음이 피동화음보다 앞에 있을 때 일어나는 동화. ┐순서에
◦ 역행동화, 예측동화 : 동화음이 피동화음보다 뒤에 있을 때 일어나는 동화. ┘ 따라

cf) 이화 : 같거나 비슷한 소리가 오히려 서로 다르게 바뀌는 현상.

거붑 〉 거북, 담임 〉 다님, 점 : 심 〉 정 : 심

- 유음화 : 특정한 환경에서 유음이 아닌 소리(ㄴ)가 유음으로 대치되는 현상
  - ◦ 한자어에서는 동화음 'ㄹ'가 앞에 있든지 뒤에 있든지 관계없이, 다시 말해 유음화가 순행적인지 역행적인지에 관계없이 그 변동 양상의 차이를 드러내지 않는다.
  - ◦ 순행적 유음화에서는 단어의 어종에 상관없이 'ㄴ'가 'ㄹ'뒤에 연결되었을 때에는 'ㄹㄴ → ㄹㄹ'의 순행적 유음화가 일어난다.
  - ◦ 역행적 유음화는 고유어나 외래어에는 거의 나타나지 않으며 한자어에만 나타난다.
  - ◦ 역행적 유음화는 어종에 따라 실현 여부의 차이를 보이므로 역사적 현상일 가능성이 많다. 따라서 순행적 유음화만이 현재 활발히 일어나는 음운 변동이라 할 수 있다.
- 비음화 : 비음 앞(ㅁ, ㄴ)에서 비음이 아닌 소리(장애음 ㄱ, ㄷ, ㅂ)가 비음(ㄴ, ㅁ, ㅇ)으로 대치되는 현상

  cf) 빅뉴스, 핫뉴스, 톱뉴스 → 비음화를 겪지만 반영하지 않고 표기.

현행 외래어 표기법에서 두 말이 합쳐져 만들어진 복합어는 그것을 구성하고 있는 말이 단독으로 쓰일 때의 표기대로 적기로 했기 때문.

제14강 음운 대치(3) : 조음위치동화, 구개음화

- 동계 자음 탈락 : 평음 'ㄱ, ㄷ, ㅂ'가 그것과 조음 위치가 같은 경음과 격음 앞에서 수의적으로 탈락하는 현상을 가리킨다.

  옷보다 → 옵뽀다 → 오뽀다
- 양순음화 : 양순음 앞에서 'ㄴ, ㄷ'는 각각 양순음 'ㅁ, ㅂ'로 바뀐다. (수의적)

  기분만 → 기붐만, 곧바로 → 곱빠로
- 연구개음화 : 연구개음 앞에서 'ㄴ, ㅁ'는 연구개음 'ㅇ[ŋ]'으로, 'ㄷ, ㅂ'는 연구개음 'ㄱ'로 바뀐다. (수의적)

  신고 → 싱꼬, 믿고 → 믹꼬
- 구개음화 : 용언 또는 체언 어간의 말음 'ㄷ, ㅌ'가 전설고모음 '이'로 시작하는 문법형태소 앞에서 각각 경구개음 'ㅈ, ㅊ'로 바뀐다.

  짐받이 → 짐바지, 밭이 → 바치

◦ 구개음화의 종류

'ㄷ' 구개음화 : 뒤에 오는 '이' 또는 활음 'j'의 영향을 받아 치조음 'ㄷ, ㄸ, ㅌ'가 경구개음으로 바뀌는 것

'ㄱ' 구개음화 : 연구개음 'ㄱ, ㄲ, ㅋ'가 경구개음으로 바뀌는 것. 기름 〉 지름 ┐단어의

'ㅎ' 구개음화 : 'ㅎ'가 'ㅅ'로 바뀌는 것 ('ㅅ'은 치조음이지만 편의상 구개음화라고 부름. ┘첫음절에서만

형님 〉 성님 일어남

◦ 동화 ┌ 자음동화 ┌ 자음으로 인한 동화 : 유음화, 비음화, 조음위치동화
│ └ 모음으로 인한 동화 : 구개음화
└ 모음동화 ┌ 모음으로 인한 동화 : 움라우트 현상
└ 자음으로 인한 동화 : 원순모음화

◦ 형태소 내부에서의 'ㄷ'구개음화 : 오늘날 'ㄷ' 구개음화 현상은 형태소 내부에서는 더 이상 일어나지 않는다. 형태소 경계에서 일어난다.

제15강 음운 대치(4) : 움라우트

• 움라우트 : 뒤에 오는 전설모음 '이'나 활음 'j'의 영향을 받아 후설모음이 전설모음으로 바뀌는 현상. 'ㅣ'모음 역행동화. 전설모음화.

한국어의 움라우트는 동화음과 피동화음 사이에 연구개음 'ㄱ, ㄲ, ㅋ, ㅇ'이나 양순음 'ㅂ, ㅍ, ㅃ, ㅁ'가 개재될 경우에 일어난다. 'ㄹ'가 개재 자음일 경우에 움라우트가 일어나는 경우도 있다. (다리미〉대리미. 달이다〉대리다)

◦ cf) 옮기다 〉 옴기다 〉 옹기다 〉 욍기다

자음군단순화 연구개음화 움라우트

→ 일련의 음운 현상이 관여했더라도 그 조건만 맞으면 움라우트는 일어난다.

제16강 음운 대치(5) : 모음조화, 활음화

• 모음조화 : 동사나 형용사 어간에 '아/어'로 시작하는 어미가 연결될 때 어간의 말음절 모음이 '아, 오' 면 '-아'가 연결되고 어간의 말음절 모음이 그 이외의 모음이면 '-어'가 연결된다.

• 활음화 : 단모음이 활음으로 바뀌는 현상

◦ 'j' 활음화 : 동사나 형용사 어간의 말음 '이'가 어미 '-어' 앞에서 수의적으로 활음 'j'로 바뀐다. ('ㅈ, ㅉ, ㅊ'로 시작하는 단음절 어간의 경우에는 필수적)

기-어 → 겨 : , 비 : -어 → 벼 : , 이기-어 → 이겨, 비비-어 → 비벼

지-어 → 져(→ 저), 찌-어 → 쪄(→ 쩌), 치-어 → 쳐(→ 처)

◦ 'w' 활음화 : 동사나 형용사 어간의 말음 '오/우'가 어미'-아/어' 앞에서 수의적으로 활음 'w'로 바뀐다. (활음화를 겪는 음절이 초성을 갖지 않는 경우에는 필수적.) 보상적 장모음화는 어두음절에서만

일어난다.

보-아 → 봐 : , 두-어→둬 : , 돌보-아 → 돌봐, 가두-어 → 가둬

제17강 음운 탈락(1) : 자음군단순화, 'ㅎ' 탈락

- 자음군단순화 : 명사 어간 또는 동사나 형용사 어간의 말음이 자음 둘로 이루어진 자음군일 때 그러한 자음군이 음절말 위치에 오면 두 자음 중에 하나가 탈락한다.
- 'ㅎ' 탈락 : 'ㅎ'는 공명음과 모음 사이에서 탈락한다. 다만 'ㅎ'가 형태소의 첫소리일 경우에는 수의적. 놓-아 → 노아, 닳-아 → 다라, 피곤-하다 → 피고나다
  - 유성음화 : 한국어의 폐쇄음 'ㄱ, ㄷ, ㅂ'와 파찰음 'ㅈ'는 공명음과 공명음 사이에서 유성음으로 바뀐다. 한국 사람에게 유성음화는 음운 현상이 아니라 음성 현상이다.

제18강 음운 탈락(2) : 어간말 '으' 탈락, 동모음 탈락, 활음 탈락

- '으' 탈락 : 동사나 형용사 어간의 말음 '으'는 어미 '-아/어' 앞에서 탈락한다.
  쓰-어 → 써, 고프-아 → 고파
- 동모음 탈락 : 동사나 형용사 어간의 말음 '아/어'는 어미 '-아/어' 앞에서 탈락한다.
  가-아 → 가, 서-어 → 서, 놀라-아 → 놀라
- 활음 탈락 : 특정 자음과 이중모음의 연쇄에서 이중모음을 구성하는 활음이 삭제되는 현상
  - 활음 'j' 탈락 : 활음 'j'가 경구개음 'ㅈ, ㅉ, ㅊ' 뒤에서 탈락한다. (필수적)
    지-어(→ 져) → 저, 찌-어(→ 쪄) → 쩌, 치-어(→ 쳐) → 처
  - 활음 'w' 탈락 : 활음 'w'가 양순음 뒤에서 탈락한다. (수의적)
    보-아(→ 봐 :) → 바 : , (붓-어→)부-어(→ 붜 :) → 버 :

제19강 음운 첨가 : 'ㄴ' 첨가, 활음 첨가

- 'ㄴ' 첨가 : 자음으로 끝나는 형태소와 '이' 또는 'j'로 시작하는 어휘형태소가 연결되면 그 사이에 'ㄴ'가 첨가된다. 솜 : -이불 → 솜 : 니불
  - cf) 언어화석 : 어떤 단어에 포함된 이전 시기 언어의 흔적
    '나뭇잎'은 '나무-닢 → 나뭇닢[나문닙] → 나뭇잎[나문닙]'으로 재해석된 것이다.
- 활음 첨가 : 특정 모음들 사이에 활음이 첨가되는 현상
  - 활음 'j' 첨가 : 전설모음 '이, 에, 애, 위, 외'와 어미의 모음 사이에 활음 'j'가 수의적으로 첨가된다.
    피-어→피여
  - 활음 'w' 첨가 : 후설원순모음 '오, 우'와 모음 사이에 활음 'w'가 수의적으로 첨가된다. 보-아(→ 보아) → 보와, 두-어(→ 두어) → 두워

제20강 음운 축약 : 'ㅎ' 축약, 모음 축약

- 'ㅎ' 축약 : 'ㅎ'와 평음 'ㄱ, ㄷ, ㅂ, ㅈ'가 만나면 각각, 격음 'ㅋ, ㅌ, ㅍ, ㅊ'가 된다.
  놓-고 → 노코, 않-던 → 안턴
- 모음 축약 : 일부 방언에서 자음 뒤의 이중모음 '워'는 '오'로 축약된다.
  두-어 → 둬 : → 도 :, 주-어 → 줘 : →조 :, 꿩 → 꽁, 권투 → 곤투

15. 국어경음화 현상의 특성을 단계적으로 이해하기 위한 수업을 진행하려고 한다. 단계별 지도 내용으로 적절하지 않은 것은?

단계 1	(가)	ㄱ 안고[안꼬] 삼고[삼꼬] 젊고[점꼬]
		ㄴ 신고(申告)[신고] 금고[금고]
	(나)	ㄱ 갈 사람[갈싸람] 만날 시간[만날 씨간]
		ㄴ 날 도와줘[날도와줘] 준빌 시작해[준빌시자캐]
	(다)	ㄱ 물고기[물꼬기] 가을비[가을삐] 비빔밥[비빕빱]
		ㄴ 불고기[불고기] 이슬비[이슬비] 볶음밥[보끔밥]
	(라)	ㄱ 잡고[잡꼬] 옷과[옫꽈]꽃병[꼳뼝]국수[국쑤]
단계 2	(마)	ㄱ 갈 사람[갈싸람] 만날 시간[만날 씨간]
		ㄴ 날 도와줘[날도와줘] 준빌 시작해[준빌시자캐]
	(바)	ㄱ 물고기[물꼬기] 가을비[가을삐] 비빔밥[비빕빱]
		ㄴ 불고기[불고기] 이슬비[이슬비] 볶음밥[보끔밥]

① 단계 1에서는 국어의 경음화 현상을 어떻게 하위 분류할 수 있는지에 초점을 두어 지도한다.
② 단계 1의 (가)를 통해 'ㄴ ㅁ' 뒤에서의 경음화가 용언 어간과 어미의 결합에서만 나타나는 현상임을 이해하도록 지도한다.
③ 단계 1의 (라)를 통해서 예사 파열음 뒤의 장애음이 경음화되는 것은 형태론적 조건과 무관한 음운 현상임을 이해하도록 지도한다.
④ 단계 2의 (마)를 통해 ㄹ 뒤에서의 경음화가 목적어와 서술어라는 통사적 구조에 의해 결정되는 현상임을 이해하도록 지도한다.
⑤ 단계 1에서 단계 2로 정리하는 과정을 통해 특정한 형태소나 개별 단어라는 비음운론적 정보가 음운 현상에 관여한다는 결론을 도출할 수 있도록 지도한다.

정답 ④

해 설

해 설⇩

① 단계 1에서는 국어의 경음화 현상을 어떻게 하위 분류할 수 있는지에 초점을 두어 지도한다. 경음화는 네 종류가 있다. ① 평폐쇄음 뒤에서의 경음화, ② 동사나 형용사 어간의 말음 'ㄴ, ㅁ' 뒤에서의 경음화, ③ 관형형 어미 '을/ㄹ' 뒤에서의 경음화, ④ 한자어에서 'ㄹ' 뒤 'ㄷ, ㅅ, ㅈ,'의 경음화. 정확히 암기해 두라. 따라서 타당하다.

② 단계 1의 (가)를 통해 'ㄴ, ㅁ' 뒤에서의 경음화가 용언 어간과 어미의 결합에서만 나타나는 현상임을 이해하도록 지도한다.

용언(用言) = 활용하는 단어들. 동사와 형용사, 체언+서술격조사.
체언(體言) = 명사, 수사, 대명사.
어간(語幹) = 서술어의 중심 기둥 부분. 용언의 불변 부분. 가령 '먹다, 먹고, 먹으니, 먹어서…' 중에서 '먹-'부분을 어간이라고 한다. 실질형태소, 의존형태소.
어미(語尾) = 서술어의 꼬리 부분. 필요에 따라서 교체되어 들어간다. 문법 형태소, 의존 형태소.

따라서 이 선지는 타당하다. 용언 활용의 경우에만 '신을 [신꼬]'처럼 경음화되며 체언의 경우에는 '신고[신고]'처럼 경음화가 발생하지 않는다.

③ 단계 1의 (라)를 통해서 예사 파열음 뒤의 장애음이 경음화되는 것은 형태론적 조건과 무관한 음운 현상임을 이해하도록 지도한다.
형태론적 조건이란 형태소에 관련되는 규칙이라는 뜻이다. 형태소는 의미를 가진 최소의 언어 단위로 정의된다. '잡고[잡꼬] 옷과[옫꽈] 꽃병[꼳뼝] 국수[국쑤]'에서 경음화가 발생하는 것은 '잡다'의 의미나 '국수'의 의미 때문이 아니라는 것이다. 단순히 'ㅂ, ㄷ, ㄱ' 자음 뒤에 오는 'ㄱ, ㄷ, ㅂ, ㅅ, ㅈ'는 된소리가 된다는 뜻이다. 타당하다.

④ 단계 2의 (마)를 통해 ㄹ 뒤에서의 경음화가 목적어와 서술어라는 통사적 구조에 의해 결정되는 현상임을 이해하도록 지도한다.

목적어와 서술어라는 통사적 구조라는 말은 가령, '밥을 먹었다'와 같은 구성을 말한다. '갈 사람'이라는 구성은 '관형어와 명사라는 통사적 구조'라고 말해야 한다. 따라서 오류. 국어에서 통사적 정보가 음운론에 관여하는 일은 없다.

⑤ 단계 1에서 단계 2로 정리하는 과정을 통해 특정한 형태소나 개별 단어라는 비음운론적 정보가 음운 현상에 관여한다는 결론을 도출할 수 있도록 지도한다.
타당한 진술이다. 비음운론적 정보라는 말은 형태론적인 정보를 가리키는 말이다. 위에 나온 '용언의 어간 뒤'라는 말이 이에 해당한다.

16. 학생들의 글쓰기 자료에 나타난 잘못을 지도하고자 한다. (가)~(마)에 대해 지도할 내용으로 타당하지 않은 것은?

글쓰기 자료

(가) 세금을 몇 월 몇 일까지 내야 하는지 문의해 보았다.
(나) 항상 막히던 길이 오늘은 막히지 않아 왠일인가 싶었다.
(다) 이번 연주회에서는 플룻 연주가 가장 인상적이었다.
(라) 지붕에는 얇다란 나무판들이 이어져있었다.
(마) 지하철 역 입구의 커피숍에서 만나자.

① (가) : 어원이 불분명한 경우에는 소리대로 적는다.
　예 골병, 부리나케
② (나) : 현실 발음에서 ㅚ ㅙ ㅞ가 서로 구별되지 않지만 표기에서는 구별하여 적는다.
　예 됐다/ ＊됬다. 쇠다/ ＊쇄다, 왠지/＊웬지
③ (다) : 영어의 어말 파열음은 그 앞에 장모음이나 중모음이 온 경우에는 뒤에 ㅡ를 붙여 적는다.
　예 파트(part), 케이크(cake) 테이프(tape)
④ (라) : 어원이 불분명하거나 본뜻에서 멀어진 경우에는 소리대로 적는다.
　예 납작하다. 넙치
⑤ (마) : 외래어의 어말 파열음은 우리말에서 그 자음 뒤에 모음으로 시작되는 조사가 왔을 때의 발음을 고려하여 적는다.
　예 도넛(doughnut) 로봇(robot) 초콜릿(chocolate)

정답 ④

해 설

해 설⇩

① (가) : 어원이 불분명한 경우에는 소리대로 적는다.

㉮ 골병, 부리나케

'몇 월 몇 일'을 발음해보라. [며뒬 며칠]이 될 것이다. 어원이 분명하다면 [며뒬 며딜]이 되어야 한다. '며칠'은 음운론적으로는 이미 단일어가 된 것이다. 그래서 '몇 V 일'로 표기하면 안 되는 것이다. 국어 교사라면 저지르지 말아야 하는 기본 개념이다. '몇 V 월'은 음운론적으로 [몇#월]이다. #는 휴지(休止)를 뜻한다. 휴지는 음운론적으로 자음과 같은 행태를 보여준다. 따라서 '몇'은 [멷]이 된다. 음절말음의 미파화 현상이다. 미파(未破)=불파=중화=대표음화=음절 끝소리 규칙 등등 비슷한 용어가 많다. 그 다음에 연음되어서 [며뒬]이 된다. '몇일'에는 휴지가 없다. 따라서 [며칠]이 된다. 이런 이유로 표기법을 '며칠'로 정한 것이다. 물론 형태론적으로는 두 형태소의 합성어로 기술된다.

② (나) : 현실 발음에서 ㅚ ㅙ ㅞ가 서로 구별되지 않지만 표기에서는 구별하여 적는다.

㉮ 됐다/ *됬다. 쇠다/ *쇄다, 왠지/*웬지

타당한 진술이다. 해설 대신에 '맞춤법과 표준어'의 해당 부분을 인용한다.

「한글 맞춤법」에서 준말의 맞춤법을 어떻게 할 것인가 하는 문제에 대한 것은 제32~40항에 규정되어 있다. 여기서는 흔히 잘못 쓰기 쉬운 준말의 표기를 몇 가지 용례를 중심으로 설명하고자 한다.

(1) 되요/돼요, 되서/돼서, 되니/돼니

준말 가운데에는 발음이 같아서 혼동되는 예들이 있다. 자주 틀리는 것 가운데 하나가 '되다' 활용형의 준말 표기이다. '되어, 되었다'의 준말이 '돼, 됐다'인데, 오늘날 대부분의 사람들은 '되'와 '돼'의 발음을 똑같이 한다. 'ㅚ'가 이중모음 [ㅞ]로 발음되고, [ㅔ]와 [ㅐ]의 구별이 없어진 결과이다. 그러다 보니 '돼'를 써야 할 자리에 '되'를 쓰기도 하고, 그 반대로 '되'를 써야 할 자리에 '돼'를 쓰기도 한다. 이런 경우의 준말은 문법적으로 구분하여 표기할 수밖에 없다. '되+어=돼'라는 등식을 항상 염두에 두어야 한다. 문제는 활용어미 '-어'가 들어 있는지, 들어 있지 않은지를 판별하는 일이다.

위의 '되요', '되서'는 문법에 어긋난 것이다. 이들은 '되+어+요', '되+어+서'의 구조를 가져야 하기 때문이다. '되-'가 아닌 다른 동사 어간을 대신 넣어 보면 이 사실을 쉽게 알 수 있다. '보다[見]'의 어간을 넣어 보면, '보아요(봐요), 보아서(봐서)'가 되지 '*보요, *보서'가 되지는 않는다. '-요'나 '-서'는 항상 그 앞에 연결어미 '-어/아'를 필요로 한다는 것을 알 수 있다. '되니/돼니'의 경우는 이와 반대이다. 연결어미 '-니'는 어간에 바로 붙기 때문이다. '보니(보+니)'이지 '*봐니(보+아+니)'가 아니지 않은가. 그러므로 '되니'가 올바른 표기가 된다.

이와 관련된 규정은 「한글 맞춤법」 제35항이다. 특히 [붙임 2]의 규정은 '괴어, 되어, 뵈어, 쇠어, 쐬어'를 준말인 '괘, 돼, 봬, 쇄, 쐐'로, '괴었다, 되었다, 뵈었다, 쇠었다, 쐬었다'를 준말인 '괬다, 됐다, 뵀다, 쇘다, 쐤다'로 적을 수 있는 예를 보인 것이다. 그런데 이 규정은 '괴다, 되다' 등과 같이 모음 '외' 앞에 자음이 있는 어간에만 적용된다. 자음이 없는 '외다'의 경우는 '왜, 왜서, 왰다'와 같이 축약이 일어나지 않으므로 '외어, 외어서, 외었다'의 표기만이 인정된다.

[주의] '돼=되어'는 표기법의 규정이다. 이런 예를 가지고 모음 축약이라고 말하면 안 된다. 발음은 '돼 twe', '되 twe'처럼 똑같기 때문에 '되어→돼'라면 모음 탈락이 발생한 것이다.

③ (다) : 영어의 어말 파열음은 그 앞에 장모음이나 중모음이 온 경우에는 뒤에 ㅡ를 붙여 적는다.

㉮ 파트(part), 케이크(cake) 테이프(tape)

영어의 어말 파열음은 'p, t, k'로 발음이 끝난다는 것이다. 장모음은 긴 모음이고 가령 part, 중모음은 2중모음을 뜻한다. 이런 경우 'ㅡ'를 붙이지 않으면 '팥, 케익, 테입'이 되므로 영어의 현실과 너무 동떨어지게 된다고 생각한 것이다.

④ (라) : 어원이 불분명하거나 본뜻에서 멀어진 경우에는 소리대로 적는다.

㉮ 납작하다. 넙치

이 선지 자체는 옳다. 그러나 (라)의 예는 이 선지처럼 설명할 부분이 아니었다는 것이 문제 풀이의 핵심이다. (라)의 '얇다란'은 한글 맞춤법 제21항 다만 (1)항에 겹받침의 끝소리가 드러나지 아니하는 것 조목 아래에 들어 있다. 한글 맞춤법 제21항을 지금 직접 찾아보라. 맞게 규정된 어형은 '얄따랗게'이다. 이 문제는 대단히 어려운 문제다. 아주 구석진 곳에서 출제한 것이기 때문이다. 그러나 국어 교사라면국어의 4대 규범은 철저히 익혀둘 필요가 있다는 것을 강조하는 문제이다.

⑤ (마) : 외래어의 어말 파열음은 우리말에서 그 자음 뒤에 모음으로 시작되는 조사가 왔을 때의 발음을 고려하여 적는다.

㉮ 도넛(doughnut) 로봇(robot) 초콜릿(chocolate)

[도넛을, 로봇이, 초콜릿을]처럼 발음이 된다. 이런 발음을 굳이 [도넡을, 로볻이, 초콜릳을]처럼 하는 것은 웃기는 것이다.

[주의] 규범의 용례를 출제하면 언제나 난이도가 제일 높게 된다.
임용 시험을 붙자면 자주자주 꼼꼼히 읽어둘 일이다.

17. 형태가 동일한 형태소나 단어들이 다르게 쓰인 경우를 모은 자료이다. (가)~(마)의 각 ㄱ ㄴ에서 밑줄 친 부분의 차이점을 관찰한 결과로 타당하지 않은 것은?

(가) ㄱ. 비가 갠 뒤라 산봉우리가 선명하게 보인다.
ㄴ. 대답하는 것을 보니 그 아이가 똑똑하게 보인다.

(나) ㄱ. 그는 아들을 교사로 만들었다.
ㄴ. 그는 식탁을 통나무로 만들었다.

(다) ㄱ. 난민들은 땅에 떨어진 빵 조각을 집어 먹고 생활하였다.
ㄴ. 나는 야구공으로 유리창을 깨 먹고 크게 놀랐다.

(라) ㄱ. 나는 음악과 영화를 좋아한다.
ㄴ. 너는 친구들과 사이좋게 놀아라.

(마) ㄱ. 설탕은 물에 잘 녹지만 기름은 잘 녹지 않는다.
ㄴ. 비가 내렸지만 관중들은 계속 선수들을 응원했다.

① (가) : 동사 '보이다'는 ㄱ과 ㄴ에서 모두 바로 앞의 부사어와 주어가 서로 자리를 바꿀 수 있지만 부사어를 필수적으로 요구하는지의 여부에서 차이를 보인다.

② (나) : 동사 '만들다'는 조사 '로'가 결합한 성분과 목적어의 자리바꿈 가능성과 조사 '로'를 '를'로 대치할 수 있는 가능성에서 ㄱ과 ㄴ의 차이를 보인다.

③ (다) : ㄱ과 ㄴ의 동사 '먹고'는 주어와의 호응관계에서 차이를 보이며 '먹고' 앞의 용언과의 사이에 다른 말의 개입 가능성에서도 차이가 있다.

④ (라) : 조사 '과'가 결합한 문장 성분은 주어와의 자리바꿈 가능성과 '는, 도, 만' 등 보조사와의

결합 가능성에서 ㄱ과 ㄴ이 차이를 보인다.

⑤ (마) : ㄱ과 ㄴ은 어미 '-지만'이 결합한 선행절이 후행절 속으로 이동할 수 있고 없음에서 차이를 보이므로 선행절과 후행절의 관계가 같지 않다.

정답 ①

해 설

해 설⇩

① (가) : 동사 '보이다'는 ㄱ과 ㄴ에서 모두 바로 앞의 부사어와 주어가 서로 자리를 바꿀 수 있지만 부사어를 필수적으로 요구하는지의 여부에서 차이를 보인다.

이런 문제는 대단히 좋은 문제이다. 통사론을 익숙하게 공부한 수험생에게는 거의 거저먹는 문제이지만 통사론을 수박 겉핥기로 구경한 사람들은 머리가 엉켜 시간만 쓰게 만드는 문제이다. 이런 문제는 어떤 개론서나 논문을 찾아보아도 그 해법이 나오지 않는다. 임고생의 수준을 아주 잘 아는 유능한 출제 교수가 자기 머리를 써서 창작한 문제이기 때문이다.

이런 통사론 문제의 [해법]은 '선지대로 해 보아라!'이다.

문제에서 바로 앞의 부사어와 주어가 서로 자리를 바꾸라고 했다.

ㄱ. 비가 갠 뒤라 선명하게 산봉우리가 보인다.

ㄴ. *대답하는 것을 보니 똑똑하게 그 아이가 보인다.

ㄴ이 성립하지 않는다. 문장 성분을 바꾸어도 원래의 의미가 그대로 유지되어야만 적격문으로 처리한다. 따라서 오류이다. 그 이유는 '똑똑하게 보인다'가 긴밀한 결합을 이루고 있기 때문이다. '그 아이는 똑똑하다+내가 판단한다'의 구성이며 이렇게 되면 '본용언+보조용언의 구성'과 흡사하게 된다. '본용언+보조용언의 구성'은 긴밀한 구성이라서 함부로 분리되지 않는 경향이 있다.

또 부사어의 필수적 요구를 알아보라고 했다.

ㄱ. 비가 갠 뒤라 산봉우리가 보인다.

ㄴ. *대답하는 것을 보니 그 아이가 보인다.

ㄱ은 문제가 없다. 생략 가능하다. 그러나 ㄴ은 생략하면 비문이 된다. 따라서 부사어의

필수적 요구라는 기준으로는 차이가 있다. 따라서 문제의 두 조건 중 앞의 조건 때문에 답지로 선택된다.

② (나) : 동사 '만들다'는 조사 '로'가 결합한 성분과 목적어의 자리바꿈 가능성과 조사 '로'를 '를'로 대치할 수 있는 가능성에서 ㄱ과 ㄴ의 차이를 보인다.
조사 '로'가 결합한 성분과 목적어의 자리 바꿈 가능성

(나) ㄱ. */?그는 교사로 아들을 만들었다.
ㄴ. 그는 통나무로 식탁을 만들었다.

ㄴ은 자연스러우나 ㄱ은 이상하게 느껴진다.

조사 '로'를 '를'로 대치할 수 있는 가능성

(나) ㄱ. 그는 아들을 교사를 만들었다.
ㄴ. *그는 식탁을 통나무를 만들었다.

이번에는 ㄴ이 성립하지 않는다. 따라서 이 선지는 타당하다.

③ (다) : ㄱ과 ㄴ의 동사 '먹고'는 주어와의 호응관계에서 차이를 보이며 '먹고' 앞의 용언과의 사이에 다른 말의 개입 가능성에서도 차이가 있다.

(다) ㄱ. 난민들은 땅에 떨어진 빵 조각을 집어 먹고 생활하였다.
ㄴ. 나는 야구공으로 유리창을 깨 먹고 크게 놀랐다.

ㄱ은 난민들이 빵을 먹고, ㄴ은 *나는 유리창을 먹고. ㄱ은 난민들이 빵을 집어서 먹고, ㄴ은 *나는 유리창을 깨서 먹고. 따라서 타당하다.

④ (라) : 조사 '과'가 결합한 문장 성분은 주어와의 자리바꿈 가능성과 '는, 도, 만' 등 보조사와의 결합 가능성에서 ㄱ과 ㄴ이 차이를 보인다.
조사 '과'가 결합한 문장 성분은 주어와의 자리바꿈 가능성

(라) ㄱ. * 음악과 나는 영화를 좋아한다.
ㄴ. 친구들과 너는 사이좋게 놀아라.

'는, 도, 만' 등 보조사와의 결합 가능성

(라) ㄱ. *나는 음악과는/음악은과 영화를 좋아한다.
　　ㄴ. 너는 친구들과는/도/만 사이좋게 놀아라.

따라서 이 선지는 타당하다.

⑤ (마) : ㄱ과 ㄴ은 어미 '-지만'이 결합한 선행절이 후행절 속으로 이동할 수 있고 없음에서 차이를 보이므로 선행절과 후행절의 관계가 같지 않다.

(마) ㄱ. *기름은 설탕은 물에 잘 녹지만 잘 녹지 않는다.
　　ㄴ. 관중들은 비가 내렸지만 계속 선수들을 응원했다.

따라서 이 선지도 타당하다. 이런 현상을 근거로 하여 ㄱ은 대등 접속 구성이며 ㄴ은 종속 접속 구성으로 구분하는 것이다.

[보충학습] [보조용언](『바른 국어생활과 문법』에서 인용)

보조용언이라는 명칭은 이 용언들이 선행 용언의 의미에 서법(敍法)이나 동작상(動作相) 또는 수동태(受動態)나 사동태(使動態)와 같은 부가적 의미를 추가하는 데 의한 것이다. 그러나 통사론적으로 보면 이 용언은 영어의 조동사와 유사한 기능을 하는 상위문의 용언이 된다. 13.1에서 언급한 바와 같이 보조용언은 필수적으로 내포문, 즉 동사구 내포문을 취하는 용언이 된다.

보조용언 구문은 보문 관형절을 취하는 보문 명사 구문과 그 특성이 유사하다. 그 중 중요한 것을 들어 보이면 다음과 같다.

첫째, 보문 명사가 일반 명사 및 현식 명사로서 구성되는 것과 마찬가지로 보조용언도 '있다, 보다, 주다, 가다, 오다, …' 등의 일반 용언으로부터 기능이 전환된 것과 '싶다' 등의 원래부터 보조용언으로 고유하게 쓰이고 있는 것으로 구성된다. 이 때 일반 용언으로부터 기능이 전환된 보조용언들은 일반 용언의 의미를 상(相)이나 서법(敍法) 또는 태(態)와 같은 측면에서 추상화하여 전이받게 된다.

둘째, 보조용언과의 선행 내포문을 분리되기 어렵다.

(7) 가. *날이 더워 자꾸 간다. (날이 자꾸 더워 간다.)
　나. *영이는 가지 학교에 않았다. (영이는 학교에 가지 않았다.)

다만 보조 조사는 개입될 수 있다.

(7') 가. 날이 자꾸 더워는/만 간다.
나. 영이는 학교에 가지는/만/도 않았다.

셋째, 보조용언은 다른 어휘나 대형식으로 대치될 수 없다.

(8) 가. 내가 나가 보았다.
나. *내가 나가 그랬다.
나'. 내가 그래 보았다.

(8)은 내포된 일반 용언의 경우 대형식(이 경우는 대용언)이 가능하나 용언 '보-'는 가능하지 않음을 보인다.

[보조용언 내포문 어미와 보조용언]

보조용언의 내포문을 이끄는 어미로는 '-아', '-고', '-게', '-지' 등이 있다.

1. '-아'
'-아'를 취하는 보조용언으로는 '있-', '주-', '버리-', '치우-', '대-', '가-', '오-', '보-', '지-' 등이 있다.

(9) 가. 그는 사람은 이미 죽어 있었다.
나. 나는 어머니의 일을 도와 주었다.
다. 용돈을 다 써 버렸다.
라. 일을 빨리 해 치워라.
마. 자꾸 먹어 댄다.
바. 집이 자꾸 낡아 간다.
사. 10년 동안 한 곳에서 살아 왔다.
아. 한 번 그 사람을 만나 보아라.
자. 처마가 한 쪽으로 기울어졌다.

(9가)의 '있-'은 결과 상태, (9나)의 '주-'는 시혜, (9다)의 '버리-'와 (9라)의 '치우-'는 제거, (9마)의 '대-'는 반복, (9바)의 '가-'와 (9사)의 '오-'는 진행, (9아)의 '보-'는 경험을, (9자)의 '지-'는 피동적 변화를 의미한다. 이중 '지-'는 이미 국어에서 접사화된 것으로 본다.

2. '-고'

'-고'를 취하는 보조용언으로는 '있-', '싶-', '말-' 등이 있다.

(10) 가. 영이는 빨간 모자를 쓰고 있다.
나. 기르던 개가 죽고 말았다.
다. 나는 밥을 먹고 싶다.

(10가)의 '있-'은 동작 진행 또는 결과 지속, (10나)의 '말-'은 중단, (10다)의 '싶-'은 희망을 의미한다.

3. '-게'

'-게'를 취하는 보조용언으로는 '하-'와 '되-'가 있다.

(11) 가. 그 사람을 못 오게 하였다.
나. 그 사람이 못 오게 되었다.

(11가)의 '하-'는 사동의, (11나)의 '되-'는 피동의 의미가 있다.

4. '-지'

'-지'를 취하는 보조용언에는 '않-', '못-', '말-' 등이 있는데, 이들은 모두 부정(否定)의 기능을 가지고 있는 것들이다.

(12) 가. 그 사람은 영 말을 하지 않는다.
나. 나는 이 일을 잘 하지 못한다.
다. 가지 말아라.

(12가)의 '않-'은 단순 부저, (12나)의 '못-'은 능력 부정, (12다)의 '말-'은 부정 명령을 의미한다.

한편 추측이나 회의(懷疑)를 뜻하는 보조형용사 '싶-'이나 '보-'는 별도의 내포문 어미 없이 의문의 종결문을 바로 내포문으로 위한다.

(13) 가. [그 사람이 바보인가] 싶다.

나. [그 사람이 못 오나/오는가] 보다.

(13)은 보조형용사 '싶-'이나 '보-'가 별도의 내포문 어미가 없는 의문문을 취하고 있음을 보이고 있다.

18. (가)~(마)에서 알 수 있는 국어 문장의 제약 현상에 대한 설명으로 타당하지 않은 것은? [2.5]

(가) ㄱ. *그는 자기 형은 여행 간 사실을 몰랐다.

ㄴ. *사촌은 땅을 사면 배가 아프다.

ㄷ. 비는 오고 바람은 불지 않는다.

(나) ㄱ. 어리석게도 양수는 영희가 우등생이라고 믿었다.

ㄴ. 영수는 어리석게도 영희가 우등생이라고 믿었다.

ㄷ. *영수는 영희가 어리석게도 우등생이라고 믿었다.

(다) ㄱ. 우리는 그가 정당했음을 깨달았다.

ㄴ. *그가 우리는 정당했음을 깨달았다.

ㄷ. *코끼리는 코가 길다.

ㄹ. 코끼리는 코가 길다.

(라) ㄱ. 이 옷은 어머니가 생일 선물로 사 주신 것이다.

ㄴ. 우리는 그녀가 지나가도록 길을 비켜 주었다.

ㄷ. 우리는 인간이 누구나 존귀하다고 믿는다.

ㄹ. 농부들은 하루 종일 비가 오도록 기다렸다.

(마) ㄱ. 영수는 피아노를 치면서 노래를 불렀다.

ㄴ. *영수는 피아노를 치면서 영희는 노래를 불렀다.

ㄷ. 열이 나면서 머리가 지끈거린다.

① (가) : 안긴 문장의 주어 자리에는 주격조사 대신에 '은, 는'이 오기 어려운데 대등절과는 달리 종속절에서도 이와 같은 현상이 나타난다.

② (나) : 문장 전체와 관련된 부사어는 일반적으로 자리 옮김이 자유롭지만 상위문의 부사어는 안긴 문장 안으로 자리 옮김을 할 수 없다.

③ (다) : 서술절을 안긴 문장의 하나로 보기도 하는데 상위문의 주어가 서술절 안으로 올 수 있다는 점에서 서술절은 다른 안긴 문장들과 차이를 보인다.

④ (라) : 주어임이 분명한 경우라도 안긴 문장 속의 주어에 쓰인 주격조사는 생략할 수 없다.

⑤ (마) : '-면서'에 의한 접속문은 주어의 의미 특성에 따라 선행절과 후행절의 주어가 반드시 같아야 하는 경우와 그렇지 않은 경우로 나뉜다.

정답 ④

해 설

해 설⇩

① (가) : 안긴 문장의 주어 자리에는 주격조사 대신에 '은, 는'이 오기 어려운데 대등절과는 달리 종속절에서도 이와 같은 현상이 나타난다.

이런 문제도 통사론을 착실하게 공부해 둔 사람에게는 아주 쉬운 문제이다. 통사론의 용어를 정확히 알고만 있어도 그냥 풀린다. 이 선지는 안긴 문장, 대등절, 종속절 등의 개념이 요구된다. 아래에 그 개념을 간단하게 설명할 테니 반드시 이해하고 암기해 두어야 한다. 문제의 예문을 분석해 보자.

(가) ㄱ. *그는 (자기 형은 여행 가)ㄴ 사실을 몰랐다.

ㄱ'. 그는 (자기 형이 여행 가)ㄴ 사실을 몰랐다.

괄호 속의 문장들은 관형사절로 안긴 문장이다. 관형사절은 그 표지가 '은/는/던/을'이므로 한 눈에 알 수 있다. 여기서는 'ㄴ'이 관형사형 어미이다. '은'의 '으'는 매개모음이라서 모음 뒤에서는 나타나지 않는다. ㄱ은 비문이고 ㄱ'는 적격문이다. ㄱ'는 어디서 나온 것이냐고? 수험생의 머리에서 나와야 한다. 그런데 차이라고는 '자기 형' 뒤에 결합한 조사뿐이다. 따라서 이런 경우에 보조사 '은/는'이 올 수 없음을 알 수 있다. 규칙화하면 '관형사절로 안긴 문장의 주어에는 화제 제시의 보조사 '은/는'이 올 수 없다'가 된다. 이것이 통사적인 제약의 전형적인 모습이다. 이런 방식을 익숙하게 알고 있으면 이런 종류의 문제는 나와주면 참 고마운 것이 된다.

ㄴ. *(사촌은 땅을 사)면 배가 아프다.

ㄴ'. (사촌이 땅을 사)면 배가 아프다.

앞의 ㄱ과 똑같은 방법으로 따지면 된다. ㄱ과 ㄴ의 차이는 오직 관형사절인가 부사절인가의 차이뿐이다. 이 부사절이라는 용어는 학자마다 그 처리가 다른 것인데 종속적으로 이어진 문장이 이에 해당한다고 보면 무방하다. 자세한 공부를 하고 싶다면 이익섭의 『국어 부사절의 성립』을 구해서 읽어보라. 아주 알기 쉽고 자세하게 기술되어 있다. 읽다가 이해가 되지 않으면 필자를 찾아와서 설명을 들으면 간단히 이해가 될 것이다. 따라서 형식화를 하면 부사절로 안긴 문장의 주어에는 화제 제시의 보조사 '은/는'이 올 수 없다'가 된다. 또는 '종속절로 이어진 문장의 주어에는 화제 제시의 보조사 '은/는'이 올 수 없다'가 된다.

ㄷ. (비는 오)고 바람은 불지 않는다.

ㄷ'. (비는 오)고 바람이 불지 않는다.

ㄷ''. (비가 오)고 바람은 불지 않는다.

ㄷ'''. (비가 오)고 바람이 불지 않는다.

이 문장은 적격문이다. 수험생은 고민할 필요가 없다. 예문의 문법성 판단을 출제자가 해주기 때문이다. 제시된 대로 따져나가기만 하면 되는 것이다. 이 문장은 대등접속 구성이다. 앞뒤 두 문장의 자격이 대등하다는 것이다. 이런 대등접속문은 그 순서를 바꾸어도 된다는 중요한 특징이 있다. 이런 경우에 각각의 문장에 화제 제시의 보조사 '은/는'은 자유롭게 나타날 수 있다. 위에 보여준 것처럼 대등접속 구성에서는 앞문장과 뒤문장의 주어에 '은/는/이/가'가 다 나타날 수 있다. 그렇지만 이런 작업은 문제를 풀 때에는 전혀 불필요한 일이다. 문제 풀이와는 직접 관련되지 않기 때문이다. 시험장에서는 이런 일은 결코 하지 말아야 한다. 오직 정답만 골라내는데 집중해야만 웃을 수 있다. 이런 저런 의심과 탐구는 평소에 취미로 해야 한다.

[주의] 한국의 영어 교사들은 주격조사가 '은/는/이/가'인 줄 알고 있는 사람들이 대단히 많다. 다른 과목 교사들은 더 많다. 그런 사람들을 보면 정상적인 학교 교육을 받았는지가 의심스럽다. 국어 교사는 절대로 그런 말을 듣고 참으면 안 될 것이다. '은/는'은 주격조사가 아닌 보조사이다.

② (나) : 문장 전체와 관련된 부사어는 일반적으로 자리 옮김이 자유롭지만 상위문의 부사어는 안긴 문장 안으로 자리 옮김을 할 수 없다.

(나) ㄱ. 어리석게도 영수는 (영희가 우등생이라)고 믿었다.
ㄴ. 영수는 어리석게도 (영희가 우등생이라)고 믿었다.
ㄷ. *영수는 (영희가 어리석게도 우등생이라)고 믿었다.

문장 전체와 관련된 부사는 양태부사와 접속부사의 두 가지가 있으나 이 문제에서는 양태부사만을 제시하였으므로 접속부사의 예는 논외가 된다. 준 예문을 무시하고 자기의 기존 지식만을 맹신해서는 안 된다. 양태부사와 접속부사의 개념 및 용례는 아래에 인용해 두었으니 착실하게 기억해 두라.

[주의] 부사는 일반적으로 문장에 쓰이면 반드시 부사어가 된다.

예문은 인용절을 안은 문장이다. 영수가 주절의 주어, 영희가 안긴 문장의 주어이다. 괄호로 표시한 것이 안긴 문장의 경계이다. ㄱ과 ㄴ은 양태부사어와 주어가 자리를 바꾸어도 무방함을 보여준다. ㄷ은 주절의 양태부사어가 안긴 문장 안으로 들어갔더니 비문표시를 달게 되었음을 보여준다. 따라서 이 선지의 진술과 예문이 일치하고 있다. 타당한 선지이다.

③ (다) : 서술절을 안긴 문장의 하나로 보기도 하는데 상위문의 주어가 서술절 안으로 올 수 있다는 점에서 서술절은 다른 안긴 문장들과 차이를 보인다.

(다) ㄱ. 우리는 (그가 정당했)음을 깨달았다.
ㄴ. *(그가 우리는 정당했)음을 깨달았다.
ㄷ. 코끼리는 (코가 길)다.
ㄹ. (코가 코끼리는 길)다.

서술절이란 이중주어문의 오른쪽 부분의 문장을 가리킨다. ㄷ에서 '코가 길다'를 서술절 혹은 서술어절이라고 부른다. 다르게 말하면 서술어는 '길다' 하나뿐인데 주어가 '코끼리는'과 '코가'의 둘이다. 그런 까닭에 이중주어문이라고도 부른다. 이 때 두 주어가 순서를 바꾸어도 문장은 성립한다. 다른 안긴 문장들의 내부로 안은 문장의 성분이 들어가는 것은 거의 저지된다. 예문 ㄱ과 ㄴ의 경우를 보라. 따라서 타당하다.

④ (라) : 주어임이 분명한 경우라도 안긴 문장 속의 주어에 쓰인 주격조사는 생략할 수 없다. 문제의 조건대로 안긴 문장의 경계를 끊어서 주격조사를 지워보라.

(라) ㄱ. *이 옷은 (어머니 생일 선물로 사 주시)ㄴ 것이다.

ㄴ. *우리는 (그녀 지나가)도록 길을 비켜 주었다.

ㄷ. *우리는 (인간 누구나 존귀하다)고 믿는다.

ㄹ. 농부들은 하루 종일 (비 오)기를 기다렸다.

ㄱ, ㄴ, ㄷ은 비문이 된다. 그러나 ㄹ은 자연스러움을 유지한다. 이 현상의 이유는 일상 국어에서 '비오기'가 한 단어처럼 쓰이는 현상 때문이기는 하지만 그런 것까지는 임용 시험 중에 따질 필요가 없다. 조건대로 비교만 해서 선지와 예문이 일치하는가의 여부만 살펴보면 충분한 것이다. 결국 이 선지의 ㄹ 문장이 선지의 진술과는 다른 현상을 보이고 있으므로 오류로 판명난다.

⑤ (마) : '-면서'에 의한 접속문은 주어의 의미 특성에 따라 선행절과 후행절의 주어가 반드시 같아야 하는 경우와 그렇지 않은 경우로 나뉜다.

이 문제는 오류 가능성이 조금 담겨 있다. 예문을 아래와 같이 파악할 수도 있기 때문이다. 출제자의 생각은 ㄱ 이 선행절과 후행절의 주어가 반드시 같아야 하는 경우이고 ㄷ 이 그렇지 않은 경우라는 것이다. 그러나 ㄷ의 전체 주어는 '나는'으로 볼 수도 있다. 그렇다면 "'-면서'에 의한 접속문은 주어의 의미 특성에 따라 선행절과 후행절의 주어가 반드시 같아야 하는 제약이 있다."가 정확한 진술이 될 것이다. 그러나 객관식 문제에서는 명백한 정답이나 오답을 찾아내는 것이 중요하다. 선지 4의 라의 ㄹ 이 명백하기에 선지 5의 마의 ㄷ은 표면만 보는 것에서 멈추어야 한다. 이런 일은 언제나 발생하고 있었다. 문제의 오류. 그렇다고 해서 자기가 합격하는 것을 포기할 수는 없잖은가? 문제가 의심스러워도 최선을 다해서 정답을 찍는 지혜가 필요하다. 이의신청이란 별 의미 없다.

또 대주어가 같다고 하더라도 소주어들이 다르지 않느냐는 반론이 있을 수도 있다. 좋은 문제를 출제하려다가 보면 약간 지나치기도 한다. 여러분들이 평생 겪을 문제이다. 출제교수를 어엿비 너겨주디 바란다.

(마) ㄱ. 영수는 피아노를 치면서 (영수는) 노래를 불렀다.

ㄴ. *영수는 피아노를 치면서 영희는 노래를 불렀다.

ㄷ. (나는) 열이 나면서 (나는) 머리가 지끈거린다.

[보충학습] [문장의 짜임새](『국어학』에서 인용)

문장은 주어와 서술어의 개수가 몇 개이냐에 따라 홑문장과 겹문장으로 나누어진다. 홑문장의 성격은 대개 종결 표현만 보아도 알 수 있으나, 겹문장은 여러 가지 방식으로 만들어질 수 있다. 둘 이상의 주술 관계의 구성이 나란히 이어지기도 하고, 주술 관계를 가진 절을 안고 있기도 하다.

홑문장(單文) : 주어와 서술어의 관계가 한 번만 나타나는 단순한 문장

겹문장(複文) : 주어와 서술어의 관계가 두 번 이상 나타나는 복잡한 문장
1. 안은 문장(포유문) : 다른 문장을 절의 형식으로 안고 있는 문장
2. 이어진 문장(접속문) : 둘 이상의 홑문장들이 나란히 이어진 문장

홑문장 겹문장 판단에서 가장 손쉬운 방법은 서술어가 몇 개 나타나는지를 세는 것이다.
물론 '서울과 부산은 도시이다.'와 같이 서술어가 한 번밖에 나타나지 않더라도 겹문장으로 파악되는 경우도 있지만(서울은 도시이다. +부산은 도시이다.),
대개의 문장들은 본용언 서술어의 개수가 바로 절의 숫자가 된다.

[홑문장 겹문장과 파악하기](『고교 문법 교과서』, 161쪽)

① "없어."
- 홑문장
- 온점(.)이 찍혔다는 것은 발화 중에서 사용되었다는 뜻이므로 문장으로 인정할 수 있다.

② "누가 그런 일을 한다고 그래? "
- 겹문장
- '누가 그런 일을 한다고' 전체가 하나의 절이고, 밖의 서술어 '그래'와 호응하는 생략된 주어(너는)를 상정할 수 있기 때문에 겹문장으로 인정할 수 있다. 즉 이 문장은 [(너는)(누가 그런 일을 한다)고 그래]? 처럼 분석할 수 있다.
  또한 이 문장은 '[누가 [(내가) 그런 일을 한다]고 그래]?'로 분석될 수도 있는데 이 경우에도 겹문장으로 인정할 수 있다.

[주의] 이 예문의 '그런'은 관형사로 완전히 굳은 것이다. 그러나 다음과 같은 예문은 사정이 다르다.
"형이 유리창을 깼는데 어머니께서는 형이 <u>그런</u> 줄 모르고 동생만 꾸짖었다."
이런 예문의 '그런'과 무슨 의미 차이가 느껴지는가? 그렇다면 그것을 말로 해보라. 전자는 주어를 설정하기가 어렵지만 후자는 '형이 그러하였다'처럼 주어를 설정할 수가 있다. 그렇다면 이때의 '그런'은 서술어로

쓰인 것이다. 그렇다면 품사는 무엇일까? 형용사인 것이다. 하위범주는? 지시형용사이다. 이 사실을 꼭 기억해 두기 바란다. 언제든지 유사한 문제가 출제될 것이다.

[잔소리] '전자, 후자, 하위범주' 등의 어휘의 의미가 헷갈리거나 모르겠으면 망설이지 말고 사전을 찾아야 한다. 임용 강의 중에 이런 어휘를 모르는 사람도 여럿 보아서 하는 말이다. 현직에 나가서 중1~고3까지 만나는 모든 학생들에게 단어 뜻을 직접 설명하지 말고 사전을 찾게 유도를 하기만 해도 1%의 훌륭한 국어 교사임을 필자는 단언한다. 국문과 교수들의 입에 붙은 탄식이다. 사전 좀 찾아보라!

③ "그런 사람이 어찌 그런 일을 해?"

- 홑문장
- '그런'의 품사는? 관형사! 결국 서술어가 하나밖에 없는 홑문장이다.

④ "나는 나만의 삶을 나만의 방식으로 산다."

- 홑문장
- '산다'만이 서술어이고, '삶'은 파생명사일 뿐이다.
- 주어는 '나는'이고 '나만의 삶을'이 목적어, '나만의 방식으로'는 부사어가 된다.

[홑문장과 겹문장 변별하기]

① 꿈을 꾸자, 날개를 달자!

- 겹문장
- '꾸자', '날자' 두 개의 서술어가 있으므로 겹문장이다.

[주의] "꿈을 꾸자! 날개를 달자!"는 두 개의 홑문장이다. ㅋㅋ

② 그는 부드럽게 나의 손을 잡았다.

- 겹문장
- '부드럽게'를 단순한 부사어로 보면 이 문장은 홑문장이다. 그러나 '부드럽게'라는 절이 들어가 있는 겹문장으로도 볼 수 있다. 즉 '그가 나의 손을 잡은 상태가(혹은 잡는 방법이)'를 생략된 의미상의 주어로 상정할 때, '부드럽게'는 서술어가 될 수 있다. 표준국어대사전에는 '부드럽게'항목이 없다. 그것은 '부드럽다'의 활용형으로 본 것이다. 따라서 표준국어대사전의 방침을 따른다면 '부드럽게'는 서술어로 보아야 하고 그렇다면 부사절 혹은 종속절이 될 것이다.
- '부드럽게'를 부사절로 볼 것인지, 아니면 종속적으로 이어진 문장의 선행절로 볼 것인지는 논란이 있으나 둘 다 인정할 수 있다.

③ 철수는 할 수 없이 집을 나섰다.
◦ 겹문장
◦ '할 수 없이'라는 부사절과, 또한 그 속에 '할'이라는 관형사절이 들어가 있는 겹문장이다. 즉 전체 세 개의 홑문장으로 분석할 수 있는 겹문장인 것이다.
◦ '비가 소리도 없이 내린다.' 같은 문장에서 '소리도 없이'가 부사절인 이치와 같다. 일단 '(철수가 뭔가를) 하다'와 '(~할) 수가 없다'로 하위절을 나눌 수 있다.

[안은 문장과 안긴 문장]

홑문장 두 개가 이어지는 방법에는 하나가 다른 것 속에 들어가는 것이 있다. 이 때 전체 문장을 안은 문장이라 하고 속에 들어가는 문장을 안긴 문장이라고 한다. 흔히 안긴 문장은 내포절이라고도 한다. 안긴 문장은 그것이 안은 문장에 안기는 방법에 따라 명사절, 관형사절, 부사절, 서술절, 인용절로 나누어진다.

명사절은 명사형 어미 '-(으)ㅁ(사건의 완료), -기(미완료)'가 표지(標識)이다.
절 전체가 문장에서 주어, 목적어, 보어, 관형어, 부사어, 서술어 등의 기능을 한다.

관형절은 관형사형 어미 '-(으)ㄴ, -는, -던, -(으)ㄹ'이 표지(標識)이다.
절 전체가 문장에서 관형어의 기능을 한다.

부사절은 부사형 어미 '-게, -도록, -(아/어)서, -(으)니‥‥' 부사화접미사 '-이'가 표지(標識)이다. 절 전체가 문장에서 부사어의 기능을 한다.

인용절은 인용의 부사격 조사 '고(간접인용), 라고, 하고(직접인용)'가 표지(標識)이다.
다른 사람의 말을 인용한 것이 절의 형식으로 안긴 것이다.

서술절은 특별한 문법적 표지가 없다는 점에서 다른 안긴 문장과 차이점을 보인다.
이중주어문의 소문장. 절 전체가 문장에서 서술어의 기능을 한다.

[보충학습] [고교 문법 교과서 문제 풀이]

(1) 명사절을 안은 문장

1. 명사절로 안긴 문장 파악하기 : 다음 예문을 분석하여 논술하라. 명사절을 분리하고 명사절을 구성하는 요소를 찾고, 두 요소의 의미 차이를 추출하고, 그 요소들과 서술어의 관계를 설정하라.

[이렇게 말하면 임용 2차 문제 같아질 것이다. 이런 식으로 연습을 해야 한다.]

그는 좋은 시절이 다 [지나갔음을/*지나갔기를] 알았다.
농부들이 비가 [오기를/*옴을] 기다린다.

두 문장에 들어 있는 명사절은 각각 '좋은 시절이 다 지나갔음'과 '비가 오기'이다.

이 때 명사형 어미 '-(으)ㅁ'과 '-기'는 '좋은 시절이 다 지나갔다'와 '비가 오다'를 명사절로 만드는 기능을 한다.

'-(으)ㅁ'과 '-기'는 둘 다 명사형 어미이나,

'-(으)ㅁ'이 완료 의미를 나타내는 데 반해

'-기'는 미완료 의미를 나타낸다는 점에서 차이가 있다.

'-(으)ㅁ'과 '-기'의 이런 특성은 '-(으)ㅁ'이 '알다'와 같은 서술어와 어울리고, '-기'가 '기다리다'와 같은 서술어와 어울리는 데에서도 확인할 수 있다.

물론 '-(으)ㅁ'이 '알았다'에서처럼 과거 시제 선어말어미와 함께 사용되고 '-기'는 그렇지 않은 것도, 이들의 완료와 미완료라는 문법적 의미 때문이다.

(2) 관형절을 안은 문장

1. 다음 문장 중에서 관형절을 찾아보자.

- 한국인의 따뜻한 마음을 안고 떠납니다.
- 좋은 차는 몸이 먼저 느낍니다.
- 내가 태어난 1950년에 6·25가 발발하였다.
- 그는 우리가 돌아온 사실을 모른다.
- 나는 그가 착한 사람이라는 생각이 들었다.

제시된 문장들에 들어 있는 관형절은 따뜻한, '좋은', 내가 태어난, '우리가 돌아온', '그가 착한 사람이라는', '착한' 등이다. 이 중 앞의 세 관형절과 맨 마지막 관형절은 '마음이 따뜻하다', '차가 좋다', '내가 1950년에 태어났다', '사람이 착하다'에서 뒤에 오는 체언과 관형절 내의 성분(마음이, '차가', 1950년에, '사람이')이 동일하여서 그 성분이 탈락된 것이다.

이에 비하여 '우리가 돌아왔다', '그가 착한 사람이다'라는 안긴 문장은 그 자체가 뒤의 '사실',

'생각'이라는 체언과 동일한 의미를 가졌기 때문에 생략되는 성분이 없다.

전자는 관계 관형절, 후자는 동격 관형절이라고 한다. 우리말 문법론에는 연계 관형절이라는 것도 있다. '나는 늘 우리 큰 딸이 피아노 치는 소리를 감상한다.'과 같은 관형절을 가리킨다. 표제명사(관형절이 수식하는 명사라는 뜻) '소리'는 관계관형절도 아니고 동격도 아니다. 최근에 새롭게 관찰된 현상이다. 이런 것은 국어가 영어와는 다른 면이 많음을 암시해준다.

(3) 부사절을 안은 문장

[주의] 6차 문법교과서에서는 '같이, 다리, 없이, 몰래'와 같은 '-이' 접사의 경우나 '-게, -도록'으로 된 예들만을 부사절로 보는 태도를 취하였다. 그러나 부사형 어미를 인정하지 않고 부사절도 이러한 일부 경우에만 제한하는 것은 많은 문제점이 있다. 따라서 7차에서는 종속적으로 이어진 문장의 앞 절(종속절)을 부사절로 볼 수 있는 면을 인정하여, 결국 종속적 연결어미를 부사형 어미로 볼 수 있다고 하였다. 또 학자에 따라서 대등적 연결어미에 의한 대등절도 부사절로 볼 수 있고, 대등적 연결어미나 보조적 연결어미도 결국 부사형 어미로 볼 수 있다고 주장하기도 한다. 임용 수험생들은 이런 사실 모두를 넓게 포용하는 자세가 필요하다. 과거의 자기 지식과 다르다고 해서 삐져봐야 자기만 손해이다. 차분하게 보면 [[종속절, (대등절)이 결국 부사절]]이라는 간단한 논리인 것이다. 커피 가게 이름보다 더 쉽지 않은가?

1. 다음 예문을 탐구하여 부사절을 찾아 밑줄을 긋고, (다)와 (라)에 내포된 문장이 부사절인지 종속절인지 논하고, 이때 사용된 '-게, 도록'을 무엇이라고 부르면 좋을지 논하라.
(2차 수험 대비법을 조금이라도 보여 주고 싶었다.)

(가) 비가 소리도 없이 내린다.
(나) 그는 형과 달리 말을 잘 한다.
(다) 그 곳은 꽃이 아름답게 피었다.
(라) 우리는 그녀가 지나가도록 길을 비켜 주었다.

(가), (나)에서 '소리도 없이'와 '형과 달리'가 부사절로 안긴 문장이다. '형과 달리'는 본래 '그가 형과 다르다'에 '-이' 파생 접사가 붙은 것인데, 상위문의 주어 '그는'과 동일하여 하위문의 주어가 탈락한 것이다.

(다)와 (라)의 문장에서 '아름답게'와 '그녀가 지나가도록'은 부사절로 볼 수 있는 가능성도 있고, 종속적으로 이어진 문장의 앞 절로 볼 수도 있다.

후자의 경우, '아름답게, 꽃이 피었다.'와 '그녀가 지나가도록, 우리는 길을 비켜 주었다.'를 기본 문장으로 보고 '-게'와 '-도록'을 종속적 연결어미라고 명명할 수 있다.

또한 '아름답게'와 '그녀가 지나가도록'을 부사절로 본다면, '-게'와 '-도록'은 부사형 어미라고 명명할 수 있는 가능성이 있다.

'-도록'이 비교적 긴 절을 유도하고 있음에 비하여, '아름답게'는 일반적으로 짧게 쓰이지만, '소화가 잘 되게, 밥을 천천히 먹어라'처럼 종속절 연결어미로도 쓰인다.

'-게, -도록'은 '없이, 달리'의 '-이'와는 다른 점이 있다. 즉 '-이'는 완전히 다른 단어로 파생시키는 한정된 기능을 하고 있으나, '-게'는 쓰임이 광범위하여 거의 무제한적 기능을 하고 있기 때문이다.

반대로 만약 '없이'의 '-이'가 '-게', '-도록'과 함께 부사절을 만드는 기능을 한다고 하면, 이들 모두를 부사형 어미라고 부를 수 있는 가능성도 배제하지는 못할 것이다. 만약 '-이'를 부사형 어미로 본다면 부사파생 접미사 '-이'와는 구별하여 '-이1= 부사 파생 접미사, -이2=부사형 어미'로 기술하여야 할 것이다.

(4) 서술절을 안은 문장

다음 문장들에서 서술절을 가려 내어 보자.

◦ 집은 우리 집이 제일 좋다.
◦ 나는 네가 좋다.
◦ 의자가 다리가 있다.
◦ 토끼는 앞발이 짧다.

밑줄 친 '우리 집이 제일 좋다', '네가 좋다', '다리가 있다', '앞발이 짧다'가 서술절이다. 서술절을 설정하지 않는 입장에서는 맨 앞에 나오는 '집은, 나는, 의자가, 토끼는'을 주제어로 처리하기도 한다.

(5) 인용절을 안은 문장

1. 다음 문장들에서 서술절을 가려 내어 보자.

◦ 밥 먹으러 가자고 하는데 어떻게 할까?
◦ 다음 주에 가겠다고 하던데요.
◦ 어느 날 어떤 아이가 나보고 "시골뜨기 시골뜨기"라고 놀리자 다른 아이들도 일제히 따라서 같은 소리로 합창했다.

제시된 겹문장들에서 '밥 먹으러 가자고', '다음주에 가겠다고', '시골뜨기, 시골뜨기라고'가 인용절이다. 첫 번째, 두 번째 문장은 간접 인용 조사 '고'에 의한 간접 인용절이고, 세 번째 문장은 직접 인용 조사 '라고'에 의한 직접 인용절이다.

2. 직접 인용절을 간접 인용절로 고치기

◦ 선생님께서 "오늘 수업 끝나고 다 남아!"라고 말씀하셨어.
→선생님께서 오늘 수업 끝나고 다 남으라고 말씀하셨어.

직접 인용절을 간접 인용절으로 바꾸기 위해서는 큰 따옴표(" ")를 없애고 간접 인용 조사 '고'를 붙이면 된다. 이 때 인용절의 종결 표현에 따라 간접 인용절로 바꾸어 주는 어미는 약간씩 다른데, 평서문과 감탄문의 경우에는 서술어의 어미를 '-다'로 바꾸어 준 뒤 '고'를 붙이고, 의문문의 경우에는 서술어의 어미를 '-느냐'로 바꾼 뒤 '고'를 붙이며, 청유문의 경우에는 서술어의 어미를 '-자'로 바꾸어 준 뒤 '고'를 붙인다. 의문문의 경우에는 인용절의 서술어가 형용사이거나 서술격 조사일 경우는 '냐고'로 바꾼다. 위와 같이 명령문의 경우에는 서술어의 어미를 '-으라'로 바꾸어 준 뒤 '고'를 붙인다.

[주의] 이 설명에 해당하는 예문을 반드시 스스로 만들어 보라. 문체가 조금 달라져서 '하라체'가 생겨난다.

3. 이어진 문장

둘 또는 그 이상의 홑문장이 이어지는 방법에 따라서 대등하게 이어진 문장과 종속적으로 이어진 문장으로 나뉜다. 두 절은 연결어미에 의하여 이어지는데, 이 때 앞절과 뒷절이 갖는 의미 관계가 중요한 변별 기준이 된다.

◦ 이어지는 홑문장들의 의미 관계가 대등함.
◦ 대등적 연결어미를 사용하는 경우-고(나열), -지만(대조) 등.

◦ 앞절과 뒷절의 의미 관계가 종속적임.
◦ 종속적 연결어미를 사용하는 경우-고(계기), -(으)면(조건), -(으)ㄹ지라도(양보) 등.
◦ '-기 때문에, -는 가운데, -는 중에'와 같이 명사절, 관형절로 이어진 경우.
cf. 이것은 오류임. 교사용 지도서라는 책이 오류 투성이니, 독자가 바로 잡아 보세요.

(1) 대등하게 이어진 문장

1. 대등하게 이어진 문장 파악하기

∘ 절약은 부자를 만들고, 절제는 사람을 만든다.
∘ 남긴 만큼 버려지고, 버린 만큼 오염된다.
∘ 호국 영령 추모하고, 빛난 희생 이어 가자.
∘ 사람은 책을 만들고, 책은 사람을 만든다.

대등하게 이어지는 문장의 의미 관계는 대개 나열, 선택, 대조인데, 주어진 첫째 문장은 대조의 의미 관계이며, 나머지 세 문장은 모두 나열의 의미 관계를 갖고 있다. 예문들은 대등적 연결어미 '-(으)나'와 '-고'를 통하여 앞절과 뒷절이 대등하게 이어진 문장이라고 할 수 있다.

(2) 종속적으로 이어진 문장

1. 종속적으로 이어진 문장 파악하기

∘ 봄이 오면 꽃이 핀다. (조건)
∘ 내가 먹을진대, 누가 뭐라 하겠는가? (배경)
∘ 저는 속을지언정 남을 속여서는 못쓴다. (양보)
∘ 모든 것이 볼수록 들을수록 기가 막힐 뿐이다. (더함)
∘ 그 누가 그 일을 한다 하더라도 난 전혀 상관 않고 싶다. (양보)

앞절과 뒷절은 다양한 의미 관계를 가질 수 있는데, 그것들은 종속적 연결어미를 통하여 형성된다. '-면'은 조건, '-(으)ㄹ진대'는 배경, '-(으)ㄹ수록'은 더함, '-(으)ㄹ지언정'과 '-더라'로는 양보의 의미를 띠고 있다.

[바른 국어 생활과 문법에서 인용]

7.1.2. 부 사

1. 부사의 특징

부사는 주로 용언을 꾸며서 그 뜻을 더 세밀하고 분명하게 해 주는 품사를 말한다. 관형사는 수식의 대상이 체언으로 한정되어 있고 수식의 위치도 체언의 바로 앞만 가능한 것에 비해, 부사는 용언 이외에 다른 부사와 관형사, 체언 등을 수식하고 수식의 위치가 좀더 자유롭다는 특성이 있다.

(16) 가. 어서 오시오, 매우 차다
나. 가장 빨리, 아주 멀리
다. 아주 새 옷, 바로 그 시간
라. 바로 뒤, 또 하나의

(16)은 부사의 수식 대상이 다양함을 보여 주는 예이다. (16가)는 부사 '어서'가 용언 '오시오'를, 부사 '매우'가 용언 '차다'를 수식하는 예이고, (16나)는 부사 '가장'이 부사 '빨리'를, 부사 '아주'가 부사 '멀리'를 수식하는 예이다. (16다)는 부사 '아주'가 관형사 '새'를, 부사 '바로'가 관형사 '그'를 수식하는 예이며, (16라)는 부사 '바로'가 체언 '뒤'를, '또'가 '하나'를 수식하는 예이다.

2. 부사의 종류

부사는 크게 성분 부사와 문장 부사로 나뉜다. 성분 부사는 문장의 한 성분을 꾸미는 역할을 하는데, 의미를 기준으로 하여 성상 부사, 지시 부사, 부정 부사로 나뉜다.
성상 부사는 주로 용언의 성질이나 상태를 나타내는 부사이다. 전형적으로는 '어떻게'의 의미로 용언을 수식하는 부사를 말한다.

(17) 가. 잘 달린다.
나. 매우 빠르다.
다. 높이 뛴다.
라. 빨리 걷는다.

(17)이 부사 외에 '철썩철썩, 졸졸, 딩동딩동'과 같이 소리를 모방한 의성부사, '데굴데굴, 훨훨, 성큼성큼'과 같이 움직이는 모양을 모방한 의태 부사도 성상 부사에 속하는 것으로 본다.
성상 부사는 종류에 따라 수식의 대상이 제약되기도 한다.

(18) 가. 잘, 빨리, 열심히, 쉽사리 …
나. 매우, 아주, 퍽 …

다. 바로, 겨우, 아주 …

(18가)는 '가다, 날다' 등 동사를 수식하는 성상 부사이고, (18나)는 '덥다, 튼튼하다' 등의 형용사나 '새, 헌' 등의 관형사를 수식하는 부사이며, (18다)의 부사들은 명사, 대명사, 수사 등 체언을 수식하는 부사이다. '바로'는 위치를 의미하는 명사 '앞, 뒤, 옆, 위' 등의 명사를 수식하고, '겨우'는 수량을 표시하는 '하루, 하나' 등의 단어를 수식하며, '아주'는 정도를 표시하는 '부자, 멋쟁이, 겁쟁이' 등의 단어를 수식한다. (18다)의 부사들은 체언 앞에 쓰이지만 관형사가 아니라 부사이다. 이들 부사는 '바로 가거라, 겨우 먹었다, 아주 예쁘다' 등에서 보듯이 용언 앞에서 용언을 수식할 수 있기 때문이다.

지시 부사는 공간적인 장소나 방향 혹은 시간적인 위치 등을 가리키는 부사를 말하는 것으로, 장소 부사와 시간 부사가 포함된다.

(19) 가. 여기, 거기, 저기
　　나. 이리, 그리, 저리, 이리로, 그리로, 저리로
　　다. 가까이, 멀리, 높이

(20) 가. 아까, 나중, 어제, 그제, 엊그제, 그저께, 작년, 재작년, 오늘, 내일, 모레, 내년
　　나. 막, 먼저, 방금, 벌써, 아직, 이미, 요즘, 지금, 현재, 이후
　　다. 갑자기, 대뜸, 대번, 문뜩, 별안간, 어느덧

(19)는 장소 부사인데, (19가)는 공간적인 장소를 나타내고, (19나)는 방향을 나타내며, (19다)는 공간적인 거리를 나타낸다. (20)은 시간 부사인데, (20가)는 발화시를 기준으로 그 전후의 시점을 나타내고, (20나)는 발화시 또는 다른 참조시를 기준으로 그 전후 관계를 나타내며, (20다)는 단순한 시간 위치나 분포를 나타낸다.

부정 부사는 용언의 의미를 부정하는 방식으로 수식하는 부사를 말한다.

(21) 가. 철수는 밥을 안 먹는다.
　　나. 아파서 학교에 못 간다.

(21가)에서 부정 부사 '안'은 용언 '먹는다'의 의미를 부정하고, (21나)에서 부정 부사 '못'은 용언 '간다'의 의미를 부정한다. '안'은 의도 부정을 나타내고 '못'은 상황 부정을 나타낸다. 즉 (21가)에서는 화자가 먹을 의도가 없다는 것을 의미하는 것이고, (21나)에서는 화자의 의도가

없어서가 아니라 상황에 의하여 가는 일이 이루어지지 못하는 것을 의미하는 것이다.

문장 부사는 주로 문장 전체를 수식하는 부사를 말하는데, 문장 부사는 다시 양태 부사와 접속 부사로 나뉜다. 양태 부사는 말하는 이의 태도를 나타내는 것으로 다음과 같은 예를 들 수 있다.

(22) 가. 과연 그 사람이 옳았다.
나. 설마 그런 짓을 했을라구.
다. 아마 그는 내일 올 것이다.
라. 만일 비가 온다면 운동회를 못할 것이다.
마. 설사 비가 오더라도 꼭 오너라.
바. 비록 잘못을 했더라도 용서해 주십시오.
사. 아무리 타일러도 말을 듣지 않는다.
아. 제발 정신 좀 차려라.
자. 아무쪼록 잘 부탁드립니다.
차. 부디, 건강하십시오.
카. 다행히 그는 다치지 않았다.
타. 도저히 집에 갈 수 없다.
파. 혹시 그분이 계시면 어떻게 할 것이냐?
하. 도저히 집에 갈 수 없다.
거. 하물며 그가 오지 않겠습니까?
너. 하마터면 넘어질 뻔하였다.
더. 마치 약속이나 한 것처럼 행동하였다.

접속 부사는 성분과 성분, 문장과 문장을 이어주면서 뒤의 말을 수식하는 부사를 말한다. 따라서 접속 부사는 성분 접속 부사와 문장 접속 부사로 나눌 수 있다.

(23) 가. 성분 접속 부사 : 및, 또는, 혹은, 그리고
나. 문장 접속 부사 : 그리고, 그러나, 그러면, 그러므로, 곧, 즉, 또한, 더욱이, 도리어

(23가)는 성분과 성분을 접속하는 부사의 목록이고, (23나)는 문장과 문장을 접속하는 부사의 목록이다. 구체적인 예를 들면 다음과 같다. (24)는 성분 접속 부사의 예이고, (25)는 문장 접속 부사의 예이다.

(24) 가. 선생 및 학생

나. 문과 또는 이과를 선택해야 한다.

다. 사과 혹은 배를 먹은 게 틀림없다.

라. 하늘 그리고 바다

(25) 가. 철수는 학교에 갔다. 그리고 공부를 했다.

나. 철수는 밥을 먹었다. 그러나 배가 부르지 않았다.

다. 두드려라. 그러면 열릴 것이다.

라. 비가 왔다. 그러므로 차가 많이 밀렸다.

마. 철수가 학교에 갔다. 또한 영희도 학교에 갔다.

바. 어제는 비가 많이 왔다. 더욱이 바람까지 거세게 불었다.

사. 철수는 사과하지 않았다. 도리어 화를 내기까지 하였다.

19. 명사의 문법적 특성에 관한 수업을 마친 뒤 학생들의 질문을 받았다. 각 질문에 대한 교사의 답변으로 타당하지 않은 것은?

〈명사의 문법적 특징〉

- 형태론적 특징 : 격조사가 붙을 수 있다.
- 통사론적 특징 : 주어나 목적어의 기능을 하며 관형어의 수식을 받을 수 있다.
- 의미론적 특징 : 사람, 사물, 사태 등의 이름을 나타낸다.

〈학생의 질문〉

- 질문 1 : 대명사 '이것'과 수사 '첫째'도 명사로 볼 수 있나요?
- 질문 2 : '간이, 강력, 용감, 공손'은 격조사가 붙을 수 없는데, 명사로 볼 수 있나요?
- 질문 3 : '싸움, 파괴'는 행위를 나타내는데 명사로 볼 수 있나요?

① 질문 1 : 어떤 기준을 먼저 적용하느냐에 따라 품사 분류가 달라질 수 있는데 형태 통사론적 기준을 먼저 적용하면 대명사 수사도 명사로 처리할 수 있다.

② 질문 1 : 명사 대명사 수사의 구분은 의미에 바탕을 둔 것이다. 대명사는 사물의 이름을 대신 지칭하며 수사는 사물의 수량이나 순서를 나타내는 것이므로 사물을 직접 지칭하는 명사와

다르다.

③ 질문 2 : '간이, 강력'은 격조사가 붙을 수 없다는 점과 문장에서 자립적으로 주어나 목적어의 기능을 할 수 없다는 점에서 전형적인 명사와 차이가 있다.

④ 질문 2 : 대부분의 명사가 자립적으로 쓰이는 데 비해 '용감, 공손'은 복합어를 형성하는 데에만 쓰인다는 점에서 전형적인 명사와 차이가 있다.

⑤ 질문 3 : '싸움, 파괴'는 행위나 동작의 의미를 지닐 뿐만 아니라 문장 내에서 의존적으로만 쓰인다는 점과 격조사와의 결합이 제약된다는 점에서 명사와 차이가 있다.

정답 ⑤

해 설

해 설⇩

① 질문 1 : 어떤 기준을 먼저 적용하느냐에 따라 품사 분류가 달라질 수 있는데 형태 통사론적 기준을 먼저 적용하면 대명사 수사도 명사로 처리할 수 있다.

이 문제는 우리말 문법론에 자세히 설명되어 있다. 체언을 분류할 때 그 기준은 기능, 형태, 의미이다. 의미를 제외하면 명사, 수사, 대명사는 형태·통사적인 특징은 같다. 가령, "철수가, 내가, 하나가", "철수를, 나를, 하나를", "반장 철수, 이렇게 착한 나를, 온전한 하나를" 등으로 문제에서 준 조건을 적용시켜 보면 명사, 수사, 대명사는 형태·통사적인 면에서는 같은 행태를 보여주고 있다. 따라서 이 선지는 타당하다.

② 질문 1 : 명사 대명사 수사의 구분은 의미에 바탕을 둔 것이다. 대명사는 사물의 이름을 대신 지칭하며 수사는 사물의 수량이나 순서를 나타내는 것이므로 사물을 직접 지칭하는 명사와 다르다.

타당하다. 너무 쉬워서 더 이상의 설명은 우리말 문법론을 참고하라.

③ 질문 2 : '간이, 강력'은 격조사가 붙을 수 없다는 점과 문장에서 자립적으로 주어나 목적어의 기능을 할 수 없다는 점에서 전형적인 명사와 차이가 있다.

타당한 설명이다. '*간이에서 먹자. 간이 식당에서 먹자.'처럼 접두사처럼 쓰이는 특이한 명사들이다. 이런 명사들은 접두사처림 쓰이기는 하지만 그 어휘 의미가 분명하기 때문에 어근으로 처리하는 것이 일반적이다.

④ 질문 2 : 대부분의 명사가 자립적으로 쓰이는 데 비해 '용감, 공손'은 복합어를 형성하는 데에만 쓰인다는 점에서 전형적인 명사와 차이가 있다.
타당한 진술이다.

⑤ 질문 3 : '싸움, 파괴'는 행위나 동작의 의미를 지닐 뿐만 아니라 문장 내에서 의존적으로만 쓰인다는 점과 격조사와의 결합이 제약된다는 점에서 명사와 차이가 있다.
밑줄 친 부분이 오류다. 문장 내에서 의존적으로 쓰인다는 것은 가령 '*것이 있니? *것이 없어.'와 같은 의존명사들을 가리킨다. 비교해 보라. '뭐 볼 것이 있니? 아니, 아무 것도 볼 것이 없어.'처럼 관형어가 반드시 앞에 있어야 한다. 이런 뜻이다. 격조사의 결합이 제약된다는 말은 '싸움이, 싸움을, 파괴가, 파괴를'만 예를 들어도 반박된다. 오류가 너무 쉽게 찾아진다.

20. (가)~(마)에 제시된 문장에서 유의어 변별 요소를 도출한 것으로 적절한 것은?

	학습자료	변별요소
(가)	ㄱ. 검은 연기가 {솟고/*오르고} 있다. ㄴ. 우리는 일출을 보려고 산에 {*솟았다/올랐다.}	주어가 무정명사/ 주어가 유정명사
(나)	ㄱ. 시계가 {*그쳐서/멈춰서/멎어서} 약속에 늦었다. ㄴ. 비가 {그친/멈춘/멎은} 뒤에 무지개가 떴다. ㄷ. 아이가 인형을 보고 울음을 {그쳤다/멈췄다/*멎었다.}	자동사적 용법/ 타동사적 용법
(다)	ㄱ. 쌀을 {꾸러/빌려} 왔다. ㄴ. 책을 {*꾸어/빌려} 왔다.	대상의 소멸·대치/ 대상의 보존
(라)	ㄱ. {어느/어떤} 분을 찾아 오셨어요? ㄴ. {*어느/어떤} 날씨를 좋아하세요?	여럿 가운데 선택/ 특성이나 상태
(마)	ㄱ. {아마/*혹시} 그 사람이 왔을 것이다. ㄴ. {*아마/혹시} 그 사람이 여기 왔어요? ㄷ. {*아마/혹시} 모르니까 우산을 가져가라.	평서형 어미와의 호응/ 의문문 어미와의 호응

① (가)(나)(마) ② (가)(다)(라) ③ (나)(다)(라) ④ (나)(라)(마) ⑤ (다)(라)(마)

정답 ②

이 문제는 임용 문법 문제라고 하기에는 지나치게 쉽다. 비슷한 말이 어떤 점에서 다른가 하는 문제라서 그렇다. 변별 요소란 구별 기준이라는 말이다. 가령 '필자와 독자'는 변별 요소가 무엇인가? 책을 쓰는 행위자/책을 읽는 행위자. 이렇게 말하는 것은 문제의 유의어의 의미를 풀어 말하는 것과 같은 것이다. 의미론 전공자는 연구에 무진 애를 쓰지만 성과가 나오기는 대단히 어렵다. 그런 사정 때문에 출제를 쉽게 했는지도 모른다.

우선 (가)유정명사(有情名詞)=인간, 동물 등. (나)무정명사=식물, 광물 등. 이 조건은 맞다. 또 유의어가 둘인데 변별 요소가 둘이니 더 검토할 필요도 없다. 타당하다.

다음 (나). 변별 요소는 둘인데 유의어는 셋이다. ㄱ, ㄷ에는 별표가 하나씩 붙어 있고 ㄴ에는 하나도 없다. 이러면 변별 요소를 만들 수가 없다. 상보적이라야 변별 요소를 만들 수 있다. 문법에 나오는 용어는 수학적인 개념이 많다. 상보적이란 집합론의 서로소인 두 집합이면서 전체 집합을 구성하는 단 2(더 정확히는 제한된 수의) 집합의 뜻이다.

다시 말해서 '멈추다'는 ㄱ, ㄴ, ㄷ 모두에 별표 없이 들어있기 때문에 자동사적 용법도 타동사적 용법도 가능하다. 도대체 분류를 해 줄 수가 없다. 따라서 이 경우는 변별 요소를 설정할 수가 없다.

다음 (다). 변별 요소대로다. 일반적으로는 대여 받아 온 책을 소멸시키거나 아무 책으로나 대신 돌려 줄 수는 없다. 쌀은 그것이 가능하다. 이 문제도 시비를 걸자면 걸 수는 있다. 추워서 난방용으로 불쏘시개감으로 책을 빌려왔다면 "책을 꾸워왔다"도 될 것이다. 나중에 아무 종이나 그만큼 가져다주면 될 터이니까. 이렇게까지 생각하는 것은 시험 중에는 하지 말아야 한다.

다음 (라). 타당하다. 다음 (마)는 (나)와 똑같다. 유의어가 셋인데 변별 요소는 둘이라서 당연히 답이다. ㄷ의 명령형어미를 어쩌란 말인가? 요컨대 이 문제는 변별 요소라는 말의 뜻을 알았다면 유의어의 수를 셀 일이었다. 예문 셋씩 있는 것이 오류일 테니까.

21. 『소학언해』를 제재로 한 교수 학습 자료 초안이다. 이를 수정한 내용과 그 이유가 타당한 것은? [2.5점]

孔.공子.ᄌᆡ 曾증子.ᄌᆞᄃᆞ.려 닐.러 ᄀᆞᆯᄋᆞ.샤.ᄃᆡ, .몸.이며 얼굴.이며 머.리털.이.며 .ᄉᆞᆯ.ᄒᆞᆫ 父.부母:
공자가 증자더러 일러 가라사대 몸이며 얼굴이며 머리털이며 살은 부모께

모.ᄭᅴ 받ᄌᆞ.온 거.시.라, 敢:감.히 헐.워 샹히.오.디 아 .이:홈. :효.도.ᄋᆡ 비.르.소미.오, .몸.을
받은 것이라 감히 헐게 하여 상하게 하지 아니함이 효도의 시작함이고 몸을

셰.워 道:도.ᄅᆞᆯ 行ᄒᆡᆼᄒᆞ.야 일:홈.을 後:후世:셰.예 :베퍼 .ᄡᅧ 父.부母:모ᄅᆞᆯ :현.뎌케 :홈.이:
세워(출세) 도를 행하여 이름을 후세에 남기어 그럼으로써 부모를 유명하게 함이

효.도.ᄋᆡ ᄆᆞ.ᄎᆞᆷ.이니.라. …(중략)… :유.익ᄒᆞᆫ.이 :세 가 .짓 :벋.이오, :해.로온.이 :세가.짓:
효도의 마침이니라. 유익한 것(사람)이 세 가지의 벗이고 해로운 것이 세 가지의

벋.이니, 直딕ᄒᆞᆫ.이.ᄅᆞᆯ :벋ᄒᆞ.며, :신실ᄒᆞᆫ .이.ᄅᆞᆯ :벋ᄒᆞ.며, 들:온것 한 .이.ᄅᆞᆯ :벋ᄒᆞ.이 :유.익ᄒᆞ.
벗이니 정직한 이를 벗하며 신실한 이를 벗하며 배운 것 많은 이를 벗하면 유익하고

고, :거.동.만 니.근.이.ᄅᆞᆯ :벋ᄒᆞ.며, 아:당ᄒᆞ.이 잘.ᄒᆞ.ᄂᆞᆫ.이.ᄅᆞᆯ :벋ᄒᆞ.며, :말ᄉᆞᆷ.만 니.근.이.ᄅᆞᆯ
:벋 겉치레만 익숙한 이를 벗하며 아첨하기 잘하는 이를 벗하며 말만 잘하는 이를

ᄒᆞ.이 해.로.온 이.라. 〈소학언해 권2〉
벗하면 해로우니라

〈주요 학습 항목〉

- 분철 표기 : 몸이며, 얼굴이며, 아니홈이
- 단어 형태의 변화 : ᄉᆞᆯㅎ(ᄉᆞᆯ ᄒᆞᆫ) 〉 살, 일훔 〉 이름, 벋 〉 벗, 말ᄉᆞᆷ 〉 말씀
- 단어 의미의 변화 : 얼굴(형체, 모양 〉 얼굴), 말ᄉᆞᆷ
- 객체 높임 표현 : -ᄭᅴ(父母ᄭᅴ), 받ᄌᆞ온
- 사동표현 : 헐워, 샹히오디. 셰워, 현뎌케 홈이
- 평서형어미 : '-라'('-다'의 이형태 : ᄆᆞᄎᆞᆷ이니라)

항목	수정내용	수정 이유
① 분철 표기	'해로온이라'추가	분철 표기가 일반화되었을 때 나타나는 과잉 분철 표기의 예이다.
② 단어형태의 변화	'벋>벗' 삭제	후대의 '벗'은 표기법의 변화로 인하여 나타난 표기형의 변화이지 단어 형테가 변화한 것이 아니다.
③ 단어 의미의 변화	'말솜'삭제	중세 국어의 '말솜'과 이후의 '말솜, 말씀' 사이에는 아무런 의미 차이가 없다.
④ 사동 표현	'베펴'추가	'베펴'는 '떨어지게 하다'의 의미를 표시하는 사동표현이다.
⑤ 평서형 어미	'(받즈온)거시라' 추가	'거시라'는 '것+이+라'의 구조로서 서술격 조가 뒤에 평서형 어미 '-다'의 이형태 '-라'가 통합되어 있다.

정답 ①

해 설

이 문제도 대단히 쉬운 문제이다. 중세 국어를 구경만 했더라도 풀 수 있는 문제이다. "공자왈 사람은 모름지기 공부를 열심히 해야 하느니라, 가느니라, 보느니라, 보았더니라, 갔더니라…"처럼 현대 국어에도 그 흔적이 많아 있다. 만화 같은 데서 "공자 왈, 맹자 왈 … 니라, 니라, 니라 떠불떠불떠불…" 하고 표현하기도 한다. 20세기 전반의 현대시나 개화기의 신소설에도 대단히 많이 나오며 경북에서는 지금도 많이 쓰는 어말어미이다. '-니라' 흔히 원칙법 선어말어미 '-니-'라고 표현한다. 고영근 선생님은 단순한 평서형 종결어미로 볼 수도 있다고 하셨다.

이 '-니라'가 분철의 경향에 휩쓸려 잘못 분철된 것이다. 분철(分綴 나누어 적기, 끊어적기)이란 형태소의 기본형을 살려 적는 표기법이다. 이와 달리 발음할 때의 표면적인 소리값대로 적으면 연철(連綴 이어적기)이 된다. 가령 '꽃잎에'는 분철이다. 연철은 '꼬치페'이다. 다만 이 경우에는 중세 국어의 어형이 '곶닢에'였기 때문에 '꼰니페'가 된다는 특수성이 있다.

세종대왕은 조선 백성이 참 멍청하게 보였나 보다. 분철은 너무 어려울 테니까 연철을 사용하라고 하신 것을 보면. 그러나 조선 백성은 대단히 총명했기 때문에 저절로 분철을 선택하게 된다.

[ㅎ ㅎ 그런 것이 참된 이유는 아니고] 사실은 우리말은 음절이 매우 중요한 기능을 하는 언어이라는 특성이 분철을 유도한 것이다. 세상에 태어나 기본 어휘를 습득할 단계에서부터 '물, 밥, 엄마…' 등으로 말을 배워가고, 회화를 해도 '나 물 조', '나 맘마 머거' 식으로 배운다. 따라서 명사류에서는 분철이 쉽게 고정되며 동사류에서는 연철부터 배우게 된다. 이런 것은 중세 표기법에서도 서술어에 연철이 더 심하게 나타난다는 점으로 증명이 된다. 이 사실이 중요하다. 서술어에 오면 형태소 분석이 체언에서보다 어려워지는 것이다. 이 점은 여러분도 마찬가지 아닌가? 그래서 '해로오니라'라고 표기해야 할 것을 '해로온이라'로 실수를 한 것이다.

이 분철 연철 문제는 음절이 연결될 때 앞 음절의 종성 글자가 뒤 음절의 초성 자리로 갈 때만 문제가 된다. 즉 받침이 있는 음절에 모음으로 시작하는 음절이 결합될 때만 문제가 된다. 가령 '잎에, 먹어' 등이 '이페, 머거' 등이 될 때만 문제가 된다. 반대로 뒤 음절 초성이 존재하고 앞 음절이 모음으로 끝나면 문제가 되지 않는다. 가령 '아기, 가고(go)' 등. 이런 경우에 '악이, 각오'처럼 쓰는 일은 거의 발생하지 않는다. 형태소 의식과 국어의 음절구조가 공모하여 방지하기 때문이다. 국어의 음절구조 생산의 원칙은 모음과 모음 사이에 자음이 하나 오면 그 자음은 무조건 뒤음절의 초성으로 발음하는 규칙이 있다. 가령 '아바'를 '압아'로 발음하기는 대단히 힘들다. 마지막으로 앞 음절이 자음으로 끝나고 뒤 음절이 자음으로 시작하면 분철도 연철도 따질 필요가 없다. 각각의 자리에서 자음이 다 철자되어야 한다. 그 발음은 연철, 분철과는 상관이 없고 제 음가에 음운 규칙의 지배대로 발음되면 그만이다. 가령 '국밥, 먹겠다'에서 [국빱, 머께따]처럼 발음이 된다.

요컨대 '해로오니라'로 적어야 할 것을 '해로온이라'로 적었다. 이것을 과잉분철이라고 부른다. 따라서 선지 1은 타당하다.

선지 2. '벋>벗'이 형태의 변화가 아니라 표기형만의 변화라고 했다. 이 말은 현대 국어에서 '벗이'를 [버디]로 발음한다는 뜻이다. 그런가? 결코 그렇지 않다. 따라서 오류. 국어에서 형태의 변화는 대개 표기형의 변화와 일치한다. 한글이 그만큼 정밀한 문자이고 한글 맞춤법도 대단히 정밀하기 때문이다.

선지 3. 어떤 어형이 500년 이상의 시간이 흐르면서 어떠한 의미의 변화도 겪지 않는다는 것은 일반적으로 상상하기 어렵다. 따라서 이 선지는 보는 순간 오류임을 직감해야 한다. 실제로 제시문의 번역을 위에 실으니 참고하라. 여기서의 '말솜'은 '잘난 척 하는 말하기' 정도의 의미이다. 현대의 '말씀'은 높임말이다. 큰 차이가 있다.

선지 4. 사동사(使動詞)의 본질적인 특징은 주어가 다른 사람이 무엇을 하게 시킨다는 뜻이다. 중세 국어이든 현대 국어이든 똑같다. 따라서 그런 의미가 있나만을 살펴보면 오류임을 알 수 있다. "(네가) 이름을 후세에 떨침으로써" 주어가 하나뿐이다. '시킴'의 의미도 없다. 따라서 사동 표현은 아닌 것이다.

이처럼 임용고사 문법 시험에는 온갖 문법 개념이 출제된다. 출제 기본 원칙은 학계가 모두 인정할 만큼 기본적인 개념에 국한된다. 수험 준비를 할 때 명심해야 할 사항이다. 기본 개념, 핵심 원리가 무엇인가를 명심(銘心)하라.

선지 5. 종결어미와 연결어미를 구분해보라는 문제로 보이지만 중세어 자료를 번역하는 능력을 측정하는 문제이다. 번역이 되면 저절로 풀리는 문제이다. '우리 몸은 부모께 받은 것이라(서) 다치지 않는 것이 효도의 시작이라'는 뜻이다. 밑줄 부분은 종결형 어미인가, 연결형 어미인가?

[보충학습] [연철과 분철](『중세 국어 연습』에서 인용)

받침이 있는 체언이나 용언의 어간에 모음으로 시작하는 조사나 어미가 통합할 때 대부분의 중세 국어 문헌에서는 '고지, 업슨'과 같이 음절적 표기 방식을 취했음을 앞서 살펴본 바 있다. 이러한 표기법을 연철(連綴)이라 부르기도 한다.

그러나 이미 15세기부터 이러한 환경에서 체언이나 용언 어간의 받침과 조사나 어미를 구분해서 표기하는 이른바 분철(分綴) 표기가 발견된다.

(5) a. 눈에, 말이시나, 삶을, 좋ᄋᆞᆯ; 담아, 안아 (월인)
b. ᄆᆞᅀᆞᆷ이(능엄1 : 62), 눈ᄋᆞ로(능엄9 : 51), 숤가락ᄋᆞᆯ(금삼1 : 8), ᄀᆞᄅᆞᆷ애(금삼2 : 25), 사ᄅᆞᆷ이(여씨3), 돈을(여씨31)
c. 손으로(소학1 : 3), 벋이(1 : 9); 넘으리라(소학1 : 2), ᄆᆞᆰ으며(소학5 : 13)

(5a)는 훈민정음 창제 초기의 문헌인 〈월인천강지곡〉에 나타나는 분철 표기의 예이다. 이 문헌에서는 분철 표기가 규칙적으로 나타날 뿐만 아니라, '담아, 안아'와 같이 용언 어간과 어미의 통합형이 분철된 경우도 발견된다. (5b)는 15세기말, 16세기 초의 문헌들에서 간혹 발견되는 분철 표기의 예이다. 이들 예는 모두 체언과 조사의 통합형의 경우에서만 발견됨을 알 수 있다. (5c)는 16세기말의 문헌인 〈소학언해〉에 나타난 분철 표기의 예이다. 이 문헌에서는 체언과 조사의 통합형의 경우에는 분철 표기가 매우 흔하게 발견될 뿐만 아니라 용언 어간과 어미의 통합체가 분철되는 일도 발견된다. 이상을 통해서 중세 국어 단계 중 훈민정음이 창제된 15세기에는 연철 표기가 주종을 이루었는데, 15세기 말에 명사와 조사의 통합형에서 간헐적으로 분철 표기가 나타나다가 16세기에는 분철 표기가 보다 확대되었으며 그 결과 16세기 말에는 용언과 어미의 통합형이 분철되는 일도 흔해지는 것으로 요약해 볼 수 있다.

이러한 변화의 과도적 표기 형태로 이른바 중철(重綴) 표기가 16세기 초기 문헌들에서부터 발견된다.

(6) 손늘(번박 상 : 23), 홁기(번박 상 : 40), 허믈롤(여씨 6), 옷슬(여씨 31), 밥블(이륜 8)

이러한 중철 표기는 표기에 발음과 기본형을 모두 표기하려는 의도가 반영된 것이라 할 수 있는데, 19세기까지 그 명맥을 유지하였다.

[보충학습] [사동 표현](『교사용 지도서』에서 인용)

국어 문장은 주어가 동작이나 행위를 직접 하느냐 아니면 다른 사람을 시키느냐에 따라 주동문과 사동문으로 나뉜다. 주동문을 사동문으로 바꿀 때가 능동문을 피동문으로 바꿀 때보다 더 많은 변화가 일어난다. 주어는 목적어나 부사어로, 목적어는 그대로 목적어로 바뀐다. 사동문의 주어는 주동문에 없던 것으로 새로 설정된다.

주동문을 사동문으로 바꾸는 방법에는 사동 접미사를 붙이는 방법과 '-게 하다'를 붙이는 방법이 있다.

사동법에서는 피동법과 달리 사동 접미사와 '-게 하다'를 함께 붙이는 방법이 없다. 그렇게 하면 사동 표현으로 만든 것을 사동의 사동을 시키는 결과가 되어 예컨대, '사람들이 길을 넓힌다.'와 '사람들이 길을 넓히게 한다.'에서 보는 바와 같이 완전히 다른 의미를 띤다.

사동 접미사 '-이-, 히-, -리-, -기-, -우-, -구-, -추-'는 용언의 특성에 따라 용언마다 각기 다른 것이 선택된다. 한편 '시키다'는 어휘적 사동의 예로 쓰이기도 하고 접미사로도 보아 파생적 사동으로도 설정한다. 요즘 '시키다'를 남용하는 경우가 많은데 이에 주의하여 지도하도록 한다.

주어가 동작을 직접하는가 아니면 다른 사람을 시키는가에 따라

- 주동/주동사/주동문 : 주어가 직접 동작을 하는 것.
- 사동/사동사/사동문 : 주어가 남에게 동작을 하도록 시키는 것.
- 실현 방법

① 파생적 사동문 : 주동사 어간+파생 접사(-이, 히, 리, 기, 우, 구, 추-, -시키다)

※ 일부 자동사에서는 접미사가 연속된 '-이우-'가 붙어 사동사가 되기도 함.

② 통사적 사동문 : 연결어미(-게)+보조용언(하다)

국어 문장에서 사동문은 흔히 사용되는 표현이다. 사동 접미사는 용언의 종류에 따라 각기 다르게 붙기 때문에 사동사는 사전에 등재된다. 또한 파생적 사동문(짧은 사동문)과 통사적 사동문(긴 사동문)은 그 의미가 대개 직접적, 간접적으로 나뉘지만, 그렇지 않은 경우도 있어 면밀한 관찰이 필요하다. 사동문으로의 복잡한 변화나 사동 유형에 따른 의미 차이가 어떻게 나타나는

지, 그리고 그 이유는 무엇인지 탐구하여 보도록 한다. 왜 파생적 사동문과 통사적 사동문 사이에 의미 차이가 느껴지기도 하고 그렇지 않기도 한지 생각하여 보도록 한다.

1. 사동문 만들기

① 얼음이 녹는다.

→(난롯불이) 얼음을 녹인다. (주어 → 목적어)

→(난롯불이) 얼음을 녹게 한다. (주어 → 목적어)

② 담이 높다.

→(아저씨가) 담을 높인다. (주어 → 목적어)

→(아저씨가) 담을 높게 한다. (주어 → 목적어)

③ 철수가 짐을 졌다.

→(아버지가) 철수에게 짐을 지웠다. (주어 → 부사어)

→(아버지가) 철수에게 짐을 지게 한다. (주어 → 부사어)

주동문이 사동문으로 바뀔 때에는 주동문의 주어는 사동문의 목적어(얼음을, 담을)나 부사어(철수에게)로, 목적어는 그대로 목적어(짐을)로 된다. 이 때 새로운 주어(난롯불이, 아저씨가, 아버지가)가 생겨난다. 주동문의 경우 서술어가 자동사이건 타동사이건 상관없으나, 사동문에서 서술어는 항상 타동사(사동사)로 바뀐다. 예문에서 '녹이다. 높이다, 지우다'는 사동 접미사가 붙은 형태이고, '녹게 하다, 높게 하다, 지게 하다'는 '-게 하다'가 붙은 형태이다.

2. 파생적 사동문과 통사적 사동문의 의미 차이 구분하기

① 어머니가 딸에게 옷을 입혔다.

어머니가 딸에게 옷을 입게 하였다.

② 선생님께서 철수에게 책을 읽히셨다.

선생님께서 철수에게 책을 읽게 하셨다.

대개 파생적 사동문은 주어가 객체에게 직접적인 행위를 한 것을 나타내고, 통사적 사동문은 간접적인 행위를 한 것을 나타낸다.

①의 '입혔다' 문장은 어머니가 직접 옷을 입혀 주었다는 의미이고, '입게 하였다' 문장은 딸로 하여금 입게 하였다는 의미이다.

그러나 ②와 같은 경우에는 파생적 사동문이든 통사적 사동문이든 모두 간접적 행위를 의미하는 것으로 해석된다. 결국 파생적 사동문과 통사적 사동문의 의미 차이는 서술어와 다른 성분들

의 특성에 따라 달리 해석되는 것으로 이해할 수 있다.

[보충학습] [사동 표현](『바른 국어생활과 문법』에서 인용)

사동(使動, causative)은 피동과 같이 전통적으로 '태(態, voice)'의 하나로 알려져 왔다. 사동태(使動態, causative voice)라는 명칭은 그러한 전통에서 생겨난 이름이다. '사역'이라는 술어를 쓰는 일도 있다.

사동이란 어떤 행동주, 즉 사동주(使動主, causer)가 다른 행동주, 즉 피사동주(被使動主, causee)로 하여금 어떤 일을 하게 하는 의미론적인 관계를 표현하는 문장을 말한다. 사동의 의미를 나타내는 문장을 '사동문(使動文, causative sentence)' 또는 사역문이라 한다. 여기서는 사동 또는 사동문이란 술어를 쓰기로 한다. 사동문에서 행동을 일으키는 주체를 '제1 행동주(1st agent)', 그 행동을 받아 다른 행동을 일으키는 주체를 '제2 행동주(2nd agent)'와 같이 부르기도 한다.

이에 대해서 어떤 행동주가 다른 행동주에게 행동을 시키지 않고 자신이 어떤 행동을 하는 의미 관련을 표현하는 것을 '주동(主動)'이라 하고, 그러한 의미 관련을 표현하는 문장을 '주동문'이라 한다. '주동'이나 '주동문'은 학교 문법적인 술어이나 잘 쓰이지 않는다. 주동은 사동을 전제로 하여 그와 대립되는 문장 형식을 부르는 이름이다. 다음 예를 보기로 하자.

(1) 가. 철수가 밥을 먹는다.
    나. 어머니가 철수에게 밥을 먹인다.

(1가)는 행동주가 직접 어떤 행동을 하는 ' 주동문'이며, (1나)는 사동주인 '어머니'가 피사동주인 '철수'로 하여금, '밥을 먹는' 행동을 하게 하는 사동문이다. 사동 구성에서 피사동주가 참여하는 행동을 '피사동 사건(被使動事件, caused event)'이라 한다. (1나)에서 '어머니'는 '철수가 밥을 먹는' 피사동 사건을 일으킨 사동주, 즉 제1 행동주의 성격을 가진다. (1가)의 '먹다'를 (1나)의 사동사 '먹이다'에 대하여 주동사라 할 수 있다.

사동문은 주동문에 비하여 제1 행동주 논항 하나를 더 가진다. 문장 구성 자체에 큰 차이가 있다. 따라서 일반적으로 주동문과 사동문은 변형 관계로 파악하지 않는다. 생성 문법의 변형이 이러한 정도로 큰 일을 하는 것은 아니기 때문이다. 주동문과 사동문은 주동사와 사동사를 중심으로 하는 독립적인 문장과 문장의 관계로 보아야 한다.

22. (가)~(라)에 제시된 중세 국어의 문법적 특징과 〈보기〉의 예를 바르게 짝지은 것은?

(가) 명사절이나 관형절에서 의미상의 주어가 관형격으로 나타난다.

(나) 서술어의 타동성 여부에 따른 어미의 형태 교체가 존재한다.

(다) 하나의 형태소가 분리적인 특성을 보인다.

(라) 어미의 사용이 인칭 제약을 따른다.

〈보기〉

ㄱ. 셜ᄫᆞᆯ쎠 衆生이 正ᄒᆞᆫ 길ᄒᆞᆯ 일허다.(석보상절 23. 19)

서럽구나 중생이 바른 길을 잃었다.

잃어다=잃+어+다; 여기의 '어'가 확인법 선어말어미이다. 이 형태소는 자타동사가 구분된다. 타동사 뒤에 '-어-', 비타동사(=자동사+형용사) 뒤에 '-거-'가 통합된다. (나)의 용례에 해당된다.

ㄴ. 내 지븨 아니 이숋 相이로다 ᄒᆞ더라(월인석보 8.97)

내가 집에 안 있을 관상이로다 하더라

ㄷ. 迦毘羅國 사ᄅᆞᄆᆞᆯ 네 이제 다 갓고려 ᄒᆞᄂᆞᆫ다.(월인석보 7.8)

가비라국 사람을 네가 이제 (머리를) 다 깎으려 하느냐?

가비라국 사람을 중인 네가 전부 제자로 삼으려 하느냐?

여기의 종결어미는 'ᄂᆞᆫ다'로 볼 수도 있고 '-ᄂᆞᆫ+다'로 볼 수도 있고 '-ᄂᆞ-+-ㄴ+다'로 볼 수도 있으나 일반적으로 '-ᄂᆞᆫ다'를 2인칭 현재시제 직접 의문 종결어미로 기술하고 있다. 이 종결어미는 청자에 관한 질문을 직접할 때 쓰이는 특수한 용법을 가진다. 이 현상은 특수하기 때문에 자주 다루어진다. 2010년 2차 문제로도 또 출제되었다. 따라서 (라)의 용례가 된다.

ㄹ. 須達이 올 ᄯᆞᆯ 아ᄅᆞ시고 밧긔 나아 걷니더시니(석보6.20)

수달이 올 줄 아시고 밖에 나가 걸어다니시더니

ㅁ. 王이 怒ᄒᆞ야 니ᄅᆞ샤ᄃᆡ 畜生ᄋᆡ 나ᄒᆞᆫ 거실ᄊᆡ 그러ᄒᆞ도다(석보 11.31)

왕이 노하여 말하시되 "축생(짐승)의 낳은 것이므로 그러하도다."

현대어 : 축생이 낳은 것. (가)의 용례에 해당된다.

가령 '나의 살던 고향은'의 '나의'와 같다. 의미상으로는 '내가'와 동일하다.

ㅂ. 시혹 내 罪를 듣거시나 시혹 내 犯을 疑心커시나 어엿비 너겨(월인석보 23.94)

혹시 내 죄를 들으셨거나 혹시 내 죄를 의심하셨거나 불쌍히 여겨

'듣거시나'를 분석하면 '듣+거나'인데 '거나'의 사이를 '시'가 뚫고 들어갔다는 설명이다. 이 때의 '거나'는 분석할 수 없는 하나의 형태소로 처리된다. 따라서 (다)의 용례가 된다.

	(가)	(나)	(다)	(라)
①	ㄴ	ㅂ	ㄹ	ㄷ
②	ㅁ	ㄱ	ㅂ	ㄷ
③	ㅁ	ㅂ	ㄹ	ㄴ
④	ㄴ	ㄹ	ㅁ	ㄱ
⑤	ㅁ	ㄱ	ㄹ	ㄴ

정답 ②

해 설

이 문제는 중세 국어 문법의 대표적인 특수성을 묻고 있다. 현대 국어와 다른 점은 앞으로도 자주 출제될 것이다. 아래에 정리해 둘 터이니 반드시 기억해두기 바란다.

[보충학습] [중세 국어의 문법적 특수성]

중세 국어의 문법적 특징에 대한 문제는 적어도 매년 한 문제가 출제되고 있다. 앞으로도 그럴 것이다. 표준 중세 국어를 정독, 애독, 탐독, 발췌독해야 할 것이다. 이 책의 내용을 다 안다면 중세 국어에서 틀리지는 않을 것이다. 혼자 읽기 부담스럽다면 필자의 강의를 따라 들으면 된다. 듣고 나면 그 내용이 그다지 어려운 것이 아니며, 혼자서도 충분히 알 수 있었음을 깨달을 것이다.

우선은 여기에 인용하는 기본 개념만이라도 이해해 두기 바란다. 표준 중세 국어의 내용을 인용한다.

[형태적 특징]

(1)은 명사가 환경에 따라 형태를 달리하는 것이다.

(1) 가. 나모 아래, 나못 불휘, 나모와, 나모도; 남ᄀᆞᆫ, 남기, 남ᄀᆡ
    나. ᄡᅡ 허위며, ᄡᅡ마다, ᄡᅡᆺᄉᆞᅀᅵ; ᄡᅡᄒᆞᆫ, ᄡᅡ히, ᄡᅡ해

(가)는 휴지나 사이시옷, 자음으로 시작하는 조사 '와[wa], 도' 앞에 나타나는 '나모'가 모음으로 시작하는 조사 앞에 쓰일 때는 '낡'으로 교체되는 예이다. (나)는 휴지나 조사 '마다', 사이시옷 앞에 나타나는 'ᄡᅡ'가 모음으로 시작하는 조사 앞에서는 'ᄡᅡᇂ'으로 교체되는 예이다. 현대 국어에서는 적어도 명사가 환경에 따라 형태를 바꾸는 일이 없는데 중세 국어에서는 이런 교체를 보여주는 명사가 많다.

(2)는 체언과 용언의 모음적 성격에 따라 두 갈래의 조사와 어미가 선택되는 것이다.

(2) 가. 사ᄅᆞᄆᆞᆫ/수른, 사ᄅᆞᄆᆞᆯ/수를, 사ᄅᆞᄆᆡ/수릐
    나. 마ᄀᆞ니/머그니, 마고니/머구니

(가)는 양성모음으로 된 체언 아래에서는 'ᄋᆞᆫ, ᄋᆞᆯ, ᄋᆡ'가, 음성모음으로 된 체언 아래에서는 '은, 을, 의'가 각각 쓰이는 예이다. (나)는 양성모음으로 된 어간 아래에서는 '-ᄋᆞ니, -오니'가, 음성모음으로 된 어간 아래에서는 '-으니, -우니'가 각각 선택되는 예이다. 현대 국어에서는 '은, 을, 의, 으니'와 같이 한 종류만 확인된다.

(3)은 어미 가운데서 항상 '오/우'를 선접하는 것이다.

(3) 마곰/머굼, 마고ᄃᆡ/머구ᄃᆡ, 마고려/머구려

현대 국어는 '막음/먹음, 막되/먹되, 막으려/먹으려'가 되어 '오/우'가 나타나지 않는 데 대해, 중세 국어에서는 '오/우'가 필수적으로 선접되었다.

중세 국어의 어미 가운데는 동사의 어휘적 성격에 따라 형태를 달리하는 것이 많다. (4)는 그러한 구별을 보이는 것이다.

(4) 가. 가거늘, 가거든, 가거니
    나. 머거늘, 머거든, 머거니

(가)는 '거' 계통의 어미가 자동사, 곧 비타동사에 붙는 예이고 (나)는 '어' 계통의 어미가 타동사에 붙는 예이다. 현대 국어에서는 어느 경우에나 '거'로만 시작하고 있지만 중세 국어에서는 '거'와 '어'로 구별되었다.

(5)는 한 형태소가 형태소 내부에 끼어드는 것이다.

(5) 가. (가)거시늘, (먹)어시늘

나. (가)ᄂᆞ닛가, (가)ᄂᆞ니잇가

(가)는 주체높임의 '-시-'가 한 형태소 '-거늘, -어늘'의 중간에 삽입된 예이다. (나)의 '-ㅅ-'은 상대높임법의 ᄒᆞ야쎠체 표지인데 의문형어미 '니…가' 사이에 삽입된 예이다. 그리고 '-잇-'은 상대높임법의 ᄒᆞ쇼셔체 표지인데 역시 의문형 어미 '니…가'의 가운데 삽입된 예이다. (가)와 같은 것은 현대 국어에서 '시거늘'로 바뀌었기 때문에 '시'가 형태소 중간에 삽입되는 일을 볼 수 없다. (나)의 'ㅅ, 잇'은 현대 국어에서 그 자취를 찾기가 어렵다.

(6)은 선어말어미가 서로 화합(化合)된 것이다.

(6) 가. ᄒᆞ다라, ᄒᆞ다니

나. ᄒᆞ과라, ᄒᆞ가니

(가)의 '-다-'는 회상법 선어말어미 '-더-'와 선어말어미 '-오-'가 화합된 예이다. (나)에서 '-과-, -가-'는 확인법의 선어말어미 '-거-'에 선어말어미 '-오-'가 화합된 예이다. 현대 국어에서는 '느+이 →'(먹네)와 같이 선어말어미와 어말어미가 화합되는 일은 있어도 선어말어미끼리 화합되는 일은 없다.

(7)은 비통사적 합성어이다. 어간이 서로 합성하여 합성동사가 된 것이다.

(7) 잡쥐다, 여위시들다

현대 국어에도 '오르내리다, 검붉다'와 같은 합성용언이 없는 바는 아니나 중세 국어만큼 생산적이지 못하다. '잡쥐다'는 '잡아쥐다'로 바뀌었고 '여위시들다'는 '여위고 시들다'라는 구로 바뀌었다.

(8)은 용언의 어간 또는 어근 그대로 부사가 된 예이다.

(8) 가. 바ᄅᆞ, 하, 곧

나. 마초, 모도, ᄀᆞ초

(가)는 형용사가, (나)는 동사가 각각 부사가 된 것으로 현대 국어에는 볼 수 없다.

[통사적 특징]

중세 국어의 문장구조도 현대 국어와 크게 다른 점을 발견하기가 어렵다. 우선 타동사문을 대상으로 할 때 '주어(S)+목적어(O)+동사(V)'의 구성을 보여 준다는 점에서 그러하다. 관형어는 항상 체언 앞에 놓이고 부사어는 원칙적으로 서술어 앞에 자리잡는다. 그러나 문장구성에서부터 문법요소에 이르기까지 자세히 살펴보면 형태구조 이상으로 다른 점이 발견된다.

(1)은 협주문에서 주어로 쓰인 명사가 뒤에 다시 반복되어 나타나는 예이다.

(1) 眷屬ᄋᆞᆫ 가시며 子息이며 죵이며 집앉 사ᄅᆞᄆᆞᆯ 眷屬이라 ᄒᆞ나니라 (석보상절 권6, 5장)

현대 국어에서는, 정의되는 사항(事項)이 특수한 경우를 제외하고는 반복되는 일이 드문데 중세 국어에서는 주어명사 '眷屬'이 서술어 부분에서 또다시 되풀이되고 있다.

(2)는 관형절과 명사절의 주어가 관형격조사 'ᄋᆡ/의'를 취하는 예이다.

(2) 가. 沙門은 ᄂᆞᄆᆡ 지순 녀르믈 먹ᄂᆞ니이다 (석보상절 권24, 22장)

나. 迦葉의 能히 身受호ᄆᆞᆯ(홈+ᄋᆞᆯ) 讚歎ᄒᆞ시니라 (월인석보 권13, 57장)

현대 국어에서는 '나의 살던 고향'과 같이 관형절의 주어가 관형격으로 표시되는 일은 있을 수 있어도 (2나)와 같이 명사절의 주어가 관형격으로 표지되는 일은 접하기 어렵다.

(3)은 자동사구문임에도 불구하고 동사의 활용형에 타동사표지 '어'가 나타나 있다.

(3) 구루미 비취여늘 (용비어천가, 42장)

그러나 동작주 '하ᄂᆞᇂ'을 설정하면 이 구문이 타동사구문으로 해석되고 타동사표지를 취하는 이유를 설명할 수 있다. 이런 구문을 능격문이라고 한다. 현대 국어에도 '아기의 울음이 그쳤다'와 같이 이런 구성이 나타나는 일이 없지 않으나 중세 국어와 같이 활용형에 타동사표지가 나타나는 일은 없다.

(4)는 주어명사 '버들'이 높임의 대상이 아님에도 불구하고 선어말어미 '-시-'가 사용되어 있다.

(4) 故園에 버드리 이제 이어 뻐러디거시니 엇뎨 시로곰 시름가운딕 도로 다 나ᄂᆞ니오 (두시언해 권16, 51장)

현대 국어에서는 '-시-'가 언제나 높임의 대상이 되는 인물과 직접·간접적으로 관련되는 주어명사에 일치하여 쓰이는데 중세 국어에서는 그런 제약을 받지 않고 쓰이는 일이 있었다.

(5)는 객체(여기서는 부사어명사와 목적어명사를 합친 뜻임)를 높이는 선어말어미 '-숩-'(〉줍)이 동사의 활용형에 나타나는 예이다.

(5) 가. 내 아래브터 부텻긔 이런 마를 몯 드ᄌᆞᄫᆞ며 (석보상절 권13, 44장)

나. 뎌… 如來ㅅ 功德을 내 일ᄏᆞᆮ줍듯 ᄒᆞ야 (석보상절 권9, 26장)

현대어에서도 '선생님께 드리다'와 같이 부사어명사를 높이는 일이 없지 않으나 어휘적 수단에 의지할 뿐이고 중세 국어처럼 활용형으로 나타나는 일은 매우 드물다.

(6)은 활용형에 선어말어미 '-오-'가 나타난 예이다.

(6) 가. 내 오ᄂᆞᆯ 實로 無情호라(ᄒᆞ+오+다) (월인석보 권21, 219장)

나. 鹿母夫人의 나혼(낳+오+ㄴ) 고ᄌᆞᆯ 어듸 ᄇᆞ린다 (석보상절 권11, 32장)

(가)의 '-오-'는 주로 주체가 화자일 때 선택되는 경향을 보여 주고 (나)의 '-오-'는 꾸밈을 받는 명사가 꾸미는 동사의 목적어가 될 때 선택되는 일면을 지니고 있다. (가)와 같은 용법은 현대 국어에서 극히 일부의 문어체에 남아 있고 (나)와 같은 용법은 자취를 찾을 수 없다.

(7)은 중세 국어의 의문형어미이다.

(7) 가. 究羅帝여 네 命終ᄒᆞᆫ다(ᄒᆞ+ㄴ다) (월인석보 권9, 36장 상)

나. 어듸아 됴ᄒᆞᆫ ᄯᆞ리 양ᄌᆞ ᄀᆞᄌᆞ니 잇거뇨 (석보상절 권6, 13장)

(가)의 '-ㄴ다'는 주어가 제2인칭대명사 '너'일 때 선택되는데 현대어에는 이런 용법을 표시하는 형태가 없다. (나)의 '-뇨'는 '어듸'와 같은 의문사가 동반될 때 선택되는 어미인데 역시 현대 국어에서는 찾기 어렵다.

(8)은 관형사형 '-ㄴ, -ㄹ'가 명사적으로 쓰인 예이다.

(8) 가. ᄂᆞᄆᆡ 뿌미 ᄃᆞ욀씨 닐온(니ᄅᆞ+오+ㄴ) 傭이오 (법화경언해 권2, 191장)

나. 너펴 돕ᄉᆞ오미 다ᄋᆞᆳ업서 (법화경언해 서, 18장)

현대 국어에서는 관형사형 다음에는 반드시 명사가 와야 하는데 중세 국어에는 명사가 오지 않아도 관형사형 자체만으로 명사형과 같은 기능을 표시하는 일이 있었다.

23. 중세 국어 자료의 대화 내용을 알아보기 쉽게 재구성해 보았다. 이를 통해 알 수 있는 사실로 타당하지 않은 것은?

(성문 아래에서 실을 꼬는 옥녀에게)

太 子 : 네 어썬 사ᄅᆞ민다

너가 어떤 사람인가? ᄒᆞ라체. 너 사용.

玉女1 : 내 龍王(용왕)ㅅ 밧門 자ᄇᆞᆫ 죠ᇰ이로라

내가 용왕의 바깥문 잡은 종이다.

(더 안으로 들어가 안쪽 문으로 가서 은실을 꼬는 옥녀에게)

太 子 : 그듸 龍王ㅅ 각시 아니시니

그대가 용왕의 아내가 아니시니……? 반말. ᄒᆞ라체보다는 높임. 그대, 시 사용.

옥녀2 : 龍王ㅅ 中門 자ᄇᆞᆫ 죠ᇰ이로라

용왕의 중문 잡은 종이다.

(더 들어가 안쪽 문으로 가서 황금실을 꼬는 옥녀에게)

太 子 : 그듸 엇더니시니

그대가 어떤 사람이시니……?

玉女3 : 나ᄂᆞᆫ 龍王ㅅ 안門 자ᄇᆞᆫ 죠ᇰ이로라

나는 용왕의 안문 잡은 종이다.

太 子 : 그듸 날 爲ᄒᆞ야 大海龍王ᄭᅴ ᄉᆞᆯ보ᄃᆡ …… 善友太子ㅣ 보ᅀᆞᄫᆞ라 왯다 ᄒᆞ고라

그대가 날 위하여 대해용왕께 아뢰되 …… 선우태자가 뵈러 와 있다 (말씀)하구려

(중략)

龍 王 : 福德 ᄀᆞ즌 사ᄅᆞᆷ 아니면 이런 險(험)ᄒᆞᆫ 길헤 옳 줄 업스니라 ……

복덕을 가진 사람 아니면 이런 험한 길에 올 수 없으니라 ……

먼 길헤 와 므스거슬 얻고져 ᄒᆞ시ᄂᆞᆫ고

먼 길에 와 무엇을 얻고자 하시는고?

太 子 : 大王하 閻浮提(염부제)옛 一切 衆生이 옷 밥 爲ᄒᆞ야 그지 업슨 受苦ᄒᆞᆯᄊᆡ 이제 王ᄭᅴ
대왕이시여! 세상의 일체 중생이 옷 밥 위하여 끝이 없는 수고를 하므로 이제 왕께
왼녁 귀옛 如意摩尼寶珠(여의마니보주)를 비ᅀᆞᆸ고져 ᄒᆞ노이다 (월인석보 22. 44~46)
왼쪽 귀에 있는 여의주를 빌리옵고자 합니다.

① '太子'는 '玉女'들이 龍王과 관련된 인물임을 안 뒤 그 전과는 달리 상대를 높이고 있다.
② 太子는 玉女3이 大海龍王에게 전할 말을 직접 인용하여 명령하고 있다.
③ 玉女들은 모두 太子를 상위자로 대접하지 않고 있다.
④ 龍王이 발화한 첫째 문장은 太子를 청자로 한 것이 아니다.
⑤ 龍王이 발화한 둘째 문장은 일반적인 중세 국어의 질서에서 벗어난 예외적인 것이다.

정답 ②

해 설

해 설⇩

① '太子'는 '玉女'들이 龍王과 관련된 인물임을 안 뒤 그 전과는 달리 상대를 높이고 있다.
처음에는 하라체를 썼다. 상대는 너이다. 다음부터는 반말을 썼다. 반말은 ᄒᆞ라체보다는 상대를 높이는 등급이다. 상대를 지칭하는 말은 그듸를 쓴다. 너보다는 그듸가 더 높이는 말이다. 또 주체높임법 선어말어미 '-시-'를 추가하고 있다. 타당한 진술이다.

② 太子는 玉女3이 大海龍王에게 전할 말을 직접 인용하여 명령하고 있다.
직접 인용이라는 것은 " "처럼 인용하는 것을 말한다. 따라서 직접인용문을 만들면 '"내가 용왕님을 보ᅀᆞᄫᆞ라 왯ᄉᆞᆸ노이다." ᄉᆞᆲᄋᆞ주고라.'처럼 될 것이다. 여기서는 자기의 신분을 선우태자라고 밝히고 있기 때문에 간접인용이라는 증거가 된다.

③ 玉女들은 모두 太子를 상위자로 대접하지 않고 있다.
모두 ᄒᆞ라체를 쓴다. 그 어떤 높임의 표지도 나타나지 않는다. 용왕의 종이지만 코를 한없이 높이고 있다. 대부분의 인간들과 같다. 고전을 읽으면 이런 저질 태도도 보편성과 항구성을 지니고 있음을 생생하게 느끼게 된다. 여러분들은 끝없이 낮추시길 바란다.

④ 龍王이 발화한 첫째 문장은 太子를 청자로 한 것이 아니다.

번역을 읽어보니 독백이라는 것이 분명하게 느껴지는가? 높임이 전혀 없다. 그 다음 문장은 대화이며 높임법을 쓰고 있다. 높임도 주체높임의 '시'만 쓰고 있다. 계속 대화를 하면서 상대가 부처님이라는 것을 알게되면 용왕은 태자에게 극존칭을 쓰게 된다.

⑤ 龍王이 발화한 둘째 문장은 일반적인 중세 국어의 질서에서 벗어난 예외적인 것이다.

이 선지는 문제가 있다. 중세 국어 자료의 한 문장을 일반적이지 않다고 할 수는 없기 때문이다. 다만 'ᄒᆞ시ᄂᆞ고'보다 'ᄒᆞ시ᄂᆞ니잇고', 'ᄒᆞ시ᄂᆞ닛고', 'ᄒᆞ시ᄂᆞ다'가 흔히 쓰이고 있었다는 것을 말하려는 것 같았다. 즉 빈도수가 작다는 것을 말하는 듯하다.

이 문제는 중세 국어 자료를 번역하라는 문제이다. 중세 국어 강독을 충분히 해 두면 이런 문제는 고맙게 된다. 제시문 분석이 어려우면 문제는 상대적으로 쉽기 때문이다. 위에 부기한 번역을 보면 문제가 그냥 풀린다는 것을 확인할 수 있을 것이다. 임용 준비를 어떻게 해야 하는지 방향이 보이지 않는가? 그렇다면 매일 아침 일찍부터 공부하시라.

24. 훈민정음 창제 이전에 한자를 이용해 우리말을 적었던 차자표기에 대한 자료이다. 제시된 자료들의 상호 관련성을 설명한 내용 중 가장 적절한 것은?

(가) 혹은 '異次'라 하고 혹은 '伊處'라고도 하니 방음(方音)이 다르기 때문이며, 그 뜻은 厭(염, 싫어하다)이다. 髑, 頓, 道, 覩, 獨 등은 모두 글 쓰는 사람의 편의에 따른 것으로 곧 조사(助辭)이다. 이제 앞 글자는 뜻으로 풀고 뒤 글자는 뜻으로 풀지 않았기 때문에 '厭髑'이라 하고 또 '厭覩' 등으로도 쓴 것이다. ('厭髑' "或作異次 或云伊處 方音之別也 譯云厭也 髑頓道覩獨等 皆隨書者之便 乃助辭也 今譯上不譯下 故云厭髑 又厭覩等也")(삼국유사 권3의 '厭髑' 주(註))

(나) 居柒夫 或云 荒宗 (삼국사기 권44)

(다) 赫居世王 或作 弗矩內王 (삼국유사 권1)

(라) 道尸(*길), 世里(*누리), 阿孩(*아ᄒᆡ), 唯只(오직), 据叱可(*것거) (삼국유사)

(마) 臣隱愛賜尸母史也(臣은 ᄃᆞᄉᆞ실 어ᅀᅵ여) (향가 '안민가', 김완진 해독)

① (가)의 '厭覩'는 (나)의 '居柒夫'와 표기방식이 같다.
② (가)의 '厭髑'는 (다)의 '弗矩內王'과 표기방식이 같다.
③ (가)의 '異次'는 (마)의 '母史也'와 표기방식이 같다.
④ (다)의 '赫居世王'은 (라)의 '阿孩'와 표기방식이 같다.
⑤ (라)의 '据叱可'는 (마)의 '愛賜尸'과 표기방식이 같다.

정답 ⑤

해 설

해 설⇩

이런 유형의 문제의 해법은 매우 간단하다. 한자를 음으로 읽느냐, 뜻으로 읽느냐, 말음첨기이냐의 셋만 확인하면 된다. [보충학습] 참고. 문제는 한자의 음과 훈을 너무 모른다는 것이다. 따라서 한자 공부를 지금부터 시작해야 할 것이다. 매년은 아니겠지만 가끔 출제될 것이다. 방법은 지금 설명하는 것이 그 전부이다.

①번 선지의 '厭覩'는 발음은 '이차돈'이다. "혹은 '異次'라 하고 혹은 '伊處'라고도 하니 방음(方音)이 다르기 때문이며, 그 뜻은 厭(염, 싫어하다)이다."에서 '이차, 이처'가 발음이라고 했다. 뜻은 '싫어하다'라고 했다. 따라서 '厭覩' = [이차돈]이다. 따라서 厭은 뜻글자, 覩는 음글자이다.

居柒夫 或云 荒宗이란 '거칠부 = 황종'이다. 荒은 거칠 황이다. 따라서 '거칠'=음글자이다. 夫는 뜻글자인지 음글자인지 분명하지 않다. 그래도 염은 뜻글자, 거칠은 음글자이므로 같지 않다는 것은 알 수 있다.

②번 선지의 '厭髑'는 '뜻글자+음글자"이다. (다)의 '弗矩內王'은 음으로 읽으면 '불구내 왕'이다. '밝은 누리' 정도의 의미이다. 따라서 모두 음글자이다. 불일치.

③번 선지의 (가)의 '異次'는 음글자이다. (마)의 '母史也'는 '어ᅀᅵ여'로 번역이 나와 있다. 也는 '여'이므로 음글자. 母는 '어ᅀᅵ' 따라서 뜻글자. 史는 말음첨기의 'ㅿ'표시이다. 즉 '어ᅀᅵ'의 'ㅿ'를 강조하기 위해 쓴 글자이다. 따라서 불일치.

④번 선지의 (다)의 '赫居世王'은 밝을 혁, 살 거, 누리(내) 세. 따라서 뜻글자+음글자+뜻글자. (라)의 '阿孩'는 [*아히]라고 발음을 주었으므로 음글자이다. 따라서 불일치.

⑤번 선지의 (라)의 '据叱可'는 꺽을 거, 꾸짖을 질(혹은 사잇소리 ㅅ), 가할 가. 그런데 그음을

'것거'로 주었으므로 '거+ㅅ+거', '음글자/뜻글자+말음첨기+음글자' 구성이다. '꺾을 거'이라서 음글자, 뜻글자의 어느 하나로 꼭 집어 말할 수가 없다. (마)의 '愛賜尸'는 사랑 애, 하사할 사, 시체 시. 그러나 愛는 'ᄃᆞᄉᆞ실'에서 'ᄃᆞᇫ다>따뜻하다' 정도의 뜻이다. 뜻글자. 賜는 주체높임의 '시/샤'의 표기를 담당했었다. 음글자. 尸는 말음 'ㄹ'을 표시했다. 따라서 '뜻글자+음글자+말음첨기'의 구성이다.

이렇게 보면 완전히 동일한 구성은 없다. 따라서 명백하게 틀린 ①, ②, ③, ④를 지우면 ⑤가 된다. 선지 ⑤는 뜻글자, 음글자, 말음첨기의 복합형이라는 점에서 똑같다. 이 문제는 『국어사』(방통대 교재, 이기문·이호권 공저의 5장 2절에 그대로 있었다. 임용 수험생들은 문법에 관한 한 방통대 교재를 정독할 일이다. 책값도 가장 싸다.)

[보충학습] [차자표기법](『맞춤법과 표준어』에서 인용)

한글이 창제되기 전, 우리 조상들은 한자로 문자 생활을 하였다. 21세기 현대를 사는 우리는 한글이란 문자를 전면적으로 사용하고 있지만, 예전 시기에 중국의 한자는 동아시아의 유일한 문자였다. 우리 조상들은 아주 이른 시기부터 중국과의 접촉을 통하여 한자를 받아들였고 우리말을 적는 데 이 문자를 사용해 왔다.

우리말을 한자로 기록하는 방법은 크게 두 가지이다. 하나는 우리말을 중국어로 번역해서 한문(漢文)으로 적는 것이고, 또 하나는 우리말 그대로를 한자(漢字)를 빌려 적는 것이다.

첫 번째 방법인 우리말을 중국어로 번역하여 한문으로 적는 방법은 상당한 학습을 필요로 하는 일이다. 한문, 즉 고전 중국어의 문법에 통달하지 않고서는 쉽게 적을 수 없기 때문이다. 입으로는 우리말을 하지만 글로는 중국어 문어(文語)인 한문으로 적는, 이러한 기형적인 이중 언어생활은 한글이 창제된 훨씬 이후인 최근세에 이르기까지 지속되었다. 이를 20세기 초엽의 학자들은 '언문이치(言文二致)'[언문일치(言文一致)가 아닌]라고도 했다.

두 번째 방법은 한자의 '뜻'과 '소리'를 빌려서 우리말을 적는 것이다. 이러한 표기 방식을 '한자 차용 표기법(漢字借用表記法)' 또는 줄여서 '차자 표기법(借字表記法)'이라고 한다. 이 차자 표기법의 원리는 간단히 말해서 다음과 같다.

'天'이란 한자를 우리는 '하늘 천'자라고 한다. 여기서 '하늘'은 뜻[=훈(訓)=석(釋)=의미]이고, '천'은 소리[=음(音)]이다. 우리말 '돌쇠'라는 사람 이름을 한자로 '石金'이라고 적었다면, 여기서 '石'과 '金'은 모두 한자의 '뜻'을 빌려서 적은 것이다. '돌이'라는 이름을 '石伊'와 같이 적었다면, '石'은 뜻을, '伊'는 음을 빌려 적은 셈이 된다. 처음에는 인명(人名), 지명(地名), 관직명(官職名) 등 고유명사를 이런 방식으로 적다가, 좀더 발전하여 문장 단위까지도 적을 수 있는 방법이 생겨났다.

차자 표기 방식으로 알려진 것이 여럿 있지만, 그 중 대표적인 것이 '이두, 구결, 향찰'이다. 이들은 모두가 다 문장 단위를 표기할 수 있는 것이다. 한 가지씩 간략히 설명하기로 한다.

이두(吏讀)는 한문을 우리말 어순에 따라 적는 방식이다.

(1) 壬申年 六月十六日 二人幷誓記 天前誓 今自三年以後 忠道執持 過失无誓 若此事失 天大罪得誓…… (임신서기석)

(2) 本國乙 背叛爲遣 彼國乙 潛通謀叛爲行臥乎事 (대명률직해)

*임신서기석(壬申誓記石) : 임신년(552년 또는 612년으로 추정)에 맹세한 기록을 새긴 돌.
*대명률직해(大明律直解) : 조선 초기(1395년)에 명나라 법률을 이두로 번역한 책.

(1)은 다음과 같은 의미이다. "임신년 6월 16일에 두 사람이 함께 맹세하여 기록한다. 하늘 앞에 맹세한다. 이제부터 3년 이후에 충도를 집지하고 과실이 없기를 맹세한다. 만약 이 일을 잃으면 하늘에 큰 죄를 얻을 것이라고 맹세한다. ……" 얼핏 보면 한문 같지만 어순이 다르다. '天前誓, 今自' 등과 같이 우리말 어순에 따라 한자를 나열한 것이다. 한문이라면 '誓前天, 自今' 등으로 되었을 것이다. 이런 방식은, 영어의 예를 든다면 "I you love."와 같은 방식이라 할 것이다.

(2)는 "본국을 배반하고 다른 나라를 몰래 상통하여 모반을 꾀하는 일"이란 뜻이다. 우리말 어순에 따라 한자어를 배열하고, 문맥을 분명히 하기 위해 우리말 문법 요소도 덧붙였다. 여기서 '乙, 遣'은 한자의 음을 빌린 것[음차(音借)]이고, '爲, 行, 臥, 乎' 등은 한자의 뜻을 빌린 것[훈차(訓借)]이다. 앞에서 본 "I you love."가 "I-ga you-reul love-handa."와 같은 방식으로 발전한 것이라 할 수 있다.

신라시대 이전으로 소급되는 '이두'는 고려, 조선을 거쳐 '한글'이 창제된 이후에도 관청의 행정문서, 민간의 계약문서 등에 줄곧 사용되었다. '이두'라는 명칭은 관청의 아전[서리(胥吏)] 계층에서 이 표기법을 많이 사용한 데서 기인한 것이다.

구결(口訣)이란 말은 우리말 고유어 '입겿'(입겾)의 한자 차용 표기이다. '입겿'이란 말은, 현대 국어 '읊-'에 해당하는 중세 국어가 '잎-('입'으로 표기)'인데, 여기에 사물의 기본적인 바탕에 따르는 부차적인 성질을 뜻하는 '겿'이 붙은 말이다. 흔히 '토(吐)'라고 하는 것이다. 곧 한문을 읽을 때, 문법적 관계를 표시하기 위해 삽입하는 요소들을 가리킨다.

(3) 天地之間 萬物之衆涯 唯人伊 最貴爲尼 所貴乎人者隱 以其有五倫也羅 (동몽선습)

(4) 天地之間 萬物之衆𠂇 唯人丶 最貴丷匕 所貴乎人者1 以其有五倫也ᄉ

예전 시대의 어린이 학습서인 『동몽선습(童蒙先習)』에 구결을 단 예이다. 한문을 읽을 때 앞뒤

어구가 서로 어떠한 문법적 관계를 가지는지 정확히 파악하기 위해서 한문 원문 사이에 우리말 문법 요소를 끼워 넣은 것이다. '涯, 伊, 爲尼, 隱, 羅'자는 우리말 요소 '-애, -이, ᄒᆞ니, -은, -라'를 한자를 빌려서 표기한 것이다. 흔히 (4)와 같이 약체자(略體字)가 사용되기도 한다. 구결이 달려 있는 한문을 구결문이라고 하는데, 이 구결문에서 구결을 빼면 원래의 한문이 된다. 한문 원문에 전혀 변형을 가하지 않고 오직 해독의 편의를 위해서만 구결을 다는 것이다. 앞에서 본 '이두'의 경우는 우리말 문법 요소를 빼더라도 원래의 한문 문장으로 복원되지 않는다. 이것이 '이두'와 '구결'의 다른 점이기도 하다.

근자에는 이렇게 음으로만 읽지 않고 그 구결을 따라 읽으면 한문이 우리말로 번역되는 구결 자료도 발견되어 많은 연구가 진행되고 있다.

향찰(鄕札)은 '향가(鄕歌)'의 표기에 사용된 차자 표기법이다. 한자를 빌려서 우리말을 적는 방법 가운데 가장 완결된 모습을 보여 주는 것이기도 하다.

(5) 東京明期月良 夜入伊遊行如可(처용가)

신라 향가 「처용가(處容歌)」의 첫 구절이다. 이 노래에 대하여 해독 방법이 확정된 것은 아니지만, "東京 밝은 달에 밤들이(밤새도록) 노니다가" 정도의 의미이다. '향찰' 표기의 기본 원리는 우리말에서 실질적 의미를 가진 부분(어간)은 한자의 뜻을 빌리고[훈독(訓讀), 훈차(訓借)], 문법적 요소는 한자의 음을 빌려서[음독(音讀), 음차(音借)] 표기하는 것을 원칙으로 했던 것으로 보인다.

[보충학습] [신라의 표기법](『국어사』에서 인용)

신라어의 표기법에 대한 연구는 그 동안 많이 이루어졌으나 아직 온전히 밝혀지지는 않았다. 여기서 부딪히는 문제는, 첫째, 현재 자료로는 그 전모를 파악하기 어려운 점, 둘째, 음독자와 석독자를 가리기 어려운 점, 셋째, 음독자나 석독자에 대해서 그 음이나 새김을 정확히 재구하기 어려운 점 등이다.

여기서는 한자 차용 표기의 두 가지 방식, 즉 음독 표기(음독자)와 석독 표기(석독자)에 대하여 살펴보고 실제 이들 표기가 어떠한 방식으로 쓰였는지 향가의 예를 보기로 한다.

[음독 표기]

음독 표기에 쓰이는 음독자에 대해서 말하면, 신라 시대의 용자법(用字法)은 자못 체계적이었으며 고유명사 표기에서 향찰에 이르기까지 대체로 일관되어 있었던 것으로 믿어진다. 가령 '아, 이'는 주로 '阿, 伊'로 표기되었음을 볼 수 있다. (간혹 '我, 異'로 표기되기도 했으나, 예가 극히 적다.) 아직 음독자들의 일람표가 완성되어 있지는 않으나, 대체로 그 윤곽은 밝혀져 있다.(예 : 나(乃, 奈, 那), 라(羅), 다(多), 기(己, 只), 미(美), 리(利, 理, 里), 고(古), 모(毛), 노(奴), 로(老), 소(所), 도(刀, 道), 알(閼), 간(干), 한(翰), 발(發), 달(達), 밀(密) 등). 간혹 고유명사 표기와 향찰에서 달라진 것도 있다. '가, 거'는 고유명사 표기에서는 '加, 居'가 일반적이었음에 대하여 향찰에서는 '可, 去'가 일반적이었다.

이들 음독자들에 대한 논의에서 지적되어야 할 사실은 신라어의 표기에 사용된 음독자들이 고구려어나 백제어의 표기에 사용된 그것들과 대체로 일치할 뿐만 아니라 고대 일본어의 표기에 사용된 음독자들(萬葉假名)과도 광범한 일치를 보여 준다는 점이다. 이러한 일치는 결코 우연의 소치일 수는 없을 것이며 필시 이들이 역사적으로 서로 관련이 되어 있는 것으로 보지 않을 수 없다.

신라어 표기에 사용된 음독자들 중에 몇 개는 매우 특이하여, 그 근거를 밝히기가 어렵다. 몇 예를 제시한다.

(1) '良'은 '라' 및 '아/어'를 표기한 것으로 믿어진다. '라'는 분명히 음독인데, 고대일본에 있어서도 이런 음독이 있었음이 주목된다. '아/어'에 대해서는 의문이 없지 않다.
(2) '旀'는'彌'의 약자로서 부동사(副動詞)의 어미 '-며'를 표기하는 데 사용되었다. 이 발음은 중국 중고음(中國 中古音) myię를 반영한 것임에 틀림없다.
(3) '遣'(중국 중고음 k'iän(上聲), 우리나라 한자음 '견')은 부동사 어미 '-고'를 표기하는 데 사용되었다. 이에 대해서는 "吏讀呼遣고 此必東方古音也"(이재유고, 頤齋遺稿)라 했으나 증명하기 어렵다.
(4) '尸'(중국 중고음 śi, 우리나라 한자음 '시')는 향가의 '日尸'(날), '道尸'(길), 그 밖의 예들에서 보는 바와 같이 'ㄹ'을 나타내었다.
(5) '叱'(우리나라 한자음 '즐')은 주로 음절말의 'ㅅ' 표기에 사용되었다.
(6) '只'(중국 중고음 tśię, 우리나라 한자음 '지')는 신라어 표기에서는 '기'를 나타낸 것으로 믿어진다. (이두의 전통에서 '기'로 읽혀지고 있는 사실이 참고된다.)

위의 차용표기에서 '尸, 叱, 只' 등의 음독의 근거는 아직 밝혀져 있지 않다. '旀'가 실증하듯이 신라어 표기법에 약자들이 존재했으니, 이들도 약자들이 아닌가 하는 가설이 있어 왔으나, 이러한 가설의 증명은 이루어져 있지 않다.

[석독 표기]

석독 표기에 쓰인 한자는 그 음으로 읽지 않고 새김(釋, 訓)으로 읽는다. 그런데 석독자의 사용은 자못 광범하지만, 그 독법의 재구에는 문제가 적지 않다. 한자의 새김은 매우 보수적이어서 고대의 전통이 오늘날까지 이어져 온 예가 많다. 따라서 새김에 관한 중세 자료들을 검토하여 그 토대 위에서 고대의 새김을 재구하는 일은 자못 믿음직한 결과를 가져온다. 가령 '夜, 日, 金' 등의 새김을 '밤, 날, 쇠'로 재구하는 데는 조금도 의문이 없다. 향가에 '夜音'(밤), '日尸'(날) 등의 표기가 보이며 인명(人名)에 "素那 或云 金川"(삼국사기 권47)이라 보인다. 그러나 한자의 새김에도 여러 가지 요인이 작용하여 그 개신(改新)이 일어났으므로 중세의 새김을 토대로 한 재구에는 한계가 있기 마련이다.

가령 '谷'의 새김은 중세 자료(훈몽자회, 천자문, 신증유합 등)에는 모두 '골'로 되어 있다. 그러나 '谷'의 옛 새김은 '실'이었던 것 같다. 『삼국유사』(권2)에 같은 사람의 이름을 '得烏失' 또는 '得烏谷'이라 적었는데 이것은 '谷'의 새김이 '失'(실)이었다고 봄으로써 합리적으로 설명된다. 『삼국유사』(권3)의 "絲浦 今蔚州谷浦也"는 '谷'의 새김이 '絲'의 그것과 같이 '실'임을 증언하고 있다. 오늘날도 속지명(俗地名)에 '실'(谷)이 광범하게 발견되며, 중세 국어의 '시내'(溪)는 이 '실'(谷)과 '내'(川)의 합성어(合成語)이다.

또 하나의 예로 '厭'의 새김을 들기로 한다. 중세 자료에서 이 새김은 '아쳗-', '슳-', '슬믜-' 등으로 나타난다. 그러나 그 고대의 새김은 '잋-'이었다. 『삼국유사』(권3)의 '厭髑' 주(註)에 "或作異次 或云伊處 方音之別也 譯云厭也 髑頓道覩獨等 皆隨書者之便 乃助辭也"(혹은 '이차'라고도 쓰고 '이처'라고도 한다. 방언의 차이이다. 번역하면 '厭'이라 한다. 髑, 頓, 道, 覩, 獨 등은 모두 글 쓰는 사람의 편의에 따른 것이다. 조사인 것이다)라 있다. 이것은 오늘날 이차돈(異次頓)이라 불리는 인명에 관한 설명인데 동일 인명이 얼마나 다양하게 표기될 수 있는가를 보여 준 좋은 예라고 하겠다. 우선 이 주(註)는 '厭'은 석독 표기요, '異次, 伊處'는 음독 표기임을 말하고 있는데 이 두 음독 표기의 정밀한 차이를 제쳐 놓으면 '잋-'이 추출된다. 이것은 중세 국어의 '잋-'(困)에 대응되는 것으로 의미 변화(厭 → 困)가 있었음을 알 수 있다.

고대의 새김 중에 특이한 것으로는 '珍'이 있다. 이것은 주로 "馬突縣 一云 馬珍"(삼국사기 권37)과 같은 백제 지명에서 '돌'로 읽혔음을 본다. 아마 신라어에도 이와 같은 새김이 있었던 듯, 신라 관명의 "波珍飡 或云海干"(삼국사기 권38)에서는 '珍'이 '바돌~바돌'(海)의 제2음절을 표기했음을 본다.

[혼합 표기]

고유명사 표기에 있어서는 순수한 음독 표기와 석독 표기 외에 혼합 표기가 있다. 가령 위에서 예로 든 '異次頓'은 순수한 음독 표기임에 대하여 '厭髑'은 혼합 표기라고 할 수 있다. 문장 표기에서는 음독 표기와 석독 표기가 혼합되어 쓰임이 원칙으로, 향가의 표기인 향찰은 이런 혼합 표기의 전형적인 모습을 보여주는데, 그 표기법의 두드러진 특징으로 두 가지를 들 수 있다.

첫째, 체언이나 용언의 어간(실질적 의미를 지닌 부분)은 석독자로 표기하고, 조사나 어미는 음독자로 표기하였다.

入伊(드리) 들-이
見昆(보곤) 보-곤 (처용가)
有阿米(이샤미) 이시-아미
出古(나고) 나-고 (제망매가)

둘째, 체언이나 용언의 어간을 표기할 때, 석독자 밑에 그 제2음절이나 끝 자음을 나타내는 음독자를 덧붙였다.

秋察(가ᄉᆞᆯ) (제망매가)
川理(나리) (찬기파랑가)
道尸(길) (혜성가, 모죽지랑가)
慕理尸(그릴) (모죽지랑가)
折叱可(것거) (헌화가)
直等隱(고ᄃᆞᆫ) (도솔가)

여기에서 보듯이 향찰표기에서는 대체로 어휘적 의미를 지닌 부분은 석독표기로, 문법적 의미를 지닌 부분은 음독표기로 하는 것을 원칙으로 삼았음을 알 수 있다. 그러나 이에는 물론 예외도 있어서 '如'(다)는 분명한 석독자이지만 주로 어미에 사용된 것이 가장 현저한 예외의 하나였다.

2009년도 기출문제

13. 외래어 표기법의 기본 원칙 다섯 가지에 대한 설명으로 적절하지 않은 것은?

	기본 원칙	설명
①	제1항 외래어는 국어의 현용 24 자모만으로 적는다.	한글이 다른 문자에 비해 소리를 비교적 정확하게 적을 수 있기는 하지만 외래어의 모든 소리를 적을 수 있는 것은 아니다. 예를 들어 국어에 없는 [v], [ʌ] 등의 소리는 한글로 정확히 적을 수 없으므로 소리의 유사성을 고려해서 'ㅂ', 'ㅓ'로 적는다.
②	제2항 외래어의 1음운은 원칙적으로 1기호로 적는다.	외래어의 한 소리는 늘 일정하게 같은 문자로 적는 것이 이상적이다. 그런데 [p]와 [f]는 'ㅍ'으로, [p]는 'ㅍ', 'ㅂ'으로 적는 경우가 있으므로 이 조항은 외래어 표기의 대원칙을 표명한 것이다.
③	제3항 받침에는 'ㄱ, ㄴ, ㄷ, ㄹ, ㅁ, ㅂ, ㅅ, ㅇ'만을 쓴다.	'diskette'의 [t]는 어말이나 자음 앞에서는 [디스켇]처럼 [ㄷ]로 소리가 난다. 그렇지만 받침을 'ㄷ'으로 적으면 모음으로 시작하는 조사 앞에서 [디스케시], [디스케슬]처럼 [ㅅ]로 소리 나는 현상이 자연스럽게 설명되지 않으므로 '디스켓'과 같이 받침을 'ㅅ'으로 적는다.
④	제4항 파열음 표기에는 된소리를 쓰지 않는 것을 원칙으로 한다.	일반적으로 외래어의 무성 파열음은 거센소리로, 유성 파열음은 예사소리로 적는다. 예를 들어 'cafe, Paris, double'의 [k], [p], [q]는 된소리로 인식되는 경향이 있으나 '까페, 빠리, 떠블'로 적지 않고 '카페, 파리, 더블'로 적는다.
⑤	제6항 이미 굳어진 외래어는 관	아주 익숙해져 굳어진 외래어는 관용대로 적는다는 것을 규정한 조항이다. 예를 들어 원현지음을 고려하면 '베이징, 도

용을 존중하되, 그 범위와 용례는 따로 정한다.	쿄, 덩샤오핑, 도요토미 히데요시'로 적어야 하지만 관용에 따라 '북경, 동경, 등소평, 풍신수길'로 적는다.

정답 ⑤

해 설

해 설⇩

외래어 표기법에 관한 문제이다. 틀린 것을 고르라는 문제. 선지 ⑤의 예가 잘못 되었다.

아래에 인용한 외래어 표기법 제4장 제2절 동양의 인명, 지명 표기 제1항과 제3항을 비교해 보면 중국인명과 일본인명의 처리에 차별이 있다.

제1항 중국 인명은 과거인과 현대인을 구분하여 과거인은 종전의 한자음대로 표기하고, 현대인은 원칙적으로 중국어 표기법에 따라 표기하되, 필요한 경우 한자를 병기한다.

제3항 일본의 인명과 지명은 과거와 현대의 구분 없이 일본어 표기법에 따라 표기하는 것을 원칙으로 하되, 필요한 경우 한자를 병기한다.

중국인명은 과거인과 현대인을 구별하여 표기하게 되어 있다. 그 기준은 신해혁명(1911)이다. 가령 공자(孔子)는 '공자'로 표기하는 것이 맞고 '콩쯔'로 표기하면 틀리게 된다. 그러나 일본인명은 그런 구분 없이 무조건 일본어 표기법에 따르도록 규정했다.

따라서 문제의 선지 ⑤의 '도요토미 히데요시'를 '풍신수길'로 적는 것은 잘못되었다.

외래어 표기법

제1장 표기의 기본 원칙

제1항 외래어는 국어의 현용 24 자모만으로 적는다.

제2항 외래어의 1 음운은 원칙적으로 1 기호로 적는다.

제3항 받침에는 'ㄱ, ㄴ, ㄹ, ㅁ, ㅂ, ㅅ, ㅇ'만을 쓴다.

제4항 파열음 표기에는 된소리를 쓰지 않는 것을 원칙으로 한다.

제5항 이미 굳어진 외래어는 관용을 존중하되, 그 범위와 용례는 따로 정한다.

제4장 인명, 지명 표기의 원칙

제1절 표기 원칙

제1항 외국의 인명, 지명의 표기는 제1장, 제2장, 제3장의 규정을 따르는 것을 원칙으로 한다.

제2항 제3장에 포함되어 있지 않은 언어권의 인명, 지명은 원지음을 따르는 것을 원칙으로 한다.

Ankara 앙카라　　Gandhi 간디

제3항 원지음이 아닌 제3국의 발음으로 통용되고 있는 것은 관용을 따른다.

Hague 헤이그　　Caesar 시저

제4항 고유명사의 번역명이 통용되는 경우 관용을 따른다.

Pacific Ocean 태평양　　Black Sea 흑해

제2절 동양의 인명, 지명 표기

제1항 중국 인명은 과거인과 현대인을 구분하여 과거인은 종전의 한자음대로 표기하고, 현대인은 원칙적으로 중국어 표기법에 따라 표기하되, 필요한 경우 한자를 병기한다.

제2항 중국의 역사 지명으로서 현재 쓰이지 않는 것은 우리 한자음대로 하고, 현재 지명과 동일한 것은 중국어 표기법에 따라 표기하되, 필요한 경우 한자를 병기한다.

제3항 일본의 인명과 지명은 과거와 현대의 구분 없이 일본어 표기법에 따라 표기하는 것을 원칙으로 하되, 필요한 경우 한자를 병기한다.

제4항 중국 및 일본의 지명 가운데 한국 한자음으로 읽는 관용이 있는 것은 이를 허용한다.

東京　도쿄, 동경　　京都　교토, 경도

上海　상하이, 상해　　臺灣　타이완, 대만

黃河　황허, 황하

제3절 바다, 섬, 강, 산 등의 표기 세칙

제1항 '해', '섬', '강', '산' 등이 외래어에 붙을 때에는 띄어 쓰고, 우리말에 붙을 때에는 붙여 쓴다.

카리브 해　　북해　　발리 섬　　목요섬

제2항 바다는 '해(海)'로 통일한다.

홍해　　발트 해　　아라비아 해

제3항 우리나라를 제외하고 섬은 모두 '섬'으로 통일한다.

타이완 섬　　코르시카 섬 (우리나라 : 제주도, 울릉도)

제4항 한자 사용 지역(일본, 중국)의 지명이 하나의 한자로 되어 있을 경우, '강', '산', '호', '섬' 등은 겹쳐 적는다.

온타케 산(御岳)　　주장 강(珠江)
도시마 섬(利島)　　하야카와 강(早川)
위산 산(玉山)

제5항 지명이 산맥, 산, 강 등의 뜻이 들어 있는 것은 '산맥', '산', '강' 등을 겹쳐 적는다.

Rio Grande 리오그란데 강　　Monte Rosa 몬테로사 산
Mont Blanc 몽블랑 산　　Sierra Madre 시에라마드레 산맥

위에 인용한 외래어 표기법은 임용 응시생이라면 정확히 이해하고 기억하고 있어야 한다. 실제로 어느 해에라도 출제가 가능하다. 그 자세한 설명은 이호권·고성환 공저 『맞춤법과 표준어』(방통대 출판사) 제19장에 있다. 아래에 이 문제와 관련된 부분만을 인용해 두었으니 전부 이해하고 기억해두기 바란다. 이 문제의 다른 선지들을 잘 이해해 두어도 무방하다.

[보충학습] [외래어 표기법 해설]

외래어 표기법에는 외래어 표기의 기본 원칙으로 다섯 가지를 제시하고 있다.

(1) 제1항 외래어는 국어의 현용 24자모만으로 적는다.

이 규정은 외래어를 표기하기 위해 한글 맞춤법에서 정한 24자모 이외의 특수한 기호나 문자를 만들어서는 안 된다는 것을 의미한다. 외래어의 원래 발음에는 국어에 없는 발음이 포함되어 있는 것들이 많다. 영어의 [f]나 [θ] 등은 국어에는 없는 발음들이다. 그러나 이들의 표기를 위해 국어에서 쓰지 않는 문자를 새로이 만들 수는 없다. 외래어 표기는 우리나라 사람들이 일상적인 국어 생활에서 표기를 통일하기 위한 것이기 때문이다. 또한 국어에 없는 소리를 정확하게 구분하기 위해 새로운 문자를 만들어야 한다면 세계의 모든 언어에서 사용되는 소리를 적기 위해 얼마나 많은 문자가 필요하게 될는지 모르는 일이다. 그리고 설사 이러한 문자들을 만든다고 하더라도 그것을 정확하게 표기하려면 일반 국민들 모두가 원어의 발음을 정확하게 알아야 하는데, 이것은 일반 국민들에게 지나친 부담이 되며 현실적으로도 가능한 일이 아니다.

(2) 제2항 외래어의 1음운은 원칙적으로 1기호로 적는다.

이 규정은 외국어에서 하나의 소리는 우리말에서도 하나의 소리에 대응시킴으로써 일반 사람들이 기억하고 사용하는 데 편리하게 하려는 것이다. 가령 영어의 [a]를 국어에서 'ㅏ'와

‘ㅓ’의 두 가지로 적도록 한다면 어떤 조건에서 ‘ㅏ’가 되고 어떤 조건에서 ‘ㅓ’가 되는지를 알아야 하는데, 이를 일일이 기억하기는 매우 어려운 일이기 때문에 표기가 어려워지게 된다. 그러나 외국어에서 하나의 음운이라고 하더라도 그것이 음성적인 환경에 따라 여러 가지 다른 소리로 실현될 때에는 두 가지 이상의 기호로 적어야 하는 경우도 생기게 마련이다. 실제로 「외래어 표기법」의 ‘국제 음성 기호와 한글 대조표’를 보면 많은 외래어 음운들이 둘 이상의 음운에 대응되어 있는 것을 볼 수 있다. ‘원칙적으로’라는 단서가 붙은 이유이다.

(3) 제3항 받침에는 ‘ㄱ, ㄴ, ㄹ, ㅁ, ㅂ, ㅅ, ㅇ’만을 쓴다.

받침 표기에서의 이러한 제한 규정은 외래어에만 있는 것이다. 고유어나 한자어에는 없는 이러한 받침 표기 제한 규정을 외래어에 한해서 두는 것은 받침에서의 소리가 외래어와 고유어 및 한자어 사이에 차이가 있기 때문이다. 고유어나 한자어를 표기할 때 외래어에서는 쓰지 않는 ‘ㄷ, ㅈ, ㅊ, ㅋ, ㅌ, ㅍ, ㅎ’ 등을 받침으로 쓰는 이유는, 이들 자음이 모음 앞에 올 때에 그 음가대로 발음되기 때문이다. 즉, ‘잎’의 경우 모음으로 시작되는 조사가 연결되면 ‘잎이[이피], 잎을[이플]’과 같이 ‘ㅍ’이 발음되는 것이다. 그러나 외래어의 경우에는 ‘[커피쇼비], [커피쇼베서]’, ‘[디스케시], [디스케세서]’와 같이 모음으로 시작되는 조사가 결합해도 위의 규정에서 명시한 7개의 자음 중 하나로 발음된다. ‘커피숖’, ‘디스켙’으로 적지 않고 ‘커피숍’, ‘디스켓’으로 적어야 하는 이유가 바로 여기에 있다.

(4) 제4항 파열음 표기에는 된소리를 쓰지 않는 것을 원칙으로 한다.

이 규정은 유성·무성의 대립이 있는 외래어의 파열음을 한글로 표기할 때 유성파열음은 평음으로, 무성파열음은 격음으로 적도록 한다는 것이다. 국어의 파열음은 평음, 격음, 경음의 세 가지로 구분되지만 대부분의 외래어는 유성음(b, d, g)과 무성음(p, t, k) 두 가지로만 구분된다. 외국어의 유성파열음을 가장 가깝게 나타낼 수 있는 표기가 평음이기 때문에 [b]는 ‘ㅂ’으로, [d]는 ‘ㄷ’으로, [g]는 ‘ㄱ’으로 표기하도록 하고 있다. 이에 따라 무성파열음은 격음이나 경음으로 표기할 수밖에 없다. 그런데 같은 무성파열음이라 하더라도 언어에 따라 국어의 격음에 가까운 것도 있고 경음에 가까운 것도 있다. 영어나 독일어의 무성파열음은 격음에 가깝지만, 프랑스어나 이탈리아어의 무성파열음은 경음에 가깝다. 국어 화자들이 영어의 ‘truck, cup’ 등에 대해 ‘트럭, 컵’으로 발음하고 적는 것과는 달리 프랑스어의 ‘Paris, café’ 등에 대해 ‘빠리, 까페’와 같이 발음하고 적는 경우가 많은 것은 바로 이러한 차이 때문이다. 만약 무성파열음을 언어에 따라 격음으로 적기도 하고 경음으로 적기도 한다면 세상의 모든 언어들을 대상으로 하여 그 언어의 무성파열음이 국어의 격음에 가까운지, 경음에 가까운지를 결정해야 하고, 또한 이러한 결정에 따라 외래어를 적을 때마다 어느 언어에서 온 말인가를 하나하나 따져 보아야 할 것이다. 이것은 현실적으로 매우 어려운 일일 뿐만 아니라 비경제적이기도 하다. 한 언어의 발음을 다른 언어의 표기 체계에 따라 적을 때 정확한 발음의 전사는 어차피 불가능하기 때문에 비슷하게 옮겨 적을 수밖에 없는 것이다.

그러나 이 규정에도 예외는 있다. 경음으로 쓰는 것이 이미 굳어져 있는 경우인데, 현행 외래어 표기법에서는 '빵, 껌, 삐라, 빨치산, 히로뽕'을 예외로 인정하고 있다. 또한 타이어와 베트남어는 국어와 마찬가지로 '평음–격음–경음'의 3항 대립을 보이기 때문에 된소리 표기를 허용하도록 하고 있다. 타이어와 베트남어의 경음 표기는 처음부터 허용되었던 것이 아니고, 2004년 12월에 고시된 규정에 따른 것이다. 그래서 이전에 '푸켓', '호치민' 등으로 적어 왔던 것을 현지의 발음을 존중하여 '푸껫', '호찌민'으로 적도록 하고 있다.

(5) 제5항 이미 굳어진 외래어는 관용을 존중하되, 그 범위와 용례는 따로 정한다.

이 규정은, 오랫동안 쓰여서 아주 굳어진 관용어는 관용대로 적도록 한다는 것이다. 외래어 표기 규칙만을 엄격하게 적용하면 언어 현실과 크게 다를 수 있기 때문이다. 관용을 인정하는 대표적인 예로 '라디오'와 '카메라'를 들 수 있다. 이들은 원어의 발음이 [reidiou]와 [kæmərə]이기 때문에 표기법에 따르면 '레이디오'와 '캐머러'로 적어야 할 것이다. 그러나 이들은 오래전부터 '라디오, 카메라'로 써 왔기 때문에 이것을 그대로 인정하고 있다. 관용으로 굳어진 것을 지금에 와서 '레이디오'와 '캐머러'로 쓰도록 한다면 오히려 혼란만 더해질 것이기 때문이다. 다만 관용을 인정한다고 했을 때 관용을 인정하는 범위가 문제가 되는데, 이것은 필요할 때마다 하나하나 사정해서 정하게 된다.

14. 다음은 중부 방언권 학생의 발음을 수집한 자료이다. 이 학생의 발음에서 발견되는 음운 현상에 대한 설명으로 적합하지 않은 것은?

(가) 자꾸 다른 짓 하지 말고 여기 좀 봐[바]

(나) 선생님, 제가 만든 송편 좀 잡숴[잡서]보세요.

(다) 그러지 말고 책가방은 여기에다 놔[나] 두고 가자.

(라) 나는 시 중에서 '국화[구카] 옆에서'가 제일 좋더라.

(마) 거기 있는 책 좀 집어 줘[조].

(바) 내가 책을 분명히 여기에다 뒀는데[돈는데], 어디 갔지?

① (가)~(라)에서 공통적으로 나타난 음운 현상은 음운 탈락이다.

② (가)~(라)의 음운 현상은 장애음과 반모음 w가 만날 때 나타난다.

③ (마), (바)는 음운 현상 중 음운 축약으로 설명할 수 있다.

④ (마), (바)에 동화 과정이 포함되었다고 보면 (가)~(라)와 같은 유형의 음운 현상으로 다룰 수 있다.

⑤ (가)~(바)에서 발견되는 음운 현상은 수의적인 현상이다.

정답 ②, ③ 복수정답

해 설

음운론 문제. 음운 탈락과 축약과 동화의 기본 개념을 묻고 있다. 문제에서 중부 방언권이라는 용어를 사용한 이유는 표준발음이 아닌 예도 다루기 위해서이다. 가령 '봐'의 표준발음은 [봐]=[pwa]인 것이다. 이 문제를 풀기 위한 음운론적 지식은 대단히 간단한 것이다.

[음운]이란 국어에서 자음과 모음이다. 참고로 [반모음=반자음]이며 'w, y'가 있다. 가령 '와 = wa', '야 = ya'. 이들 반모음도 음운이라는 사실에 주의하라.

'학교문법에 따르면 반모음이 없다'와 같은 말은 곤란하다. '학교문법'이란 것은 '고등학교문법'이라는 뜻이다. 7차 학교문법의 정신에 따르면 고정된 문법을 교육하는 것이 아니라 국어의 전반적 현상의 원리를 탐구하게끔 인도하는 것이라고 했다. 따라서 과거의 오류는 스스로 고쳐나가면서 임용 문법을 학습해 나가야 하는 것이다. 임용 시험은 고등학교 수준의 시험이 아니라 국어국문학을 전공으로 하여 대학을 졸업한 수준의 시험이기 때문에 대학의 문법학 과목에서 수학한 대로 용어를 정확히 구사할 수 있어야 한다.

[음운 탈락]이란 위의 음운의 종류 중 아무 것이나 탈락한 것을 가리키는 말이다. 문제의 선지에 나오는 '봐[바], 잡숴[잡서], 놔[나], 국화[구카], 줘[조], 뒀는데[돈는데]' 모두에서 공통되는 현상은 반모음 '오(w)'의 탈락인 것이다. [와]와 [워]를 국제음성기호[IPA]로 적으면 [wa],[wə]처럼 동일한 발음이 된다. 국어에서는 훈민정음의 규정 때문에 달리 적을 뿐이다. 음가는 거의 같다.

여기서 문제는 맨 마지막의 두 예이다. '뒀는데'를 [돈는데]라고 발음을 하면 반모음이 탈락한 것이 아니라 모음 [ㅓ]가 탈락한 것처럼 보이기 때문이다. 음운론 전공 학자인 서울대 김성규 교수는 이 문제를 [twət는데] → [twot는데] → [tot는데]처럼 설명한다. 즉 반모음이 동화주가 되어 뒤에 오는 모음 ə를 모음 o로 동화시킨 후에 반모음 w는 탈락한다는 것이다. 이 점을 이해하면 문제의 예들의 공통점은 음운 탈락이라는 사실을 쉽게 알 수 있다. '줘[조]'도 똑같다. 따라서 선지 ④도 이해될 것이다.

선지 ②는 장애음이라는 용어의 중의성(重義性, double meaning) 때문에 문제가 된다. 1. 장애음은 모든 자음을 가리킬 수도 있다. 모음에 대비된다. 또 2. 장애음은 공명음(=비음 ㄴ, ㅁ, ㅇ+유음 ㄹ)을 가리킬 수도 있다.

만약 1.로 보면 준 예들이 모두 자음 뒤에 반모음이 연결된 것이라서 일단 맞다. 그러나 '*와[오]'와 같이 모음만으로 구성된 어휘에서 'w' 탈락 현상의 예를 함께 제시하지 않았으므로 언제나 맞는지 단언할 수가 없다.

만약 2.의 정의를 따른다면 선지 (다) '놔[나]' 때문에 틀린다. 'ㄴ'은 장애음이 아니기 때문이다. 이 문제를 출제한 교수는 장애음을 2.의 뜻으로만 생각하고 출제한 것으로 보인다.

선지 ③은 오류이다. 따라서 정답이 된다. 따라서 이 문제는 복수 정답이었으나 모의 문제였기에 논란 없이 넘어갈 수 있었다.

[음운 축약]이란 두 음운이 하나의 음운이 되는 현상을 지칭한다. 자음 축약과 모음 축약이 있다.

[자음 축약]에는 '놓고[노코], 각하[가카]'와 같이 [ㅎ+ㄱ/ㄷ/ㅂ/ㅈ], [ㄱ/ㄷ/ㅂ/ㅈ+ㅎ]의 경우에 [ㅋ/ㅌ/ㅍ/ㅊ]로 줄어드는 현상이 공시론적으로도 통시론적으로도 모두 있다.

[모음 축약]에는 공시론적으로 해당되는 예가 없다. 통시론적으로만 존재한다. 대표적인 예가 '가이'가 '개'가 되는 현상이다. [ai]가 [æ]로 변화하였다. 이 용어에서 착각이 생길 수 있다. 학교문법의 악영향 때문이다. 학교문법에서는 '기어→겨', '보아→봐'와 같은 경우를 모음 축약이라고 지칭했었다. 필자가 20년 전에 쓴 탑출판사 고교 문법 자습서에서도 그렇게 설명했었다. 그러나 그 이후 음운론 학자들에 의해서 그것은 오류로 규정되었다. 왜냐하면 '기어'는 [ki ə]=[kiə]의 두 모음의 연쇄인 데 비하여 '겨'는 [kyə]의 '반모음+모음'의 연쇄이기 때문이다. '보아'=[poa], '봐'=[pwa]가 되어 그 설명은 똑같다. 결국 학교문법에서 모음 축약이라고 불리던 현상들은 반모음화의 잘못된 명칭이었던 것이다.

선지 ⑤는 당연한 진술이다. 문제의 선지에 나오는 '봐[바], 잡숴[잡서], 놔[나], 국화[구카], 줘[조], 됬는데[돈는데]' 모두 표기법대로의 발음과 변동된 발음, 두 가지로 발음되기 때문이다. 특히나 교양 있는 부모를 둔 똑똑한 어린 학생들은 초등학교 학생일지라도 표준발음을 구사하기가 십상이다. 수의적이라는 용어의 의미는 이래도 되고 저래도 된다는 뜻이다. 필수적이지 않으며 강제적이지 않다는 뜻이다. 국어 교사는 당연히 표준발음을 굳세게 해야 한다.

아래에 제시한 [보충학습]을 충분히 익혀두기 바란다. 언제, 어디에서라도 즉시 설명하려면 잘 외워 두는 것이 가장 좋다. 필요한 개념이다 싶으면 철저하게 외워두는 습관을 들이면 임용시험은 한 번에 붙게 될 것이다.

[보충학습] [음운의 변동](『소리와 발음』의 요약 정리)

1. 음운 대치

음운 대치는 소리가 교체되는 현상으로 '칼'이 그러한 예에 해당된다. '칼'은 15세기의 '갈'에서 변화를 겪은 형태인데 어느 한 소리('갈'의 'ㄱ')가 다른 소리('칼'의 'ㅋ')로 바뀌었으므로 대치의 예가 된다.(이 경우는 통시적 변동이다. 이런 경우를 특히 변화라고 불러 구분하기도 한다.)

대치 현상에는 평폐쇄음화, 경음화, 치조비음화, 동화(유음화, 비음화, 조음위치동화, 구개음화, 움라우트), 모음조화, 활음화가 있다.

(1) 평폐쇄음화(平閉鎖音化 = 음절 끝소리 규칙, 7종성법, 중화, 대표음화)

평폐쇄음화는 어떠한 조건 아래에서 평폐쇄음이 아닌 소리가 평폐쇄음의 세 소리로 대치되는 현상을 이른다. 이때의 평폐쇄음이란 평음이면서 폐쇄음인 소리를 가리키므로 평폐쇄음화는 평음이 아닌 소리, 즉 격음이나 경음이 평음으로 바뀌는 '평음화'와 폐쇄음이 아닌 소리, 즉 마찰음이나 파찰음이 폐쇄음으로 바뀌는 '폐쇄음화'를 포함하게 된다.

[참고] 평폐쇄음=('ㄱ, ㄷ, ㅂ'), 격음(ㅋ, ㅌ, ㅍ, ㅊ)이나 경음(ㄲ, ㄸ, ㅃ, ㅆ, ㅉ), 마찰음(ㅅ), 파찰음(ㅈ). 이런 용어와 그 원소를 모두 외워야 한다. 자음 체계표를 외우면 쉽게 된다.

'앞'과 '옷'을 예로 들어 보자.

앞 → 압, 앞-도 → 압도(→ 압또)
옷 → 옫, 옷-도 → 옫도(→ 옫또/오또)

'앞'은 격음 'ㅍ'를 말음(末音, 끝소리)으로 가진 단어다. 그러므로 '앞'이 모음으로 시작하는 조사 '-이, -을'과 연결되었을 때에는 '앞이[아피], 앞을[아플]'에서 보듯 그 말음 'ㅍ'가 잘 실현된다. 하지만 '앞'이 그것으로 말이 끝났거나 자음으로 시작하는 조사에 연결되었을 경우에는 'ㅅ'가 'ㄷ'로 바뀌어 발음된다. 즉, 'ㅅ'가 음절 종성 위치에 나타났을 경우에는 마찰음 'ㅅ'가 폐쇄음 'ㄷ'로 바뀌는 폐쇄음화가 일어나는 것이다.

이와 같이 음절 종성에서 격음이나 경음이 평음으로, 또 마찰음이나 파찰음이 폐쇄음으로 바뀌는 것은 음절 종성 위치에 나타날 수 있는 자음이 불파음이어야 한다는 한국어의 특성 때문이다. 그런데 격음과 경음 그리고 마찰음과 파찰음은 불파음으로 발음할 수 없다. 따라서 이 자음들이 음절말 위치에 오게 되면 그것을 평음 또는 폐쇄음으로 바꾸어 줌으로써 그 위치에서 불파음으로 실현될 수 있도록 해 주는 것이다.

한국어에서 불파음으로 발음할 수 있는 자음은 'ㄱ, ㄴ, ㄷ, ㄹ, ㅁ, ㅂ, ㅇ[ŋ]' 일곱 개뿐이다. 이 중에 'ㄴ, ㄹ, ㅁ, ㅇ[ŋ]'은 공명음이고 'ㄱ, ㄷ, ㅂ'은 장애음이다. 따라서 모든 공명 자음은 다 음절말 위치에 나타나지만 장애음 중에는 'ㄱ, ㄷ, ㅂ' 세 자음만 이 위치에 나타난다고 할 수 있다.

⑵ 경음화(硬音化, 딱딱할 경)

경음화는 어떠한 조건 아래에서 경음이 아닌 소리(이 경우에는 평음)가 경음으로 대치되는 현상을 가리킨다. 다시 말해 특정한 환경에서 평음 'ㄱ, ㄷ, ㅂ, ㅅ, ㅈ'가 'ㄲ, ㄸ, ㅃ, ㅆ, ㅉ'로 바뀌는 현상을 경음화라 한다는 것이다. 이러한 경음화는 일어나는 환경에 따라 다음과 같이 크게 네 가지 유형으로 나뉜다.

① 평폐쇄음 뒤에서의 경음화
② 동사나 형용사 어간의 말음 'ㄴ, ㅁ' 뒤에서의 경음화
③ 관형형 어미 '-을/ㄹ' 뒤에서의 경음화
④ 한자어에서 'ㄹ' 뒤 'ㄷ, ㅅ, ㅈ'의 경음화

첫째, 평폐쇄음 'ㄱ, ㄷ, ㅂ' 뒤에서 평음 'ㄱ, ㄷ, ㅂ, ㅅ, ㅈ'는 경음으로 바뀐다. 이를 확인하기 위해 '국밥'과 '쌀밥'을 비교해 보자. '밥'의 발음에 유의하면서 두 단어를 연속해서 소리 내어 보면 두 '밥'의 발음이 다른 것을 쉽게 알 수 있다. '쌀밥'에서와는 달리 '국밥'에서는 그것이 '빱'으로 발음되기 때문이다. '밥'은 원래 경음으로 시작되는 말이 아니므로 '국밥'의 '빱'은 어떠한 이유에 의해 평음('ㅂ')이 경음('ㅃ')으로 바뀐 결과임에 틀림없다. 특히 '쌀밥'과의 비교는 '국-밥→국빱'에서 보이는 'ㅂ'의 경음화가 선행하는 말과 관련이 있음을 알려준다. 즉 앞말이 평폐쇄음 'ㄱ'으로 끝난 데에서 기인하여 '밥'의 초성 'ㅂ'가 경음으로 바뀌었다는 것이다. 이처럼 뒷말의 첫 자음이 경음화하는 경우는 앞말의 종성이 'ㄱ'일 때에만 국한된 것은 아니다. '믿고[믿꼬], 밥상[밥쌍]' 등에서 보듯이 평폐쇄음 'ㄷ'나 'ㅂ' 뒤에서도 뒷말의 첫소리가 경음화하기 때문이다. 따라서 평폐쇄음 'ㄱ, ㄷ, ㅂ'는 언제나 뒤에 오는 말의 첫소리가 평음일 경우 그것을 경음화한다고 할 수 있다.

이러한 경음화는 평폐쇄음화를 겪어 만들어진 'ㄱ, ㄷ, ㅂ' 뒤에서, 또 'ㄱ, ㄷ, ㅂ'를 포함하는 'ㄺ, ㄵ, ㄼ, ㄾ, ㄿ' 등의 자음군(子音群) 뒤에서, 그리고 사이시옷으로 인해서도 일어난다.

[사이시옷과 경음화]

사이시옷은 두 말 사이에 들어가 새로운 단어를 만들어 내는 기능을 한다. 예를 들면 '배[船]'와 '사람[人]'이 합쳐지면서 그 사이에 'ㅅ'이 삽입되어 '뱃사람[船人]'이라는 단어가 만들어지게 된 것이다. 현재로서는 사이시옷이 언제 들어가는지 명확히 밝히기는 어려우나 앞말이 자음으로 끝났을 경우에도 사이시옷이 삽입되는 것만은 분명하다. 만일 그렇지 않다면 '잠'을 자는 '자리'로서의 '잠자리[枕席]'가 [잠짜리]로 발음될 리 만무하기 때문이다. 가을 하늘을 날아다니는 '잠자리[蜻蛉]'가 [잠짜리]로 발음되지 않는다는 사실은 잠을 자는 '잠자리[잠짜리]'에서 '잠'과 '자리' 사이에 사이시옷이 들어가 있음을 알려 준다. 이를테면 '잠'과 '자리' 사이에 들어간 사이시옷이 'ㄷ'으로 평폐쇄음화한 후, 뒤에 오는 '자리'의 첫 자음을 경음화시키고 탈락한 셈이다(잠-ㅅ-자리 → 잠-ㄷ-자리 → 잠-ㄷ-짜리 → 잠-짜리→ 잠짜리).

그런데 '뱃사람[船人]'과 달리 '잠자리[枕席]'에서는 표기상 사이시옷이 드러나 있지 않다. 이는 한글 맞춤법(제30항)에서 앞말이 자음으로 끝난 경우에는 사이시옷을 받치어 적지 않기로 했기 때문이다. '뱃사람[船人]'의 '배'는 모음으로 끝나는 말이지만 '잠자리[枕席]'의 '잠'은 자음으로 끝나는 말이라서 '잠'과 '자리' 사이에 'ㅅ'을 적지 않는다는 것이다. 그 이외에 뒷말이 경음이나 격음으로 시작하는 경우(보리-쌀, 배-탈), 앞뒤 두 말이 모두 한자어인 경우(치-과, 전세-방), 두 말 중 적어도 하나가 외래어인 경우(핑크-빛)에도 원칙적으로 사이시옷을 적지 않는다.

이러한 사이시옷은 언제나 음절 종성에 위치하게 되므로 'ㄷ'로 평폐쇄음화하여 뒷말의 첫 자음을 경음화시킨다(배-ㅅ-사람 → 뱃사람 → 밷사람 → 밷싸람). 따라서 사이시옷으로 인한 경음화는 사실상, 평폐쇄음 'ㄷ' 뒤에서의 경음화라 할 수 있다. 표준 발음법(제30항)에서는 사이시옷이 표기된 단어, 예를 들면 '뱃사람[船人]'과 같은 단어에 대해서 'ㅅ→ ㄷ'의 평폐쇄음화와 후행 자음의 경음화를 반영한 발음 '밷싸람'과 경음화 이후 사이시옷이 탈락한 발음 '배싸람'을 모두 표준 발음으로 인정하고 있다.

둘째, 동사나 형용사의 어간의 말자음(末子音) 'ㄴ, ㅁ' 뒤에서 평음으로 시작하는 어미의 두음(頭音)은 경음으로 바뀐다. 다시 말해 어간말 자음으로 'ㄴ, ㅁ'를 가진 용언 어간, 예를 들어 '(신발을) 신-다/신-어서, (눈을) 감-다/감-아서'할 때의 동사 어간 '신-, 감-'과 '(얼굴이) 검-다/검-어서'할 때의 형용사 어간 '검-' 등에 평음 'ㄱ, ㄷ, ㅅ, ㅈ'로 시작하는 어미가 연결되면 그 어미의 첫 자음이 경음화한다는 것이다. 이를 정리하면 이러한 경음화는 선행하는 어간이 용언일 때 그리고 어간말 자음이 'ㄴ, ㅁ'일 때에 한하여 일어난다고 할 수 있다.

[참고] 현상의 발생 조건 = 제약 조건 = 용언 어간이라는 정보는 형태론적 정보이다. 따라서 형태론적 제약이 있다고 말한다.

우선 선행하는 말이 용언 어간일 때에 한하여 그러한 경음화가 일어난다는 사실은 다음 두 문장을 통하여 확인할 수 있다. '새로 산 양말을 신다'와 '내 발에는 이 신도 안 맞는다'에서 '신-다'는 어미의 초성 'ㄷ'가 경음화하여 '신따'로 발음되고, '신-도'의 경우 '신' 뒤의 'ㄷ'가 경음화하지 않는다. 이는 '신-다'가 동사 어간 '신-'과 어미 '-다'가 연결된 것이며, '신-도'는 명사 어간 '신'과 조사 '-도'가 연결된 것이어서 두 '신'의 품사가 달라 경음화에서 차이를 보이게 된 것이다. '(눈을) 감다'와 '(떫은) 감도', '(얼굴이) 검고'와 '(날카로운) 검과'를 비교해 보아도 마찬가지다. 이로써 동사나 형용사 어간의 경우에 한하여 어간 말음 'ㄴ, ㅁ' 뒤에서 경음화가 일어남을 확인하게 된 셈이다.

물론 이러한 경음화는 '닮 : 습니다 → 닮 : 씁니다 (→ 담 : 씁니다)'와 같이 동사나 형용사의 어간말 자음이 'ㄻ'인 경우에도 일어난다.

셋째, 관형사형 어미 '-을/ㄹ' 뒤에서 수식을 받는 명사의 두음 'ㄱ, ㄷ, ㅂ, ㅅ, ㅈ'는 경음으로 바뀐다.

관형사형 어미는 동사나 형용사 어간에 결합하여 명사를 꾸밀 수 있도록 해 주는 어미를 가리키는데, '-는, -은/ㄴ, -던, -을/ㄹ'이 바로 그러한 어미에 속한다. 통상적으로 이 어미들은 각각 '현재, 과거, 중단된 과거, 미정/추측'을 나타내는데 '(지금) 먹는 밥, (이미) 먹은 밥, (아까) 먹던 밥, (누군가) 먹을 밥'을 비교해 보면 그 의미가 쉽게 파악된다. 아울러 '밥'의 발음에 유의하면서 이 예들을 각각 다시 소리 내어 읽어 보면, 관형형 어미 중에 '-을/ㄹ' 뒤에서만 후행하는 명사의 첫소리('밥'의 초성 'ㅂ')가 경음화하고 '-는, -은/ㄴ, -던' 뒤에서는 경음화하지 않음을 알 수 있다.

넷째, 한자어에서 'ㄹ' 뒤의 'ㄷ, ㅅ, ㅈ'는 경음으로 바뀐다. 이를 확인하기 위해 다음 예를 살펴보자.

『국어음운론』 제8과, 영하 8도, 3학년 8반, 방년 18세, 성적 98점

이 예들은 'ㄹ'로 끝나는 한자어 숫자 '팔(八)'을 평음 'ㄱ, ㄷ, ㅂ, ㅅ, ㅈ'로 시작하는 단위 명사 '과(課), 도(度), 반(班), 세(歲), 점(點)'에 연결시킨 것이다. 이로부터 '팔 도, (십)팔 세, (구십)팔 점'에서는 후행하는 단위 명사의 초성 'ㄷ, ㅅ, ㅈ'가 경음으로 바뀌지만 '팔 과, 팔 반'에서는 초성 'ㄱ, ㅂ'가 경음으로 바뀌지 않는다는 사실을 알 수 있다.

또 한 단어 안에서도 그것이 한자어라면 'ㄹ' 뒤의 'ㄷ, ㅅ, ㅈ'는 경음으로 발음된다. 똑같이 '발(發)'자로 시작하는 단어들 '발견(發見), 발동(發動), 발병(發病), 발생(發生), 발전(發展)'을 비교해 보자. 이 경우에도 두 번째 음절의 초성으로 'ㄷ, ㅅ, ㅈ'를 가진 한자어 '발동, 발생, 발전'만 [발똥], [발쌩], [발쩐]으로 발음된다. 결국 한 단어든 아니든 한자어에서는 'ㄹ' 뒤의 'ㄷ, ㅅ, ㅈ'가 경음화하는 것이다.

(3) 치조비음화(齒槽=잇몸, 鼻音=콧소리, 化)

'ㄹ'를 제외한 자음 뒤에서, 'ㄹ'는 'ㄴ'로 바뀐다. 이처럼 어떠한 조건 아래에서 유음 'ㄹ'가 치조비음 'ㄴ'로 대치되는 현상을 치조비음화라 한다. 이는 장애음 또는 비음과 유음 'ㄹ'를 연속해서 발음할 수 없다는 한국어의 발음 특성(이것도 제약이다. 자음 연쇄 제약, 이런 명칭은 원래 다 만들어 쓰는 것이다. 현상과 일치시킨다. 따라서 동어 반복적이므로 놀랄 필요가 없다) 때문에 일어나는 현상이다.

이 현상을 이해하기 전에 먼저 다음에 제시한 한글 자모에 대해 그 이름을 차례대로 써 보자.

ㄱ, ㄴ, ㄷ, ㄹ, ㅁ, ㅂ, ㅅ, ㅇ, ㅈ, ㅊ, ㅋ, ㅌ, ㅍ, ㅎ

이를 '기역, 니은, 디귿, 리을, 미음, 비읍, 시옷, 이응, 지읒, 치읓, 키읔, 티읕, 피읖, 히읗'으로 썼다면 정확히 알고 있는 것이다. 밑줄 친 부분만을 따로 떼어 내어 쉬지 말고 읽되, 그 발음에 주목해 보자. 이를 [디글리을]로 읽었다면 잘못 발음한 것이고 [디근니을]로 읽었다면 제대로 발음한 것이다.

이와 같이 'ㄹ' 이외의 자음으로 끝난 말('디귿') 뒤에 'ㄹ'로 시작하는 말('리을')이 결합될 때, 다시 말해 'ㄹ'을 제외한 자음 뒤에 'ㄹ'가 연결될 때 후행하는 'ㄹ'는 'ㄴ'로 대치된다.

물론 치조비음화에서 앞 자음이 'ㄹ'일 때에는 '리을-리을, 탈-락'에서 보듯이 뒤 음절 초성의 'ㄹ'가 'ㄴ'로 바뀌지 않고 그대로 발음된다.

(4) 동화(同化)

어떤 소리가 주위에 있는 다른 소리의 영향을 받아서 그 소리와 같거나 비슷하게 바뀌는 현상을 동화(同化, assimilation)라고 한다. 동화는 1차적으로 발음을 쉽게 할 수 있도록 하기 위해 일어나기 때문에 어떤 언어에서도 매우 흔히 발견되는 음운 현상이다.

이러한 동화 현상에서 다른 소리에 영향을 미쳐서 동화를 일으키는 소리를 동화음(同化音) 또는 동화주(同化主)라 하고 그 동화음의 영향을 받아서 동화를 입는 소리, 즉 동화음과 같거나 비슷하게 바뀌는 소리를 피동화음(被同化音, 당할 피)이라고 한다. 다음 비음화의 예를 보자.

집-만 → 짐만, 집-는다 → 짐는다

위의 예는 명사 '집'에 조사 '-만'이 연결된 '집만'이 [짐만]으로 발음되며 동사 '집-'에 어미

'-는다'가 연결된 '집는다'가 [짐는다]로 발음됨을 보여 준다. 이를테면 '-만'이나 '-는다' 앞에서는 [집]을 [짐]으로, 다시 말해 [집]의 종성 'ㅂ'을 'ㅁ'으로 바꾸어 말한다는 것이다. 이때 '집만[짐만]'은 뒤에 오는 'ㅁ' 때문에 앞에 있는 'ㅂ'가 'ㅁ'로 바뀌었으므로 같은 소리로 바뀌는 동화를 입었다고 할 수 있으며, '집는다[짐는다]'는 뒤에 오는 비음 때문에 앞에 있는 'ㅂ'가 비음으로 바뀌었으므로 비슷한 소리로 바뀌는 동화를 입었다고 할 수 있다. 따라서 이 경우에, 뒤에 오는 비음 'ㅁ, ㄴ'는 앞에 있는 소리에 영향을 미쳐 동화를 일으켰으므로 동화음이라 하고 앞에 있는 'ㅂ'는 동화음 ('ㅁ, ㄴ')의 영향을 받아 동화음과 같거나 비슷한 소리로 바뀌는 동화를 입었으므로 피동화음이라고 하는 것이다.

동화는 동화음과 피동화음의 거리에 따라 직접동화와 간접동화, 동화음과 피동화음의 순서에 따라 순행동화와 역행동화로 나뉜다.

직접동화(直接同化)는 동화음과 피동화음이 직접 붙어 있을 때 일어나는 동화로, 인접동화(隣接同化)라고도 한다.

간접동화(間接同化)는 동화음과 피동화음이 직접 붙어 있지 않을 때 일어나는 동화로 원격동화(遠隔同化)라고도 한다.

순행동화(順行同化)는 동화음이 피동화음보다 앞에 있을 때 일어나는 동화이다. 앞소리의 흔적이 남아 있다가 뒷소리에 영향을 미쳐 앞소리의 영향이 뒷소리에까지 지연되는 동화라는 뜻에서 지연동화(遲延同化)라고도 한다.

마지막으로 역행동화(逆行同化)는 동화음이 피동화음보다 뒤에 있을 때 일어나는 동화로 뒤에 올 소리의 발음이 미리 시작되어 앞소리에 영향을 미치는 동화를 말한다. 즉 앞소리를 발음할 때 뒷소리에 대한 예측이 영향을 미치는 동화라는 뜻에서 예측동화(豫測同化)라고도 한다.

(5) 유음화(流 흐를 류, 랄랄랄랄랄)

유음화는 특정한 환경에서 유음이 아닌 소리(이 경우에는 'ㄴ')가 유음으로 대치되는 현상을 가리킨다. 이때의 특정 환경이란 유음 'ㄹ'가 인접해 있는 경우를 말한다. 따라서 유음화는 치조비음 'ㄴ'가 주위에 있는 유음 'ㄹ'의 영향을 받아 그와 같은 소리로 바뀌는 것이므로 동화 현상의 하나라 할 수 있다. 예를 들어 보자.

칼-날 → 칼랄

'칼날'은 '칼'과 '날'이 합쳐진 단어인데 두 말이 합쳐지면서 뒤에 오는 말이 '날'에서 '랄'로 바뀌었다. '칼'의 종성 'ㄹ' 뒤에서 '날'의 초성 'ㄴ'가 'ㄹ'로 대치되었다는 것이다. 말하자면 '칼날

[칼랄]'은 앞에 있는 'ㄹ' 때문에 뒤에 오는 'ㄴ'가 'ㄹ'로 바뀌었으므로 같은 소리로 바뀌는 동화를 입은 단어인 셈이다. 그러므로 이 경우에는 그러한 대치의 동기를 제공한 유음 'ㄹ'가 동화음이 되며 'ㄹ'로 대치되는 'ㄴ'가 피동화음이 된다. 이처럼 '칼-날→칼랄'에서 'ㄴ'가 'ㄹ'로 바뀌는 것은, 'ㄹ'와 'ㄴ'를 연속해서는 잘 발음하지 못하는 한국 사람들의 발음 습관 때문이다. 그러므로 'ㄹ' 뒤에 오는 'ㄴ'를 'ㄹ'로 바꾸어 줌으로써 발음을 쉽게 할 수 있도록 하는 것이다.

한편 유음화는 그 동화음과 피동화음의 순서에 따라 순행적 유음화와 역행적 유음화로 나뉜다. 순행적 유음화에서는 앞에 있는 'ㄹ'의 영향으로 뒤에 오는 'ㄴ'가 'ㄹ'로 바뀌며, 역행적 유음화에서는 뒤에 오는 'ㄹ'의 영향으로 앞에 있는 'ㄴ'가 'ㄹ'로 바뀐다. '실내(室內)'와 '신라(新羅)'의 예를 통해 두 유형의 유음화를 비교해 보자.

실-내→실래
신-라→실라

'실내'는 앞 음절 종성이 'ㄹ'이고 뒤 음절 초성이 'ㄴ'인 한자어, 그리고 '신라'는 앞 음절 종성이 'ㄴ'이고 뒤 음절 초성이 'ㄹ'인 한자어다. 비록 동화음 'ㄹ'와 피동화음 'ㄴ'의 배열 순서는 다르지만 두 단어는 인접해 있는 'ㄹ'의 영향을 받아 'ㄴ'가 'ㄹ'로 바뀌었다는 점에서 공통된 모습을 보여 준다. 두 단어 모두, 'ㄹ-ㄴ' 또는 'ㄴ-ㄹ'의 소리 연쇄를 잘 발음하지 못하는 한국어의 특징에 기인하여 'ㄹ'에 의한 동화를 겪은 한자어라는 것이다. 이로부터 한자어에서는 동화음 'ㄹ'가 앞에 있든지 뒤에 있든지 관계없이, 다시 말해 유음화가 순행적인지 역행적인지에 관계없이 그 변동 양상의 차이를 드러내지 않는다고 하겠다.

그런데 고유어와 외래어에서는 유음화의 양상이 사뭇 달라진다.

결단-력→결딴-력→결딸력(×), 결단-력→결딴-력→결딴녁(○),
무슨 라면→무슬라면(×), 무슨 라면→무슨나면(○)
다운-로드→다울로드(×), 다운-로드→다운노드(○)

위의 예에서처럼 고유어와 외래어는 한자어와 달리 역행적 유음화를 거의 보여주지 않는다. 그러한 단어에서는 대체로 유음화가 아니라 후행하는 'ㄹ'가 'ㄴ'로 바뀌는 변동 즉, 치조비음화가 일어난다. 따라서 역행적 유음화는 고유어나 외래어에서는 거의 나타나지 않으며 한자어에서만 나타난다고 할 수 있다.

이와 같이 순행적 유음화와 달리 역행적 유음화가 주로 한자어에만 나타나는 것은 역사적 현상인 데에 연유하는 것으로 여겨진다. 즉 역행적 유음화가 현재 활발히 일어나고 있는 음운 현상이 아니어서, 오래 전에 만들어지고 한 단어로서 정착된 한자어에서만 그것을 발견할 수 있다는 것이다. 이를테면 그러한 한자어에서는 유음화를 겪은 'ㄹ-ㄹ'의 발음이 정착 과정을 거치면서 그대로 굳어져 오늘날까지 이어져 내려온 셈이라 할 수 있다.

주의할 것은 요즈음 새로 생기는 말들은 모두 유음화를 겪는다는 것이다. 가령 '달님[달림], 술나라[술라라]'.

(6) 비음화(鼻, 코 비)

비음화란 비음 앞에서 비음이 아닌 소리(이 경우에는 장애음)가 비음으로 대치되는 현상을 가리킨다. 여기서 선행하는 장애음이 비음으로 바뀌는 것은 후행하는 비음 때문이므로 비음화 또한 유음화와 마찬가지로 동화 현상의 하나라고 할 수 있다.

밥(食)-만 → 밤만, 잡(執)-는다 → 잠는다

위의 예는 명사 '밥'에 조사 '-만'이 연결된 '밥만'이 [밤만]으로 발음되며 동사 '잡-'에 어미 '-는다'가 연결된 '잡는다'가 [잠는다]로 발음되는 것을 보여 준다. 이를테면 '-만'이나 '-는다' 앞에서는 [밥]이나 [잡]의 종성 'ㅂ'를 'ㅁ'로 바꾸어 발음한다는 것이다. 이처럼 '밥만[밤만], 잡는다[잠는다]'에서 'ㅂ'를 'ㅁ'로 바꾸어 주는 것은 뒤에 오는 '-만'이나 '-는다'가 비음으로 시작하는 말이기 때문이다. 한국 사람들은 'ㅂ' 등의 장애음이 비음 앞에 있을 때 그것을 잘 발음하지 못하는데 이러한 이유로 비음 앞에 있는 자음을 비음으로 바꾸어 줌으로써 발음을 쉽게 할 수 있도록 하는 것이다.

이때 '집만[짐만]'은 뒤에 오는 비음 'ㅁ'의 영향을 받아 앞에 있는 소리가 비음 'ㅁ'으로 바뀌었으므로 같은 소리로 바뀌는 동화를 입었다고 할 수 있다. 또한 '잡는다[잠는다]'는 뒤에 오는 비음 'ㄴ'의 영향을 받아 앞에 있는 소리가 비음 'ㅁ'로 바뀌었으므로 비슷한 소리로 바뀌는 동화를 입었다고 할 수 있다. 따라서 이 경우에는 뒤에 오는 비음 'ㅁ, ㄴ'가 동화음이며 앞에 있는 'ㅂ'가 피동화음이 된다. 뒤에 오는 소리 'ㅁ, ㄴ'가 앞에 있는 소리 'ㅂ'에 영향을 미쳐 그와 같거나 비슷한 소리로 바뀌게 했기 때문이다.

(7) 조음(調音) 위치 동화

자음동화는 조음방법동화와 조음위치동화로 나뉜다. 이때의 조음방법동화는 인접하고 있는 소리의 영향으로 조음 방법이 바뀌는 동화, 그리고 조음위치동화는 인접하고 있는 소리의 영향으로 조음 위치가 바뀌는 동화를 의미한다.

조음위치동화는 어떤 소리가 뒤에 오는 소리의 영향을 받아 조음 위치에서 그와 같거나 비슷한 소리로 바뀌는 역행동화 현상이다. 이러한 동화 현상으로서 한국어에서 흔히 발견되는 것은 양순음화와 연구개음화이다.

① 양순음화(두 입술 소리 되기)

뒤에 오는 양순음의 영향으로 앞에 있는 치조음 'ㄴ, ㄷ'가 각각 양순음 'ㅁ, ㅂ'로 대치되는 현상이 양순음화다. 양순음화가 일어나면 치조음이 양순음으로 바뀌는 조음 위치상의 변동이 나타난다.

양순음화는 발음 습관에서의 편이를 추구하는 현상이다. 유음화나 비음화는 발음을 아예 하지 못하는 데 기인하여 일어나는 현상이지만 양순음화는 단지 발음을 좀 더 쉽게 할 수 있도록 해주는 현상이 때문에 수의적(隨意的)으로 적용된다. 조건을 만족하는 경우에 양순음화가 반드시 일어나는 것은 아니라는 뜻이다.

예를 들어 보자.

기분-만 → 기붐만

'기분-만'은 치조음 'ㄴ'로 끝나는 명사 '기분'과 양순음 'ㅁ'로 시작하는 조사 '-만'이 결합된 말이다. 조음 위치상으로 'ㄴ'는 혀끝을 윗니 뒤(또는 입천장 앞쪽의 치조)에 대었다가 떼면서 내는 소리, 'ㅁ'는 위아래 두 입술을 꼭 다물었다가 떨어뜨리면서 내는 소리다. 따라서 '기분-만'에서 'ㄴ-ㅁ'의 소리 연쇄를 내기 위해서는 혀끝을 윗니 뒤에 붙였다가 뗀 뒤에 입술을 다무는 두 개의 동작을 연속해서 해야 한다.

이 때 앞의 치조음 'ㄴ'를 양순음 'ㅁ'로 대치하면 혀끝을 윗니 뒤에 붙였다가 떼는 동작을 생략할 수 있다. 이는 'ㄴ-ㅁ'의 소리 연쇄보다 'ㅁ-ㅁ'의 소리 연쇄가 발음하기에 더 쉽다는 사실을 의미한다. 그러나 'ㄴ-ㅁ'의 소리 연쇄를 발음하지 못하는 것은 아니므로 양순음화가 일어난 발음은 현행 표준 발음법(제21항)에서 표준 발음으로 인정하지 않는다.

② 연구개음화(뒤 입천장 소리 되기)

연구개음화는 뒤에 오는 연구개음의 영향을 받아 앞에 있는 'ㄴ, ㅁ'가 'ㅇ[ŋ]'으로, 또 'ㄷ, ㅂ'가 'ㄱ'로 대치되는 현상이다. 이러한 연구개음화에서는 치조음이나 양순음이 연구개음으로 바뀌는 조음 위치상의 변동이 일어났으므로 이를 조음위치동화라 부른다.

연구개음화는 양순음화와 마찬가지로 발음상 편이를 추구하는 현상이며 역시 수의적으로 일어나는 현상이다. 구체적인 예를 들어 이를 설명해 보자.

신 : -고 → 신 : 꼬 → 싱 : 꼬, 감 : -고 → 감 : 꼬 → 강 : 꼬

'신 : -고'와 '감 : -고'는 'ㄴ' 말음 동사 '신 : -'과 'ㅁ' 말음 동사 '감 : -'에 'ㄱ'로 시작하는 어미 '-고'가 결합된 것이다. 조음 위치상으로 치조음 'ㄴ'는 혀끝을 윗니 뒤(또는 입천장 앞쪽의 치조)에 대었다가 떼면서 내는 소리, 양순음 'ㅁ'는 위아래 두 입술을 다물었다가 떨어뜨리면서 내는 소리, 그리고 연구개음 'ㄱ'는 혀의 뒷부분을 입천장 뒤쪽의 연구개에 대었다가 떼면서 내는 소리다. 따라서 '신 : -고'에서 'ㄴ-ㄱ'의 소리 연쇄를 내기 위해서는 혀끝을 윗니 뒤에 붙였다가 뗀 뒤에 다시 혀의 뒷부분을 연구개에 붙이는 두 개의 동작을, 그리고 '감 : -고'에서 'ㅁ-ㄱ'의 소리 연쇄를 내기 위해서는 두 입술을 다물었다가 뗀 뒤에 혀의 뒷부분을 연구개에 붙이는 두 개의 동작을 연속해서 해야 한다.

이때 앞의 'ㄴ' 또는 'ㅁ'를 연구개음 'ㅇ[ŋ]'으로 바꾸어 주면, '신 : -고'에서는 '신'의 'ㄴ'를 발음하는 동작을 생략할 수 있고 '감 : -고'에서는 'ㅁ'을 발음하는 동작을 생략할 수 있다. 물론 연구개음화도 'ㄴ-ㄱ' 또는 'ㅁ-ㄱ'의 소리 연쇄를 아예 발음하지 못하는 데에서 일어나는 현상이 아니므로 수의적으로 적용된다. 그러므로 현행 표준 발음법(제21항)에서 표준 발음으로 인정하지 않는다.

(8) 구개음화

우리말에서 구개음화는 흔히, 치조음 'ㄷ, ㄸ, ㅌ'가 전설고모음 '이(또는 활음 'j')' 앞에서 각각 경구개음 'ㅈ, ㅉ, ㅊ'로 바뀌는 현상을 가리킨다. 예를 들어 보자.

밭-이 → 바치

'밭(田)'은 'ㅌ'를 말음으로 가지는 명사다. 따라서 '밭'이 '-은, -을' 등의 모음으로 시작하는 조사에 연결되었을 때에는 '밭은[바튼], 밭을[바틀]' 등에서 보듯이 말음 'ㅌ'가 그대로 발음된다. 하지만 '밭'이 모음 '이'로 시작하는 조사(주격 조사 '-이')에 연결되었을 때에는 변동의 양상이 달라진다. 그것이 '바티'가 아니라 '바치'로 실현되기 때문이다. 이와 같이 경구개음이 아닌 소리('밭'의 경우에는 'ㅌ')가 모음 '이' 앞에서 경구개음 ('ㅈ, ㅉ, ㅊ')으로 바뀌는 현상을 구개음화라 한다.

한국어의 구개음화는 모음의 영향을 받아 자음이 동화되는 현상이다. 구개음화에서는 전설고

모음 '이'가 뒤에 오고 그러한 '이'의 영향으로 앞에 있는 자음 'ㄷ, ㄸ, ㅌ'가 모음 '이'와 유사한 소리(경구개음 'ㅈ, ㅉ, ㅊ')로 바뀐다. 말하자면 구개음화는 뒤에 오는 모음 '이'가 동화음이 되고 앞에 있는 자음 'ㄷ, ㄸ, ㅌ'가 피동화음이 되는 '이'모음 역행동화 현상인 셈이다.

오늘날에는 구개음화가 동사나 형용사 어간 또는 명사 어간에 문법 형태소가 연결될 경우에만 일어난다. 한 형태소 안에서 일어나는 구개음화는 이미 생명력이 약화되어 더 이상 그 영향을 미치지 못하게 되었다는 말이다.

[형태소 내부에서의 'ㄷ' 구개음화]

오늘날 'ㄷ' 구개음화 현상은 형태소 내부에서는 더 이상 일어나지 않는다고 할 수 있다. '어디, 느티나무' 등과 같이 'ㄷ' 또는 'ㅌ'가 모음 '이'와 연결되어 있음에도 불구하고 구개음화를 보이지 않는 형태가 제법 많이 발견되기 때문이다. 이 예들이 이전 시기에 '어듸, 느틔나모'였음을 고려하면, 한 형태소 안에서의 'ㄷ'구개음화는 '어듸>어디, 느틔나모>느티나무'의 변화 이전에 존재했던 현상일 가능성이 많다. '어듸, 느틔나모'는 'ㄷ, ㅌ'와 이중모음 '의, 의'가 연결된 것이어서 동화음이 '이'여야 한다는 구개음화 적용 환경에서 벗어나 있지만 '어디, 느티나무'는 그렇지 않기 때문이다. '어듸>어디, 느틔나모>느티나무'의 변화 이후에도 구개음화가 존재했다면 '어디>어지, 느티나무>느치나무'로의 변화가 일어나지 않을 이유가 없다.

(9) 움라우트와 '이'모음 역행동화

움라우트는 뒤에 오는 전설모음 '이'나 활음 'j'의 영향을 받아 후설모음 '아, 어, 오, 우, 으'가 각각 전설모음 '애, 에, 외, 위, 이'로 바뀌는 현상을 가리킨다. 따라서 움라우트는 뒤에 오는 모음 '이'나 활음 'j'가 동화음, 앞에 있는 후설모음 '아, 어, 오, 우, 으'가 피동화음이 되는 역행동화 현상이다. 피동화음과 동화음이 직접 붙어 있지 않으므로 간접동화의 하나이기도 하다.

'아기'를 예로 들어 보자. 일상 발화에서 '아기'는 보통 '애기'로 발음된다. 이때의 '아기>애기'의 변화는 둘째 음절의 모음 '이'가 첫째 음절의 모음 '아'에 영향을 미친 데에서 비롯하여 일어난 것이다. '아기'에서는 '아'가 '애'로 바뀌었으므로 모음 '이'가 동화음이 되며 모음 '아'가 피동화음이 된다. 따라서 움라우트를 동화음이 모음 '이'이기 때문에 '이'모음동화, 더 나아가 동화음 '이'가 피동화음보다 뒤에 있기 때문에 '이'모음 역행동화라고 부르기도 한다. 그런데 넓은 의미에서 '이'모음 역행동화에는 구개음화도 포함된다. 왜냐하면 구개음화도 동화음이 모음 '이'이면서 동화음이 피동화음보다 뒤에 있는 역행동화 현상이기 때문이다.

일반적으로 움라우트가 일어나면 발음이 더 쉽고 자연스러워진다. 후설모음을 가진 음절과 전설모음 '이'를 가진 음절을 연속해서 발음하는 것보다 전설모음을 가진 음절과 전설모음 '이'를 가진 음절을 연속해서 발음하는 것이 더 쉽고 자연스럽다. 그렇기 때문에 후설모음을 전설모음으로 바꾸어 주는 움라우트가 일어나는 것이다.

(10) 모음조화

모음조화는 본질적으로 한 단어 안의 모음들 사이에 일어나는 일종의 동화 현상이다. 한 단어의 첫 모음과 그것을 뒤따르는 모음이 성격을 같이하여 동일한 부류의 모음들끼리 서로 어울리게 되는 현상이 모음조화라는 것이다. 따라서 전통적으로, 같은 부류의 모음끼리 어울려 조화를 이룬다는 뜻에서 이 현상을 모음조화(母音調和, vowel harmony)라 불러 왔다. 이러한 모음조화에 대하여 15세기의 한국어는 비교적 엄격한 모습을 보여 준다. 당시의 한국어가 형태소 내부에서, 또 어떤 경우에는 형태소 경계를 넘나들면서 같은 부류의 모음들끼리 어울리려는 경향을 강하게 드러내기 때문이다. 15세기의 한국어 자료를 살펴보면 형태소 내부 또는 경계에서 '아, 오, ᄋᆞ'의 양성 모음은 양성 모음끼리, '어, 우, 으'의 음성 모음은 음성 모음끼리 어울려 배열되는 경향을 쉽게 발견할 수 있다. (중성모음 '이'는 어느 한 편에 구속되지 않고 두 모음의 부류와 다 어울릴 수 있었다.) 예를 들어 '하ᄂᆞᆯ(>하늘)' 또는 '거붑(>거북)' 등과 같이 한 형태소 안에서 모음조화가 철저히 지켜지는 예는 물론, 형태소 경계에서도 '하ᄂᆞᄅᆞᆯ(하늘을)/거부블(거북을)'이나 '나마(남아)/너머(넘어)' 등과 같이 모음조화에 따라 조사나 어미가 교체되는 예를 흔히 찾아볼 수 있다.

현대 국어의 모음조화는 15세기의 그것에 비해 상당히 약화된 모습을 보여 준다. 모음 'ᄋᆞ>으'의 합류나 단모음(單母音) '에, 애, 위, 외'의 출현 등 여러 변화를 겪으면서 오늘날 모음조화를 따르지 않는 단어들이 많아졌는가 하면 양성 모음과 음성 모음의 이형태를 가진 어미(또는 조사)들이 대부분 단일화하여 모음조화를 따를 수 없는 형태들로 탈바꿈했다. 'ᄋᆞ>으'의 변화로 인해 양성 모음의 조화를 어기는 단어들이 다수 등장하게 되었으며 대개의 어미에서 양성 모음의 형태가 음성 모음의 형태로 바뀜으로써 형태소 경계에서도 모음조화에 따른 교체를 보이지 않게 된 것이다. 따라서 현대 국어에서는 모음조화가 '아/어'로 시작하는 어미 정도에서만 그 명맥을 유지하게 되었다. '아/어'의 교체 양상에 따라 두 개의 양성 모음('아, 오')과 여덟 개의 음성 모음('이, 에, 애, 위, 외, 으, 어, 우')으로 나뉘는 셈이다. 다만, 어간말 모음으로 '으'를 가지는 다음절 어간의 경우에는 그것을 선행하는 음절의 모음이 '아, 오'면 '-아'가 연결되고, 그 이외의 모음이면 '-어'가 연결된다.

(11) 활음화(滑 미끄러질 활, 활음=반모음 w, y)

활음화는 단모음(單母音)이 활음으로 바뀌는 현상을 가리킨다. 활음화가 일어나면 하나의 음절을 이루고 있던 모음이 다른 음절의 일부가 되어 음절 하나가 줄어들므로 비음절화(非音節化)라고도 한다.

① 'j' 활음화

'이'로 끝나는 동사나 형용사 어간 뒤에 '어'로 시작하는 어미가 연결되면 어간 말음이 단모음('이')에서 활음 ('j')으로 바뀐다. 예를 들어 보자.

기-어 → 기어 → 겨 :

'이'로 끝나는 동사 어간 '기-[匍]'에 어미 '-어'가 연결되면 '기어' 또는 '겨 : '로 나타난다. 그런데 이때의 '겨 : '는 '기어'와 소리가 다르다. '기어'의 '이어'는 두 개의 모음이 결합된 단모음 연쇄지만 '겨 : '의 '여'는 활음과 단모음이 결합된 이중모음이기 때문이다. 따라서 '기어'가 '겨 : '로 바뀌는 'j' 활음화는 단모음 '이'가 활음 'j'로 바뀌는 대치 현상이라 할 수 있다. 이 경우 음절수가 줄어듦에 따라 보상적 장모음화가 일어난다.

② 'w' 활음화

'오'나 '우'로 끝나는 동사나 형용사 어간 뒤에 '아'나 '어'로 시작하는 어미가 연결되면 어간 말음이 단모음('오, 우')에서 활음('w')으로 바뀐다.

보-아 → 보아 → 봐 :, 두-어 → 두어 → 둬 :

이때 '봐 :, 둬 : '의 '와, 워'는 '보아, 두어'의 '오아, 우어'의 소리와 다르다. '오아, 우어'는 단모음과 단모음의 연쇄지만 '와, 워'는 활음과 단모음이 결합된 이중모음이기 때문이다. 따라서 '보아 → 봐 :, 두어 → 둬 : '에서 보이는 'w' 활음화는 단모음이 활음으로 바뀌는 대치 현상이 된다. 'j' 활음화와 마찬가지로 'w' 활음화도 보상적 장모음화를 동반한다.

하지만 'w' 활음화는 어간의 음절수와 관계없이 수의적이라는 점에서 'j' 활음화와 다르다. 다만 'w' 활음화에서는 어간의 음절 구조가 그 양상의 차이를 일으킨다는 점에서 특징적이다. 다음의 예를 보자.

오-아 → 와, 배우-어 → 배워

위의 예 '오-[來]'나 '배우-[學]'처럼 활음화를 겪는 음절이 초성을 갖지 않는 경우에, 'w' 활음화거 필수적으로 일어나는 것이다.

2. 음운 탈락

음운 탈락은 원래 있었던 소리가 삭제되는 현상이다. 한국어의 탈락 현상에는 자음군단순화, 'ㅎ' 탈락, 어간말 '으' 탈락, 동모음 탈락, 활음 탈락 등이 있다.

(1) 자음군단순화

자음군단순화는 자음군(子音群)이 특정한 환경 아래에서 줄어들어 단순하게 되는 현상을 이른다. 이때의 자음군이란 자음들의 연쇄를 가리키며, 특정 환경이란 자음군이 음절말에 오게 될 경우를 가리킨다. 다시 말해 자음군이 음절 종성에 위치할 때 그러한 자음 연쇄에서 하나의 자음이 떨어지는 현상을 자음군단순화라 한다는 것이다. '값'을 예로 들어 보자.

값 → 갑, 값-도 → 갑도(→ 갑또)

'값'은 말음으로 자음군 'ㅄ'을 가진 단어다. 따라서 모음으로 시작하는 조사 '-이'와 연결되었을 때에는 '값이[갑씨]'에서 보듯이 자음군의 두 자음 'ㅂ, ㅅ'가 모두 실현된다. 하지만 '값'이 그것으로 말이 끝났거나 자음으로 시작하는 조사와 연결되었을 때에는 '값[갑], 값도[갑또]'에서처럼 그 말음이 'ㅄ'에서 'ㅂ'로 바뀌어 발음된다. 자음군(이 경우에는 'ㅄ')이 단일 자음(이 경우에는 'ㅂ')으로 단순해졌다는 것이다. 이와 같이 음절 종성 위치에서 자음군 중에 한 자음이 떨어져 나가는 현상을 자음군단순화라 한다.

한국어에서 음절말에 자음군단순화는 대개 다음과 같은 두 가지 경우에 일어난다. 먼저, 자음군 말음 어간이 그것을 말이 끝나거나 그러한 어간에 자음으로 시작하는 말이 연결될 때, 다음으로 'ㄹ' 말음 용언 어간에 관형형 어미 '-ㄴ' 또는 '-ㄹ'이 연결될 때이다. 예를 들면 앞 서 살펴본 '값도'가 첫 번째 경우에 해당하며, '만들-'과 관형형 어미 '-ㄴ/ㄹ'이 결합한 '만든/만들'이 두 번째 경우에 해당한다.

(2) 'ㅎ' 탈락

'ㅎ' 탈락은 공명음과 모음 사이에서 후음 'ㅎ'가 탈락하는 현상을 가리킨다. 이때 'ㅎ'가 탈락하는 것은 공명음이 가지는 유성음으로서의 특질 때문이다. 즉, 음성적으로 'ㅎ[h]'는 공명음과 공명음, 다시 말해 유성음과 유성음 사이에서 유성음 'ㅎ[ɦ]'로 나타나는데 이처럼 'ㅎ'가 [ɦ]로 유성음화하면 그 청각적인 효과가 상당히 약해져 인식하는 데 어려움이 생기므로 결국 탈락되기도 하는 것이다.

한국어의 'ㅎ' 탈락은 'ㅎ'가 차지하는 형태소 내에서의 위치에 따라 크게 두 가지로 나뉜다. 하나는 'ㅎ'가 형태소의 말음(이 경우에는 동사나 형용사 어간의 말음)일 경우이고 다른 하나는 'ㅎ'가 형태소의 첫 자음, 즉 두음(頭音)일 경우다. 예를 들어 설명하면 다음과 같다.

'ㅎ'가 동사나 형용사 어간의 말음일 경우에는 모음으로 시작하는 어미 앞에서 탈락한다.

놓-아 → 노아

'놓-'은 'ㅎ' 말음 동사다. 이것이 자음(이 경우에는 평음)으로 시작하는 어미에 연결되었을 때에는 '놓고[노코]'에서 보듯이 말음 'ㅎ'가 뒤에 오는 자음과 합쳐져서 격음으로 발음된다. 하지만 '놓-'이 모음으로 시작하는 어미(이 경우에는 '-아')와 결합했을 때에는 '놓아[노아]'에서 보듯이 어간의 말음 'ㅎ'가 탈락한다. 이처럼 어간 말음 'ㅎ'가 탈락하는 것은 'ㄶ'나 'ㅀ' 어간의 경우에도 마찬가지다.

한편 'ㅎ'가 형태소의 두음(頭音)일 경우에 그것이 공명음(모음, 비음, 유음) 뒤에 오면 흔히 탈락한다.

공부-하다 → 공부아다, 피곤-하다 → 피고나다, 실-하다 → 시라다

이때의 'ㅎ'는 또박또박 천천히 발음할 때는 탈락하지 않으므로 형태소 두음의 'ㅎ' 탈락은 수의적이다. 이것은 앞서 언급한 형태소 말음의 'ㅎ' 탈락이 필수적인 것과 대조된다. 이처럼 형태소의 첫소리 'ㅎ'가 공명음 뒤에서 수의적으로 탈락하는 것은 한자어에서도, 더 나아가 단어들의 연쇄에서도 마찬가지다. 한편 형태소 두음의 'ㅎ' 탈락의 경우, 현행 표준 발음법(제12항)에서는 'ㅎ' 탈락이 일어난 발음을 표준발음으로 인정하지 않는다.

(3) 어간말 '으' 탈락

'으'로 끝나는 동사나 형용사 어간의 말음 '으'는 모음으로 시작하는 어미 '-아/어' 앞에서 탈락하는데 이를 어간말 '으' 탈락 현상이라 한다. 예를 들어 보자.

쓰-어 → 써

‘쓰-’는 ‘으’ 말음 용언 어간이다. ‘쓰고, 쓰지’할 때에는 말음 ‘으’가 표면에 그대로 실현되지만 어미 ‘-어’가 연결될 때에는 그 말음 ‘으’가 탈락한다. ‘쓰-어→써, 쓰-었다→썼다’ 등에서 보듯이 ‘어’ 앞에서 어간의 말음 ‘으’가 탈락하는 것이다. 이때의 어미의 모음이 아니라 어간의 모음 ‘으’가 떨어지는 것은 한국어의 모음 중에서 ‘으’가 가장 약한 모음이기 때문이다. 이러한 ‘으’ 탈락은 다음절 어간의 경우에도 단음절 어간과 동일한 양상을 보인다.

고프-아→고파, 치르-어→치러

한편 명사의 경우에는 어간말 ‘으’ 탈락이 일어나지 않는 것이 보통이다. ‘카드-에, 탱크-에’ 등이 ‘카데, 탱케’ 등으로 발음되지 않으므로 명사 어간의 ‘으’는 모음으로 시작하는 어미 앞에서 탈락하지 않는다고 할 수 있다. 이로써 보면 이 현상에 대해서는 용언 어간말 ‘으’ 탈락이라는 명칭이 더 정확한 용어라고 하겠다.

(4) 동모음(同母音) 탈락

동사나 형용사 어간의 말음 ‘아’와 ‘어’는 각각 모음으로 시작하는 어미 ‘-아’와 ‘-어’ 앞에서 탈락한다. 이러한 현상을 어간과 어미에 동일한 모음이 출현했을 때 두 모음 중 하나가 떨어진다는 뜻에서 동모음 탈락이라고 한다.

가-아→가, 서-어→서

‘가-’는 ‘아’, ‘서-’는 ‘어’로 끝나는 동사다. 그런데 ‘가고, 가지’, ‘서고, 서지’ 할 때에는 말모음이 표면에 실현되나 어미 ‘-아/어’가 연결될 때에는 그 말음이 탈락한다. ‘가-아→가, 가-아도→가도, 가-았다→갔다’, ‘서-어→서, 서-어도→서도, 서-었다→섰다’ 등에서 보듯이 ‘-아/어’ 앞에서 어간 말음 ‘아/어’가 삭제되는 것이다.

이때 두 모음 중에 어미가 아니라 어간의 모음이 떨어진다고 보는 것은, 어미보다 어간에서 분절음 탈락으로 인한 의미 손상(또는 기능 손상)의 정도가 더 적을 것으로 여겨지기 때문이다. ‘서-’를 예로 하여 더 구체적으로 말하면 ‘서-어→서’에서, 어미 ‘-어’의 경우와는 달리 어간 ‘서-’의 경우에는 모음 ‘어’가 떨어져도 ‘ㅅ’가 남아 어간의 의미가 유지될 수 있으므로 어미의 모음보다는 어간의 모음이 탈락했다고 판단하는 편이 더 합당하다는 것이다.

(5) 활음 탈락

활음 탈락은 특정 자음과 이중모음의 연쇄에서 이중모음을 구성하는 활음이 삭제되는 현상을 가리킨다.

① 활음 'j' 탈락

경구개음 뒤에서 이중모음 '야, 여, 요, 유, 예, 얘'가 연결되면 활음 'j'가 탈락한다.

지-어 → 져 → 저

'이'로 끝나는 동사나 형용사 어간에 어미 '-어'가 연결되면 어간 말음 '이'가 활음 'j'로 바뀌는 활음화가 일어난다. 그런데 위의 예에서처럼 활음화를 겪은 음절이 초성으로 경구개음(이때는 'ㅈ')을 가지는 경우에는 활음화로 형성된 이중모음에서 활음 'j'가 떨어지는 활음 탈락이 일어난다.

이처럼 활음 'j'가 경구개음 'ㅈ' 뒤에서 탈락하는 것은, 활음 'j'와 경구개음 'ㅈ'가 조음상으로 매우 유사한 소리라는 데에서 비롯한다. 활음 'j'는 단독으로 발음하기 어려우므로 그와 동일한 음성적 특징을 간직한 모음 '이'를 통해 경구개음 'ㅈ'와의 유사성을 살펴보자.

모음 '이'는 혀의 앞쪽 면(전설)을 입천장의 경구개에 바짝 접근시켜 내는 소리다. 그런데 경구개음 'ㅈ' 또한, 혀의 앞쪽 면을 경구개에 닿게 하여 내는 소리다. 다시 말해 '이'와 경구개음 'ㅈ'는, 혀의 앞쪽 면을 경구개의 영역에 근접시켜 내는 소리라는 점에서 공통된다는 것이다. 이로부터 활음 'j'도 경구개음 'ㅈ'와 조음상으로 매우 유사한 소리임을 알 수 있다.

이러한 점을 고려하면 경구개음 뒤에서의 활음 'j'의 탈락은 유사한 음성적 특징을 가진 소리가 연속되는 것을 피하기 위해 일어나는 현상이라 할 수 있다. 이를테면 활음 'j' 탈락은 같거나 비슷한 소리가 서로 다르게 변하는 이화(異化) 현상의 하나가 되는 셈이다. 물론 경구개음의 경음 'ㅉ'와 격음 'ㅊ'에서도 활음 'j'가 탈락한다.

② 활음 'w' 탈락

양순음 뒤에 이중모음 '와, 워'가 연결되면 활음 'w'가 탈락한다.

보-아 → 봐 : → 바 :, (붓-어 →) 부-어 → 붜 : → 버 :

'오, 우'로 끝나는 동사나 형용사 어간에 어미 '-아/어'가 연결되면 어간 말음이 활음 'w'로 바뀌는 활음화가 일어난다. ('보-아 → 봐 :, 부-어 → 붜 :'). 그런데 위의 예에서처럼 활음화를 겪은 음절이 초성으로 양순음(이때는 'ㅂ')을 가지는 경우에는 활음화로 형성된 이중모음에서 활음 'w'가 떨어지는 활음 탈락이 일어난다. ('봐 → 바, 붜 → 버).

이처럼 활음 'w'가 양순음 'ㅂ' 뒤에서 탈락하는 것은 두 소리가 조음상으로 매우 유사한 소리라는 데에 기인한다. 활음 'w'는 '입술의 움직임(오므림)'이 있는 소리이므로 '입술의 움직임'이 중요하게 작용한다는 점에서 양순음과 공통된다. 그러므로 양순음 뒤에 활음 'w'가 연결될 때 유사한 소리가 연속되는 것을 피하기 위해 'w'를 삭제하는 활음 탈락이 일어난다는 것이다. 이로써 활음 'w' 탈락도 같거나 비슷한 소리가 서로 다르게 변하는 이화(異化) 현상의 하나가 되는 셈이다.

한편 활음 'w' 탈락은 수의적인 현상이다. 따라서 실제 발화에서는, 'w'가 탈락한 형태뿐만 아니라 'w'가 탈락하지 않은 형태가 모두 나타날 수 있다. 물론 일상 구어(口語)에서는 'w'가 탈락한 형태가 더 많이 쓰인다. 그렇더라도 활음 'w'가 탈락한 형태는 대개 표준어로 인정되지 않는다.

3. 음운 첨가

음운 첨가는 소리가 삽입되는 현상으로 한국어에서는 'ㄴ' 첨가와 활음 첨가가 대표적이다.

(1) 'ㄴ' 첨가

'ㄴ' 첨가는 특정한 환경에서 뒤에 오는 말의 초성으로 'ㄴ'가 첨가되는 현상을 가리킨다. 이 현상을 이해하기 위해 다음의 예를 비교해 보자.

① 솜 : -이불 → 솜 : 니불/ 누비-이불 → 누비이불
② 솜 : -이불 → 솜 : 니불/ 솜 : -옷 → 소 : 몯
③ 솜 : -이불 → 솜 : 니불/ 솜 : -이 → 소 : 미

①에서 '솜이불[솜 : 니불]'에는 'ㄴ'가 첨가되었고 '누비이불'에는 'ㄴ'가 첨가되지 않았다. 이는 두 단어에 나타나는 'ㄴ' 첨가 양상의 차이가 '이불'을 선행하는 말, 즉 '솜'과 '누비'의 차이에서 비롯했음을 알려 준다. '솜'은 자음으로 끝나는 말이고 '누비'는 모음으로 끝나는 말이어서 '솜이불'과 '누비이불'에서 'ㄴ' 첨가의 여부가 달라졌다는 것이다. 이로부터 앞말이 자음으로 끝나는 말일 때 한해 'ㄴ' 첨가가 일어남을 알 수 있다.

②는 뒷말의 차이에 따라 두 단어가 'ㄴ' 첨가에서 차이를 드러내고 있음을 보여주는 예다. '이불'은 모음 '이'로 시작하는 말이고 '옷'은 그 이외의 모음(이 경우에는 '오')으로 시작하는 말이어서 'ㄴ' 첨가의 양상을 달리했다는 것이다. 한편 '솜 : -연기'가 'ㄴ' 첨가를 겪어 [솜 : 년기]로 발음되므로, '연기'처럼 활음 'j'로 시작하는 말이 후행해도 'ㄴ' 첨가가 일어난다고 할 수 있다. 이로써 보면 'ㄴ' 첨가는 뒷말이 모음 '이'이거나 활음 'j'로 시작하는 형태소일 때 한해 일어나는

현상이 되는 셈이다.

③의 '솜이'는 명사 '솜'에 주격 조사 '-이'가 결합한 것이다. 이 또한, '솜이불[솜 : 니불]'과 '솜이[소 : 미]'에서 드러나는 'ㄴ' 첨가 여부의 차이가 뒷말(명사 '이불'과 조사 '-이')의 차이에서 비롯했음을 알려 준다. 두 단어 모두 모음 '이'로 시작하는 형태소지만, 명사 '이불'은 실질적인 의미를 가지는 어휘 형태소인 반면에 조사 '-이'는 그러한 의미를 가지지 않는 문법 형태소다. 따라서 'ㄴ' 첨가는 뒷말이 어휘형태소일 때만 일어난다고 하겠다.

이제까지의 논의를 정리하면 'ㄴ' 첨가는 다음과 같은 세 가지 조건을 만족할 때 일어난다고 할 수 있다.

① 앞말이 자음으로 끝나는 형태소
② 뒷말이 모음 '이' 또는 활음 'j'로 시작하는 형태소
③ 뒷말이 어휘 형태소

'ㄴ' 첨가에서는 앞말 종성에 어떠한 자음이 오더라도 위의 세 가지 조건을 모두 충족하면 'ㄴ'가 첨가된다.

[언어화석]

'나뭇잎[나문닙]'을 삽입된 사이시옷 때문에 'ㄴ' 첨가가 일어난 예로 보지만 이러한 설명은 역사적 사실과는 좀 다르다. 이를 '나무-잎'으로 분석해 놓고 보면 사이시옷은 뒷말이 자음으로 시작하는 경우에 들어가는데 '나무-잎'의 '잎'은 모음으로 시작하며, 'ㄴ' 첨가는 앞말이 자음으로 끝나는 경우에 일어나는데 '나무-잎'의 '나무'는 모음으로 끝나므로 '나무-잎'에는 사이시옷도 들어갈 수 없고 'ㄴ' 첨가도 일어날 수 없는 것이다.

'잎'은 이전 시기에 '닢'이었는데 '나뭇잎[나문닙]'은 바로 그러한 형태 '닢'의 흔적이다. '나무-닢'에 사이시옷이 들어간 '나뭇닢[나문닙]'을 나뭇잎[나문닙]'으로 재해석하게 되었다는 것이다. 이처럼 어떤 단어에 포함된 이전 시기 언어의 흔적을 언어 화석이라고 한다.

(2) 활음 첨가

활음 첨가는 특정 모음들 사이에 활음이 첨가되는 현상을 가리킨다.

① 활음 'j' 첨가

전설모음으로 끝나는 어간에 어미 '-어'가 연결되었을 때 그 사이에 활음 'j'가 첨가되는 일이

있다. 예를 들어 보자.

(꽃이) 피-어 → 피어 → 피여

'피-어'는 '이' 말음 동사 '피[開]'와 어미 '-어'로 분석된다. 그런데 어미 '어'는 위의 예에서 보듯이 '여'로 나타나기도 한다. '피-' 뒤에서 '어'가 '여'로 바뀌어 발음되기도 한다는 것이다. 이때 어미의 '어'가 '여'로 실현되는 것은, 그것이 전설모음 '이'로 끝나는 어간에 연결된 데에서 기인한다. 즉, 선행하는 전설모음(이 경우에는 '이') 때문에 후행하는 '어'가 '여'로, 다시 말해 '어'에 활음 'j'가 첨가되었다는 말이다. 이러한 양상은 전설모음 '에, 애, 위, 외'로 끝나는 어간의 경우에도 마찬가지다.

떼-어 → 떼여(~떼어), 개-어 → 개여(~개어), 뛰-어 → 뛰여(~뛰어), 되-어 → 되여(~되어)

이처럼 전설모음 '이, 에, 에, 위, 외'로 끝나는 어간에 어미 '-어'가 연결되면 어간과 어미 사이에 활음 'j'가 수의적으로 첨가된다. 한편 다음 예에서 보듯이 명사에 호격조사가 결합하는 경우에는 활음 'j'가 수의적이 아니라 필수적으로 첨가된다.

감 : 기-아 → 감 : 기야(O) 감 : 기아(X)

② 활음 'w' 첨가

후설원순모음 '오, 우'로 끝나는 어간에 어미 '-아/어'가 연결되면 그 사이에 활음 'w'가 수의적으로 첨가된다.

보-아 → 보와(~보아), 두-어 → 두워(~두어)

4. 음운 축약

음운 축약은 두 소리가 하나로 합쳐지는 현상인데 그 대표적인 예로는 '아이[兒]'의 준말로 쓰이는 '애'를 들 수 있다. 두 소리('아'와 '이')가 새로운 소리('애')로 바뀌었으므로 축약을 경험한 예에 해당된다.

(1) 'ㅎ' 축약

'ㅎ' 축약은 'ㅎ'와 평음의 연쇄에서 두 소리가 합쳐져 격음으로 되는 현상을 가리킨다. 'ㅎ' 축약이 일어나면 평음이 주위에 있는 'ㅎ'와 합쳐져 격음이 되므로 이를 격음화라고도 한다. 이러한 'ㅎ' 축약은 그 배열 순서에 따라 'ㅎ'가 평음을 선행하는 경우와 평음을 후행하는 경우로 나누어진다. 먼저 'ㅎ'가 평음보다 앞에 있는 경우부터 살펴보자.

놓-고 → 노코, 좋 : -던 → 조 : 턴, 쌓-지 → 싸치

위의 예는 '놓-, 좋-, 쌓-'의 말음 'ㅎ'가 어미의 두음 'ㄱ, ㄷ, ㅈ'와 합쳐져 'ㅋ, ㅌ, ㅊ'로 되는 'ㅎ' 축약을 보여준다. 이때 축약되는 'ㅎ'가 앞에 있으므로 이를 순행적 'ㅎ' 축약 또는 순행적 격음화라고 한다. 'ㄶ' 또는 'ㅀ' 말음 어간도 'ㄱ, ㄷ, ㅈ'로 시작하는 어미와 결합할 때 'ㅎ' 축약을 보이기는 마찬가지다.

'ㅎ'가 평음보다 뒤에 있어도 선행하는 평음과 축약된다. 이때에는 축약되는 'ㅎ'가 뒤에 있으므로 역행적 'ㅎ' 축약 또는 역행적 격음화라고 한다.

떡-하다 → 떠카다, 옷 한 벌 → 오탄벌, 산 : 업-혁명 → 사 : 너평명

이러한 경우에 전라도 방언과 경상도 방언은 흔히 '떡-하다 → 떠가다, 옷 한 벌 → 오단벌, 산 : 업-혁명 → 사 : 너병명' 등과 같이 'ㅎ' 탈락을 보여 준다.

(2) 모음 축약

일부 방언에서 자음과 이중모음 '워'가 연결되면 '오'로 축약되는 경우가 있다.

두-어 → 둬 : → 도 : , 주-어 → 줘 : → 조 :

'우' 말음 동사나 형용사 어간에 어미 '-어'가 연결되면 보상적 장모음화를 동반하면서 어간 말음이 'w'로 활음화한다. 그런데 일부 방언에서는 이러한 활음화로 인해 형성된 이중모음 '워'가 자음 뒤에 출현할 경우에 '오'로 바뀌는 모음 축약이 일어난다.

5. 음운 도치

음운 도치는 일상 언어에서 그리 흔히 일어나는 현상이 아니다. 이는 한국어에서도 마찬가지

여서 단지 몇 단어만이 음운 도치를 겪은 예로 언급되어 왔다. 그 대표적인 예인 '배꼽'은 '뱃복'에서 '복'의 'ㅂ'와 'ㄱ'가 순서를 바꾸어 '뱃곱'이 되었다가 결국 '배꼽'으로 나타나게 된 것이다. 이를테면 '배꼽'은 초성과 종성의 도치를 겪은 예가 되는 셈이다.

15. 다음은 구개음화 현상을 '위치', '시기', '성격'을 기준으로 정리한 것이다. 'ㄴ', 'ㄹ', 'ㅂ'의 특성을 모두 가지고 있는 것은?

(가) 위치

ㄱ. 형태소 경계 : '밭이[바치]', '솥이다[소치다]' 등은 'ㅌ'으로 끝나는 체언과 '이, 이다' 등의 조사 사이의 형태소 경계에서 일어난 구개음화의 예이다.

ㄴ. 형태소 내부 : 방언에서 흔히 나타나는 '키[치], 길[질], 형[성]' 등은 형태소 내부에서 일어난 구개음화의 예이다.

(나) 시기

ㄷ. 공시적 변화 : '밭이[바치], 솥이다[소치다]' 등은 현대 국어에서 확인되는 공시적인 구개음화의 예이다.

ㄹ. 통시적 변화 : '디나다>지나다, 뎍다>적다' 등은 시대에 따라 달라진 통시적 구개음화의 예이다.

(다) 성격

ㅁ. 음운적 변화 : '굳이[구지], 같이[가치]' 등에서 'ㄷ, ㅌ'이 'ㅈ, ㅊ'으로 음운 자체의 변동을 가져왔으므로 음운적 구개음화의 예이다.

ㅂ. 음성적 변화 : '신[ʃin], 갔니[kanɲi]' 등에서 치조음 [s]나 [n]가 경구개음 [ʃ]나 [ɲ]로 바뀐 것은 음성적 구개음화의 예이다. 음성적 구개음화의 결과 'wi, 져, 죠, 쥬>자, 저, 조, 주'로 바뀌거나 '니, 냐, 녀, 뇨, 뉴'의 'ㄴ'이 탈락하여 결과적으로 음절 구조 제약의 변화를 일으키기도 한다.

① '둏다'가 '좋다'로 바뀐 것

② '딤ᄎᆡ'가 '짐ᄎᆡ'를 거쳐 '김치'로 바뀐 것

③ '텔레비젼'으로 적지 않고 '텔레비전'으로 적는 것

④ '지-+-어서'가 [져서]가 아니라 [저서]로 발음되는 것

⑤ '女子'의 한자음이 [녀자]가 아니라 [여자]로 발음되는 것

정답 ⑤

해 설

해 설⇩

구개음화에 관한 문제. 그러나 이 문제는 구개음화 현상에 대하여 전혀 모르더라도 문제나 선지의 용어를 이해할 수 있으면 쉽게 풀 수 있다. 문제의 조건은 'ㄴ, ㄹ, ㅂ'의 조건을 모두 가진 것이다. 'ㄴ'은 형태소 내부, 'ㄹ'은 통시적 변화, 'ㅂ'은 음성적 변화이다.

[형태소 내부]란 말은 형태소들이 연결되는 부분이 전혀 없다는 뜻이다. 가령 '소, 목, 조금, 그……'과 같은 경우들이다. 특히 조건 'ㄱ'에서 '체언+조사'라는 힌트를 제시하고 있다. 이를 일반화하면 '실질형태소+문법형태소'의 결합에서 실질형태소의 종성(마지막 자음)이 'ㄷ, ㅌ'인데 이것이 'ㅈ, ㅊ'으로 바뀌는 현상이라는 것이다. 이런 사실을 이해했다면 ①, ②, ⑤만이 조건 ㄱ을 만족시킨다는 것을 알 수 있다.

[통시적(通時的) 변화]란 어떤 언어 현상이 지금은 발생하지 않으나 과거에 존재했었다는 뜻이다. 특히 조건 ㄷ에서 '밭이[바치], 솥이다[소치다]'를 제시하였으므로 '밭을[바틀], 솥에[소테]'와 같이 '이' 모음이 아닌 어형에서는 구개음화가 발생하지 않는다는 사실을 떠올리면 쉽다. ①은 언제나 '좋다'로만 쓰이니까 통시적이다. ②도 언제나 '김치'로만 쓰이니까 통시적이다. ⑤도 언제나 '여자'로만 쓰이니까 통시적이다. 따라서 이 문제는 조건이 중복되고 있다는 점에서 불만족스럽다.

[음성적 변화]란 음운적 변화까지는 아니라는 뜻이다. 음운적 변화란 음운(=음소) 자체가 달라지는 현상을 가리킨다. 가령 '형'이 '성'이 된다면 'ㅎ'이 'ㅅ'으로, 'ㅕ'가 'ㅓ'로 변화했으므로 음운적 변화가 두 번 발생한 것이다.

음성적 변화라는 것은 '신, 갔니'와 같은 경우 한국어 언중들은 실제 발음에서는 모두 [ʃin], [kaɲɲi]로 발음하지만 그것을 의식하지는 못해서 늘 [sin], [kanni]로 인식한다는 것이다. 즉 음소의 변이음으로의 실현을 음성적 변화라고 부른다.

①은 '둏다'가 '좋다'로 변화, 즉 ㄷ이 ㅈ이 되었으므로 음운적 변화. ②도 '딤치 〉 짐치 〉 김치'로 통시적 음운 변화. ⑤'녀자〉여자'는 조건 ㅂ의 설명에 완전히 일치하므로 음성적 변화.

[주의] 이 문제는 문제의 조건 ㅂ 만을 이해해도 정답이 골라지는 문제였다. 음운론에서 사용되는 용어들에 대한 정확한 이해만 갖추면 아주 쉽게 풀린다. 구개음화는 올해나 내년에 또 출제될 만한 문제이다. 아래에 보충해 둘 터이니 꼭 이해하기 바란다. 또 음운론의 기본 개념도 음소와 변이음의 관계를 중심으로 보충해 둘 터이니 꼭 이해하기 바란다.

[보충학습] [음소와 변이음]

음운(音韻)은 단어의 뜻을 구별해 주는 최소의 추상적인 말소리이다. 간단히 말해서 한국인이 일반적으로 한국어의 말소리라고 생각하는 것이다. '한국'에는 몇 개의 말소리가 들어 있나? 6개일 것이다. (5라고 생각하는 사람도 있을 것이다. ㄱ을 하나로 치면 그렇겠다. 그러나 '국'의 두 'ㄱ'은 완전히 똑같지는 않으니까 6이 맞다.) 요컨대 음소의 정의에는 단어의 뜻을 변별해준다는 점과 더 쪼갤 수 없다는 두 조건이 들어 있어야 한다.

변이음이란 어떤 음소가 음운환경에 따라 조금 다르게 실현된 음성학적 소리들을 말한다. 음성학적으로는 다르지만 보통 언중들은 그 차이를 전혀 모르기가 쉽다. 음운 환경이란 어떤 음소가 출현할 때 그 앞뒤에 오는 다른 음소들이 만드는 환경이다. 무슨 자음 뒤, 무슨 모음 뒤, 모음과 모음 사이 등등의 표현이 음운 환경을 표현한다.

가령 '가곡'에서 'ㄱ'은 세 번 출현한다. 어중들은 이 셋을 모두 같은 /ㄱ/으로 생각한다. 따라서 음소 /ㄱ/이다. 그러나 음성학적으로 관찰하면 이 셋은 k, g, k'의 서로 조금씩 다른 'ㄱ'으로 발음이 된다. 각각 '평파열음 ㄱ, 유성파열음 ㄱ, 불파열음 ㄱ'으로 표현한다. 각각의 음운 환경은 '휴지 뒤 모음 앞, 모음 사이, 모음 뒤 휴지 앞'이 된다. 음운 환경이 달라지니까 음성적 실현도 달라졌다.

그런데 위의 음운 환경은 모두 다르다. 전혀 겹치지를 않는다. 이럴 경우 상보적 분포를 이룬다고 말한다. 상보적(相補的)이란 서로 보완해서 하나가 된다는 것이다. 어떤 음운이 그 음가가 심리적으로 동일성을 가지면서 상보적 분포에 따르는 변이음을 가진다면 그 변이음들은 모두 하나의 음운으로 묶이게 된다.

[구개음화]

굳이 → [구지]	해돋이 → [해도지]	같이 → [가치]
닫혀 → [다쳐]	붙이다 → [부치다]	굳히다 → [구치다]

규칙 : [ㄷ, ㅌ] → [ㅈ, ㅊ] / 문법 형태소 ㅣ, y 앞에서. 공시론적 규칙.

잇몸소리 'ㄷ, ㅌ'이 전설모음의 영향으로 조음위치가 변하여 센입천장소리 'ㅈ, ㅊ'으로 실현되는 동화 현상. 이는 자음의 변동 현상이지만, 동화의 원인, 동화 대상의 조음위치와 조음방법이 다른 자음동화 현상과는 다르다. 즉, 모음에 의한 자음의 동화, 파열음이 파찰음이 되는 것, 치경음이 경구개음이 되는 것 등으로 복잡하다. 다른 자음동화는 조음위치나 조음 방법의 어느 하나에 국한된 동화이다.

역사적으로 구개음화가 일어난 경우.

예) 텬→[천], 디→[지], 텨→[처].

이들은 비록 형태소 결합 과정이 전제되지 않은 한 형태소 안이지만, 역사적 변천 과정에서 구개음화를 겪었기 때문에 통시적 구개음화로 인정할 수 있는 예이다. 현대 국어의 구개음화는 형식형태소인 조사나 접사가 결합한 경우에는 필연적이고 보편적인 현상이지만 한 형태소 내에서나 합성어 안에서는 구개음화가 일어나지 않는다. 그러나 근대 국어에서는 한 형태소 안에서도 구개음화가 일어났던 것으로 보인다.

예) 디다→[지다], 뎌→[져], 됴타→[좋다], 텬디→[천지].

근대 국어에서 구개음화를 겪은 것들은 표기까지 구개음화된 형태로 굳어졌다. 반면 표준 발음법에서는 구개음화된 소리를 표준 발음으로 인정하되, 표기는 원형을 밝혀 적는 것을 원칙으로 하고 있다.

[이기문 선생님의 口蓋音化 설명]
용언 또는 체언의 어간 말음 'ㄷ, ㅌ'가 전설고모음 'ㅣ'나 반모음 'ǐ'로 시작되는 형식 형태소(=문법 형태소)와 만나면 그 'ㄷ, ㅌ'이 구개음 'ㅈ, ㅊ'이 되는 현상을 구개음화라고 한다. 이는 모음에 의한 자음의 동화 현상이다. 말할 때에는 센입천장소리로 바뀐 발음을 표준 발음으로 인정하는 경우가 많다. 그러나 글로 쓸 때에는 변하기 전의 원형을 밝혀 적는다.

용례 : 짐받이, 밭이, 낱낱이

근대어에서 가장 현저한 음운 변화가 구개음화였다. 국어사에서 구개음화라면 i, y 앞에서 ㄷ, ㅌ, ㄸ니 ㄱ, ㅋ, ㄲ이 ㅈ, ㅊ, ㅉ으로 변하는 현상을 말하는데 이런 변화는 남부지방에서 일찍 일어나 北上한 것으로 믿어진다. 서울말에서는 ㄷㅌㄸ의 구개음화만이 일어났으며 그것도 매우 늦게 일어난 것이다. 서북 방언에서는 아직도 구개음화가 일어나지 않았다. 요컨대 구개음화는 17세기 말 경에 발생한 것이다. 그 결과 '디, 댜, 뎌, 됴, 듀, 티, 탸, 텨, 툐, 튜' 등의 결합이 국어에서는 자취를 감추게 된 것이다. 그러나 19세기 들어 '듸, 틔' 등이 '디,티'로 변하게 되어 다시 이들의 결합이 나타나게 된 것이다.

예) 견듸-(忍), 무듸-(鈍), 띄(帶)

구개음화는 더 광범위한 현상으로 인식해야 할 것이다.

1. 파찰음 ㅈ,ㅊ의 구개음화의 발생이 전제가 된다. 15세기 치음 ㅈㅊ이 18세기에는 i, y 앞에서는 구개음으로, 다른 모음들 앞에서는 치음으로 발음된 것. 그러다가 19세기에 모든 경우에 구개음으로 발음되면서 '쟈져죠쥬'와 '자저조주'의 대립이 중화되었다.

2. 구개음화는 i, y 앞에 오는 여러 자음들에 모두 적용된 것이다. 즉 'ㅅ, ㄷ'이 [ʃ, ɲ]로 발음되면서 [s, n]의 이음이 발생되었다. 이런 현상의 근거는 어두 'ㄴ'의 i, y 앞에서의 탈락 현상이다.

예) 님금〉임금, 니름〉이름, 니르히〉이르히.

16. 다음 〈자료〉는 형태는 동일하지만 의미나 기능이 다른 대명사를 짝 지은 것이다. (가)~(다)의 밑줄 친 부분을 구별하여 설명하는 데 사용할 수 있는 공통적 근거는?

〈자료〉

(가) ㄱ. 철수는 저도 모르게 눈물이 났다.
(가) ㄴ. 차라리 저를 꾸짖어 주십시오.
(나) ㄱ. 자기, 아직 안 자고 있어?
(나) ㄴ. 철수는 자기가 잘못했다고 시인했다.
(다) ㄱ. 이 그림은 내가 당신을 위해 그린 것이다.
(다) ㄴ. 할머니께서 당신께서 젊었을 때 그림을 그렸다고 하셨다.

〈설명의 근거〉

㉠ 높임법 등급에 따라 구별된다.
㉡ 인칭에 따라 구별된다.
㉢ 화자와 관련되느냐 청자와 관련되느냐에 따라 구별된다.
㉣ 재귀대명사냐 아니냐에 따라 구별된다.
㉤ 주어와 관련되는 것과 목적어와 관련되는 것으로 구별된다.

① ㉠, ㉡　② ㉠, ㉣　③ ㉡, ㉢　④ ㉡, ㉣　⑤ ㉢, ㉤

정답 ④

해 설

해설⇩

재귀대명사의 조건을 묻는 매우 쉬운 문제. 여기서 재귀(再歸)라는 말은 '다시 돌아간다'는 뜻. 즉 선행사(先行詞=앞에 나온 주어)를 대신하여 쓰이는 대명사를 찾으라는 문제이다. 일반적으로 국어의 재귀대명사는 3인칭만 존재한다고 기술된다.

문제의 조건 ㉠ 높임법 등급이라는 용어는 상대높임법만을 전제로 한다. 따라서 재귀대명사가 하십시오체 하고만 어울린다든지 해요체 하고만 어울린다든지 하는 설명은 말이 되지 않는다. 특히 문제의 예(나)는 ㄱ. 해체와 ㄴ. 해라체이므로 높임의 등급이 거의 같은 것이라서 구별 표지가 될 수 없다.

문제의 조건 ㉡ 인칭에 따라 구분된다는 말은 준 예문(가~다) 모두에 성립한다. (가)에서 ㄱ=3인칭, ㄴ=1인칭. (나)에서 ㄱ=2인칭, ㄴ=3인칭. (다)에서 ㄱ=2인칭, ㄴ=3인칭. 즉 재귀대명사는 3인칭에서만 성립하고 있다. 따라서 선지 ㉡ 인칭에 따라 구분된다는 말은 타당하다.

문제의 조건 ㉢ 화자와 관련되느냐 청자와 관련되느냐의 문제는 (가) ㄱ에서부터 타당하지 않다. (가) ㄱ의 '저'는 주어 '철수'에 관련되므로 철수는 화자도 아니며 청자도 아니기 때문이다. (나) ㄴ, (다) ㄴ도 마찬가지이다.

문제의 조건 ㉣ 재귀대명사냐 아니냐는 (가~다) 모두에서 성립한다. (가) ㄱ에서 철수=저, (가) ㄴ에서 저=나, 단순한 1인칭대명사. (나) ㄱ에서 자가=너, 단순한 2인칭대명사, (나) ㄴ에서 철수=자기, 재귀대명사. (다) ㄱ에서 당신=너, 2인칭대명사, (다) ㄴ에서 할머니=당신, 재귀대명사.

문제의 조건 ㉤은 목적어와 관련된다는 진술이 오류. 재귀대명사는 3인칭 주어에 호응하는 것이 일반적이다.

[보충학습] [재귀대명사(再歸代名詞)](『바른 국어생활과 문법』에서 인용(101, 102))

3인칭대명사 중에는 앞에 나온 체언, 즉 선행사를 도로 가리켜 이르는 것이 있다. 이를 재귀대명사(reflexive pronoun)라고도 하고, 줄여서 재귀사(reflexive)라고도 한다. 재귀대명사에는 '자기, 당신, 저' 등이 있는데 '자기'는 예사 재귀대명사이고, '당신'은 높임의 재귀대명사이며, '저'는 낮춤의 재귀대명사이다.

(22) 가. 그도 자기 잘못을 깨달을 줄 안다.

나. 아버님은 당신이 젊었을 적 얘기만 하신다.

다. 걔는 제 몸만 아낄 줄 안다.

재귀대명사는 일반적으로 3인칭의 유정물 주어를 선행사로 한다. (22가)의 '자기'와 (22나)의 '당신', (22다)의 '저'는 3인칭 재귀의 예이다. 그러나 특수한 경우에 '저'는 1인칭이나 2인칭의 유정물 주어나 무정물 주어를 재귀하여 지칭할 수 있다. 다음 (23가)의 '저'는 1인칭 재귀의 예이고, (23나)의 '저'는 2인칭 재귀의 예이다.

(23) 가. 나도 제 허물은 압니다.

나. 너도 제 새끼는 귀여워하는구나.

한국어의 대명사는 이상에서 보았듯이 그 종류가 많은 편이지만 그 쓰임은 활발하지 못한 면모를 보인다. 앞 문장의 명사를 대명사로 받기 보다는 대개 그 명사를 반복하여 쓰며, 존대해야 할 사람을 가리킬 대명사가 아예 없어 명사를 쓸 수밖에 없는 경우도 많다. 다음 예문에서 '어머니'나 '선생님'이 대명사로 바뀌어 쓰일 가능성은 없다. 전체적으로 한국어는 대명사가 잘 발달되지 않은 언어 또는 그 쓰임이 활발하지 않은 언어라고 할 수 있다.

(24) 가. 나는 어머니를 사랑한다. 어머니가 없는 세상은 상상조차 할 수 없다. 어머니는 정말 대지와도 같다.

나. 선생님은 어렸을 때 선생님의 용모에 자신이 있으셨어요?

17. “중세 국어 지식을 활용하여 현대 국어를 이해한다.”라는 학습 목표를 위해 자료를 수집하였다. 학습 내용과 자료의 연결이 적절하지 않은 것은?

	학습 내용	자료
①	‘좁쌀’과 같은 유형의 합성어에 대한 이해	그 짓 ᄯᆞ리 ᄡᆞᆯ 가져 나오나ᄂᆞᆯ ᄡᅵᄂᆞᆫ 幸혀 房州ㅅ 거시 니그니
②	맞춤법 규정의 ‘ㅎ’ 소리 덧생김에 대한 이해	수히 왼 ᄂᆞᆯ개 드리옛ᄂᆞ니 이 암ᄒᆞᆫ 모다 뒷논 거시어늘
③	불규칙 활용 발생의 원인에 대한 이해	지블 지ᅀᅥ 龍ᄋᆞᆯ 치더니 聖祖仁政을 도ᄫᆞ시니이다
④	높임법의 체계에 대한 이해	ᄒᆞᆫ 菩薩이……나라ᄒᆞᆯ 아ᅀᆞ 맛디시고 婇女ㅣ 하ᄂᆞᆳ 기ᄇᆞ로 太子ᄅᆞᆯ ᄢᅳ려 안ᅀᆞᄫᅡ
⑤	격조사의 기능에 대한 이해	부톄 目連이ᄃᆞ려 니ᄅᆞ샤ᄃᆡ 부텻 모미 여러 가짓 相이 ᄀᆞᄌᆞ샤

정답 ⑤

해 설

중세 국어의 문법적 기초 지식을 측정하는 문제. 중세 국어 자료를 번역만 할 수 있어도 쉽게 풀리는 문제. 우선 각 선지를 현대어로 번역하면 다음과 같다.

① 그 집 딸이 쌀 가지어 나오거늘/씨는 행혀 방주의 것이 익으니
② 수컷이 왼쪽 날개를 드리워있으니/이 암컷은 모아 두어있는 것이거늘
③ 집을 지어 용을 키우더니/성조인정(조상 왕의 어진 정치)을 도우십니다
④ 한 보살이 ……나라를 아우 맏기시고/채녀가 하늘의 비단으로 태자를 꾸려 안아
⑤ 부처가 목련이더러 이르시되/부처의 몸이 여러 가지의 상이 갖추어지시어

정답을 고르는 것은 매우 쉽다. ⑤‘목련이’는 현대 국어의 ‘바둑이, 길동이’ 등과 같은 이름에 붙는 접미사이므로 격조사가 아니다. ‘부텻’은 ‘부처의’에 해당하므로 관형격조사가 결합되어 있

다. 중세 국어나 현대 국어나 격조사의 개념과 종류는 대동소이하다. 아래에 제시한 [보충학습]을 숙지하기 바란다.

① '좁쌀'과 같은 유형의 합성어에 대한 이해 = 좁쌀의 중세 어형은 '조ᄡᆞᆯ'이었다. 이 어형이 '좁살〉좁쌀'로 변화해 온 것이다. 즉 'ᄡᆞᆯ'과 같은 어두 자음군의 앞 자음이 합성어의 뒷부분에서 앞 어형의 종성으로 옮아간 특이한 현상이다. 그 자료로 'ᄡᆞᆯ,ᄡᅵ'를 제시했다. 현대 국어의 '햅쌀, 볍씨' 등의 특이한 어형을 설명하게 되므로 타당하다.

현대어의 '조, 좁쌀, 쌀'만 보면 '좁쌀'의 'ㅂ'은 이상한 존재이지만 중세어의 'ᄡᆞᆯ'에 'ㅂ'이 있었고 그것이 화석이 된 것이라는 사실을 알려줄 수 있다는 것이다.

② 맞춤법 규정의 'ㅎ' 소리 덧생김에 대한 이해는 현대어에서 '수컷, 암컷, 수곰, 암곰' 등으로 불규칙하게 'ㅎ' 소리가 덧생기는 이유를 중세어에서 원래 '숳, ᅀᅡᇂ'이었으므로 자연스럽게 설명하게 되므로 타당한 진술로 판단할 수 있다.

③ 불규칙 활용 발생의 원인에 대한 이해는 현대어 '짓다, 지으니/돕다, 도우니'의 경우 중세 어형이 '짓다, 지ᅀᅥ/돕다, 도ᄫᅡ'였음을 알려주고 'ㅿ/ㅸ' 소리가 각각 소멸되고 반모음w로 변화했음을 알려주면 자연스럽다. 타당하다.

④ 높임법의 체계에 대한 이해: 중세어에서는 주체높임법은 현대 국어와 거의 같아서 주체높임의 선어말어미 '-시-'로 표시되며, 현대 국어에서는 화석이 되어 있는 객체높임의 선어말어미가 '-ᅀᆞᆸ-'으로 표현됨을 설명하면 자연스럽고 타당하다.

[보충학습]

[어두자음군]

[어두(語頭)자음군(子音群)]이란 단어의 첫머리에 오는 둘 또는 그 이상의 자음의 연속체를 말한다. 중세 국어의 'ᄭᅮᆷ'의 'ㅺ', 'ᄯᅡ(地)'의 'ㅼ', 'ᄲᅳᆯ'의 'ㅽ', 'ᄠᅳᆮ'의 'ㅳ', 'ᄡᆞᆯ'의 'ㅄ', 'ᄢᅮᆯ'의 'ㅴ', 'ᄣᅢ'의 'ㅵ' 따위, 영어의 'step'의 'st', 'spring'의 'spr', 'stress'의 'str' 따위이다. [비슷한 말] 말머리닿소리떼. (『언어학사전』)

병서는 '나란히 쓴다'는 뜻입니다. 병서에는 각자병서와 합용병서가 있는 것은 알죠. 말 그대로 병서는 표기 방법이구요. 된소리는 소리내는 방법에 따라 자음을 분류한 것이죠. 결국 쓰기 방법이냐 어떤 소리이냐일 뿐이지 각자병서와 된소리는 같습니다.

[합용병서]는 서로 다른 글자를 나란히 쓰는 것을 말합니다. [어두자음군]은 어두에 자음군이 온다는 뜻이죠. 예를 들면 'ᄣᅢ'처럼 모음 'ㅐ' 앞에 자음이 'ㅂㅅㄷ' 3개가 왔죠. 이런 경우를 어두

자음군이라 합니다. 합용병서가 어두자음군으로 쓰이고 있습니다. 그 의미하는 바가 다를 뿐이지 결국 합용병서와 어두 자음군은 같습니다. 합용병서는 영어에서 'strike'를 예로 들면 '스트라이크' 라고 읽죠. 소리가 나려면 자음과 모음이 어울려야겠죠. 그런데 자세히 살펴 보세요. '라이크'는 자음과 모음이 어울렸지만 '스'와 '트'는 원래 자음만 있지 모음이 없잖아요. 여기서 모음 'i' 앞에 오는 'str'도 어두자음군이라고 할 수가 있습니다. 중세 국어에서 보면 'ㅅ'계열, 'ㅂ'계열, 'ㅄ'계열의 어두자음군이 있었습니다. 이런 경우 영어는 자음 아래 '으'를 넣고 읽지만 우리말은 아마 자음 위에 '으'를 넣고 읽었던 같아요. 예를 들면 'ㅄ대'의 경우 '읍읏대'라고 읽었겠죠. 물론 여기서 '읍'과 '읏'은 입 모양만 그렇게 했을 것이고 소리는 내지 않았던 것 같습니다. 이것을 추정할 수 있는 것은 현재어에서 '입때, 접때'라는 말이 있잖습니까. 이와 때가 만나는 데 갑자기 'ㅂ'이 나타나고 있잖아요. 이게 바로 옛말의 흔적이라고 할 수 있죠. 그리고 그 'ㅂ'이 앞말의 받침으로 가서 소리 나고 있잖아요. 그러니까 영어처럼 모음이 없는 자음은 'ㅡ'를 자음 아래 넣어 발음하는데 우리말은 모음이 없는 자음은(어두자음군의 앞 자음 들) 자음 위에 'ㅡ'를 넣고 읽지 않았나 하는 생각이 듭니다. (네이버 지식인에서 퍼온 설명: 전문가의 설명으로 보입니다.)

[격조사]

격(格)의 개념: 조사가 어떤 체언 뒤에 결합하여 그 통합 성분(격조사구)이 문장 속의 어떤 다른 단어(주로 서술어)와 가지는 문법적 관계를 격(case)이라고 정의한다. 국어에서 격은 대체로 격조사에 의해 표현된다.

격조사의 종류: 주격 조사, 목적격(대격) 조사, 보격 조사, 서술격조사, 관형격(속격) 조사, 부사격조사, 호격조사

주격 조사: 어떤 체언이 그 문장의 주어임을 나타내 주는 조사를 주격 조사라고 하는데, '이/가'가 그 대표적인 예이다. 주어가 존칭 명사일 때에는 '이/가' 대신 일반으로 '께서'가 쓰이며, 주어가 단체를 나타내는 명사일 때는 '에서'가 쓰이는 수도 있다. 중세어에서는 '이/ㅣ'뿐이었다.

보격 조사: '이/가'가 체언 뒤에 결합하고 '되다/아니다' 바로 앞에 나타나는 경우에 보격조사로 처리해 왔다. 그러나 필수 부사어에 결합되어 있는 조사도 포함시키는 경향이 늘고 있다. "내가 학생이 되었다(주어+보어+서술어) 중세어에서는 '이/ㅣ'뿐이었다.

목적격 조사: '을/를'처럼 명사로 하여금 목적어가 되게 하는 조사를 목적격 조사라고 한다. 어떤 경우에는 목적격 조사를 대격(accusative case)조사라고 부르기도 한다. 목적격 조사는 다음 예문에서처럼 타동사의 목적어 뒤에 결합되어 쓰이는 것이 일반적이다. 중세어도 똑같다.

관형격 조사: 관형격 조사는 명사와 명사 사이에 나타나 두 명사를 더 큰 명사구로 묶어 주는 역할을

하는 조사를 말한다. 국어의 조사 '의'만이 관형격 조사에 해당한다. '의'가 결합된 성분이 뒷 부분을 수식하는 관형어의 기능을 한다고 하여 관형격 조사라 하지만, 흔히 소유격 조사 혹은 속격 조사라고 부르기도 한다. 중세어에서는 관형격조사가 두 종류가 있었다. 존칭체언이나 무정명사 뒤에는 'ㅅ', 평칭 유정명사 뒤에는 '의/ᄋᆡ/애/에/예'중 어느 하나가 쓰였다.

부사격 조사: 부사격 조사는 그것이 결합한 구성을 부사어로서 기능하도록 만들어 준다는 의미에서 붙은 이름이다. 부사격 조사에 속하는 조사들은 상당히 수도 많고 기능도 복잡하다. '에/에게/에서/와/로…' 중세어도 똑같다.

호격 조사: 호격(vocative) 조사는 무엇을 부를 때 그 부르는 대상을 가리켜 주는 격, 곧 호격을 나타낸 주는 조사이다. 호격 조사인 '아/야'는 원칙적으로 사람 이름 다음에 쓰인다. 중세어에는 높임의 체언 뒤에는 '하'를 붙였고, 점잖은 표현으로는 '여'가 더 있었다.

[보충학습] [중세 국어의 높임법](『중세 국어 연습』에서 인용)

5.1. 경어법

경어법은 화자가 이야기에 참여하는 어느 인물에 대해 존대 의사를 표현하는가에 따라 존경법, 겸양법, 공손법으로 삼분된다. 존경법은 주어나 주제로 표현되는 행위나 상태의 주체에 대한 존대의사를 표현하는 것으로 주체높임법으로도 불린다. 겸양법은 목적어나 부사어로 실현되는 인물에 대해 존대의사를 표현하는 것으로 객체높임법이라고도 한다. 공손법은 청자, 말을 듣는 상대에 대한 존경을 표현하는 것으로 상대높임법이라 하기도 한다. 현대 국어에서는 이를 대우법이라 부른다.

중세 국어의 경어법은 선어말어미에 의해 실현된다. 또 조사에도 존대에 따른 구분이 존재한다. 다음에서는 중세 국어의 특징적 용법과 예를 중심으로 구체적으로 검토한다.

5.1.1. 존경법

존경법은 현대 국어와 같이 선어말어미 '-시-'에 의해 표현되며 그 용법도 거의 차이가 없다.

(1) a. 如來 太子 時節에 나ᄅᆞᆯ 겨집 사ᄆᆞ시니(석보6 : 4)
b. 野人ㅅ 서리예 가샤 野人이 ᄀᆞᆯ외어늘 德源 올ᄆᆞ샴도 하ᄂᆞᇙ ᄠᅳ디시니(용가 4)
c. 우흔 다 諸佛이 머리셔 讚歎ᄒᆞ시논 마리라(월석18 : 57)
d. 부텻 뎡바깃뼈 노ᄑᆞ샤 ᄡᅳᆫ머리 ᄀᆞᄐᆞ실씨(월석8 : 34)

(1a)의 화자인 야수(耶輸)는 주어인 '如來'를 상위자라 판단하였기에 '사ᄆᆞ시니'와 같이 '-시-'를 사용하였다. (1b)는 주어가 생략되어 있는 문장이다. 이 용례는 익조(翼祖)의 행위에 대한 서술인데, 편찬자인 화자가 그를 상위자로 판단하였기에 '-샤-'가 쓰인 것이다. '-샤-'는 전술한 대로 모음어미 앞에서 실현되는 이형태이다. 중세 국어의 문헌은 장문인 경우가 많아 주어가 생략되어 표현되는 일이 많다. 또 〈용비어천가〉나 〈월인천강지곡〉과 같은 운문에서는 더욱 빈번하다. 이때는 문맥이나 관련 설화 등을 참조하여 주어를 판단하여야 한다. (1c)는 관형사형에 '-시-'가 쓰인 예이다. '讚歎ᄒᆞ-'의 행위자인 관형절 안의 諸佛에 대한 존대를 표현한 것이다. (1d)는 조금 특수한 예로 흔히 간접높임이라 한다. 존대 인물과 관련되는 사물이나 일이 주어로 쓰일 때도 관련되는 존대 인물에 대한 존대를 간접적으로 표현한 것이다. 이런 현상은 철저히 지켜지는 것이 아니어서 '-시-'가 쓰이지 않는 일도 적지 않다. 현대 국어에서는 '김 선생님이 책이 많으시다'와 같은 이중주어문에 이 현상이 남아 있다.

(2) 가. 이제 내 ᄒᆞ마 阿羅漢道ᄅᆞᆯ 得ᄒᆞ야 오래 病ᄒᆞᇙ 緣을 여희얫가시니(능엄1 : 45)

나. 故園엣 버드리 이제 이어 뻐러디거시니(두시16 : 51)

(2)는 존대와 관계없는 '-시-'의 예이다. 흔히 비존대의 '-시-'라고도 부른다. (2가)는 주어가 '내'이므로 '-시-'가 쓰일 수 없는 환경이고, (2나)의 주어 '버들'은 무생물로 존대 대상이 될 수 없는 것이다. 따라서 여기서의 '-시-'는 존대의 기능은 갖고 있지 않다. 이런 예는 확인법의 선어말어미 '-거-' 뒤에 나타난다는 특성이 있다.

5.1.2. 겸양법

겸양법은 현대 국어에서는 거의 사라지고 '드리다, 여쭙다'와 같은 어휘에 의해 일부 표현될 뿐이나, 중세 국어에서는 선어말어미 '-숩-'에 의해 표현된다. 겸양법은 행위와 관련되는 대상, 즉 목적어나 부사어로 실현된 인물이 화자보다 상위자이고 주어의 인물보다도 상위자일 때 쓰인다.

(3) a. 내 ᄯᆞᆯ 勝鬘이 聰明ᄒᆞ니 부텨옷 보ᅀᆞᄫᆞ면 당다이 得道ᄅᆞᆯ ᄲᆞᆯ리 ᄒᆞ리니(석보6 : 40)

b. 내 아래브터 부텻긔 이런 마ᄅᆞᆯ 몯 듣ᄌᆞᄫᆞ며(석보13 : 44)

c. 諸菩薩ᄃᆞᆯ히… 法王애 갓갑ᄉᆞ와(법화1 : 114)

d. 우린 다 佛子ㅣ ᄀᆞᄌᆞ오니(법화2 : 227)

e. 無量壽佛 보ᅀᆞᄫᆞᆫ 사ᄅᆞᄆᆞᆫ 十方無量諸佛을 보ᅀᆞᄫᆞᆫ디니(월석8 : 33)

f. 道士ᄃᆞᆯ히… 부텻 舍利와 經과 佛像과란 긼 西ㅅ녀긔 노ᅀᆞᆸ고(월석2 : 73)

(3a)는 목적어인 '부텨'가 화자인 '나'와 주어인 '내 ᄯᆞᆯ'보다 상위자여서 '-ᅀᆞᆸ-'이 쓰인 것이며, (3b~d)는 부사어 '부텻긔', '法王애', '佛子ㅣ'가 주어(또는 화자) 인물보다 상위자이기 때문에 겸양법이 쓰인 것이다. (3e)는 관형사형의 예이며, (3f)는 존경법에서와 같이 존대 인물과 관련되는 사물이나 일이 목적어나 부사어로 나타날 때 겸양법이 쓰인 간접높임의 예이다.

겸양법의 형태소 '-ᅀᆞᆸ-'은 근대 국어 단계에서 공손법에 통합되었고, 현대 국어에서는 청자대우법(또는 화자겸양법)의 일종으로 변화하였다.

5.1.3. 공손법

공손법의 체계는 조금 특이하다. 현대 국어에서 공손법은 어말어미에 의해 표현되나, 중세 국어에서는 선어말어미에 의해 실현된다. 또 공손의 등급도 현대 국어보다 단순하여, 'ᄒᆞ쇼셔'체, 'ᄒᆞ야쎠'체, 'ᄒᆞ라'체의 셋으로 나뉘는 것이 일반적이다.

'ᄒᆞ쇼셔'체는 화자가 청자(상대)를 자신보다 상위자라 판단하여, 존대하고자 할 때 사용되는 것으로 현대 국어의 '-습니다, -습니까'의 등급에 해당된다. 'ᄒᆞ야쎠'체는 청자가 자신과 같은 등분이라고 판단하되, 격식을 갖추어 약간 존대하고자 할 때 사용되는 것으로 현대 국어의 '-오'에 해당된다. 'ᄒᆞ라'체는 청자를 자신과 같거나 혹은 하위자로 판단해, 존대하지 않는 등분이다.

(4) a. 이 못 ᄀᆞᅀᅢᆺ 큰 珊瑚 나모 아래 _무두이다_(석보11 : 32)
b. 엇던 因緣으로 … 아디 어려ᄫᅳᆫ 法을 브즈러니 _讚嘆ᄒᆞ시ᄂᆞ니잇고_(석보13 : 44)
c. 구쳐 니러 절ᄒᆞ시고 _안ᄌᆞ쇼셔_ ᄒᆞ시고(석보6 : 3)

(5) a. 내 그런 ᄠᅳ들 몰라 _ᄒᆞ댕다_(석보24 : 32)
b. 그듸 아바니미 _잇ᄂᆞ닛가_(석보6 : 14)
c. 내 보아져 ᄒᆞᄂᆞ다 _ᄉᆞᆯ바쎠_(석보6 : 14)

(6) a. 소리ᄲᅮᆫ _듣노라_(석보6 : 15)
b. 네 겨집 그려 _가던다_(월석7 : 10)
c. 아바닚 病이 기프시니 _엇뎨ᄒᆞ료_(석보11 : 18)
d. 이 아니 내 鹿母夫人ᄋᆡ 나혼 _고진가_(석보11 : 32)
e. 너희 大衆이 ᄀᆞ장 보아 後에 뉘읏븜 업게 _ᄒᆞ라_(석보23 : 11)

(4)는 'ᄒᆞ쇼셔'체, (5)는 'ᄒᆞ야쎠'체, (6)은 'ᄒᆞ라'체의 예이다.

‘ᄒᆞ쇼셔’체는 어말어미에 선어말어미 ‘-이-’나 ‘-잇-’을 더해 표현하며, 명령법의 경우만 ‘-쇼셔’라는 별도의 어미를 사용한다.

‘ᄒᆞ야쎠’체는 ‘-ᅌᅵ다’나 ‘-ㅅ가’, ‘-아쎠’로 표현된다. 중세 국어에서는 가장 예가 적은 등급이다. 대체로 대명사 ‘그듸’에 해당하는 청자에 대해 사용되며, ‘ᄒᆞ쇼셔’체가 병용되어 쓰이는 일도 많다. 현대 국어의 ‘해요’체의 등분에 상당하는가는 예가 적어 확인하기 어렵다.

‘ᄒᆞ라’체는 그 형태가 다양하다. 특히 의문법이 복잡하므로 형태에 주의할 필요가 있다. 앞의 의문법어미와 명령법어미를 참고하기 바란다. ‘ᄒᆞ라’체는 가장 중립적인 등분으로 특정 청자가 존재하지 않는 지문이나 설명에도 사용된다. 현대 국어의 ‘해라’체에 해당하는 것으로 보이나, 현대 국어의 반말 ‘해’체의 등분도 포함하는 것으로 보인다.

(7) a. 내히 이러 바ᄅᆞ래 가ᄂᆞ니(용가 2)
b. 부텻긔 받ᄌᆞ바 므슴 호려 ᄒᆞ시ᄂᆞ니(월석1 : 10)

중세 국어에는 (7)과 같이 선어말어미 ‘-니’나 ‘-리’로 문장이 종결되는 예가 있다. 이 역시 공손법의 한 등급일 것이나, 쓰이는 환경이 제한적이어서 정확하게 어느 등급이라 하기 어렵다. (7a)는 ‘가ᄂᆞ니이다’와의 대체 가능성을 생각하면 ‘ᄒᆞ쇼셔’체에 가까운 듯하며, (7b)는 ‘ᄒᆞ라’체와 ‘ᄒᆞ야쎠’체의 중간 정도의 등급으로 보인다.

5.1.4. 체언의 경어법

현대 국어에서 평칭의 여격조사 ‘-에’에 대하여 존칭 ‘-께’가 존재하는 것과 같이 중세 국어에도 존대인물과 통합되는 조사가 따로 존재하는데, 현대 국어와 다른 면이 많다.

속격조사 ‘-ᄋᆡ/의’가 존칭체언과 통합될 때는 ‘-ㅅ’이 쓰이며, 여격조사로는 ‘-ㅅ그에, -ㅅ긔(-ᄭᅴ), -ㅅ게(-�)’가 대응한다. 중세 국어에서 여격조사는 ‘속격조사+그에(긔, 게)’의 구성이기 때문에 속격조사에서의 존비차이가 그대로 반영된다. 또 호격조사로 ‘-하’가 있는데 존대인물을 부를 때 사용된다. 반대로 현대 국어의 존칭의 주격조사 ‘-께서’에 해당하는 형태는 아직 발달되지 않았다.

(8) a. 부텻 功德을 듣ᄌᆞᆸ고(석보6 : 40)
b. 世尊ᄭᅴ 저ᄉᆞᆸ다 ᄒᆞᆫ 말도 이시며(월석13 : 36)
c. 大王하 내 이제 부텻긔 도로 가 供養ᄒᆞᅀᆞᄫᆞ리이다(월석18 : 34)

(8a)는 존칭속격 ‘-ㅅ’, (8b)는 존칭여격 ‘-씌’, (8c)는 존칭호격 ‘-하’의 용례이다. 존칭의 조사는 화자가 상위자라고 판단한 인물에 통합되는데, 이 점 존경법과 상통하는 면이 있다. 즉 존칭조사가 통합된 인물이 주어로 쓰이면 서술어에 ‘-시-’가 통합되는 것이 일반적이다. 그러나 반드시 그러한 것은 아니어서 ‘-시-’가 쓰이지 않는 예도 간혹 있다. 특히 ‘-ㅅ’의 경우 그런 예가 많다.

접미사에도 조사와 같은 교체를 보이는 예가 있어, 복수의 접미사 ‘-ᄃᆞᆯ’은 존칭체언 뒤에서는 ‘-내’로 교체된다.

(9) a. 如來 뫼ᄉᆞ바 가시ᄂᆞᆫ 聖人내라(월석2 : 52)
    b. 아자바님내씌 다 安否ᄒᆞᄉᆞᆸ고(석보6 : 1)

(9)에서 보듯이 ‘-내’가 통합된 인물에 대해서는 조사나, 선어말어미가 존칭의 형태를 취하고 있어 ‘-내’의 사용도 화자의 판단에 의해 결정됨을 알 수 있다. (9b)에 보이는 접사 ‘-님’도 존대인물에 통합되는 것이나, 대부분 가족관계의 단어를 비롯한 몇몇 어휘(아비 : 아바님, 아ᄃᆞᆯ : 아ᄃᆞ님, 스승 : 스승님, 즁 : 즁님)에만 쓰여 현대 국어보다는 쓰임이 제한되어 있었던 것으로 보인다.

5.1.5. 어휘에 의한 경어법

중세 국어도 현대 국어와 마찬가지로 특수한 어휘에 의한 경어법이 확인된다.

(10) a. 진지, 뫼, 분
     b. 그듸, ᄌᆞ갸
(11) a. 겨시다, 좌시다
     b. 드리다, 뫼시다, 뵈다
     c. ᄉᆞᆲ다, 저ᄉᆞᆸ다, 엳ᄌᆞᆸ다

(10a)는 명사의 높임말이고, (10b)는 대명사의 높임말이다. ‘그듸’는 ‘너’의, ‘ᄌᆞ갸’는 재귀대명사 ‘저’의 높임말이다.

(11)은 동사의 높임말인데, (11a)는 주어의 인물이 상위자일 때 쓰이는 것이고 (11b, 11c)는 목적어나 부사어가 상위자일 때 쓰인다. (11b)는 겸양법이 중복되어 사용되기도 하는 반면, (11c)는 그런 예가 매우 드물다. 이것은 (11c)가 기원적으로 겸양법의 ‘-ᄉᆞᆸ-’이 통합되어 만들어진 형태이기 때문이다.

18. "연결어미와 관련된 통사적 제약을 이해한다."라는 학습 목표로 탐구 학습을 진행하였다. 가설을 검증하기 위하여 수집한 예로부터 결론을 도출하는 과정이 적절하지 않은 것은?

문제 제기	연결어미가 사용된 문장 중에서 일부 문장이 비문법적인 이유는 무엇일까?
가설 설정	• 주어 때문에 비문법적인 경우가 있다. • 시제 선어말어미 때문에 비문법적인 경우가 있다. • 서술어 때문에 비문법적인 경우가 있다. • 문장 종결법 때문에 비문법적인 경우가 있다.
가설 검증	(가) *철수가 음악을 들으면서 영희가 책을 읽는다. (가') 철수가 음악을 들으면서 책을 읽는다. (나) *비가 오겠더라도 운동회를 할 것이다. (나') 비가 오더라도 운동회를 할 것이다. (다) *영희가 예뻤으려고 노력을 많이 했다. (다') 영희가 예뻐지려고 노력을 많이 했다. (라) *철수는 공부를 하러 책을 샀다. (라') 철수는 공부를 하러 도서관에 갔다. (마) *숙제를 하느라고 친구를 만나지 마라. (마') 숙제를 하느라고 친구를 못 만났다.

① (가)와 (가')를 비교하여 '-면서'는 선행절과 후행절에 다른 주어가 사용될 수 없다는 결론을 도출하였다.

② (나)와 (나')를 비교하여 '-더라도'는 선행절에 선어말어미 '-겠-'이 결합될 수 없다는 결론을 도출하였다.

③ (다)와 (다')를 비교하여 '-려고'는 선행절에 선어말어미 '-었-'이 결합될 수 없다는 결론을 도출하였다.

④ (라)와 (라')를 비교하여 '-러'는 후행절에 이동 동사가 사용되어야 한다는 결론을 도출하였다.

⑤ (마)와 (마')를 비교하여 '-느라고'는 후행절에 명령문이 올 수 없다는 결론을 도출하였다.

정답 ③

연결어미와 관련된 통사적 제약 문제. 문장의 구성을 알고 문장을 분해 결합할 수 있으면 매우 쉬운 문제. 가령, 철수는 밥을 먹었다. 영희는 피아노를 쳤다. 이 두 문장을 연결시켜 보라. '철수는 밥을 먹고 영희는 피아노를 쳤다.'가 될 것이다. 적격문이다. 이런 경우 두 문장을 연결시키는 데 쓰인 '-고'를 연결어미라고 부른다. 연결어미의 종류는 많아서 아직 그 누구도 그 총목록을 모른다. 그런데 '*철수는 밥을 먹으나 영희는 피아노를 쳤다.'와 같은 이어짐은 의미 구성이 자연스럽지 않다. 이런 문장을 비문, 혹은 비적격문이라고 부른다. '*철수는 밥을 먹느라고 영희는 피아노를 쳤다.' 이렇게 이으면 역시 비문이 된다. 왜 비문이 되는가? 정상적인 한국인은 이런 문장을 발화하지 않기 때문이다. 정상적인 한국인이라면 연결어미 '-느라고'가 뒷문장의 내용에 대한 이유를 표현한다는 것을 직관적으로 알고 있기 때문이다.

[보충학습]

[직관(直觀)]: 「명사」 「1」 『교육』 감관의 작용으로 직접 외계의 사물에 관한 구체적인 지식을 얻음. 「2」 『철학』 감각, 경험, 연상, 판단, 추리 따위의 사유 작용을 거치지 아니하고 대상을 직접적으로 파악하는 작용. ≒직각03(直覺) ¶ 철학적 직관/동물적인 방어 본능을 가지고 있던 종대는 그런 예감이 날카로운, 직관을 가지고 있었다. ≪최인호, 지구인≫[표사]

언어학에서 언중이 능숙하게 자기 언어를 구사하는 능력이 있지만 자기 언어에 대한 논리적인 설명을 하지 못할 경우 언어 구사 능력을 가리켜 직관 혹은 직관적 지식이라고 부른다. [필자]

[통사적(統辭的) 제약(制約)]

통사라는 말은 통사론의 통사이다. 단어 혹은 형태소들을 적격하게 이어서 문장을 구성하는 모든 규칙을 통사, 혹은 통사 규칙이라고 한다.

제약이라는 말은 '함부로는 안 된다'는 뜻이다. [표사]에 의하면 다음과 같다.

「1」 조건을 붙여 내용을 제한함. 또는 그 조건. ¶ 제약을 가하다/각국의 보호 무역으로 수출에 제약이 많다./단체 생활에는 여러 가지 제약이 있기 마련이다. 「2」 사물의 성립에 필요한 규정이나 조건. 「3」 『철학』한 현상의 타당, 존재, 생기, 변화 따위에 대한 규정.

따라서 통사적 제약이라는 말은 어떤 언어 현상이 통사규칙을 어기기 때문에 성립하지 못한다는 것을 표현하는 말이다. 형태적 제약, 형태론적 제약, 음운적 제약,음운론적 제약, 의미론적 제약 등이 모두 같은 원리를 따른다.

이제 문제를 풀어보자.

① (가) *철수가 음악을 들으면서 영희가 책을 읽는다.
(가') 철수가 음악을 들으면서 (철수가 e) 책을 읽는다.

두 문장을 하나하나 비교해 보라. 다 똑같고 '영희가'와 '(철수가 e)'만 다르다. 그 결과가 비문을 생산하는 것이라고 보면 연결어미 '-으면서'는 앞문장과 뒷문장의 주어가 같아야 하는 통사적 제약을 가지고 있음을 알 수 있다. 여기 쓰인 e는 empty category의 줄임말이다. 공범주(空範疇)라고 한다. 범주의 생략이라는 뜻이다. 범주는 문장의 모든 단위를 집합적으로 이르는 말이다. {문장}, {성분}, {절}, {구}, {단어}, {명사}, {형태소} 등을 각각 가리킬 수 있다. 음운론에서는 쓰지 않는다. 주로 통사론적 용어이다. 여기서는 주어의 생략을 표시한다.

② (나) *비가 오겠더라도 운동회를 할 것이다.
(나') 비가 오더라도 운동회를 할 것이다.

똑같은 방법으로 단어를 하나씩 비교해 보라. 차이점은 '-겠-' 하나뿐이다. 즉 '-겠-'이 결합되면 비문이 되고, 따라서 연결어미 '-더라도'는 '-겠-'과의 통합이 통사적으로 제약됨을 알 수 있다. 이 '-겠-'은 시제, 동작상, 서법과 관련되는 선어말어미이다. 시제(時制), 동작상(動作相), 서법(敍法)을 줄여서 시상법이라고 부르기도 한다.

③ (다) *영희가 예뻤으려고 노력을 많이 했다. [예쁘+었+으려고]
(다') 영희가 예뻐지려고 노력을 많이 했다. [예쁘+어지+으려고]

비교해 보라. ①, ②와 달리 한 가지가 다른 것이 아니다. 두 가지가 다른 것이다. ①, ②에는 각각 주어, 겠의 차이뿐이었다.

(다) *영희가 예뻤으려고 노력을 많이 했다. [예쁘+었+으려고]
(다') *영희가 예쁘려고 노력을 많이 했다. [예쁘+으려고]

이렇게 주었다면 한 가지 표지만이 다른 것이 된다. 그런데 이렇게 주면 두 문장이 모두 제약에 걸리게 된다. 따라서 '-었-' 때문이 아닌 것을 알 수 있다. 그렇다면

(다) *영희가 예쁘려고 노력을 많이 했다. [예쁘+으려고]

(다') 영희가 예뻐지려고 노력을 많이 했다. [예쁘+어지+으려고]

이 문장들을 비교해 보면 한 가지 표지만이 다르며 그 결과 비문과 적격문이 생산된다. 곧 연결어미 '-으려고' 앞에는 형용사가 올 수 없다는 통사적 제약을 만들 수 있다.

이상을 종합하면 ③선지는 오류라는 것이 명백하다. 이렇게 분석할 수 있다면 훌륭한 국어 교사가 될 수 있을 것이다. 이런 지적 능력 외에도 훌륭한 국어 교사가 갖추어야 할 조건은 수천 가지가 더 있지만 가장 원초적으로 필요한 것이 국어의 지식, 특히 분석 능력이 아닐까?

[참고] '-어지-'는 흔히 피동사 파생의 접미사로 처리가 되고 있다. '먹혀지다, 잊혀지다' 등. 그러나 연결어미 '-으려고'는 그 의미가 [의도]임이 분명하다. 의도는 능동성을 가진다. 따라서 위의 '예뻐지려고'는 [피동]과 [능동]의 충돌이 일어난다고 해석되지만 일상적으로 사용되는 표현이므로 동사 파생 접미사로 처리를 하게 된다. 국어의 문법 현상에서는 항상 뒤에 오는 요소가 더 큰 영향력을 가지는 것으로 관찰되어 왔다. 요컨대 '-어지-'가 언제나 피동사 파생 접미사는 아니라는 사실도 알아두라. 문법 공부를 한답시고 아무거나 외우려고 들면 곤란하다. 왜 그런지를 늘 생각하면서 이해하려고 해야 임용고시도 만점 받고 존경받는 멋있는 국어교사가 된다. 궁리(窮理)하기 싫어하는 교사는 죄악이 아닐까?

④ (라) *철수는 공부를 하러 e 책을 샀다.

(라') 철수는 공부를 하러 e 도서관에 갔다.

앞에서와 똑같다. 이 경우에는 밑줄 친 부분을 한 덩어리로 묶어서 보아야 한다. 학자들은 동사 구(句) 혹은 서술어 구라고 부른다. 이동동사라는 것은 가령 '오다, 가다, 뛰다' 등처럼 이동의 의미가 있는 동사를 가리킨다.

⑤ (마) *숙제를 하느라고 친구를 만나지 마라.

(마') 숙제를 하느라고 친구를 못 만났다.

앞과 동일하다. 가령 "요즘 나는 숙제를 하느라고 친구를 못 만난다."처럼 말해도 적격하다. 이러고 보면 연결어미 '-느라고'는 앞 문장에 뒷문장의 원인 제시의 의미를 표시함을 알 수 있다. 그렇다면 아직 실현되지 않은 명령문의 원인 제시를 할 수는 없음을 알 수 있다.

19. '-고 있-'의 의미 기능에 대하여 모둠별 발표를 하였다. 각 모둠의 설명을 지지하는 예로 적절한 것은?

모둠 1 : '-고 있-'이 언제나 동작의 진행을 나타내는 것은 아닙니다. '철수는 모자를 쓰고 있다.'의 '-고 있-'은 상황에 따라서 모자를 쓰는 동작의 진행을 나타내는 것으로 해석될 수도 있고 모자를 쓴 상태의 지속을 나타내는 것으로 해석될 수도 있습니다.

모둠 2 : '철수는 영희를 믿고 있다.'에서는 '-고 있-'이 영희를 믿는 동작의 진행을 나타낸다기보다는 믿고 있는 상태의 지속을 나타내는 것으로 해석됩니다.

모둠 3 : 그런데 '철수는 공부하고 있다.'에서 '-고 있-'은 상태의 지속을 나타내는 것으로 보기 어렵습니다. 이 경우는 동작의 진행을 나타내는 것으로 해석됩니다.

	모둠 1	모둠 2	모둠 3
①	눈을 감고 있다.	바닥에 엎드리고 있다.	바람이 세차게 불고 있다.
②	많은 장점을 가지고 있다.	선물을 들고 있다.	새 집을 짓고 있다.
③	소매를 걷고 있다.	사실을 오해하고 있다.	브로치를 달고 있다.
④	집에 가고 있다.	운동화를 신고 있다.	책을 읽고 있다.
⑤	외투를 입고 있다.	그 사람을 알고 있다.	산길을 걷고 있다.

정답 ⑤

해 설 해 설⇩

이 문제는 각 모둠의 주장을 찾아서 비교하면 된다. 역시 쉬운 문제.

모둠 1 : 동작의 진행, 상태의 지속 두 가지 해석 가능성

모둠 2 : 상태의 지속

모둠 3 : 동작의 진행

	모둠 1	모둠 2	모둠 3
①	눈을 감고 있다. 상태의 지속	바닥에 엎드리고 있다. 상태의 지속, 동작의 진행	바람이 세차게 불고 있다. 상태의 지속
②	많은 장점을 가지고 있다. 상태의 지속	선물을 들고 있다. 동작의 진행	새 집을 짓고 있다. 동작의 진행
③	소매를 걷고 있다. 상태의 지속, 동작의 진행	사실을 오해하고 있다. 상태의 지속	브로치를 달고 있다. 상태의 지속, 동작의 진행
④	집에 가고 있다. 동작의 진행	운동화를 신고 있다. 상태의 지속, 동작의 진행	책을 읽고 있다. 동작의 진행
⑤	외투를 입고 있다. 상태의 지속, 동작의 진행	그 사람을 알고 있다. 상태의 지속	산길을 걷고 있다. 동작의 진행

이 문제의 요령은 주어진 예문의 의미가 행동인가 아닌가만 따지면 된다. 또 행동 중인가 행동 후인가를 따져서 둘 다 되는지를 보면 된다. 가령 '외투를 입고 있다'는 외투가 단추가 많아서 입는데 오래 걸린다면 진행으로 볼 수 있고 다 입고 돌아다니는 사람을 보고 말한다면 상태의 지속으로 볼 수 있는 것이다.

20. 다음은 지시 표현에 대한 수업을 위하여 수집한 자료이다. 이에 대한 설명으로 적절하지 않은 것은? [2.5점]

철수 : 대전에 처음 가는 길인데, 잘 찾아갈 수 있을까?
영희 : 걱정 마. 대전역에 도착하면 ㉠ 거기서부터 민호가 안내하기로 했어.
철수 : ㉡ 그렇구나. 잘됐다. (걸음을 멈추며) 어, ㉢ 저 게임기 벌써 나왔네?
영희 : 뭐? 저 파란색 게임기?
철수 : 응, 가서 ㉣ 저거 구경해 보자.
영희 : 나 ㉤ 저거 갖고 있는데. 한번 해 볼래?

① 지시 표현에는 ㉠이나 ㉣과 같은 지시 대명사, ㉡과 같은 지시 형용사, ㉢과 같은 지시 관형사 등이 있다.
② ㉠과 '여기, 저기', ㉣과 '이거, 그거' 등은 동일한 대상을 가리키는 경우에도 화자에 따라 지시 표현의 형태가 달리 선택될 수 있다.

③ ㉠은 선행 표현을 대용하는 기능으로, ㉡은 선행 문장을 대용하는 기능으로 사용되었다.
④ ㉢과 ㉣은 선행 표현을 대용하는 기능으로 사용될 수도 있지만, 이 자료에서는 상황지시적 기능으로 사용되었다.
⑤ ㉤은 ㉣과 완전히 동일한 대상이 아니라 '㉣과 같은 종류의 것'을 가리킨다.

정답 ④

해 설

해 설⇩

지시 표현에 관한 문제이다. 기본 개념만 알고 있으면 역시 쉽다. 정답은 ④, '㉢ '저'와 ㉣ '저것'은 선행 표현을 대용하는 기능으로 사용될 수도 있지만, 이 자료에서는 상황지시적 기능으로 사용되었다'에서 밑줄부분이 틀린 것이다. '저/저것/저 사람…' 등 '저' 지시어들은 전술언급 기능이 없다. 오직 상황지시의 기능만이 있다.

① 지시 표현에는 ㉠이나 ㉣과 같은 지시 대명사, ㉡과 같은 지시 형용사, ㉢과 같은 지시 관형사 등이 있다.
타당한 진술이다. 기억해 두라. 지시 대명사, 지시 형용사, 지시 관형사의 개념을 모르겠다면 우리말 문법론을 꼼꼼히 읽으라.
② ㉠과 '여기, 저기', ㉣과 '이거, 그거' 등은 동일한 대상을 가리키는 경우에도 화자에 따라 지시 표현의 형태가 달리 선택될 수 있다.
타당한 진술이다. 가령 철수가 사과를 영희에게 주면서 말한다고 하자.
철수 "이거 먹을래?"
영희 "그거는 먹기 싫어."
이처럼 같은 대상을 한 화자가 '이거'라고 했을 때 다른 화자는 상대방의 입장을 고려하여 '그거'라고 표현할 수 있다.
③ ㉠은 선행 표현을 대용하는 기능으로, ㉡은 선행 문장을 대용하는 기능으로 사용되었다.
타당한 진술이다. ㉠은 선행 표현 '대전역에'를 받고, ㉡은 선행 문장을 받고 있다.
④ ㉢과 ㉣은 선행 표현을 대용하는 기능으로 사용될 수도 있지만, 이 자료에서는 상황지시적 기능으로 사용되었다.
위에서 말한 것처럼 타당하지 않다.
'저/저것/저분…' 등은 오직 상황지시의 기능만을 한다. 상황지시란 발화 내용의 바깥에 있는 어떤 것을 가리키는 개념이다. 이 용어의 반대말이 전술언급 기능이며 이는 앞 발화의 어떤 것을 가리키는 개념이다. 후술언급 기능이라는 말도 있다. 가령 "너는 이것을 알아야 해! 그렇게 놀기만 하다가는 올해 임고날 저녁에 또 울게 된다는 거야!"와 같이 뒤에 나오는 문장이나 표현을 미리 지시할 수도 있고 이런 기능은 후술언급 기능이라고 한다. 물론 '저'에는 이런 기능도 없다.

⑤ ㉤은 ㉣과 완전히 동일한 대상이 아니라 '㉣과 같은 종류의 것'을 가리킨다.
타당한 진술이다. 좀 더 정확히 표현한다면 '저런 게임기'일 것이나 일상언어에서는 문제에서와 같이 흔히 쓴다.

21. 다음 〈한글 맞춤법〉 규정에 대한 설명으로 적절한 것은? [1.5점]

제7항 'ㄷ' 소리로 나는 받침 중에서 'ㄷ'으로 적을 근거가 없는 것은 'ㅅ'으로 적는다.

덧저고리	돗자리	엇셈	웃어른	핫옷
무릇	사뭇	얼핏	자칫하면	뭇(衆)
옛	첫	헛		

① 순 우리말로 된 합성어에 적용되는 규정이다.
② 국어의 음절 끝소리 규칙을 반영한 규정이다.
③ 표기를 통해서 어원적인 정보를 제공해 주기 위한 규정이다.
④ '짓밟다, 빗나가다' 등의 받침 'ㅅ'의 표기에 대해서는 적용될 수 없는 규정이다.
⑤ 근대 국어 시기의 '밋디(信), 굿고(固)' 등과 같은 표기의 전통을 고려한 규정이다.

정답 ⑤

해 설

한글 맞춤법 규정 문제. 이 문제의 정답에 관한 내용을 모른다 할지라도 다른 선지의 내용이 너무 쉬워서 오답으로 처리하면 선지 ⑤만 남아서 정답을 찾을 수 있다. 공부를 평소에 면밀히 해야 하는 것은 당연하지만 시험 당일에는 이런 편법도 자유자재로 구사할 수 있어야 한다.

① 순 우리말로 된 합성어에 적용되는 규정이다.

합성어가 아닌 파생어나 단일어들이 여럿 있으므로 오류. 가령 옛, 첫, 얼핏 등.

② 국어의 음절 끝소리 규칙을 반영한 규정이다.

국어의 음절 끝소리 규칙이란 가령 '첫'을 [천]으로 발음하는 현상을 말한다. 따라서 음절끝소리규칙을 반대로 어긴 규정이다. 오류.

③ 표기를 통해서 어원적인 정보를 제공해 주기 위한 규정이다.

어원적인 정보란 어원론이라고도 말한다. 어떤 단어의 원래의 형태와 뜻을 추적하는 학문을 가리킨다. 그러한 정보가 어원적인 정보인데 'ㅅ'으로 적는다고 해서 그런 정보를 알 수는 없다. 가령 '덧저고리'의 고구려 말이 무엇인지 알 수 있는가? 아주 넌센스와 같은 선지인데 이것을 맞다고 고른 사람들이 꽤 많았다. 국어국문학에 관한 용어의 정확한 정의(定義) 정도는 숙지하고 있어야 최소한의 교사 자격을 갖춘 것이 아닐까? 국어 교사는 늘 국어사전이나 백과사전을 활용하는 자세를 갖추어야 한다. 이 글을 읽고 있는 수험생들은 지금부터 표준국어대사전과 중세어 사전(인터넷 표준국어대사전에도 다 들어 있다)을 총애해야 할 것이다. 어원론이 궁금한 사람은 이 문제 해설 말미의 [보충학습]을 참고하라. 존경하는 이기문 선생님의 글이다.

④ '짓밟다, 빗나가다' 등의 받침 'ㅅ'의 표기에 대해서는 적용될 수 없는 규정이다.

'짓밟다, 빗나가다'를 '짇밟다, 빋나가다'라고 적는 사람도 있는가? 문제를 있는 그대로 읽으면 이렇게 써야 한다는 뜻인데 황당무계가 아닐 수 없다. 이렇게 풀면 정답은 명백하게 ⑤가 된다. 슬프게도 그 내용은 시험날 처음 봐서 알 수 없지만 그래도 이럴 경우 용감하게 표시하고 다음 문제로 넘어가야 한다. 이런 판단을 잘 하는 사람들이 결국 합격하는 것이므로 이 글을 읽는 여러분들도 자기 기량을 전부 발휘하는 연습을 부단히 하기 바란다.

⑤ 근대 국어 시기의 '밋디(信), 굿고(固)' 등과 같은 표기의 전통을 고려한 규정이다.

이 말은 쉽게 설명하면 근대 국어 시기에 'ㅅ/ㄷ'종성은 서로 혼동되어 쓰이다가 대로 'ㅅ'표기로 통일되어 갔다. 개화기에는 'ㅅ'종성표기가 절대적으로 우세하게 된 것이다. 한글 맞춤법 통일안에 와서야 '믿지','굳고'처럼 쓰이게 된 것이다.그런데 이들은 모음어미 앞에서라면 '믿어','굳어'처럼 'ㄷ'이 발음으로 표현된다. 이런 이유로 'ㄷ'종성으로 표현될 수 있었지만 어떤 경우에라도 뒤에 모음이 나올 수 없는 'ㅅ'과 'ㄷ'은 원래의 흐름대로 'ㅅ'으로 표기하기로 한 것이다.

이런 사실을 미리 학습하여 알고 있었다면 아무 어려움이 없이 벌써 국어 교사로서 격무와 박봉과 온갖 부조리에 시달리고 있었을 것이다. 그러나 모르는 것도 시험에는 꼭 나오는 법이다. 이 문제는 적절한 것을 찾는 문제이므로 준 예들과 선지 ⑤의 예들을 비교하면 'ㅅ'종성이라는 점이 똑같다. 이점에 착안해도 풀 수 있는 문제였다.

아래에 이 문제에 대한 논문을 인용해 두니 포기하지 말고 읽고 소화해 두기 바란다. 讀書百遍義自見!

[보충학습] [근대 국어의 ㅅ, ㄷ 종성 표기]

종성 ㅅ과 ㄷ의 표기는 중세 국어에서는 일반적으로 음운론적 대립을 이루었기 때문에 8종성의 단위로 각각 인정되었다. 그러나 16세기 초기부터 ㅅ과 ㄷ의 중화로 인한 변별적 기능의 상실이 시작되었다. 이는 곧 종성 ㅅ과 ㄷ의 혼기로 이어져 17세기에 오면 ㅅ종성은 ㄷ종성으로 표기하는 현상까지 일어난다. 이러한 현상은 18세기까지 이어지는데 그 용례를 보이면 다음과 같다.

> 휜옫벋디아니코(동신 2 : 5) ᄒᆞ얃ᄂᆞᆫ디라(여사 3 : 6) 읻더니라(동신 5 : 10) 갇가이(여사 2 : 14) 읻ᄂᆞᆫ걷도(여사 3 : 7) 읻거든(여사 2 : 14) 머리빋고(동신 5 : 49) 다ᄉᆞᆫᄯᆞᆯ을(동신 1 : 7) 맏보고(동신 1 : 36) 옫과 치마ᄅᆞᆯ(여사 2 : 14) 셛다가(여사 2 : 18) 옫과 밥(경민서 2) 곧치(종덕 13)

이 경우 모음으로 시작되는 어미 앞에서는 ㅅ으로 표기되는 것이 일반적이지만 거의 연철의 경우다. 다음에는 ㄷ종성의 경우 ㅅ으로 표기되는 용례들이 있다.

> 굿거든(두창 1 : 17) 듯고(동신 1 : 13) 굿ᄂᆞ니(화포 45) 굿다(노걸 69) 뜻을굿게(오륜 8 : 30) 굿게ᄒᆞ다(동문 248) 듯디(종덕 중 2) 밋을지라(명의 1 : 69) 밋고(명의 2 : 42) 굿으니(명의 1 : 37) 굿고(무원 1 : 32) 곳게(무원 3 : 72) 굿디못하고(삼략 상 19) 문셔ᄅᆞᆯ 밧앗시니(태상 2 : 43) 듯고(태상 2 : 7)

이들이 나타나는 환경을 보면 자음 어미 앞, 모음 어미 앞의 두 가지가 있는데 자음 어미 앞에서 ㅅ과 ㄷ이 공존하고 있지만 모음 어미 앞에서는 하나의 제약 조건이 있다. 그것은 ㄷ종성이 ㅅ으로 표기되는 경우 반드시 분철 표기가 전제된다. 연철이 되면 어간 말음 ㄷ을 그대로 유지하고 있다. 이것은 분철의 기능을 형태음소론적인 차원에서 해석할 수 있는 근거를 마련해 준다. 'ㅅ' 말음이 [s]가 아니고 [t]라는 설명이 타당성을 갖기 때문에 적어도 분철에 의한 어간과 어미 사이에 일정한 휴지를 전제로 할 가능성을 갖기 때문이다.

이러한 표기 현상을 토대로 ㄷ종성의 경우와 ㅅ종성의 경우 세기별 변화 과정을 표로 보이면 다음과 같다. 이는 자음 체계와 밀접한 관계가 있다.

ㄷ종성의 경우

	17세기	18세기	19세기
자음 어미	ㅅ, ㄷ	ㅅ, ㄷ	ㅅ
모음 어미	ㅅ	ㅅ	ㅅ

ㅅ종성의 경우

	17세기	18세기	19세기
자음 어미	ㅅ, ㄷ	ㅅ	ㅅ
모음 어미	ㄷ	ㄷ, ㅅ	ㄷ, ㅅ

결론적으로 근대 국어 시기의 ㅅ, ㄷ종성의 문제는 ㅅ → ㄷ형의 등장에 따른 혼기 시대와 ㄷ → ㅅ형의 혼기 시대를 거쳐 ㅅ종성의 통일 시대의 시작을 포함하는 다양성을 보인 시기라고 할 수 있다. 결국 7종성법의 탄생에 대한 한 과정을 보인 것이라고 하겠다.

[보충학습] [어원론, 어원연구의 한 보기](『국어사』에서 인용)

신라어의 현존 자료는 대부분 어휘 자료라고 할 수 있다. 그러나 오늘날 우리가 알 수 있는 것은 신라어 어휘의 일부에 지나지 않는다. 이 일부를 통해서도 신라어의 어휘가 중세 국어의 어휘와 전반적으로 일치했음을 말할 수 있다. 앞에서 이미 많은 어휘의 예를 들었으므로 여기서는 몇 가지 예를 더 추가해 보이기로 한다.

[수사] 수사에 있어서도 신라어는 중세 국어와 일치하는 모습을 보여준다. 그런데 신라어 자료에서 확인되는 수사는 그리 많지 않다.

우선 1은 「제망매가」의 “一等隱 枝良出古”(ᄒᆞᄃᆞᆫ 가재 나고), 「도천수관음가」의 “一等沙”(ᄒᆞᄃᆞᆫ사) 등에서 ‘ᄒᆞᄃᆞᆫ’을 재구할 수 있다. 이것은 『계림유사(雞林類事)』의 “一日河屯”과 일치한다. 어근은 ‘ᄒᆞᆫ’이었다. 중세 국어의 ‘ᄒᆞᄅᆞ’(1일)는 ‘*ᄒᆞᄅᆞᆯ’에 소급하는 것인데 이것은 본래 ‘ᄒᆞᆫ’(1)과 ‘ᄋᆞᆯ’(日)의 결합이다. 이 ‘ᄋᆞᆯ’에 대해서는 ‘이틀’(2일), ‘사ᄋᆞᆯ’(3일), ‘나ᄋᆞᆯ’(4일), ‘열흘’(10일) 등 참고.

2는 「처용가」의 ‘二肹’, 「도천수관음가」의 ‘二尸’ 등으로 보아 ‘*두블’ 또는 ‘*두ᄫᅳᆯ’이었던 것으로 보인다. 이것은 『계림유사』의 ‘二曰途孛’과 일치한다.

3과 4는 중세 국어에 ‘세ㅎ’, ‘네ㅎ’인데 둘 다 상성인 점과 마소의 나이를 셀 때 ‘사릅’, ‘나릅’이라고 하는 사실로 보아서 신라어에서는 ‘서리’, ‘너리’였던 것으로 추측된다. 『삼국사기』(권34)의

'三涉郡 本悉直郡'의 '悉'이 참고된다.

1,000은 중세 국어에 'ᄌᆞᄆᆞᆫ'이었는데, 신라어에도 'ᄌᆞᄆᆞᆫ'이 있었던 것 같다. 「도천수관음가」의 '千隱'의 표기가 이 사실을 보여준다.

[왕호 및 관명] 신라에 있어서는 그 시조로부터 22대(지증마립간, 智證麻立干)까지 왕에 대하여 '거서간(居西干), 차차웅(次次雄), 이사금(尼師今), 마립간(麻立干)' 등의 칭호가 사용되었다. 이들에 대해서는 신라 말기의 학자 김대문(金大問)의 어원 해석이 있어 참고가 된다.

(1) 次次雄 或云慈充 金大問云 方言謂巫也 世人以巫事鬼神尙祭祀 故畏敬之 遂稱尊長者爲慈充(삼국사기 권1)
次次雄은 혹은 慈充이라 한다. 김대문이 말하기를 이것은 우리말로 무당을 가리킨다. 세인들이 무당으로 귀신을 섬기며 제사를 받들었으므로 무당을 외경하여 마침내 존장자를 자충이라 일컫게 되었다.

(2) 金大問則云 尼師今 方言也 謂齒理(삼국사기 권1)
김대문이 말하기를 이사금은 우리말이다. 齒理를 이른다.

(3) 金大問云 麻立者 方言謂橛也 橛標准位而置 則王橛爲主 臣橛列於下 因以名之(삼국유사 권1)
김대문이 말하기를 마립은 우리말로 橛(말뚝)을 이른다. 橛은 誠操(궐표?)의 뜻으로 자리를 정하여 두는 것이니, 王橛이 주가 되고 臣橛은 아래에 있으므로 이와 같이 이름하였다.

이러한 김대문의 어원 해석이 과연 옳은가에 대해서는 종래 여러 학자들의 의견이 엇갈려 왔다. (1)과 관련하여 중세 국어의 스승이 師와 함께 巫의 뜻도 가지고 있었던 사실을 주목할 필요가 있다. (2)는 『삼국유사』에 '尼叱今' 또는 '齒叱今'(닛금)으로 표기되었다. 어진 사람은 이가 많아 이런 이름이 생겼다고 하나 임금을 가리킨 말이 '齒理'에서 나왔다고는 생각하기 어렵다. (3)의 해석은 그럴 듯하다. 현대 국어의 '말뚝'은 중세 국어에서는 '말'이었다.

신라에서는 순수한 신라어로 된 관직명이 사용되었다. 『삼국사기』에서 두 예만 들어 본다.

(1) 酒多 後云 角干(권1)
或云角干 或云角粲 或云舒發翰 或云 舒弗邯(권38)
(2) 波珍飡 或云 海干(권38)

먼저 (1)에서는 '酒'와 '角'은 석독자요, '舒發, 舒弗'은 음독자임을 알 수 있다. 酒는 중세 국어(15세기)에 '수을'이요 『계림유사』에 '酒曰酥孛'이라 있어 그 고형이 '수블'로 재구되며, 角은 중세 국어(15세기)에 '셔ᄫᅳᆯ'이어서 이것이 '스ᄫᅳᆯ'에서 온 것으로 보면 이들은 '舒發'(서발), '舒弗'(서불)과 비슷해진다. '干, 粲, 翰, 邯'은 높은 관직을 표시하는 것으로 모두 음독자이다.

(2)에서는 '波珍'과 '海'가 대응된다. '波珍'은 '바돌~바ᄃᆞᆯ'이라 읽혔고 이것은 '海'의 새김과 일치한다. 신라어의 '바ᄃᆞᆯ'(海)이 중세 국어에 '바ᄅᆞᆯ'로 변하였음은 앞에서 지적한 바 있다.

[한자어] 앞에서 본 것처럼, 본래 신라어로 된 임금의 칭호가 사용되다가 6세기 초인 지증 마립간 때에 중국식 시법(諡法)이 실시되어 '王'으로 고쳐졌다. 그 뒤 경덕왕(景德王) 때에 이르러서는 지명(地名)을 중국식으로 한자 2자로 고쳤던 것이다. 8세기 중엽(757)의 일이다. 왕호 및 지명의 개신은 가중되어 가는 중국 문화의 영향이 언어에까지 미친 결과로 볼 수 있다.

22. 다음 〈자료〉를 통해 훈민정음에 대해 이해한 후, 이를 보충하기 위해 〈보충 자료〉를 모아 보았다. 설명 내용을 고려할 때 〈보충 자료〉가 가장 적절한 것은?

〈자료〉

(가) 『훈민정음언해』에서

나랏 말ᄊᆞ미 中國에 달아 文字와로 서르 ᄉᆞᄆᆞᆺ디 아니ᄒᆞᆯᄊᆡ 이런 젼ᄎᆞ로 어린 百姓이 니르고져 홇 배 이셔도 ᄆᆞᄎᆞᆷ내 제 ᄠᅳ들 시러 펴디 몯홇 노미 하니라 내 이ᄅᆞᆯ 爲ᄒᆞ야 어엿비 너겨 새로 스믈여듧 字ᄅᆞᆯ ᄆᆡᇰᄀᆞ노니 사ᄅᆞᆷ마다 ᄒᆡᅇᅧ 수ᄫᅵ 니겨 날로 ᄡᅮ메 便安킈 ᄒᆞ고져 홇 ᄯᆞᄅᆞ미니라

(나) 『세종실록』권 102, 42장에서

是月 上親制諺文二十八字……是爲訓民正音

(다) 『세종실록』권 103, 19장에서

신들이 언문 제작하시는 것을 엎드려 뵈옵건대 대단히 신묘하여 사리를 밝히고 지혜를 나타냄이 저 멀리 아득한 옛것으로부터 나온 것을 알겠습니다. 그러하오나 신들의 좁은 소견으로는 아직도 의심할 만한 것이 있사옵기에, 감히 근심되는 바를 나타내어 다음과 같이 상소하오니, 재결하여 주십시오. (후략)

(라) 『고등학교 문법』교과서에

그림 문자 → 표의 문자 → 표음 문자
↳ 음절 문자
↳ 음운 문자
문자 발달 단계 → ↳ 자질 문자

(마) 보스(F. Vos), 『한국 문자 : 이두와 한글』에서

한국인들은 세계에서 가장 좋은 알파벳을 만들었다. 한국 알파벳(한글)은 간단하면서도 논리적이며, 더욱이 고도의 과학적인 방법으로 만들어졌다.

	설명 내용	〈보충 자료〉	
(가)	창제의 목적 : '자주'와 '애민'에 있음을 설명한다.	『동국정운』 등의 운서를 편찬한 사실	① 운서란 한자의 발음 사전이므로 사대주의이다.
(나)	창제 시기와 창제자 : 만든 시기와 만든 사람이 밝혀져 있는 일종의 발명품임을 설명한다.	『훈민정음』의 '정인지 서문'의 내용	② 정인지 서문 계해년 세종25년(1443년)의 겨울에 우리 임금께서 정음 28글자를 처음으로 만드시어 간략하게 보기와 뜻을 들어 보이시고 이름을 훈민정음이라 하시었다.
(다)	창제 과정의 어려움 : 새로운 문자를 만드는 데에 따르는 어려움이 있음을 설명한다.	『용비어천가』 등의 언해 자료 편찬 사실	③ 용비어천가는 창제가 완성된 이후 실험작과 같은 것이다.
(라)	문자 분류상의 특성 : 문자 분류상 가장 앞선 '자질문자'임을 설명한다.	『훈민정음』의 '終聲復用初聲'	④ 종성부용초성이란 훈민정음을 만들 때 종성을 따로 만들지 않고 초성자를 그냥 가져다 쓰라는 규정이다. 자질문자와는 아무 상관이 없다.
(마)	한글에 대한 평가 : 한글의 우수성은 다른 나라 학자들에 의해서도 인정되었음을 설명한다.	『훈몽자회』의 '諺文字母'의 설명	⑤ 훈몽자회란 중종 때 역관 최세진이 엮은 초급 한자 학습 사전이다.

정답 ②

해 설

해 설⇩

이 문제는 모의 문제라서 좀 소홀히 출제한 듯하다. 답이 너무 쉽게 나오므로 결코 틀리면 안 되는 문제다. 이런 유형의 문제를 어렵게 내면 아주 힘들게 되므로 훈민정음에 관련한 지식은 충실히 쌓아 두는 것이 좋다.

[보충학습] [자질문자]

한글은 하나의 낱글자가 하나의 소리를 대신하여 시각적으로 표현되는 음소 문자이다. 'ㄱ'은 음소 /k/와 대응되고, 'ㅋ'은 음소 /kʰ/에 대응되며, 'ㅏ'는 음소 /a/와 대응된다. 그런데 'ㄱ'과 'ㅋ'의 모양을 살펴보면, 'ㅋ'은 'ㄱ'에 선을 하나 더하여 만들어졌다. 이는 훈민정음 창제시 고안된 방법인데, /k/에 유기성이 더해진 /kʰ/를 'ㅋ'으로 표기하고 있으며, 'ㄱ'에 더해진 획 하나가 바로 그러한 유기성의 특질을 나타내고 있다. 이러한 점 때문에 한글을 자질 문자라고 부르기도 한다.

각각의 음소는 여러 가지 음성적 특질을 가지고 있다. 개별 음소가 가지고 있는 특질 중에는 음소 구별에 유용하게 사용되는 것이 있는 반면 그러한 구별과는 상관없는 것도 있다. 이 가운데 개별 음소의 구별에 관여하는 음성적 특징을 변별적 자질이라고 한다.

변별적 자질은 음소의 음성적 특징으로서 음소를 구분해 주는 역할을 한다. 변별적 자질이 모여 음소를 이루므로 음소는 변별적 자질의 묶음이 된다. 말소리를 연구하는 데 변별적 자질을 이용하면 음소들 사이의 유사성을 포착하여 동일한 자질을 가지고 있는 음소들끼리 묶을 수 있다는 장점이 있다. 그리고 이러한 자질을 이용하면 음소들끼리 결합할 때, 어떤 종류의 말소리 변동이 일어날지 예측할 수도 있게 해 주며, 그러한 변동이 일어나는 이유도 설명해 줄 수 있다.

조음 위치나 조음 방법 등 자음과 모음을 분류했던 기준들을 자질로 삼아 말소리를 분류하고 기술할 수 있다. 예를 들면, 한국어에서 '아'는 후설모음이며 저모음이다. 한국에 모음 중 후설모음이면서 저모음인 것은 '아' 하나밖에 없다. 그렇다면 '아'는 [후설성]이라는 자질과 [저모음성]이라는 자질의 묶음이라고 할 수 있다. '애'는 전설모음이며 저모음이므로 [전설성]과 [저모음성]의 묶음이라고 할 수 있다. 여기서 '전설'은 '후설이 아니다'라고 바꿀 수도 있다. '이다'라는 자질 특성에 플러스 값을 부여하고, '아니다'라는 자질 특성에 마이너스 값을 부여하면, [+전설]은 [-후설]이 되고, [+후설]은 [-전설]이 된다. 그렇다면 '전설'이라는 자질과 '후설'이라는 자질 가운데 한 가지만 있어도 자질 표시를 할 수 있다. '후설'을 대표로 하여 기술해 보면 '아'는 [+후설]과 [+저모음]의 묶음이 되고, '애'는 [-후설]과 [+저모음]의 묶음이 된다.

다음으로 한국어 모음의 변별적 자질에 대해 살펴보기로 한다.

[모음 분류표]

	전설모음		후설모음	
	평순모음	원순모음	평순모음	원순모음
고모음	이	위	으	우
중모음	에	외	어	오
저모음	애		아	

여기서 고모음은 자질로 표시할 때 [고설성]이라 하고 저모음은 [저설성]이라고 한다. 그리고 중모음은 고모음도 저모음도 아니므로 [중설성]이라고 할 수도 있지만 [-고설성]이면서 [-저설성]이라고 하면 [중설성]이라는 자질 없이도 기술할 수 있다. 또한 전설모음은 후설모음이 아니므로 [-후설성]의 자질을 가지고 있으며, 후설모음은 [+후설성]의 자질을 가진다고 기술된다. 원순모음과 평순모음에 대해서는 원순성을 기준으로 [+원순성]과 [-원순성]이라고 기술할 수 있다.

자음의 변별적 자질에 대해 살펴보면 다음과 같다.

[자음 체계표]

조음방법 \ 조음위치			양순	치조	경구개	연구개	후두
장애음	파열음	평음	ㅂ	ㄷ		ㄱ	
		유기음	ㅍ	ㅌ		ㅋ	
		경음	ㅃ	ㄸ		ㄲ	
	마찰음	평음		ㅅ			
		유기음					ㅎ
		경음		ㅆ			
	파찰음	평음		ㅈ			
		유기음		ㅊ			
		경음		ㅉ			
공명음	비음		ㅁ	ㄴ		ㅇ	
	유음			ㄹ			

세로 방향의 조음 방법을 중심으로 살펴보자. 공명음이 가지고 있는 자질을 [공명성]이라고 한다면 장애음에는 [-공명성], 공명음에는 [+공명성]의 자질 값을 부여할 수 있다. 그리고 공명음을 비음과 유음으로 구별하기 위해 [비음성]이라는 자질을 설정할 수 있다. 다음으로는 가로

방향의 조음 위치를 이용한 자음의 자질들이다. 이 가운데 양순음과 치조음은 입의 전방부에서 조음되기 때문에 [+전방성]이 부여되며, 치조음과 경구개음은 혀의 앞부분을 이용하여 조음하기 때문에 [+설정성]이 부여된다.

자음의 자질 값은 대단히 복잡하고, 연구자나 언어에 따라 설정되는 자질에 차이가 있을 수도 있다. 또한 자질 하나하나를 모두 기억하는 일도 여간 어렵지 않다. 그러나 중요한 점은 모음이나 자음의 음소 모두 자질의 묶음으로 표시할 수 있고, 이러한 방법이 언어의 기술과 설명을 용이하게 해 준다는 사실이다. 자질을 이용한 말소리 기술은 음소들 간의 유사성을 포착하여 이를 하나로 묶을 수 있는 장점이 있다. 다라서 이를 활용하면 말소리의 변동을 매우 간편하게 기술할 수 있는데, 이러한 기술은 해당 현상이 일어나는 원인도 알 수 있게 해주는 설명력을 가지고 있다.

이 부분에서 임용 시험이 출제되면 대단히 어려울 것이다. 따라서 독자들은 음운론 교재를 찾아서 자질에 대한 공부를 충분히 해 두기 바란다.

23. "근대 국어에서의 문법 형태 변화를 확인하고 그 원리를 이해한다."라는 학습 목표를 위해 다음과 같이 교수·학습하고자 한다. 교수·학습 계획으로 적절하지 않은 것은?

교수·학습 활동	교수·학습 자료	
	〈번역노걸대〉(1517)	〈노걸대언해〉(1670)
(가) 자료에서 변화 어형 확인하기	너ᄂᆞᆫ 高麗ㅅ사ᄅᆞ미어시니 ᄯᅩ 엇디 漢語 닐오미 잘 ᄒᆞᄂᆞ뇨 … 論語 孟子 小學을 닐고라 … ᄒᆞᆨ당의 노하든 지븨 와 밥 머기 ᄆᆞᆺ고 … 글 입피 ᄆᆞᆺ고…	너는 高麗ㅅ사ᄅᆞᆷ이어니 ᄯᅩ 엇디 漢語 니ᄅᆞᆷ을 잘 ᄒᆞᄂᆞ뇨 … 論語 孟子 小學을 닐그롸 … 學堂의셔 노하든 집의 와 밥 먹기 ᄆᆞᆺ고 … 글 읇기 ᄆᆞᆺ고…
	〈번역노걸대〉(1517)	〈노걸대언해〉(1670)
(나) 변화 어형의 형태 분석하기	닐오미(니ᄅᆞ+옴+이) 닐고라(닑+오+라) ᄒᆞᆨ당의(ᄒᆞᆨ당+의) (밥) 머기(먹+이) (글) 입피(잎+이)	니ᄅᆞᆷ을(니ᄅᆞ+_____+을) 닐그롸(닑+_____) 學堂의셔(學堂+_____) (밥) 먹기(먹+_____) (글) 읇기(읊+_____)
	(이하 생략)	(이하 생략)

(다) 문법 형태의 변화 확인하기	[근대 국어에서의 문법 형태 변화] 1. 명사형 어미 ㉠ 닐옴〉니ᄅᆞᆷ : _____〉_____ ㉡ 머기〉먹기, 입피〉읇기 : _____〉_____ 2. 평서형 어미 닐고라〉닐그롸 : _____〉_____ 3. 처소의 부사격조사 ᄒᆞᆨ당의〉ᄒᆞᆨ당의셔 : _____〉_____ (이하 생략)
(라) 보충 자료를 통해 또 다른 문법 형태의 변화 확인하기	※ 다음 ㉠의 의문형을 15세기 자료인 ㉡과 비교하여 그 변화를 말해 보자. ㉠ 너는 高麗ㅅ사ᄅᆞᆷ이어니 ᄯᅩ 엇디 漢語 니ᄅᆞᆷ을 잘 ᄒᆞᄂᆞ뇨 ㉡ 네 디나건 녜 늿 時節에 盟誓 發願ᄒᆞᆫ 이ᄅᆞᆯ 혜ᄂᆞᆫ다 모ᄅᆞᄂᆞᆫ다……네 내 마ᄅᆞᆯ 다 드를따 ᄒᆞ야ᄂᆞᆯ……이제 엇뎨 羅睺羅ᄅᆞᆯ 앗기ᄂᆞᆫ다 (석보상절 6, 7~8)

① (가)에서는 학습 목표를 고려하여 자료의 문헌 속에 나타난 언어 사실에 대해서는 자세하게 분석하여 설명하지 않는다.

② (나)의 원활한 교수·학습 활동을 위해, 분석되는 형태의 수가 중세 국어와 근대 국어에서 차이가 있을 수 있다는 사실을 간략히 소개한다.

③ (나)의 결과가 자연스럽게 (다)의 자료로 정리될 수 있도록 하기 위해, 학습 목표에 맞추어 어간 형태소의 변화를 확인하여 정리하는 활동을 추가한다.

④ (라)의 자료는 (가)의 자료와 함께 제시함으로써 이 교수·학습 활동을 위한 기본 자료로 활용한다.

⑤ (가)~(라)의 활동만으로는 학습 목표를 성취하기 어려우므로 원리적 이해를 위한 활동을 추가한다.

정답 ③

해 설 해 설⇩

① (가)에서는 학습 목표를 고려하여 자료의 문헌 속에 나타난 언어 사실에 대해서는 자세하게

분석하여 설명하지 않는다.

이 진술은 무의미한 선지임. 출제를 대충하다 보면 이런 무의미한 진술이 간혹 나타남. 이런 선지를 그림자 선지라고 필자는 지칭함. 좋은 문제에서는 드물게 나오고 저급 문제에서는 자주 나옴.

② (나)의 원활한 교수·학습 활동을 위해, 분석되는 형태의 수가 중세 국어와 근대 국어에서 차이가 있을 수 있다는 사실을 간략히 소개한다.

선지의 준 어형 '닐오미(니ᄅᆞ+옴+이), 니ᄅᆞᆷ을(니ᄅᆞ+____+을), 닐고라(닒+오+라), 닐그롸(닒+____), ᄒᆞᆨ당의(ᄒᆞᆨ당+의) 學堂의셔(學堂+____)'을 각각 비교해 보면 중세에 쓰이던 의도법, 혹은 인칭활용법 선어말어미 '-오-'가 사라진 것을 볼 수 있고 장소의 부사격조사 '의〉에'가 '의셔〉에서'로 바뀌었으니까 문법형태소의 수가 변화되어 있다. 따라서 타당한 진술이다.

③ (나)의 결과가 자연스럽게 (다)의 자료로 정리될 수 있도록 하기 위해, 학습 목표에 맞추어 어간 형태소의 변화를 확인하여 정리하는 활동을 추가한다.

문제의 밑줄 친 부분과 이 선지의 밑줄 친 부분을 비교해 보라. 완전히 틀렸음을 알 수 있다.

'문법 형태소＝어간 형태소'?????

가령 현대 국어 '먹었다'는 '먹+었+다'로 분석이 되며, 어간 형태소는 '먹-'이고 문법 형태소는 '-었-'과 '-다'이다.

어간 형태소＝실질형태소＝어휘형태소; 문법 형태소＝형식형태소＝조사, 어미, 접사.

이런 필수 기본 용어의 개념이 혼동되면 곤란하다. 문제가 어려워 보이지만 실제로 답안을 확정짓는 핵심 개념은 가장 기초적인 데서 출제되는 경향이 강하다. 출제교수들의 배려라고나 할까 유머라고나 할까. 시험은 모두 기본적인 개념에서 출제된다는 사실을 명심하라.

④ (라)의 자료는 (가)의 자료와 함께 제시함으로써 이 교수·학습 활동을 위한 기본 자료로 활용한다.

㉠의 의문형이란 문법 형태소이며 여기서는 '-뇨〉냐'이다. 15세기 자료인 ㉡의 의문형은 '-다'이다. 이 사실은 임용에 단골로 출제될 항목이다. 2010년 2차 문제로 또 출제되었다. 임용시험 문제는 늘 반복된다는 사실을 깨달으면 공부의 전략이 저절로 설정될 것이다.

⑤ (가)~(라)의 활동만으로는 학습 목표를 성취하기 어려우므로 원리적 이해를 위한 활동을 추가한다.

이 선지도 그림자 선지이다.

[보충학습] [중세 국어의 의문법](안병희·윤용선·이호권 공저, 『중세국어연습』, 98~101쪽)

중세 국어의 의문법 체계는 현대 국어와 매우 다르다. 체언에 보조사가 붙어 의문문이 되기도 하며, 판정의문과 설명의문, 직접의문과 간접의문이 구분된다.

판정의문은 청자에게 질문에 대한 가부(可否) 결정만을 묻는 것이고, 설명의문은 의문사가 쓰여 그에 대한 설명을 요구하는 의문이다. 중세 국어에서는 판정의문과 설명의문에 사용되는 어미가 다르다. 직접의문은 청자를 앞에 두고 직접 질문하는 것이고, 간접의문은 청자를 상정하지 않은 독백적 질문이나 의념(疑念)을 나타내는 것을 말한다. 이 역시 중세 국어에서는 별개의 어미가 사용된다.

(9) a. 이 ᄯᆞ리 너희 죵<u>가</u>(월석8 : 94)
　　b. 그 ᄠᅳ디 ᄒᆞᆫ가지아 아니<u>아</u>(능엄1 : 99)
　　c. 얻논 藥이 므스것<u>고</u>(월석21 : 215)
　　d. 뉘 이 靑雲 서리옛 器具<u>오</u>(두시16 : 18)

(9)는 명사에 보조사가 통합되어 의문문이 된 예이다. (a)와 (b)는 판정의문, (c)와 (d)는 설명의문의 예이다. 판정의문에는 '-가', 설명의문에는 '-고'가 쓰인다. (b)의 '-아'와 (d)의 '-오'는 'ㄱ'이 약화된 것이다. 중세 국어에서 'ㄱ'으로 시작하는 어미는 'ㄹ'이나 'ㅣ'[y]로 끝나는 어간 뒤나 계사, 선어말어미 '-리-' 뒤에서 'ㅇ'로 약화되는 것이 일반적이다. (b)의 '-아'는 계사 뒤에서 '-가'가 변화한 것이다. 그런데 (d)는 일반 모음 뒤인데도 '-오'로 되어 있어 어미와는 조금 다른 변화를 보인다. 이처럼 의문의 '-가/고'는 일반 모음 뒤에서도 '-아/오'로 나타나는 일이 있다.

(10) a. 이 大施主의 得ᄒᆞᆫ 功德이 하녀 <u>져그녀</u>(월석17 : 48)
　　b. 앗가ᄫᆞᆫ ᄠᅳ디 <u>잇ᄂᆞ니여</u>(석보6 : 25)
　　c. 아모 ᄉᆞᄅᆞ미나 이 良醫의 虛妄ᄒᆞᆫ 罪ᄅᆞᆯ 能히 <u>니ᄅᆞ려</u> 몯 <u>니ᄅᆞ려</u>(월석17 : 22)
　　d. ᄒᆞ마 주글 내어니 子孫ᄋᆞᆯ <u>議論ᄒᆞ리여</u>(월석1 : 7)

(11) a. 究羅帝이 이제 어듸 <u>잇ᄂᆞ뇨</u>(월석9 : 36)
　　b. 다시 묻노라 네 어드러 <u>가ᄂᆞ니오</u>(두시8 : 6)
　　c. 아바ᄂᆡᇇ 病이 기프시니 엇뎨 <u>ᄒᆞ료</u>(석보11 : 18)
　　d. 엇뎨 겨르리 <u>업스리오</u>(월석서 : 17)

(10)과 (11)은 'ᄒᆞ라'체의 직접의문의 용례이다. (10)은 판정의문 (11)은 설명의문의 예이다. 판정의문에는 '-녀'('-니여')와 '-려'('-리여')가 쓰이고 판정의문에는 '-뇨'('-니오')와 '-료'('-리오')가 쓰인다. 이들은 각각 선어말어미 '-니'-와 '-리-'에 '-가'와 '-고'에서 유래된 어미 '-어'와 '-오'가 통합되어 굳어진 것이다. '-니-'가 완료·확정적인 의미를 표현하고, '-리-'가 미완·추측적인 의미를 나타내므로 '-녀'와 '-뇨'는 완료된 사태에 대한 의문을 나타내고, '-려'와 '-료'는 미완된 사태에 대한 의문을 나타낸다.

위의 (10), (11)은 주어가 1인칭이거나 3인칭이다. 중세 국어에서는 청자가 주어가 되는 2인칭 의문문에서는 다음의 (12)와 같이 '-ㄴ다'와 '-ㄹ다'('- 다')가 쓰인다.

(12) a. 네 엇뎨 안다(월석23 : 74)
b. 네 信ᄒᆞᄂᆞᆫ다 아니 ᄒᆞᄂᆞᆫ다(석보9 : 26)
c. 네 엇던 혜ᄆᆞ로 나ᄅᆞᆯ 免케 ᄒᆞᇙ다(월석21 : 56)

(12)에서 문장의 주어는 모두 '네'이므로 2인칭 의문문에 해당한다. 현대 국어로 (a)는 '알았느냐', (b)는 '하느냐', (c)는 '할것이냐' 정도로 고쳐질 수 있다. 즉 (a)~(c)의 차이는 시제적인 차이인데, 이것은 이 의문어미가 관형사형어미와 보조사 '다'가 통합되어 이루어진 것이기 때문에 관형사형어미의 원래 기능이 유지되고 있기 때문이다.

앞에서 본 (9)~(12)는 모두 청자에 대한 존대 의사가 표현되지 않은 'ᄒᆞ라'체의 어미들로, 현대 국어로는 '해라'체나 반말 정도에 해당되는 것이다. 청자가 화자보다 상위자이거나 청자를 대우해 주고자 할 때는 별도의 어미가 사용된다.

(13) a. 世尊이 ᄀᆞᆺ봄 내시게 아니ᄒᆞᄂᆞ니잇가(법화5 : 92)
b. 님금하 아ᄅᆞ쇼셔 洛水예 山行 가 이셔 하나빌 미드니잇가(용가 125)
c. 사로미 이러커늘ᅀᅡ 아ᄃᆞᆯ ᄋᆞᆯ 여희리잇가(월곡 기143)

(14) a. ᄆᆞᄉᆞᄆᆞ라 오시니잇고(석보6 : 3)
b. 어미… 어느 길헤 냇ᄂᆞ니잇고(월석 23 : 90)
c. 내 이제 엇뎨ᄒᆞ야ᅀᅡ 地獄 잇ᄂᆞᆫ 짜해 가리잇고(월석21 : 25)

(13)과 (14)는 화자보다 상위자인 청자에 대한 의문문으로 'ᄒᆞ쇼셔'체에 해당한다. (13)은 판정의문, (14)는 설명의문이다. 'ᄒᆞ쇼셔'체의 의문법어미로는 '니(리)…ㅅ가'와 '니(ㄹ)…ㅅ고'의 사이에 공손법 선어말어미 '-이-'가 통합된 형태가 사용된다. '-니'와 '-리'의 의미 차이나 '-가'와

'-고'의 구분이 여기서도 유지되고 있음을 알 수 있다. 'ᄒᆞ라'체에서는 2인칭 의문문의 어미가 따로 존재했지만 'ᄒᆞ쇼셔'체에서는 구분되지 않는다. 예를 들어 (14a)는 문맥상 청자가 주어가 되는 의문문인데도 여타 1·3인칭 주어의 의문문과 다르지 않다.

(15) a. 주인이 므슴 차바ᄂᆞᆯ 손소 ᄃᆞᆫ녀 ᄆᆡᆼᄀᆞ노닛가(석보6 : 16)
b. 그딋 아바니미 잇ᄂᆞ닛가(석보6 : 14)

(16) a. 그듸내 ᄠᅳ디 아니 舍利ᄅᆞᆯ 뫼셔다가 供養ᄒᆞᅀᆞᄫᅩ려 ᄒᆞ시ᄂᆞ니(석보23 : 46)
b. 聖人 神力을 어느 다 ᄉᆞᆯᄫᆞ리(용가 87)

(15)는 화자가 자기와 동등하거나 비슷한 청자를 대우할 때 사용하는 'ᄒᆞ야쎠'체의 의문문이며, (16)은 반말의 의문문이다. 청자를 지칭하는 대명사로 '너'보다 조금 대우하는 '그듸'가 쓰이고 있는 점에서 이들이 'ᄒᆞ라'체보다 위이고 '-시-'가 없는 점에서 'ᄒᆞ쇼셔'체보다는 아래임을 알 수 있다. (15), (16)의 의문문에서는 판정의문과 설명의문의 구분이 없다. (15a)와 (16b)의 경우 의문사가 있음에도 불구하고 의문사가 없는 의문문과 동일한 형태를 사용하고 있다.

이상의 의문법어미가 직접 청자에 대해 발화하고 대답을 요구하는 직접의문에 사용되는 데 비해, 청자가 상정되지 않는 의문법어미도 존재한다. 다음의 (17)과 (18)이 그 예이다.

(17) a. 이 아니 내 鹿母夫人ᄋᆡ 나ᄒᆞᆫ 고진가(석보11 : 32)
b. 어더 보ᅀᆞᄫᆞᆯ까(석보24 : 43)
c. 너희 이 ᄇᆞ를 보고 더ᄫᅳᆫ가 너기건마ᄅᆞᆫ(월삭10 : 14)
d. 둘흔 他方佛이 오신가 疑心이오(원각 상1-2 : 23)

(18) a. 이 이른 엇던 因緣으로 이런 相이 現ᄒᆞᆫ고(법화3 : 112)
b. 뉘 能히… 妙法華經을 너비 니ᄅᆞᆯ꼬(법화4 : 134)
c. 엇던 因緣으로 得ᄒᆞᆫ고 疑心ᄒᆞ시니라(법화4 : 56)

간접의문의 어미는 관형사형 어미에 보조사 '-가'와 '-고'가 통합되어 이루어진다. 따라서 '-가'가 쓰이면 판정의문이고 '-고'가 쓰이면 설명의문이다. 또 'ㄴ'이 선행하면 완료적인 의미이고 'ㄹ'이 선행하면 미완·미래적인 의미이다.

이런 간접의문의 어미는 독백(17a,b, 18a,b)이나, '疑心ᄒᆞ-'나 '너기-'와 같은 상념(想念)의 동사가 뒤에 오는 '의념(疑念)'(17c,d, 18c)을 나타내는 데 사용된다. 또한 청자가 존재하지 않기 때문에 청자에 따른 공손법의 구분은 당연히 없다.

(19) a. 몬져 당다이 ᄂᆞᄎᆞᆯ 보려니ᄯᆞᆫ(능엄1 : 64)
b. ᄒᆞᄆᆞᆯ며 녀나ᄆᆞᆫ 쳔랴이ᄯᆞ녀(석보9 : 13)
c. ᄒᆞᄆᆞᆯ며 阿羅漢果ᄅᆞᆯ 得게 호미ᄯᆞ니잇가(월석17 : 49)

(19)는 반어(反語)의 의문에 사용되는 의문법어미이다. (b, c)와 같이 'ᄒᆞᄆᆞᆯ며'가 선행하는 일이 많으며, 서술을 강조하기 위한 수사의문문으로 쓰인다.

[주의] 위의 설명을 소설 읽듯이 읽는다는 것은 말이 안 된다. 한줄 한줄 꼼꼼히 읽으면서 항목으로 정리해야 한다. 정리가 끝나면 그 정리표를 차근차근 암기해야 한다. 필자가 해주고 싶지만 그러면 공부가 적게 되는 흠이 있다. 정히 잘 안 되거든 필자의 『국어학』(티처메카)이라는 책을 잠깐 구해서 베끼기 바란다. 20년 전에 간략하게 정리해 두었다.

24. 다음은 "중세 국어의 선어말어미 '-오/우-'의 기능을 이해한다."라는 학습 목표로 교수·학습 과정을 마친 뒤 마련한 평가지 초안이다. 이 초안의 문제점을 바르게 지적한 것은?

※ 다음의 (가)와 (나)는 선어말어미 '-오/우-'의 기능을 달리 해석한 두 견해이다. (가)를 뒷받침하는 예로 가장 적절한 것은?

(가) 선어말어미 '-오/우-'는 화자, 청자 그리고 동작 주체의 의도가 개재된 동작이나 상태를 나타내 준다. 화자의 의도는 주로 평서문의 서술어에 나타나는데, 대체로 화자 자신의 일을 설명하는 것이다. 청자의 의도는 의문문의 서술어에 나타나는데, 상대방인 청자가 의도를 가지고 설명하거나 판정하기를 요구함을 표시한다. 동작 주체의 의도는 관형사형에 나타난다. 관형사형으로 쓰인 동사의 주체가 의도를 갖고 행한 동작임을 나타낸다.

(나) 종결형과 연결형의 '-오-'는 일반적으로 주어가 제1인칭대명사 '나, 우리' 등 화자일 때 나타난다. 주어가 제3인칭인 경우에도 주어가 화자 자신을 가리키는 경우에 '-오-' 활용형을 취한다. 한편 '-오-' 관형사형은 피한정 명사가 관계 명사인 경우에는 주로 피한정 명사가 관계절의 목적어일 때 '-오-'가 나타나고, 부사어일 때는 쓰임이 불규칙하다. 피한정 명사가 동격 명사일 때도 '-오-'의 사용이 불규칙하다.

① 네 이대 드르라 너 위ᄒᆞ야 닐오리라

너가 이대로(잘) 들어라. (내가) 너 위하여 말하겠다.

: 1인칭 화자의 의도법 (가, 나) 모두 성립.

② 化人ᄋᆞᆫ 世尊ㅅ 神力으로 ᄃᆞ외의 ᄒᆞ샨 사ᄅᆞ미라

아바타란 세존의 신통력으로 되게 하신 사람이라.

: 동작 주체(세존)의 의도, 표제명사가 의미상 목적어. (가, 나) 모두 성립.

③ 어린 百姓이 니르고져 홇 배 이셔도 ᄆᆞᄎᆞᆷ내 제 ᄠᅳ들 시러 펴디 몯홇 노미 하니라

어리석은 백성이 말하고자 할 것이 있어도 끝내 자기의 뜻을 충분히 펴지 못 할 사람이 많으니라.

: 동작 주체의 의도, 표제명사가 의미상 목적어. (가, 나) 모두 성립.

④ 主人이 므슴 차바ᄂᆞᆯ 손소 ᄃᆞᆫ녀 ᄆᆡᇰᄀᆞ노닛가 太子ᄅᆞᆯ 請ᄒᆞᅀᆞ바 이받ᄌᆞᄫᅳ려 ᄒᆞ노닛가 大臣ᄋᆞᆯ 請ᄒᆞ야 이바도려 ᄒᆞ노닛가

주인이 무슨 요리를 손수 다니면서 만듭니까? 태자를 청하여 대접하려 합니까? 대신을 청하여 대접하려 합니까?

: 청자의 의도. 이 예문은 (나)의 반증례로 작용한다는 점에 주의하라.

⑤ 됴ᄒᆞᆫ 時節에 뭀 盜賊을 對호니 시르믈 다시 議論ᄒᆞ얌직ᄒᆞ니아 …… 녯 누른 곳 ᄠᅴ운 수리오 이젯 머리 셴 한아비로라

좋은 시절에 무리 도적을 대하니 슬픔을 다시 의논함직하냐 …… 옛날은 노란 꽃 띄운 술이오 이젠 머리 센 노인이구나.

: 동작 주체의 의도는 성립하기 어렵다. 화자가 의도적으로 도적을 대한 것이 아니라 도적떼가 나타났다는 표현이기 때문이다. 이 경우는 화자 표시의 기능이 알맞다. 따라서 (나)만이 성립한다.

정답 ④

해 설

해 설⇩

① (가), (나)는 큰 차이가 없는 견해여서 이 문항의 평가 의도를 충분히 구현하지 못하고 있다. (가)는 해당 형태소의 문법적 의미 기능을 부여한 견해이며(이숭녕 선생님 설) (나)는 형태소의 통사적 기능을 주목한 견해(고영근 선생님 설)이므로 차이가 있다. 또 이 선지는 문제 자체를 부정하고 있으므로 정답이 될 수 없다. 이런 것을 직감적으로 느낄 수 있어야

한다.

② (가), (나)의 두 견해는 동일한 용례들을 검토한 결과여서 이 문항의 질문이 성립할 수 없다.
이 선지도 말이 되지 않는다. 문법이란 혹은 모든 학문이란 심지어 수학까지도 언제나 동일한 용례를 검토하여 모두가 다르게 해석하는 것이다. 그 중 가장 나은 것이 그 시대를 지배하는 학설이 된다. 여기서 낫다는 것은 객관성을 기준으로 한 것이면 매우 좋으나 때로는 집단 편견이 기준이 되기도 한다. 그 대표적인 예가 나치 집단의 게르만 인종 우월주의.

③ (가), (나)의 설명 대상과는 다른 형태소의 용례를 답지에 제시하고 있어 제시문과 답지의 관련성을 확보하지 못하고 있다.
이 선지도 말이 안 된다. 위에 부기한 번역과 설명을 참조하라. 모든 용례에 '-오/우-'가 들어 있다.

④ 초안의 답지 ①과 ②도 정답의 가능성이 있어 복수 정답의 논란 가능성을 남기고 있다.
이 선지가 정답이다. 위에서 말한 것처럼 동일한 용례를 관점에 따라 달리 해석한 것이라서 동시에 두 견해 모두의 근거가 되는 경우가 많다. 예외적인 용례를 더 적게 가지는 학설이 더 나은 것으로 판단되곤 한다.

⑤ 초안의 답지 ⑤에서 문항의 의도와는 무관한 부분까지 밑줄을 그어 문제 해결을 어렵게 만들고 있다.
이 선지도 오류. 문항의 의도가 '-오/우-'의 기능이므로 '對호니=ᄒᆞ+오+니'로 조건에 딱 부합한다.

[주의] 이 문제는 문제 자체를 정확히 이해 암기해 두어야 한다. 출제 교수의 전공 분야이므로 선어말어미 '오/우'에 대하여 필요충분하게 잘 정리해 준 것이다. 어느 해에 2차 문제로 출제할 수도 있을 정도이다. 가급적이면 이 문제를 통째로 암기해 둘 것을 권한다.

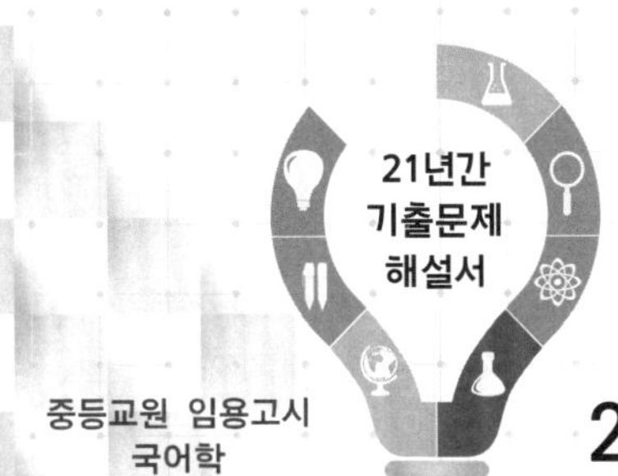

2008년도 기출문제

8. 다음은 '자음의 조음 음성학적 특징, 자음 분화의 기준과 자음 동화의 음운론적 성격, 자음 체계' 등을 연계하여 지도하기 위해 만든 학습 자료이다. 주제별로 알맞은 탐구 내용을 쓰시오.

(가) 국물→[궁물], 먹는→[멍는], 부엌만→[부엉만], 흙만→[흥만]
닫는→[단는], 짓는→[진는], 맞는→[만는], 꽃망울→[꼰망울]
밥물→[밤물], 답만→[담만], 앞마당→[암마당], 밟는→[밤는]

(나) 건강→[겅강], 맡기다→[막끼다], 숟가락→[숙까락], 옷감→[옥깜]
문법→[뭄뻡], 신문→[심문], 낮부터→[납뿌터], 꽃밭→[꼽빧]
감기→[강기], 꼼꼼하다→[꽁꼼하다], 밥그릇→[박끄릇]
※ (나)의 발음은 수의적인 것으로 표준발음으로는 인정되지 않음.

(다) 洪ᅘᅩᆼㄱ字ᄍᆞᆼ, 君군ㄷ字ᄍᆞᆼ, 侵침ㅂ字.ᄍᆞᆼ 〈훈민정음 언해〉

⇩

자음의 특징 : 모음은 목청을 통과한 공기의 흐름이 장애를 받지 않은 상태로 나는 소리인 반면, 자음은 공기의 흐름이 일정한 곳에서 일정한 방식으로 장애를 받아 나는 소리이다.

⇩

자음 분화의 기준 :

⇩

(가)와 (나)의 음운론적 성격 차이 :

(다)의 사잇소리 표기 원리 :

모범답안 자음 분화의 기준은 조음 위치(입술소리, 혀끝소리, 센입천장소리, 여린입천장소리, 목구멍소리)와 조음 방법(파열음, 파찰음, 마찰음, 비음, 유음) 그리고 소리의 특성(예사소리, 된소리, 거센소리) 등 세 가지로 구분된다. 소리의 특성은 기식의 유무, 후두 긴장의 유무로 나누기도 한다.

(가)는 조음 방법이 닮아가는 '비음화'로 필수적 변동이지만 (나)는 조음 위치가 닮아가는 '연구개음화'와 '양순음화'로 수의적 변동이다.

(다)는 중세 국어에서 한자어의 사잇소리 표기로 울림소리와 안울림소리의 사이 위치에 선행 울림소리에 따라 같은 계열의 예사소리를 독립적으로 표기했다.

9. 〈보기〉의 내용을 확인하기 위해, 어떤 판정 의문문의 서술어 '읽으셨느냐?'를 대상으로 만든 탐구 학습 자료를 〈조건〉에 따라 완성하시오.

〈조건〉

1. 화자, 청자, 주체의 상하 관계는 서로 다르다고 가정할 것.
2. 3단계의 대답 문장은 필수 성분을 갖춘 긍정문으로 쓰되, 화자, 청자, 주체는 그 상하 관계가 명확하게 드러나는 명사를 사용할 것.

〈보기〉

우리말에서 문법 기능은 특정한 형태소의 첨가에 의해 표시되는 경우가 많다. 화자의 느낌이나 생각은 선택되는 종결어미에 따라 다양한 방식으로 실현되고 시제나 높임 표현과 같은 문법 요소도 해당 기능을 담당하는 형태의 첨가에 의해 실현된다. 이런 형태들은 대개 용언의 어간과 결합하여 서술어를 이루는데 하나의 서술어에 둘 이상의 문법 형태들이 첨가되는 일도 흔하다. 따라서 한 문장의 서술어를 이루고 있는 형태소들을 분석하여 그 기능을 따져 보면 문장의 구조는 물론, 그 문장이 발화되는 담화 상황까지도 알 수 있다.

• 1단계 : '읽으셨느냐?'에 실현된 문법적 정보 확인하기

문법적 정보			판단 근거
화자의 의향(심리적 태도)		질문하여 대답을 요구	의문형 종결어미 '-느냐'
화자, 청자, 주체의 상하 관계	화자와 청자	•	•
	화자와 주체	•	•
	청자와 주체	주체가 청자보다 높다.	화자와 청자, 화자와 주체의 상하 관계를 종합적으로 고려

•	•	•
서술어의 자릿수	2개	'읽다'는 타동사이다.

• **2단계 : 담화 상황 구성하기**

(　　　　)이/가 (　　　　)에게 (　　　　　　　　　　) 여부를 물어보는 상황이다.

• **3단계 : 대답 문장**

모범답안

문법적 정보			판단 근거
화자의 의향(심리적 태도)		질문하여 대답을 요구	의문형 종결어미 '-느냐'
화자, 청자, 주체의 상하 관계	화자와 청자	• 화자가 청자보다 높다.	• 해라체 종결어미 '-느냐'
	화자와 주체	• 주체가 화자보다 높다.	• 주체 높임 선어말어미 '-시-'
	청자와 주체	주체가 청자보다 높다.	화자와 청자, 화자와 주체의 상하 관계를 종합적으로 고려
• 발화시와 사건시의 관계		• 과거. 발화시보다 사건시가 앞서 있음	• 과거시제 선어말어미 '-었-'
서술어의 자릿수		2개	'읽다'는 타동사이다.

•2단계 : 담화 상황 구성하기

(형)이/가 (동생)에게 (어머니께서 신문을 읽으셨는지) 여부를 물어보는 상황이다.

•3단계 : 대답 문장

네, 형님. 어머니께서 신문을 읽으셨어요.

해 설

해 설⇩

[한선생의 지적]

이 문제는 출제 오류이다.

주체높임 선어말어미 '-시-'를 서술어에 결합시킨다고 화자와 주체의 관계가 늘 명확한 것은 아니기 때문이다.

가령 60세의 교장 둘이 친구 사이이다. 김 교장과 박 교장이라고 하자. 김 교장이 박 교장을 방문해서 25세의 국어 교사에게 "(박, 당신네) 교장 선생님께서는 지금 무엇을 하시나요?"라고 물을 수 있다. 이런 문장에 '-시-'가 쓰였다고 해서 화자와 주체의 높고 낮음을 판단할 수는 없다.

심지어 교장이 고2 학생에게 "네 담임 선생님께서는 내 편지를 읽으셨느냐?"라고 말할 수 있다. 이런 경우에는 화자가 주체보다 더 높은 것이다.

그런데 이 문제의 출제자는 '-시-'가 쓰이기만 하면 화자가 주체를 언어적으로 높인 것은 사실이니까 주체가 화자보다 무조건 높다고 생각한 듯하다. 그러나 '-시-'는 청자 중심적으로도 사용할 수 있는 것이다.

그리고 평서형 종결어미 '-느냐'는 이제 노인 세대의 사회 방언에 들어간다.

출제 오류라고 해도 수험생은 문제의 조건에 맞추어 정답을 추론하여 서술해야 한다. 당국은 언제나 갑질을 할 뿐이기 때문이다.

10. 다음 이야기에 관여하는 사람들이 다른 사람들에 대해 '높임의 의도'를 가지고 있는지 판단하고, 그 근거가 되는 어절을 각각 하나만 찾아 쓰시오.

〈자료 해설〉 아래는 아들 '나후라(羅睺羅)'를 출가시켜 데려오라는 '부텨(세존)'의 명을 받고 가비라국에 온 '목련(目連)'과, '부텨'의 아내이자 '나후라'의 어머니인 '야수(耶輸)' 사이에 일어난 일을 서술한 이야기의 일부이다.

耶輸ㅣ 부텻 使者 왯다 드르시고 青衣ᄅᆞᆯ ᄇᆞ려 긔별 아라 오라 ᄒᆞ시니 …… 耶輸ㅣ 그 긔별 드르시고 ……(耶輸ㅣ) 門ᄃᆞᆯᄒᆞᆯ 다 구디 ᄌᆞᆷ겨 뒷더시니 目連이 耶輸ㅅ 宮의 가 보니 門ᄋᆞᆯ 다 ᄌᆞᄆᆞ고 유무 드륧 사ᄅᆞᆷ도 업거늘 즉자히 神通力으로 樓 우희 ᄂᆞ라 올아 耶輸ㅅ 알ᄑᆡ 가 셔니 耶輸ㅣ 보시고 …… (耶輸ㅣ) 니러 절ᄒᆞ시고 안ᄌᆞ쇼셔 ᄒᆞ시고 世尊ㅅ 安否 묻ᄌᆞᆸ고 니ᄅᆞ샤ᄃᆡ 므스므라 오시니잇고 〈석보상절 6 : 2~3〉

	〈높임의 의도〉	〈근거 어절〉
예 서술자가 야수에게	있음	드르시고
야수가 청의에게		
야수가 목련에게		
서술자가 부텨에게		
서술자가 목련에게		

모범답안

	〈높임의 의도〉	〈근거 어절〉
예 서술자가 야수에게	있음	드르시고
야수가 청의에게	없음	오라
야수가 목련에게	있음	안조쇼셔
서술자가 부텨에게	있음	부텻
서술자가 목련에게	없음	보니

해 설

해 설⇩

[현대어역]

야수가 부처의 사자 와 있다 들으시고 청의(사환)를 부려 기별(소식) 알아 오라 하시니 …… 야수가 그 기별 들으시고 ……(야수가) 문들을 다 굳게 잠가 두시었더니 목련이 야수의 궁궐에 가 보니 문을 다 잠그고 소식 드릴 사람도 없거늘 즉시 신통력으로 누각 위에 날아 올라 야수의 앞에 가 서니 야수가 보시고 …… (야수가) 일어나 절하시고 "앉으소서" 하시고 세존의 안부 묻고 말하시되 "무엇 하러 오시었습니까?" 〈석보상절 6 : 2~3〉

11. 다음 각 예문에서 밑줄 친 부분의 현대 국어 대응형을 쓰고 이 부분에 포함되어 있는 조사와 그것이 표시하는 의미를 예와 같이 쓰시오.

(가) 諸子ㅣ 아비의 편안히 안ᄌᆞᆫ ᄃᆞᆯ 알오 〈법화경언해 2 : 138〉
(나) 變은 常例에셔 다ᄅᆞᆯ 씨오 〈월인석보 1 : 15〉
(다) 나실 나래 하ᄂᆞᆯ료셔 셜흔두 가짓 祥瑞 ᄂᆞ리며 〈석보상절 6 : 17〉
(라) ᄆᆞᄉᆞ 거스로 道ᄅᆞᆯ 사마료 〈월인석보 9 : 22〉
(마) ᄆᆞᆰ 盜賊에 도라갈 길히 업스니 〈두시언해 8 : 13〉

<table>
<tr><td rowspan="2">예 (가)</td><td>아비의</td><td>아버지가</td></tr>
<tr><td colspan="2">의 : 관형절 서술어의 주체</td></tr>
<tr><td rowspan="2">(나)</td><td>常例에셔</td><td></td></tr>
<tr><td colspan="2"></td></tr>
<tr><td rowspan="2">(다)</td><td>하ᄂᆞᆯ로셔</td><td></td></tr>
<tr><td colspan="2"></td></tr>
<tr><td rowspan="2">(라)</td><td>道ᄅᆞᆯ</td><td></td></tr>
<tr><td colspan="2"></td></tr>
<tr><td rowspan="2">(마)</td><td>盜賊에</td><td></td></tr>
<tr><td colspan="2"></td></tr>
</table>

모범답안

<table>
<tr><td rowspan="2">예 (가)</td><td>아비의</td><td>아버지가</td></tr>
<tr><td colspan="2">의 : 관형절 서술어의 주체</td></tr>
<tr><td rowspan="2">(나)</td><td>常例에셔</td><td>常例와</td></tr>
<tr><td colspan="2">에셔 : 주어와 부사어의 비교</td></tr>
<tr><td rowspan="2">(다)</td><td>하ᄂᆞᆯ로셔</td><td>하늘로부터</td></tr>
<tr><td colspan="2">로셔 : 주어의 행위의 출발점</td></tr>
<tr><td rowspan="2">(라)</td><td>道ᄅᆞᆯ</td><td>道로</td></tr>
<tr><td colspan="2">ᄅᆞᆯ : 서술어의 귀착점</td></tr>
<tr><td rowspan="2">(마)</td><td>盜賊에</td><td>도적 때문에</td></tr>
<tr><td colspan="2">에 : 후행절 사건의 원인</td></tr>
</table>

[현대어역]

(가) 모든 아들들이 아비의 편안히 앉은 줄 알고 〈법화경언해 2 : 138〉

(나) 變은 상례에셔 다르다는 말이고 〈월인석보 1 : 15〉

(다) 태어나실 날에 하늘료셔 설흔두 가지의 상서로운 징조가 내려오며 〈석보상절 6 : 17〉

(라) 무슨 것으로 道를 삼으료? 〈월인석보 9 : 22〉

(마) 무리의 盜賊에 돌아갈 길이 없어지니 〈두시언해 8 : 13〉

【12~13】 다음 〈보기〉는 '-음'에 의해 만들어지는 파생 명사와 명사형을 탐구하기 위해 수집한 자료이다. 아래의 물음에 답하시오.

〈보기〉

파생 명사	묶+음→묶음	믿+음→믿음	얼+음→얼음
	울+음→울음	웃+음→웃음	졸+음→졸음
	죽+음→죽음	살+음→삶	알+음→앎
명사형	먹+음→(…을) 먹음	잡+음→(…을) 잡음	
	달+음→(…을) 닮	만들+음→(…을) 만듦	
	흔들+음→(…을)흔듦	걷+음→(…하게) 걸음	

12. 다음은 위의 〈보기〉를 보고 제기한 학생의 의문과, 이를 해결하기 위한 교사의 해결 방안 및 수집 자료이다. 이를 통해 알 수 있는 사실과 타당한 결론을 빈칸에 쓰시오.

학생의 의문	'살다'와 '알다'의 파생 명사는 왜 나머지와 달리 명사형의 모습인가요?
교사의 해결방안	• 공시적으로 설명하기 어려운 현상은 통시적 관점으로 설명되는 경우가 많으므로 통시적 현상을 살펴본다. • '삶, 앎'이 예전 시기에 발견되는지 찾고 그 용법을 현대 국어와 비교한다.

교사의 수집자료	◇ 예전 국어 자료 • 너무 셜워ᄒᆞ야 ᄀᆞᆯ오ᄃᆡ 다ᄆᆞᆺ 그 홀로 살ᄆᆞ로ᄂᆞᆫ 출하리 디하의 가 조출 거시라 〈동국신속삼강행실도(1617) 열녀도2 : 52〉 • 범을 그리매 가족은 그려도 쌔 그리기 어렵고 사ᄅᆞᆷ을 알매 ᄂᆞᆺᄎᆞᆫ 아라도 ᄆᆞ음은 아디 못ᄒᆞᆫ다 ᄒᆞᄂᆞ니라 〈박통사언해 (1677) 하 : 40~41〉 ◇ 현대 국어 자료 • 진정한 앎이 있어야만 올바른 삶을 살 수 있다.

	근대 국어	현대 국어
'삶, 앎'의 품사		명사
품사 판정의 근거	• 삶 : • 앎 :	• 삶 : • 앎 :

결론	현대 국어의 '삶, 앎'은, 현대 국어 시기에 '-음'이 붙어서 파생된 명사가 아니라, 근대 국어 시기의 ( )이다.

13. 위 〈보기〉의 명사형 '걸음'과 '닮, 만듦, 흔듦' 등의 어형상 차이를 설명하고자 한다. 어형상 '걸음'과 같은 특이성을 보이는 명사형을 예와 같은 방식으로 하나만 더 쓰고, 이들을 통해 알 수 있는 사실을 쓰시오.

어형의 특이성	명사형에서 어간 말음이 'ㄹ'이면, '닮, 만듦, 흔듦'과 같이 실현되는 일이 일반적인데 '걸음'으로 실현되었다.
이러한 특이성을 보이는 다른 명사형	예 걸음 (걷+음) •
알 수 있는 사실	

12. 모범답안

	근대 국어	현대 국어
'삶, 앎'의 품사	동사	명사
품사 판정의 근거	• 삶 : 부사어 '홀로'의 수식을 받는다. • 앎 : '사람을 알다'라는 절의 서술어로 사용되어 서술성이 있다.	• 삶 : 관형어 '올바른'의 수식을 받는다. • 앎 : 관형어 '진정한'의 수식을 받는다.

결론	현대 국어의 '삶, 앎'은, 현대 국어 시기에 '-음'이 붙어서 파생된 명사가 아니라, 근대 국어 시기의 (동사의 명사형이 명사로 굳어진 것)이다.

해 설

해 설⇩

[현대어역]

• 너무 서러워하여 말하되 "다만 그 홀로 삶보다는 차라리 지하에 가 (님을) 좇을 것이다 〈동국신속삼강행실도(1617) 열녀도2 : 52〉

• 범을 그리는데 가죽은 그려도 뼈를 그리기가 어렵고 사람을 아는데 얼굴은 알아도 마음은 알지 못한다 하느니라 〈박통사언해 (1677) 하 : 40~41〉

13. 모범답안

• 물음(묻 + 음)

특이한 명사형을 보이는 것들은 모두 ㄷ불규칙 용언이다. 어간 말음이 'ㄷ'인 용언 중 일부는 모음어미 앞에서 ㄹ로 변하는 불규칙 활용을 한다. 명사형 어미 '-음'의 매개모음 '으'의 영향으로 불규칙 활용이 일어난 것이므로 '-음'의 형태가 결합한 어형이 나타난다.

14. 다음은 학생이 제기한 의문이다. (가)와 (나)의 예문들을 통해 어떠한 문제를 제기하고 있는지 쓰고, 그럼에도 이들을 사동문에 포함시키는 이유를 쓰시오.

〈보기〉

• 학생의 의문 : '사동'이란 한 행위의 주체(사동주)가 또 다른 행위의 주체(피사동주)로 하여금 어떤 일(피사동 사건)을 하게 하는 의미를 표현하는 문장 구조로서 행동 주체 스스로가 행동함을 표현하는 '주동'과 대비되는 것이라는 사동의 정의로 볼 때, 아래의 (가)와 (나)의 문장은 사동문으로 보기 어렵지 않을까요?

(가) ㄱ. 마을 사람들이 마을 진입로를 넓혔다. (넓다)
ㄴ. 아버지께서 어제 우리 집 담을 높이셨다. (높다)
ㄷ. 우리는 출발 시간을 한 시간 늦추었다. (늦다)

(나) ㄱ. 그 우스갯소리가 나를 웃겼다. (웃다)
ㄴ. 화단의 나무가 나를 살렸다. (살다)
ㄷ. 비웃는 듯한 그의 표정이 나의 성을 돋우었다. (돋다)

예문에서 제기되는 문제	(가)	
	(나)	
사동문에 포함시키는 이유	형태의 측면	
	문장 구성의 측면	
	문장 의미의 측면	전형적인 사동문과 마찬가지로, 이 문장이 '주동문 서술어의 내용을 하게 하다.'의 의미로 해석된다.

모범답안

예문에서 제기되는 문제	(가)	피사동주가 무정명사라서 행위의 주체가 될 수 없다. 또 주동문의 존재를 상정하고 사동문을 설명하는데 이들은 사동문 이전의 주동문을 설정하기 어렵다.
	(나)	주어가 무정명사로서 행위의 주체(사동주)로 설정하기 어렵다.
사동문에 포함시키는 이유	형태의 측면	사동 접미사 '-이-,-히-,-리-,-기-,-우-,-추-'를 사용하였다.
	문장구성의 측면	주어가 행위의 주체인 사동주이고, 목적어는 피사동주, 서술어는 사동사로 전형적인 사동문의 구성을 보여준다.
	문장의미의 측면	전형적인 사동문과 마찬가지로, 이 문장이 '주동문 서술어의 내용을 하게 하다.'의 의미로 해석된다.

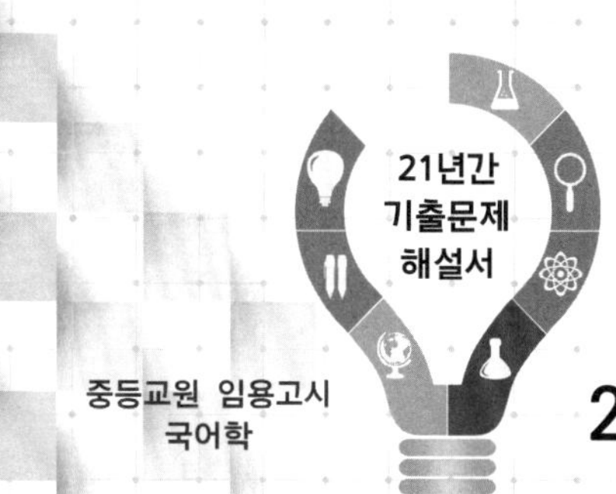

2007년도 기출문제

【9~10】 다음 자료를 보고 물음에 답하시오.

(가) 젖어미[저더미], 닭다[닥따], 깎아[까까], 옆얼굴[여벌굴], 높여[노펴]
　　낱알[나 : 달], 쫓지[쫀찌], 키읔[키윽], 밭에[바테]

(나) 英 곶부리 영 (훈몽자회 하 : 2)
　　낫바ᄅᆞᆯ 瑤琴 빡ᄒᆞ야 뒷다라 日夜偶瑤琴 (두시언해 초간본15 : 3)
　　싸히 놉ᄂᆞᆾ가ᄫᅵ 업시 ᄒᆞᆫ가지로 다ᄒᆞ시며 (월인석보 2 : 40)
　　九重에 드르샤 太平을 누리싫 제 이 쁘들 닛디 마ᄅᆞ쇼셔 (용비어천가110장)
　　네 아기 낟노라 ᄒᆞ야 나ᄅᆞᆯ 害ᄒᆡᆼ호려 ᄒᆞᄂᆞ니 (월인석보10 : 25)

(다) bookmaker[bukmeikeə]북메이커, out[aut]아웃
　　film[film]필름, ring[riŋ]링, hint[hint]힌트, gap[gæp]갭

9. 다음은 '받침의 발음'과 관련된 표준 발음법의 규칙을 가르치기 위한 표이다. (가)의 자료를 활용하여 〈조건〉에 따라 아래의 빈칸 ㉠~㉤을 채우시오.

〈조건〉

• '어휘 예'에는 각각에 해당하는 예를 모두 쓸 것.

분류	어휘 예	규칙
A	㉠	받침 'ㄲ, ㅋ', 'ㅅ, ㅆ, ㅈ, ㅊ, ㅌ', 'ㅍ'은 어말 또는 자음 앞에서 각각 대표음 [ㄱ, ㄷ, ㅂ]으로 발음한다.

B	㉡	홑받침이나 쌍받침이 (㉣)와/과 결합되는 경우에는, 제 음가대로 뒤 음절 첫소리로 옮겨 발음한다.
C	㉢	받침 뒤에 모음 'ㅏ, ㅓ, ㅗ, ㅜ, ㅟ'들로 시작되는 (㉤)이/가 연결되는 경우에는, 대표음으로 바꾸어서 뒤 음절 첫소리로 옮겨 발음한다.

10. (가)~(다)를 참고하여 현대 국어, 중세 국어, 외래어 표기법에서 받침소리의 발음과 표기의 관계를 〈조건〉에 따라 설명하시오.

〈조건〉

- 받침소리로 발음된 자음들, 받침을 표기한 글자들을 쓸 것.
- 받침 표기의 원리나 근거에 대한 설명을 포함할 것.

- 현대 국어 :

- 중세 국어 :

- 외래어 표기법 :

9. 모범답안

현대 국어에서 음절의 끝소리로 발음될 수 있는 것은 'ㄱ, ㄴ, ㄷ, ㄹ, ㅁ, ㅂ, ㅇ'의 일곱 자음 중의 하나이다. 이것은 음절의 실현에서 생기는 제약이다. 음절 구조 제약이라고도 불린다. 기저형에서는 이 7종성 이외의 자음도 존재하고 둘 이상의 자음이 종성에 위치하기도 하지만 발음될 때는 반드시 이 7종성 중의 하나로 바뀌어서 발음된다. 이렇게 바뀔 때 아무 자음으로나 바뀌는 것이 아니고 같은 계열의 평폐쇄음으로 발음된다.
7종성 이외의 자음이 받침으로 왔을 때 모음으로 시작되는 문법 형태소(조사나 어미)가 결합되면 자음이 그대로 실현되나 실질형태소가 결합되면 형태소 경계가 휴지와 같이 작용하여 대표음인 평폐쇄음 'ㄷ'으로 바뀐 뒤 연음되어 발음되는 것을 보여준다. 그러니까 답은 아래 표의 내용이 됩니다.

ㄱ. 닦다, 쫓지, 키읔
ㄴ. 깎아, 높여, 밭에
ㄷ. 젖어미, 옆얼굴, 낱알
ㄹ. 모음으로 시작되는 형식 형태소
ㅁ. 실질 형태소

해 설 해 설⇩

이 문제는 벌써 또 나왔네요. 1999년 5월 출제된 문제입니다. 내 국어학 36. 평폐쇄음화를 기억하시나요? 힘들지만 기본 개념을 정확히 기억하는 것만이 합격의 비결(秘訣)이랍니다. 앞의 설명을 읽기 편하시라고 다시 가져오면서 문제에 맞추어 약간 다듬으면,

10. 모범답안

현대 국어에서는 모든 자음과 많은 겹자음들이 받침으로 표기될 수 있다. 이것은 국어 단어의 기저형이 모음으로 시작되는 문법형태소 앞에서 분명히 드러나기 때문에 원형(原形)으로 인식되었고, 주시경이 그런 표기법을 널리 전파했기 때문이기도 하다.

그러나 이 모든 받침 자음들은 발음을 하게 되면 오직 7자음 (ㄱ, ㄴ, ㄷ, ㄹ, ㅁ, ㅂ, ㅇ)의 어느 하나로 발음이 된다. 즉 모든 표기법상의 자음들이 발음될 때는 미파음인 대표음으로 중화되는 관계에 있다.

중세 국어에서도 그 관계는 〈용비어천가〉와 〈월인천강지곡〉에서는 현대 국어와 같다. 다만 7종성이 아니라 8종성이라서 'ㅅ'이 더 발음되었다는 차이가 있다. 다른 문헌에서도 8종성 이외의 자음이 표기되기도 했다. 역시 모음 앞에서 기저형이 드러나기 때문이었을 것이다. 그러나 세종은 표기의 편의를 위해서 8종성 표기법을 강조하였는데 이것은 음절 끝소리 규칙을 표기법으로 권장한 것이고 결국 표음주의적 원리를 반영한 것이다.

외래어 표기법에서는 완전한 표음주의 표기법을 채택하였다. 외래어의 받침은 'ㄱ, ㄴ, ㄹ, ㅁ, ㅂ, ㅅ, ㅇ'의 7자로 제한하였다. out은 '아웃'으로 적는다. 발음이 '아웃이 되었다'처럼 'ㅅ'으로 나기 때문이다. hint는 '힌트'로 모음 'ㅡ'를 더 넣어주기로 했으므로 외래어의 발음에는 'ㄷ'받침은 없다. 따라서 외래어 표기법의 받침과 발음은 완전히 일치하는 관계이다.

해 설 해 설⇩

이 문제는 조건이 받침소리의 발음과 표기의 관계, 받침소리로 발음된 자음들, 받침을 표기한 글자들을 쓸 것, 받침 표기의 원리나 근거에 대한 설명을 포함할 것 등의 3가지이다. 길게 쓸 수도 있지만 이 때는 단답식 같은 것이라서 짧게 답만 쓰면 다음과 같겠어요. 그런데 쓰다 보니 논술식이 되고 말았엉. ㅋㅋ

11. 다음은 중세 국어 문헌에 나타나는 초성 'ㅂ'계 합용 병서에 대하여 탐구하려고 수집한 자료이다. 주어진 '단서'로 (가)와 (나)를 탐구하고, 그 내용을 근거로 'ㅂ'계 합용 병서가 어떤 소리를 표기한 글자였는지 쓰시오.

(가) ① 곧 이제 ᄀᆞᅀᆞᆯ히 반되 ᄒᆞ마 어즈러우니 됴히 그려기와 다ᄆᆞᆺ ᄒᆞᆫᄢᅴ오리로다 卽今螢已亂 好與鴈同來(두시 언해 초간본 8 : 40)

② 손과 ᄒᆞᆷᄭᅴ 밥 먹거늘 與客同飯ᄒᆞᆫ대(번역소학 10 : 6)

(나) 멥쌀, 좁쌀, 볍씨, 부릅뜨다, 휩쓸다

자료	단서	탐구 내용
(가)	'ᄒᆞᆫᄢᅴ>ᄒᆞᆷᄭᅴ'에 나타난 'ㄴ>ㅁ'	
(나)	단어 형성상의 특이점	

⇩

탐구 결과

초성 'ㅂ'계 합용 병서는 (   )을/를 표기한 글자였다.

모범답안

(가) 현대 국어에서 '문법'을 [뭄뻡]이라고 발음한다. 수의적 비음동화 현상이다. '**ᄒᆞᆫᄢᅴ>ᄒᆞᆷᄭᅴ**'는 이 현상을 보여준다. 따라서 어두에 자음군이 발음되고 표기된 것이다.

(나) 중세 국어에서 '쌀'은 '**ᄡᆞᆯ**'이었고 고려 자료에는 '**ᄇᆞᄉᆞᆯ**'로 나온다. '메+ᄡᆞᆯ, 조+ᄡᆞᆯ' 등이 합성어가 되면서 '멥쌀, 좁쌀'이 된 것이다. 따라서 실제로 발음되는 어두 자음군을 표기한 글자였다.

('ㅂ'과 된소리의 결합), 혹은 ('ㅂ'과 다른 자음의 결합) 혹은 (실제로 발음되는 어두 자음군)

해 설 해 설⇩

[참고] 이기문·이호권, 『국어사』

[어두자음군(語頭子音群)]

후기 중세 국어에서는 어두에 두 자음이 올 수 있었다. 초성 합용병서 중에서 'ㅂ'계(ㅲ ㅄ

ㅶ ㅷ)와 'ㅄ'계(ㅴ ㅵ)는 진정한 자음군을 나타낸 것으로 믿어진다. 여기에 약간의 예를 든다.

ㅲ : ᄠᅳᆮ(意), ᄠᅵ(垢), ᄠᅳ-(浮, 開)

ㅄ : ᄡᅵ(種), ᄡᆞᆯ(米), ᄡᅳ-(苦, 用)

ㅶ : ᄧᅡᆨ(隻), ᄧᆞ-(織, 鹹), ᄧᅳ디-(眷)

ㅷ : ᄩᅳ-(皴)

ㅴ : ᄢᅳᆯ(鑿), ᄢᅴ(時), ᄢᅦ-(貫), ᄢᅱ-(貸)

ㅵ : ᄣᅢ(時), ᄣᅳ리(疱), ᄣᆞ리-(裂), ᄣᅵ르-(刺)

먼저 'ㅂ'계 합용병서가 pt, ps 등을 나타냈음은 다음과 같은 사실이 강력히 시사하고 있다. 첫째, 15세기 문헌의 'ᄡᆞᆯ'에 대응하는 단어가 『계림유사』에 '菩薩'(*ᄇᆞ ᄉᆞᆯ)로 표기되었다. 'ᄡᆞᆯ'을 '*ᄇᆞ ᄉᆞᆯ'로부터의 발달이라고 볼 때, 'ㅄ'이 표기 그대로 발음되었다고 하는 것이 가장 자연스럽다. 둘째, 현대 국어의 일부 합성어에서 공시적(共時的) 관점에서는 설명하기 어려운 'ㅂ'이 발견된다. 즉, 현대 국어의 '입쌀, 좁쌀', '입짝, 접짝', '욉씨, 볍씨', '부릅뜨-', '휩쓸-' 등의 'ㅂ'은 역사적으로 중세 국어의 'ᄡᆞᆯ', 'ᄧᅡᆨ', 'ᄡᅵ', 'ᄠᅳ-', 'ᄡᅳᆯ-' 등의 'ㅂ'이 화석화(化石化)된 것이라고 볼 때에 합리적으로 설명된다.

'ㅄ'계 합용병서의 'ㅂ'에 대해서도 그것이 발음되었던 흔적이 역력하다. 첫째, 현대 국어의 '입때, 접때'의 'ㅂ'은 중세 국어의 'ᄣᅢ'의 'ㅂ'이 화석화된 것이다. 둘째, 15세기 문헌의 'ᄒᆞᆫᄢᅴ'(一時)가 16세기 문헌에서는 'ᄒᆞᆷᄭᅴ'로 나타난다(현대 국어의 '함께'). 여기서 'ᄒᆞᆫ'의 'ㄴ'이 'ㅁ'이 된 것은 'ᄢᅴ'의 'ㅂ'의 영향이라고 하지 않고는 설명할 수 없다.

한편, 'ㅴ, ㅵ'의 'ㅺ, ㅼ'은 된소리를 나타낸 것으로 생각된다. 위의 'ᄒᆞᆫᄢᅴ〉ᄒᆞᆷᄭᅴ'의 변화에서 'ㅂ'이 'ㄴ'을 순음화시키고 사라진 뒤 'ㅺ'이 남았는데 이 'ㅺ'은 'ㄱ'의 된소리라고밖에 볼 수 없다. 이렇게 볼 때, 'ㅴ, ㅵ'은 'ㅂ'과 된소리의 결합이었을 개연성이 매우 큰 것으로 생각된다.

아마도 15세기보다 다소 앞선 어느 시기에 있어서의 어두 자음군의 형성은 고대로부터 어두에 한 자음밖에 몰랐던 국어로서는 여간 불안한 존재가 아니었을 것으로 추측된다. 이 불안정성이 후일 어두 자음군이 전반적으로 된소리로 발달한 주된 요인이었다. 그러나 어두 자음군은 중세어의 말기까지 대체로 그대로 존속된 것으로 믿어진다. 'ㅂ'계와 'ㅄ'계의 표기가 16세기 말의 문헌에 이르기까지 혼란을 보이지 않는 것이다. 다만 'ㅴ'만은 이미 15세기 중엽부터 'ㅺ'으로도 나타나는데 이것은 된소리로 변화하는 과정을 보여 준 것이다(예: 'ᄢᅥ디-, ᄭᅥ디-'(墜); 'ᄢᅳᆯ, ᄭᅳᆯ'(鑿); 'ᄢᅮᆯ, ᄭᅮᆯ'(蜜); 'ᄢᅳᆷ, ᄭᅳᆷ'(隙) 등).

12. (가)~(라)의 밑줄 친 부분은 중세 국어에서 일정한 조건에 따라 다른 형태로 쓰였다. 각각의 교체 조건 혹은 분포 조건을 (예)와 같이 설명하시오.

(가) ① 어린 百ᄇᆡᆨ姓셩이 니르고져 홇 배 이셔도 ᄆᆞᄎᆞᆷ내 <u>제</u> ᄠᅳ들 시러 펴디 몯홇 노미 하니라 (훈민정음 언해)

② 淨쪙飯뻔王왕이 깃그샤 부텻 소ᄂᆞᆯ 손소 자ᄇᆞ샤 <u>ᄌᆞ갸</u> 가ᄉᆞ매 다히시고 (월인석보 10 : 9)

(나) ① ᄉᆡ미 기픈 므른 ᄀᆞᄆᆞ래 아니 그츨ᄊᆡ (용비어천가 2장)

② 二百戶ᄅᆞᆯ 어느 뉘 請ᄒᆞ니 (용비어천가 18장)

③ 블근 새 그를 므러 寢室 이페 안ᄌᆞ니 (용비어천가 7장)

(다) ① 金금으로 ᄯᅡ해 ᄉᆞ로ᄆᆞᆯ ᄢᅳᆷ 업게 ᄒᆞ면 (석보상절 6 : 24)

② 굴허에 ᄆᆞᄅᆞᆯ 디내샤 도ᄌᆞ기 다 도라가니 (용비어천가 48장)

③ 野人ㅅ 서리예 가샤 野人이 ᄀᆞᆯ외어늘 (용비어천가 4장)

(라) ① 뎌 즁아 닐웨 ᄒᆞ마 다ᄃᆞᆮ거다 (석보상절 24 : 15)

② 길헤 艱간難난ᄒᆞᆫ 사ᄅᆞᆷ 보아ᄃᆞᆫ 다 布봉施싱ᄒᆞ더라 (석보상절 6 : 15)

대 상	교체 조건 혹은 분포 조건
예 관형격 조사	관형격 조사 'ᄋᆡ'와 '의'는 선행 체언 모음과의 모음조화에 따라 선택되었는데, 'ᄋᆡ'는 양성 모음 뒤에, '의'는 음성 모음 뒤에 쓰였다.
(가) 재귀대명사	
(나) 주격 조사	
(다) 부사격 조사	
(라) 선어말어미	

모범답안

(가) 재귀대명사 '저'와 'ᄌᆞ갸'는 선행주어의 성격에 따라 선택되었는데, '저'는 3인칭의 낮춤 명사에, 'ᄌᆞ갸'는 3인칭의 높임 명사에 각각 쓰였다.

(나) 주격조사 '이, ㅣ, ∅'는 선행 체언의 음운론적 조건에 의해 선택되었는데, '이'는 자음 뒤에, 'ㅣ'는 모음 뒤에 '∅'는 모음'ㅣ' 뒤에 쓰였다.

(다) 부사격 조사 '애, 에, 예'는 선행 체언 모음과의 모음조화(또는 모음동화)에 의해 선택되었는데, ⓛ '애'는 양성 모음

뒤에, '에'는 음성 모음 뒤에 '예'는 ㅣ 모음 뒤에서 (순행동화가 일어나) 사용되었다.

(라) 주관적 믿음(=확인)의 선어말어미 '-거-, 아-/-어-'는 용언의 성격에 따라 선택되었는데, ⓛ '-거-'는 자동사나 형용사, 서술격 조사 뒤에, '아-/-어-'는 타동사 뒤에 쓰였다.

13. 다음은 짜임새를 탐구하기 위한 자료이다. 밑줄 친 단어들을 학교 문법의 관점에 따라 분류하고, 그 근거를 구체적으로 제시하시오.

① 오늘은 날씨가 춥다.
② 늦잠을 자서 지각을 했다.
③ 동생은 지금 뭔가를 생각하고 있다.
④ 비가 내리던 어느 가을 저녁이었다.
⑤ 갑자기 버섯볶음이 먹고 싶다.
⑥ 산에는 나들이 인파로 가득했다.
⑦ 한겨울인데도 눈이 오지 않는다.
⑧ 아침 해가 눈부시게 떠오른다.

분류	자료 번호	분류의 근거
단일어		
파생어		
합성어		

모범답안

분류	자료번호 대신 어휘를 제시	분류의 근거
단일어	춥다, 어느	학교분법에서 단일어는 하나의 어근이나, 어간에 어미가 결합하여 이루어진 단어인데, '어느'는 하나의 어근으로 '춥다'는 어간에 어미가 결합하여 이루어졌으므로 단일어임.
파생어	생각하고, 나들이, 한겨울	학교분법에서 파생어는 접두사+어근 또는 어근+접미사가 결합하여 이루어진 단어인데, '생각하고'는 어근인 명사에 동사화 접미사 -하-가 결합했고, '나들이'는 (비통사적)합성동사에 명사화 점미사'-이'가 결합한 합성어의 파생이며, '한겨울'은 접두사 '한-'에 어근인 명사가 결합하여 이루어 졌으므로 파생어임.

합성어	늦잠, 버섯볶음, 눈부시게	학교문법에서 합성어는 두 개 이상의 어근 (어근+어근)이 결합한 단어인데, '늦잠'은 어근인 동사어간과 어근인 명사가 결합했고, '버섯볶음'은 어근인 명사와 접미 파생어가 결합한 파생어의 합성이며, '눈부시게'는 어근인 명사와 어근이 동사가 결합했으므로 합성어임

14. 다음은 안긴 문장의 종류와 특성을 지도하기 위한 자료와 교수학습 과정안의 일부이다. 자료의 안긴 문장을 모두 골라 빈칸에 예와 같은 형식으로 서술하시오.

① 어제 산 책을 읽고 있다.
② 동생이 자기도 같이 가겠다고 말했다.
③ 농부들은 비가 오기만을 기다린다.
④ 우리는 다른 사람의 도움 없이 그 일을 했다.
⑤ 여름에는 비가 내리고 겨울에는 눈이 내린다.
⑥ 형과 동생이 같이 학교에 간다.
⑦ 그가 얼굴에 미소를 띠었다.
⑧ 나는 이 책이 재미있다.

단계 1	안긴 문장이란?	다른 문장 속에 들어가 하나의 성분처럼 쓰이는 홑문장
		⇩
단계 2	안긴 문장 고르기	예 ① 어제 산
		⇩
단계3	안긴 문장의 표지	예 ① 관형사형 어미 '-ㄴ'
		⇩
단계4	안긴 문장의 종류	예 ① 관형절

모범답안

단계 2: ② 자기도 같이 가겠다고, ③ 비가 오기, ④ (다른 사람의) 도움 없이, ⑤ 이 책이 재미있다.

단계 3: ② 인용의 부사격 조사 '고'
③ 명사형 어미 '기'
④ 부사 파생접사 '이'
⑤ 표지 없음

단계 4: 인용절, 명사절, 부사절, 서술절(서술어절)

15. 다음은 부정 표현의 기능과 의미를 이해하기 위한 학습 자료이다. ①~⑦을 통사론적 기준에 따라 부정문과 긍정문으로 분류하고, 분류의 근거를 구체적으로 기술하시오.

① 나는 친구를 못 만났다.
② 그 일은 하지 마라.
③ 철수가 설마 거기에 갔겠어?
④ 그는 신문에 보도된 사실을 부정했다.
⑤ 동생이 밥을 안 먹지는 않았다.
⑥ 비생산적인 논쟁은 그만두자.
⑦ 나는 철수를 만나지 못했다.

모범답안

부정문 ①②⑤⑦

부정문은 부정부사 '안, 못+용언(동사)'이나 또는 '어간+보조적 연결어미 -지+부정의 의미를 지닌 보조용언 않다, 못하다, 말다'가 통사적으로 결합한 문장인데, ①은 못+동사, ②는 어간+연결어미 -지+보조용언 마라. ⑤는 부정부사 '안'과 '-지 않았다'가 함께 결합한 이중부정문, ⑦은 어간+보조적 연결어미 -지 +못했다 가 각각 결합한 부정문임

긍정문 ③④⑥

③은 반어의문문이 부정의 의미를, ④는 단어 자체가 부정의 의미를, ⑥은 접두파생어가 부정의 의미를 지니지만, 이들 모두 부정의 의미를 지니지만, 통사론적 기준에 의한 것이 아니므로 긍정문임.

16. 다음 밑줄 친 ㉠, ㉡에서 ⓐ, ⓑ와 같은 부수적 정보를 파악할 수 있다. ㉠과 ⓐ, ㉡과 ⓑ의 관계를 토대로 하여 ⓐ, ⓑ를 '전제'와 '함의'로 구별하고 각각의 특성을 설명하시오.

철수 : 은영아, 오랜만이다.

은영 : 그래, 반가워.

철수 : 네 동생 언제 제대하니?

은영 : ㉠ 영민이 제대한 지 한 달이 넘었어.

철수 : 벌써? 어, ㉡ 민수 저 친구 바닥에 지갑을 떨어뜨렸네.

문장	부수적 정보	구별	특성
㉠	ⓐ 영민이가 제대를 했다.		
㉡	ⓑ 민수의 지갑이 바닥에 떨어졌다.		

모범답안

문장	부수적 정보	구별	특성
㉠	ⓐ 영민이가 제대를 했다.	전제	㉠ 문장 안에 부수적 정보(안긴 문장-영민이가 제대를 했다)가 있고, 주문장(안은 문장)을 '한 달이 넘지 않았다'처럼 부정해도 그 부수적 정보가 참일 때, 그 부수적 정보를 전제라 하며, 주로 관형절을 안은 문장에서 나타난다.
㉡	ⓑ 민수의 지갑이 바닥에 떨어졌다.	함의	㉡ 문장 안에 부수적 정보(민수의 지갑이 바닥에 있다)가 있고, 주문장을 '떨어뜨리지 않았다'처럼 부정하면 부수적 정보가 거짓이 될 때, 그 부수적 정보를 함의라 함.

17. 다음은 참여자 간의 높임 표현이 변화된 예이다. 이 변화를 설명하기 위해 작성한 표를 채우시오.

〈대화 1〉

신입 사원 연수회장에서 (입사할 때)

김영희 : 처음 뵙겠습니다. 저는 김영희라고 합니다.

오주연 : 네, 반갑습니다. 저는 오주연입니다.

김영희 : 우리 입사 동기니까 앞으로 잘해 봐요.

회사 식당에서 (입사 5년 후)

김영희 : 오 대리, 요즘 기획실 분위기 어때?

오주연 : 어, 김대리. 분위기? 좋지.

김영희 : 다음에 시간 나면 밥이나 같이 먹자.

오주연 : 그래. 나중에 전화하자.

〈대화 2〉

대학교에서 (10년 전)

이민수 : 어, 선배님 먼저 오셨네요.

박진우 : 응, 좀 전에 왔어.

이민수 : 이번에 우리 답사 어디로 갈까요?

박진우 : 글쎄, 고민 좀 해 보자.

회사에서 (현재)

박진우 : 부장님께서 한 말씀 해 주십시오.

이민우 : 네, 조금 전에 박진우 과장이 말했듯이 자료는 박과장이 좀 나눠주세요.

대화	변화의 요인	높임 표현의 변화에 대한 설명
1		
2		

모범답안

대화	변화의 요인	높임 표현의 변화에 대한 설명
1	친소관계의 변화	입사할 때 처음 보는 사이여서 상대를 높여 거리를 두다가, 5년 후에는 친한 동료가 되어 말을 낮추면서 높임 표현의 변화가 나타남
2	상하관계(사회적 지위)의 변화	대학에서는 연력에 의한 상하관계가 적용되어 후배가 높이고 선배가 낮추지만, 회사에서는 사회적 지위에 의한 상하관계가 적용되어 높임 표현의 변화가 나타남.

2006년도 기출문제

9. "국어의 특질을 이해한다."라는 학습목표를 성취하기 위한 수업을 하려고 한다. 〈보기〉에 제시한 내용 중 수정·보완해야 할 항목 네 개를 찾아 바르게 고치고, 그 이유를 구체적인 예를 들어 설명하시오.

〈보기〉

(1) 국어는 모음조화 현상이 철저히 적용된다.
(2) 국어는 단모음과 장모음의 대립이 있다.
(3) 국어는 성(性)과 수(數)의 문법 범주가 없다.
(4) 국어는 조사가 매우 발달하였으며, 조사는 항상 문법적인 자격을 부여하는 기능을 한다.
(5) 국어는 문장 성분 간의 자리 옮김에 제약이 없다.
(6) 국어의 활용 어미의 문법적 기능은 문장 전체에 작용한다.
(7) 국어는 주어를 갖추어야 문장으로 성립한다.

모범답안

(1) 국어는 모음조화 현상이 일부 남아 있다. 예: '먹어, 보아', '철썩철썩, 데굴데굴' 등
(4) 국어는 조사가 매우 발달하였으며, 접속과 특별한 의미를 부여하는 것도 있다. 예: 영희<u>와</u> 철수, 철수<u>는</u> 등
(5) 국어는 문장 성분이 비교적 자유롭지만 제약은 받는 경우도 있다. 예: 수식어 '<u>새</u> 옷'과 '<u>아주</u> 맵다' 등
(7) 국어는 주어가 없이도 문장이 성립되는 경우가 있다. 예: 독립어 '도둑이야', 감탄사 '응' 등

10. 〈보기〉 (1)~(3)의 밑줄 친 단어의 품사를 밝히고, 각각의 품사를 구분하기 위해 적용해야 할 기준이 무엇인지 설명하시오.

〈보기〉

(1) 그 사람은 허튼 말을 하고 다닐 사람이 아니다.
그는 자기 일 밖의 다른 일에는 관심이 없다.
그는 갖은 양념을 넣어 정성껏 음식을 만들었다.
사람의 그림자조차 보이지 않는 외딴 집이 나타났다.
(2) 쌍둥이도 성격이 다른 경우가 많다.
(3) 이 문제는 조금 어려운 편에 속한다.

품사이름
(1)
(2)
(3)
-(1)과 (2)의 품사구분 :
-(1)과 (3)의 품사구분 :

모범답안

<table>
<tr><td>품사 이름</td><td>(1)</td><td>관형사</td><td>(2)</td><td>형용사</td><td>(3)</td><td>부사</td></tr>
<tr><td>(1)과 (2)의 품사 구분</td><td colspan="6">(1)과 같이 활용을 하지 못하고 서술성이 없으면 관형사, (2)와 같이 활용을 하여 서술성이 있고, 성질·상태를 나타내면 형용사임(=형태변화 여부)</td></tr>
<tr><td>(1)과 (3)의 품사 구분</td><td colspan="6">'관형사'는 체언만을 한정하며 자리를 옮거나 조사와 결합할 수 없으나, 부사는 자리 옮김이 비교적 자유롭고, '보조사'를 취하기도 한다.</td></tr>
</table>

11. 서술어의 자릿수에 대한 교수·학습을 통해 문장의 성분과 구조에 대한 학습자의 이해를 돕고자 한다. 〈보기〉의 서술어 자릿수 기술 방법을 참조하여 아래의 빈칸을 완성하시오.

〈보기〉

살다 [살 : -] [살아, 사니[사 : -], 사오[사 : -]] [동]

① 생명을 지니고 있다.

문형정보 → [1]이 살다.

용례 → 그는 백 살까지 살았다.

② 어느 곳에 거주하거나 거처하다.

[1]이 [2]에 살다.

고래는 물에 사는 동물이다.

③ 어떤 직분이나 신분의 생활을 하다.

[1]이 [2]을 살다.

그는 교통사고로 2년 형을 살았다.

돌다 [돌 : -] [돌아, 도니[도 : -], 도오[도 : -]] [동]

① 물체가 일정한 축을 중심으로 원을 그리면서 움직이다.

문형정보 → (　　)

용례 → (　　)

② 어떤 기운이나 빛이 겉으로 나타나다.

문형정보 → (　　)

용례 → (　　)

③ 방향을 바꾸다.

문형정보 → (　　)

용례 → (　　)

④ 무엇의 주위를 원을 그리면서 움직이다.

문형정보 → (　　)

용례 → (　　)

모범답안

돌다 [돌ː-] [돌아, 도니[도ː-], 도오[도ː-]] 동

① 물체가 일정한 축을 중심으로 원을 그리면서 움직이다.
   문형정보→(1이/가 돌다.)
   용　　례→(팽이가 돈다.)

② 어떤 기운이나 빛이 겉으로 나타나다.
   문형정보→(1이/가 2에 돌다.)
   용　　례→(군침이 입가에 돈다.)

③ 방향을 바꾸다.
   문형정보→(1이/가 2쪽으로 돌다.)
   용　　례→(차가 오른쪽으로 돈다.)

④ 무엇의 주위를 원을 그리면서 움직이다.
   문형정보→(1이/가 2의 주위를 돌다.)
   용　　례→(지구가 태양의 주위를 돈다.)

12. "문장 속 단어들의 의미관계를 안다."라는 학습목표와 관련하여 아래 유의어들의 의미 차이를 탐구하려고 한다. 〈보기〉의 방식으로 의미 차이를 밝히시오.

〈보기〉

- 날씨 / 연구실이(가)—덥다
- 난로 / 국이(가)—뜨겁다

(1) 참가하다, 참석하다, 참여하다

(2) 길, 도로

모범답안

(1) 참가하다, 참석하다, 참여하다
   줄다리기/마라톤에 참가하다
   회의/토론에 참석하다.
   실험/연구에 참여하다.

(2) 길, 도로
   하곳/ 등곳-길
   고가/ 고속-도로

13. 〈보기〉는 "중세 국어의 음운 변천을 안다."라는 학습목표를 성취하기 위한 자료이다. 'ㅸ'은 세종 이후에 [w]로 변했는데, 후행하는 모음에 따라 다르게 실현되었다. 밑줄 친 부분의 'ㅸ'이 모음을 만나 변하는 과정에서 어떤 결합 규칙이 적용되었고, 그 변화된 모습은 어떠했는지 〈예시〉를 참조하여 밝히시오.

〈보기〉

① <u>스ᄀᆞᄫᆞᆯ</u> 軍馬ᄅᆞᆯ 이길ᄊᆡ ᄒᆞᄫᆞᅀᅡ 믈리조치샤 〈용비어천가 35장〉
② 이런 <u>더러ᄫᅳᆫ</u> 일 ᄒᆞ거뇨 ᄒᆞᆫ대 〈월인석보 1, 44〉
③ ᄆᆞᅀᆞᄆᆞᆯ 더욱 <u>셜ᄫᅵ</u> 너기샤 눉므를 비오ᄃᆞᆺ 흘리시고 〈월인석보 8, 94〉

〈예시〉

	결합 규칙	결합 후 변화된 모습	현대어
ᄆᆞᅀᆞᆷ	ᅀ + ᄋᆞ〉탈락(∅)	ᄆᆞᅀᆞᆷ〉ᄆᆞᄋᆞᆷ	마음
ᄀᆞᄅᆞ치어	이+어〉여	ᄀᆞᄅᆞ치어〉ᄀᆞᄅᆞ쳐	가르쳐

	결합 규칙	결합 후 변화된 모습	현대어
① 스ᄀᆞᄫᆞᆯ	[w]+		시골
② 더러ᄫᅳᆫ	[w]+		더러운
③ 셜ᄫᅵ	[w]+		쉽게

[참고] 이 문제는 특별히 공부할 필요가 없고, 음운 변화를 관찰할 수만 있으면 정답을 쓸 수 있는 보너스 문제입니다. 놀라지 말고 잘 관찰하시기 바랍니다.

모범답안

① 스ᄀᆞᄫᆞᆯ : ㅸ 뒤에 온 모음은? ㆍ. 따라서 결합 규칙은 [w]+ㆍ.
그런데 예시의 결합규칙 오른쪽에 '탈락(∅)'이 보이죠? 그런 말을 써야만 정답이니까 답을 찾아내어야죠? 현대 국어에서 '덥다, 더워, 곱다, 고와'를 다 잘 알죠? 이게 15세기에 '더ᄫᅥ, 고ᄫᅡ'였던 것도 알죠? 따라서 'ㅂ〉ㅸ〉오/우(반모음w)' 공식도 배운 적 있죠? 이걸 써먹으면 되겠네요.
그 답은 '〉오' 따라서 '결합 규칙은 [w]+ㆍ〉오' (모음조화 때문에 '우'가 아니고 '오'.)
결합 후 변화된 모습은 '스ᄀᆞᄫᆞᆯ〉스ᄀᆞ올〉스골' (모음 'ㆍ/으'는 다른 모음을 만나면 자동 탈락한다는 거 다 아시죠?) 같은 방법으로 관찰하면,

② 더러ᄫᅳᆫ [w]+으〉우 더러ᄫᅳᆫ〉더러운

③ 셜ᄫᅵ [w]+이〉탈락(∅) 셜ᄫᅵ〉셜이〉소멸. 현대 국어에서 '쉽게'로 대치됨.

[참고] 이기문·이호권, 『국어사』

'ㅸ'에 대해서는 해례 제자해에 "脣乍合而喉聲多也"라고 설명되어 있다. 이 설명이나 그 밖의 여러 증거로 보아 이 음소는 양순 유성마찰음 [β]로 실현되었던 것으로 믿어진다. 그 분포는 모음간, 'ㄹ' 또는 'ㅿ'과 모음 사이였다(예 : 사ᄫᅵ(蝦), '글ᄫᅡᆯ'(詞), '웃ᄫᅳ리'(哂), '웃ᄫᅵ' 등). 『조선관역어』의 언어는 아직 이 음소의 소실을 보여 주지 않는다. 이 책에는 'ㅸ'이 있었던 것으로 추정되는 단어에 그것을 보여주지 않는 예는 하나도 없다. 이 책의 다음 표기들은 분명히 'ㅸ'을 나타낸 것으로 믿어진다.

月斜 得二吉卜格大(*ᄃᆞᆯ 기ᄫᅳᆯ거다), 江心 把剌憂嗔得(*바라 가ᄫᆞᆫ듸),
隣舍 以本直(*이ᄫᅮᆺ집), 蝦蟹 洒必格以(*사ᄫᅵ 게), 妹 餒必(*누ᄫᅵ),
酒 數本(*수ᄫᅮᆯ), 熱酒 得貢數本(*더ᄫᅳᆫ 수ᄫᅮᆯ), 二 都卜二(*두ᄫᅮᆯ), 瘦 耶必大(*야ᄫᅵ다), …

그런데 이들 중 정음 문헌에서 'ㅸ'으로 표기된 것은 '사ᄫᅵ'(蝦)와 '더ᄫᅳᆫ'(熱)뿐이며, 그나마 '사ᄫᅵ'는 『훈민정음』 해례 용자례(用字例)에 한 번 기록되었을 뿐이다. 이것은 훈민정음이 창제된 15세기 중엽이 음소 'ㅸ'이 잔존한 최후의 순간이었기 때문이다. 'ㅸ'은 『아미타경언해』와 『목우자수심결언해』에도 나타나기는 하지만, 일반적으로 세조 때의 문헌에는 극히 산발적이므로, 1450년대까지 존속한 것으로 볼 수 있을 듯하다.

'ㅸ'은 일반적으로 w로 변하였다. 다만 'ᄫᅵ'는 wi 또는 i로 변하였다. 'ᄫᅵ'가 이렇게 두 가지로 변화한 이유는 아직 확실치 않다.

ᄫᅡ>와(wa) : 글ᄫᅡᆯ>글왈(文)
ᄫᅥ>워(wə) : 더ᄫᅥ>더워(暑)
ᄫᆞ>wʌ>오 : ᄉᆞᄀᆞᄫᆞᆯ>ᄉᆞᄀᆞ올(鄕)
ᄫᅳ>wɨ>우 : 어려ᄫᅳᆫ>어려운(難)
ᄫᅵ>이, 위(wi) : 갓가ᄫᅵ>갓가이(近); 치ᄫᅵ>치위(冷)

14. 〈보기〉는 중세 국어의 격조사를 이해하기 위해 수집한 자료이다. ①~⑥에 사용된 격조사를 세 종류로 분류하여 〈표〉를 완성하시오.

〈보기〉

① 부톄 날 爲ᄒᆞ야 法을 니ᄅᆞ시리라ᄉᆞ이다 〈법화경언해 2, 231〉
② 아ᄎᆞᆷ 뷔여든 ᄯᅩ 나조ᄒᆡ 닉고 〈월인석보 1, 45〉
③ 世尊ㅅ 神力으로 ᄃᆞ외의 ᄒᆞ샨 사ᄅᆞ미라 〈석보상절 6, 7〉
④ 사ᄅᆞᄆᆡ ᄠᅳ들 거스디 아니ᄒᆞ노니 〈월인석보 1, 12〉
⑤ 이 지븨 자려 ᄒᆞ시니 〈용비어천가 102장〉
⑥ 불휘 기픈 남ᄀᆞᆫ ᄇᆞᄅᆞ매 아니 뮐ᄊᆡ 〈용비어천가 2장〉

격조사의 종류	자료 번호	분류 근거
주격		
관형격		
처소의 부사격		

모범답안

격조사의 종류	자료 번호	분류 근거
주격	①, ⑥	부톄(부텨+ㅣ) 모음의 체언 뒤에 쓰이는 주격조사, 불휘(불휘+zero)ㅣ 모음의 체언 뒤에 쓰이는 주격조사—'부처가, 뿌리가'
관형격	③, ④	世尊 ㅅ 神力 높임의 유정명사, 무정명사 뒤에 붙는 특수한 관형격 조사, 사ᄅᆞᄆᆡ(사ᄅᆞᆷ+ᄋᆡ) 유정명사 뒤에 붙는 관형격 조사—'세존의, 사람의'
처소의 부사격	②, ⑤ ⑥	나조ᄒᆡ(나조ㅎ+ᄋᆡ) 부사격조사 'ᄋᆡ'를 취하는 체언, 지븨(집+의) 부사격조사 '의'를 취하는 체언—'저녁에, 집에' ᄇᆞᄅᆞ매 = ᄇᆞᄅᆞᆷ+애.

15. 다음은 "문장의 짜임과 문법요소를 안다."라는 학습목표를 성취하기 위해 〈보기〉를 자료로 하여 수행한 교수·학습 활동이다. 이 과정을 완성하시오.

〈보기〉

(가) ① 文殊아 아라라 〈석보상절 13, 26〉
② 님금하 아ᄅᆞ쇼셔 〈용비어천가 125장〉
③ 딩아 돌하 當今에 계샹이다 〈악장가사, 정석가〉
(나) ① 半 길 노ᄑᆡᆫᄃᆞᆯ 년기 디나리잇가 〈용비어천가 48장〉
② 景 긔 엇더ᄒᆞ니잇고 〈악장가사, 한림별곡〉
③ 슬후미 이어긔 잇디 아니ᄒᆞ니아 〈초간두시언해 7, 14〉
④ 그에 精舍ㅣ 업거니 어드리 가료 〈석보상절 6, 22〉
⑤ 엇뎨 겨르리 업스리오 〈월인석보 서 17〉
⑥ 어루 이긔여 기리ᅀᆞᄫᆞ려 〈월인석보 서 9〉

- 재희는 이 자료를 공부하면서 (가)의 ①, ②를 통해 호격 조사 가운데 특수성을 띤 것이 있음을 알게 되었다. 그런데 ③의 밑줄 친 '딩아 돌하'도 같은 경우인지 의문이 생겼다. 이에 대해 교사는 어떻게 설명해야 하는지 쓰시오. [1점]
- 재희는 (나)의 자료에서 ①의 '년기'에 대해 의문이 생겼다. 이에 대해 문법적으로 '년기'를 어떻게 설명해야 하는지, 그리고 문장 성분은 무엇인지 밝히시오. [2점]
- 재희는 (나)의 자료를 보면서 중세 국어의 의문문을 만드는 다양한 종결어미를 어떻게 분류할 수 있는지 의문이 생겼다. 이에 대해 A, B 두 유형으로 분류하여 설명한다고 할 때, 그 분류 근거를 밝히시오.

분류	자료 번호	분류 근거
A		
B		

모범답안 '돌하'는 '돌ㅎ+아'로 'ㅎ'종성 체언에 호격조사 '아'가 붙은 것임을 설명한다.

모범답안 '녀느'는 모음으로 시작되는 어미 앞에서 '년ㄱ'으로 교체된다. 체언의 쌍형어이다.

모범답안 A ①③⑥ 판정의문형 : 의문사가 없는 판정 의문형은 '-가'형의 의문형어미가 쓰인다. 환경에 따라 '-아/어', '-냐/녀' 등으로 교체된다. (⑥의 '-려'는 '-리-+-녀'의 결합형)

B ②④⑤ 설명의문형 : '엇더' 등의 의문사가 있는 경우에는 '-고'형의 의문형 어미가 쓰인다. 환경에 따라 '-오', '-뇨' 등으로 교체된다. (④의 '-료' 역시 '-리-'와의 결합형)

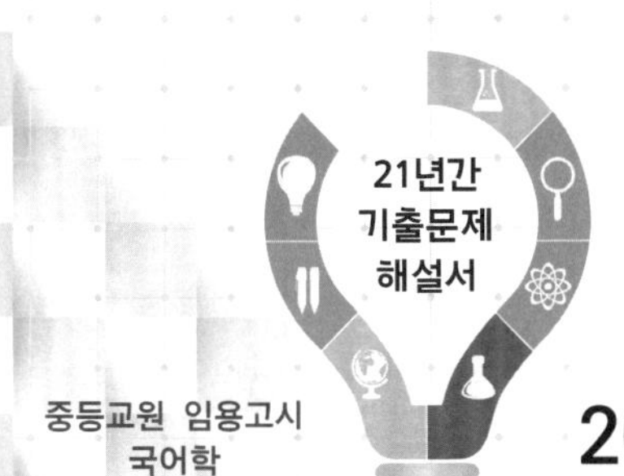

2005년도 기출문제

11. 다음은 "중세 국어 어휘의 쓰임을 안다."라는 학습 목표를 성취하기 위한 자료이다. '어느'를 <u>셋으로</u> 분류하고 그 근거를 쓰시오.

① 어느 뉘 請ᄒᆞ니 (용비어천가 18)
② 어느ᄅᆞᆯ 닐온 正法眼고 (금강경삼가해 2 : 68)
③ 어늬ᅀᅡ ᄆᆞᆺ 됴ᄒᆞ니잇가 (석보상절 6 : 35)
④ 國人 ᄠᅳ들 어느 다 ᄉᆞᆯᄫᆞ리 (용비어천가 118)
⑤ 國王ᄋᆞᆫ 오쇼셔 龍王ᄋᆞᆫ 겨쇼셔 이 두 말ᄋᆞᆯ 어늘 從ᄒᆞ시려뇨 (월인석보 7 : 26)
⑥ 菩薩이 어느 나라해 ᄂᆞ리시게 ᄒᆞ려뇨 (월인석보 2 : 10)
⑦ 현 날인ᄃᆞᆯ 迷惑 어느 플리 (월인천강지곡 74)

자료 번호　　　　　　　　　　분류의 근거

모범답안

자료 번호	분류의 근거
① ⑥	체언 앞에서 체언을 수식하는 관형사
② ③ ⑤	격조사와 결합한 대명사 ('어늬'-주격형, '어늘(어느ᄅᆞᆯ)-목적격형)
④ ⑦	용언 앞에서 용언을 수식하는 부사 ('어찌, 어떻게'의 의미를 지님)

해 설

[현대어역]

① 어느 누가 청했습니? (용비어천가 18)

② 어느것을 말하는 것이 정법안인고? (금강경삼가해 2 : 68)

③ 어느것이야 가장 좋으니잇가? (석보상절 6 : 35)

④ 국인 뜻을 어찌 다 아뢰겠습니? (용비어천가 118)

⑤ 국왕은 "오시오셔." 용왕은 "계시오소서" 이 두 말을 어느 것을 따르시려뇨?

⑥ 보살이 어느 나라에 나리시게 ᄒᆞ려뇨? (월인석보 2 : 10)

⑦ 몇 날인들 미혹 어찌 풀리? (월인천강지곡 74)

【12~13】 다음 자료를 읽고 물음에 답하시오.

① ᄉᆡ미 기픈 므른 ᄀᆞᄆᆞ래 아니 그츨ᄊᆡ (용비어천가 2, 1447년)

② 적은 아ᄒᆡᄅᆞᆯ ᄀᆞᄅᆞ치되 (소학언해 5, 1587년)

③ 더ᄫᅳᆫ 몰애 모매 븓ᄂᆞᆫ 苦왜라 (석보상절 13, 1447년)

④ 모래와 ᄒᆞᆰ 섯근 거슬 (가례언해 7, 1632년)

⑤ 三賊이 좇ᄌᆞᆸ거늘 (용비어천가 36, 1447년)

⑥ 梵音이 깁고 微妙ᄒᆞ샤 (석보상절 13, 1447년)

⑦ 고ᄌᆞᆯ 받ᄌᆞᄫᆞ시니 (월인천강지곡 6, 1449년)

⑧ 어마님 사라겨싫 저긔 (월인석보 23, 1459년)

⑨ 됴ᄒᆞ시며 됴ᄒᆞ실쎠 大雄世尊이여 (법화경언해 5, 1463년)

⑩ 내 보아져 ᄒᆞᄂᆞ다 ᄉᆞᆯᄫᅡ쎠 (석보상절 6, 1447년)

12. 다음은 ①~⑦에서 알 수 있는 국어사적 지식을 정리한 표이다. 빈 칸에 알맞은 내용을 쓰시오.

구분	국어사적 지식	구체적인 내용
①, ②	표기법의 변화	a
③, ④	음가(音價)의 변화	b
③, ⑤, ⑥, ⑦	팔종성법(八終聲法)	c

13. ⑤~⑩에 쓰인 경어법을 유형별로 설명하시오.

12. 모범답안

a ① 이어적기(15~16세기) ② 끊어적기(16세기 말부터) : 받침 있는 체언 또는 어간 뒤에 모음 조사나 어미가 올 때 그 받침을 조사나 어미에 이어적는 것을 이어적기, 원형을 밝혀 적는 것을 끊어적기라 한다.

b ㉮③ '몰애'에서 'ㅇ' 후두유성마찰음(15세기), ④ '모래' 후두유성마찰음 사라졌다(17세기).
(몰개>몰애>모래 : 'ㄹ' 뒤 'ㄱ' 탈락되고 유성마찰음 사용되었음)

c ⑤ 8종성법의 예외 '좇-' 원형의 종성 형태를 밝혀 표기하였다. '용가'와 '월곡'에만 사용된 예외적 표기이다.
③⑥⑦ 8종성법(표음적 표기) 종성에는 'ㄱ, ㄴ, ㄷ, ㄹ, ㅁ, ㅂ, ㅅ, ㆁ'의 8가지로 족하다는 중세 국어의 일반적 종성 표기법이다.

13. 모범답안

⑤⑦ 객체높임법 : 목적어(부사어) 명사가 가리키는 말이 주어보다 높을 때 실현되는 높임법으로 선어말어미 '숩'에 의해 실현됨/⑤⑦과 같이 ㄷ, ㅌ, ㅈ, ㅊ 뒤 줍(뒤가 모음일 때는 줗)이, ㄱ, ㅂ, ㅅ, ㅎ 뒤에 숩(뒤가 모음일 때 숳)이, 울림소리 뒤에 숩(뒤가 모음일 때 숳)이 사용되었다.

⑥⑦⑧⑨ 주체높임법 : 문장의 주어가 지시하는 대상을 높이는 높임법으로 선어말어미 '-시/--샤'에 의해 실현됨/⑥은 모음 어미 앞에서 '-샤'가 사용되었고, ⑦은 선어말어미 '-시-'가 나타나며, ⑧의 '겨시-'는 어휘에 의한 주체높임이며, ⑨는 선어말어미 '-시-'가 사용되었다.

⑩ 상대높임법 : 화자가 청자를 높이거나 낮추는 높임법으로 선어말어미 '**이/잇**' 또는 종결어미에 의해 실현됨 ⑩은 'ᄒᆞ야쎠'체로 종결어미에 의한 것이며, 예사 높임이다. 그 밖에 아주 낮춤의 'ᄒᆞ라체', 아주 높임의 'ᄒᆞ쇼셔체'가 있다.

14. 다음 〈보기〉는 보조사 '-은/는'의 특성을 학습하기 위해 모은 자료이다. 자료 번호에 해당하는 구체적인 지도 내용을 쓰시오.

〈보기〉

① 학교는 공부하는 곳이야!

② 철수가 국어는 잘 하지만 영어는 좀 못해.

③ 뭐니 뭐니 해도 꽃은 장미가 최고야.

④ 옛날 이야기를 해 주마. *아주 먼 옛날에 나무꾼을 살았어.

*비문 표시

자료 번호　　　　　　　　　　지도 내용

①, ②

③

④

모범답안

자료 번호	지도 내용
①, ②	①은 '학교'와 그 외의 대상, ②는 '국어'와 '영어' 사이의 대조가 이루어짐을 표시한다.
③	꽃'에 '은'이 붙어 문장의 설명 대상이 '꽃'임을 표시한다. 즉, 문장의 화제를 표시하는 기능을 하고 있다.
④	'은/는'은 기존 정보(알려진 정보)임을 표시하는 기능을 한다. 새로운 정보일 경우에는 '은/는'이 붙을 수 없다. 따라서 ④에서 '나무꾼'은 새로운 정보이므로 '은'이 붙으면 비문이 된다.

15. 정 교사는 (가)와 같은 학생의 질문을 받았다. (나)를 이용하여 학교 문법 체계 내에서 적절한 답변을 제시하시오.

(가) 학생 : 보어는 문장의 주성분이고 필수적 부사어는 부속성분이라고 배웠습니다. 그런데 필수적 부사어는 아래의 예에서처럼 밑줄 친 성분을 생략하면 비문이 되므로 문장의 주성분이 되니 보어로 봐야 하지 않습니까?

㉠ 철수는 영희를 <u>친구</u>로 여겼다. → *철수는 영희를 여겼다.

㉡ 피망은 <u>고추</u>와 다르다. → *피망은 다르다.

* 비문 표시

(나) ① 이 고생도 오늘로 끝이야.

② 영호가 철호와 여행을 떠났다.

예시답안 (가)의 ㉠, ㉡에서 '친구로'와 '고추와'는 꼭 필요한 성분이지만, (나)의 ①, ②에서 같은 조사가 결합된 '오늘로'와 '철호와'는 생략이 가능하며 꼭 필요한 성분이 아니다. 그래서 (가)의 ㉠, ㉡을 보어로 보게 되면, (나)의 ①, ②의 부사어와 구분이 모호해지며, 동시에 부사격 조사'로','와'가 부사격 조사와 보격 조사로 나누어져 구분이 모호해진다.

그래서 학교문법에서는 서술어 '아니다, 되다' 앞에서 조사 '이, 가'가 결합된 것만 보어로 보며 위의 ㉠, ㉡은 보어로 보지 않고, 필수적 부사어로 본다.

예시답안 (나)를 보면 ① 문장은 '이 고생도 끝이야', ② '영호가 여행을 떠났다'와 같이 '오늘로', '영호와'를 생략하여도 문장이 성립된다. (가)의 '로', '와' 등과 그 형태와 기능이 같기 때문에 문장의 필수 성분인 보어로 설정하기는 어렵다. 따라서 학교 문법에서는 (가)와 같은 경우는 서술어의 자체의 특성으로 설명하고 있다. 즉 (가)와 같은 경우는 서술어의 자체의 특성으로 설명하고 있다. 즉 (가)의 '여기다', '다르다'는 세 자리 서술어로 필수 부사어가 있어야 문장이 성립되나, (나)는 그렇지 않기 때문에 부사어 생략이 가능하다는 것이다.

모범답안 필수적 부사어는 문장의 필수성분에 들어간다. 주성분으로 보는 것이다. 수식적 부사어만 부속성분인 것이다. 학생의 질문 속의 해당 예는 필수적 부사어이므로 주성분으로 본다.

또 그 예들을 보어로 보게 되면 '로, 와' 같은 조사가 보어격조사와 부사격조사의 2 기능을 가지게 되는 문제도 생긴다.

그래서 학교문법에서는 서술어 '아니다, 되다' 앞에서 조사 '이, 가'가 결합된 것만 보어로 보며 위의 ㉠, ㉡은 보어로 보지 않고, 필수적 부사어로 본다. 가령 "철수가 (교사가) 되었다/아니다."에서 보어는 생략이 불가능하다는 점에서도 필수적 부사어와 차이가 있다.

【16~17】 다음 글을 읽고 물음에 답하시오.

(가) ○월 ○일 날씨 맑음

오늘은 할머니께 또 꾸중을 들어 속상했다. 며칠 전 할머니께선 "너 핵교 가는구나."라고 말씀하셨다. 난 할머니께서 '학교'를 '핵교'라고 잘못 발음하시는 것 같아서 국어 선생님께 배운 대로 표준 발음을 사용해야 한다고 말씀드렸다. 그러나 할머니께선 평생 이렇게 말하며 살아왔어도 불편한 일이 없었다며 핀잔을 주시고, 내 말은 들은 체도 하지 않으셨다. 괜히 말 꺼냈다 싶어 기분이 안 좋았다. 그런데 오늘 아침에도 할머니께선 밥상에서 "에미야, 오늘 저녁엔 괴기 반찬 좀 준비하렴." 하고 말씀하시는 것이었다. 이 말씀을 듣고서 난 또 다시 할머니께 '에미', '괴기'가 표준 발음에 어긋난 것 같다고 말씀드렸다. 그런데 할머니께선 오히려 어른들 일에 쓸데없이 참견한다고 내게 꾸중만 하시는 것이었다. 할머니께선 왜 이상하게 발음하시는 것일까? 아무리 생각해도 알 수 없다. 내일 선생님께 여쭤봐야 하겠다.

(나) ① 철문이 굳게 닫혀 있다.

② 영수는 함께 가기로 결심을 굳혔다.

③ 친구와 같이 해돋이를 보러 동해안에 갔다.

16. (가)의 학생으로부터 질문을 받은 김 교사는 할머니의 발음 현상에 대해 설명해 주고자 한다. 할머니의 발음 현상과 같은 용례 다섯 개만 들고 설명해야 할 내용을 쓰시오.

관련 지식	'ㅣ' 모음 역행 동화와 표준 발음
용례	
설명 내용	• 'ㅣ' 모음 역행 동화 : • 표준 발음과의 관계 :

17. 김 교사는 "서로 다른 음운 현상 사이의 연관성을 유추할 수 있다."라는 학습 목표를 세우고, (가)와 (나)를 활용하여 수업을 전개하고자 한다. 이 수업에서 지도해야 할 학습 내용을 쓰시오.

16. 모범답안

용례 : ① 아비[애비], 손잡이[손잽이], 아지랑이[아지랭이], 죽이다[쥑이다], 먹이다[멕이다]
② 시골내기, 멋쟁이, 소금쟁이, 풋내기, 담쟁이덩굴, 재미, 냄비

설명 내용 : 'ㅣ' 모음 역행 동화는 뒤에 오는 전설모음 '이'나 반모음 'j'의 영향을 받아 앞 음절의 후설모음 '아, 어, 오, 우, 으'가 각각 전설모음 '애, 에, 외, 위, 이'로 바뀌는 현상을 가리킨다. 역행동화 현상이다. 피동화음과 동화음이 그 사이에 자음이 개재되어 직접 붙어 있지 않으므로 간접동화이다. 가령 '아비'가 [애비]로 발음되는 것은 뒤 음절의 'ㅣ'가 앞 음절의 'ㅏ'를 'ㅐ'로 바꾼 것이다.
주의할 것은 용례 ②와 같은 경우만 표준발음이며 대개는 방언의 발음으로 간주한다.

17. 모범답안

'ㅣ' 모음 역행동화는 뒤에 오는 전설모음 '이'나 반모음 'j'의 영향을 받아 후설모음 '아, 어, 오, 우, 으'가 각각 전설모음 '애, 에, 외, 위, 이'로 바뀌는 역행동화 현상을 가리킨다. 피동화음과 동화음이 그 사이에 자음이 개재되어 직접 붙어 있지 않으므로 간접동화의 하나이다.
그런데 넓은 의미에서 '이'모음 역행동화에는 구개음화도 포함된다. 왜냐하면 구개음화도 동화음이 모음 '이'이면서 동화음이 피동화음보다 뒤에 있는 역행동화 현상이기 때문이다. '밭이[바치]'에서 둘째 음절이 '치'로 발음 나는 것은 '이'가 동화음이 되어 앞에 있는 'ㅌ'를 'ㅊ'로 바꾸게 한 데에서 비롯하므로 구개음화 또한 '이'모음 역행동화라고 할 수 있다.
전자는 후행 모음의 성질을 선행 모음에 추가해주는 것이고, 후자는 선행 자음에 추가해준다는 차이가 있다.

18. 다음의 밑줄 친 보조적 연결어미 '-게'는 학교 문법에서 부사형 전성어미로도 인정되고 있다. '-게'를 부사형 전성어미로 볼 수 있는 근거를 구체적으로 기술하시오.

① 장미꽃이 아름답게 피었다.
② 서쪽 하늘에 저녁놀이 화려하게 물들었다.

모범답안

①의 '아름답게'와 ②의 '화려하게'는 모두 형용사(용언)에 어미 '-게'가 결합된 형태이며, 이것이 각각 용언 '피었다'와 '물들었다'를 수식하며, 또 안긴 문장으로 부사절을 이룰 수 있다는 점, 그리고 이것은 주성분이 아니어서 생략이 가능하고 자리 옮김이 가능하다는 점에서 부사와 같은 기능을 하기 때문에 부사형 전성어미로 볼 수 있다.

모범답안

'게'를 보조적 연결어미로 볼 경우 ①과 ②는 홑문장으로 보아야 한다. 그러나 ①과 ②는 '장미꽃이 아름답다'와 '저녁놀이 화려하다'는 문장이 안겨 있는 겹문장으로 상위문의 주어와 동일하여 주어가 생략된 것이다. 하나의 문장 종결에 '게'가 붙어 상위문의 서술어를 수식하는 성문으로 유도하므로 '게'는 부사절을 형성하는 부사형 전성어미로 볼 수 있다.

【21~22】 다음 글을 읽고 물음에 답하시오.

(가) 善化公主主隱

㉠ <u>他密只嫁良置古</u>

薯童房乙

㉡ <u>夜矣夘乙抱遣去如</u>

—'서동요'

(나) 善化公主니믄

ᄂᆞᆷ 그ᅀᅳ지 얼어두고

맛둥바ᄋᆞᆯ

바ᄆᆡ 몰 안고 가다

—(양주동 해독)

(다) 善化公主니리믄

ᄂᆞᆷ 그ᅀᅳᆨ 어러 두고

薯童 방ᄋᆞᆯ

바매 알ᄒᆞᆯ 안고 가다

—(김완진 해독)

(라) 가던 새 가던 새 ㉢ <u>본다</u> 믈 아래 가던 새 본다

잉 무든 장글란 가지고 믈 아래 가던 새 본다

㉣ <u>얄리 얄리 얄라셩 얄라리 얄라</u>

—'청산별곡' 제3장

21. 다음은 고대 국어의 고유명사 표기법에 대한 지식을 갖춘 학생들에게 (가)~(다)의 제재를 활용하여 향찰(鄕札)의 표기 원칙을 지도하는 교수·학습 과정안의 일부이다. 빈 곳에 적절한 내용을 서술하시오.

단계	지도내용
1	가)와 (나)를 대조하며 ㉠에서 훈차(訓借) 자와 음차(音借) 자를 구별해 보게 한다. • 뜻만 빌려 쓴 글자의 예 : 他密嫁置 • 음만 빌려 쓴 글자의 예 : 只良古

2	(가)의 ㉠에 한정하여 표기 방법을 선택하는 원칙을 추론하게 한다. • •
3	추론한 원칙에 따라 ㉡을 분석하게 하되, 예외적인 부분에 대해서는 (나)와 (다)를 비교하며 설명하게 한다. • '夘乙'의 '夘'은 원전에서 판독이 명료하지 않다. (나)는 夘乙=卯乙로 판독하여 음차 표기로 보고 '몰'로 음독한 것이며, (다)는 '夘乙=卵乙'로 판독하여 훈차 표기로 보고 '알홀'로 훈독한 것이다. • 추론한 원칙을 따르지 않은 해독을 수용하는 것은 지금 전하는 향찰 표기 자료가 그 원칙을 일반화하기에 충분하지 않다고 보기 때문이다.

22. (라)의 ㉢을 중세 국어 문법과 현대 국어 문법에 따라 각각 분석할 때, 그 발화 주체와 행위 주체의 관계를 구체적으로 설명하시오.

- 중세 국어 문법에 따라 분석할 때
- 현대 국어 문법에 따라 분석할 때

21. **모범답안** 훈주음종의 원칙, 말음첨기의 원칙

해 설 해설⇩

㉠ 他密只嫁良置古 이 구절에 대한 해독은 '놈 그스지 얼어두고, 놈 그슥 어러 두고'로 제시되었다. 원문의 지(只)만 [지/ㄱ]으로 차이를 보인다.

원문을 발음으로만 읽어보면 ㉠ 타밀지가량치고 ㉠ 타 밀지 가량 치고.

여기서 한자 량(良) 자는 현대어 경상 방언의 '어디 갈라꼬?'의 '라/러/려' 등을 표시하는 글자이다. 음차자이다.

놈 그스지 얼어 두고 [남 모르게 통정해 두고]

타 밀지 가량 치고

원문을 뜻으로만 읽어보면 ㉠ 남 비밀 다만 통정하다 좋다 두다 옛날

이상의 내용을 여러 번 반복해서 관찰하면 '훈주음종의 원칙'을 추론할 수 있다.

여기서 우리말의 문장의 구조는 언제나 성분으로 구성되며, 성분은 언제나 [실질형태소+(형식형태소)]라는 사실을 떠올리면 된다. [실질 = 훈독, 형식 = 음독]이라는 향찰 표기법의 원칙을 추론할 수 있다. 이것을 훈주음종의 원칙이라고 한다. 훈(訓)주(主) 음(音)종(從).

두 번째 원칙은 말음첨기의 원칙이다. 첨기(添記)란 첨가(添加)해서 기입(記入)한다는 뜻이다. 말음(末音)이란 단어의 마지막 소리를 뜻한다. 가령 현대어 '봄'의 말음은 'ㅁ'이다. 그런데 한자로 [봄]을 나타낼 수는 없다. 봄 춘 자는 안다. 춘(春). 이것을 적으면서 '봄'이라는 한국말임을 표시하고 싶을 때 음(音)자를 뒤에 덧붙인다. 春音. 이러면 이 두 글자가 한국어 '봄'을 나타내는 것으로 판단하게 된다.

준 에에서 말음첨기의 예는 '그△ㅡ지'의 只 이다.

[참고] 향찰(鄕札)은 한자를 이용한 한국어 표기법의 하나이다. 주로 향가의 표기에 사용되었으며 고대 한국어를 분석하기 위한 자료로서 중요한 위치를 차지한다.

향찰은 한자의 음(소리)과 새김(뜻)을 이용하여 한국어를 적었다. 구결은 한문 해석을 위한 보조 문자에 불과하므로 입겿토를 빼면 그대로 한문이 되지만, 향찰은 그 자체로 한국어 문장을 완벽하게 표기할 수 있다. 다시 말하면, 향찰은 온전한 "한국어 적기"를 목적으로 사용되는 표기법이다.

신라와 고려 시대, 한자의 음과 뜻을 빌려 우리말을 적던 글. 또는 그 표기 체계. 주로 향가(鄕歌)의 표기에 이용되었으며, 앞부분은 실질적 의미인 뜻을, 뒷부분은 문법적 요소인 조사와 어미 등을 나타냈다. 뜻 부분은 한자를 그대로 사용하고 문법 부분은 한자의 음을 빌려 쓰는 것을 원칙으로 하였다. 실질적 의미를 가진 단어를 나타내기 위해 단어의 끝음절이나 끝음절의 받침을 나타내는 별도의 표기, 즉 말음첨기(末音添記)를 발전시켰다는 점이 특징적이다.

향찰 자료는 지극히 한정되어 있어 향가 25수가 주된 자료이다. 그 내역은 〈삼국유사〉(1281)에 수록된 신라시대 향가 14수, 〈균여전(均如傳)〉(1075)에 수록된 고려 시대 향가 11수이다. 그 이외에 고려 예종의 '도이장가(悼二將歌)' 1수, 〈향약구급방(鄕藥救急方)〉(1236)에 나타나는 약 이름과 같은 것도 향찰의 자료가 될 수 있다.

표기에 사용되는 한자는 훈독자(뜻을 빌려 읽는 한자)와 음독자(한자음을 빌려 읽는 한자)가 있다. 일반적으로 체언, 용언 어간과 같이 단어의 실질적 부분은 훈독자가 사용되며 조사나 어미 등 단어의 문법적 의미를 맡는 부분은 음독자가 사용된다. 예를 들면 '吾衣'(나의)는 '吾'가 훈독자, '衣'가 음독자이다. 훈독자 '吾'는 그 한자음 '오'와는 관계 없이 '나'라는 뜻을 나타내며, 음독

자 '衣'는 '옷'이라는 뜻과는 상관없이 '의'라는 소리를 나타낸다(여기서는 속격 조사로서 씀). '夜音'(밤)은 '夜'가 훈독자이며 '音'이 '밤'의 끝소리 'ㅁ'을 나타내는 음독자이다. 이와 같이 단어의 끝소리를 음독자로 표시하는 것을 '말음 표기'라 한다.

향찰의 훈독자는 그것이 실제로 어떻게 읽혀졌는지 정확히 알기가 어렵다. 가령 '春'이라는 훈독자가 있으면 이것이 '봄'이란 뜻을 나타냄은 분명하지만 '春'이 현대 한국어나 중세 한국어처럼 '봄'이라는 소리로 발음되었다는 것을 적극적으로 증명할 수 없다. 훈독자는 이와 같은 불확실함이 항상 달라붙는다. 따라서 위의 '夜音'처럼 말음 표기가 되어 어형의 일부가 밝혀지는 등 어형에 관해 어떤 암시가 없으면 그 독음을 확정하기가 어렵다.

이와 같이 향찰의 표기법은 불확실한 요소가 많기 때문에 그 어형을 추정하기 위해서는 국어사와 한자음에 관한 깊은 지식과 이해를 바탕으로 조심스럽게 추정해야 한다.

다음은 향가 '처용가'의 서두 부분의 해석 예이다.

東京 明期 月良 夜入伊 遊行如可
東京 ᄇᆞᆯ기 달에 밤드리 노니다가

이 문장을 해석할 때 'ᄇᆞᆯ기'라는 어형의 타당성(중세 한국어 관형형 '-ㄴ'), 처격 '良'의 독법(중세 한국어 처격 '-애/-에'), '遊行如可'는 '놀니다가'로 보아야 할 것인가 아니면 현대어처럼 제1음절의 받침이 탈락된 '노니다가'로 보아야 할 것인가 등등, 세부에서 아직 해결되지 않는 점이 많다.

한자의 음과 뜻을 빌려 국어 문장을 적은, 신라시대에 발달한 국어 표기법으로 차자 표기법 가운데 가장 발달한 표기법이다. 가요(歌謠), 특히 향가(鄕歌)의 표기에 이용되었기 때문에 향가식 표기법이라고도 한다. 이것은 문장 전체를 적었다는 점에서 고유명사 표기법과 한문 문장의 끝에 토로 쓰이던 이두(吏讀)와 구별하여 말하는 것이 일반적이다. 그러나 향찰이 명사·동사·어미를 비롯한 국어 문장 전체를 표기했다고 해도 차자 방법은 의미부가 새김을, 형태부가 음을 빌려 오기 때문에 고유명사 표기법이나 이두와 큰 차이가 나지 않는다.

향찰이라는 명칭은 『균여전(均如傳)』(1075)에 실린 최행귀(崔行歸)의 역시(譯詩) 서문에 처음 나타난다. 이 서문은 균여대사(均如大師)와 같은 시대에 살았던 최행귀가 균여대사가 지은 〈보현십원가(普賢十願歌)〉를 한시로 번역하면서 쓴 것으로, 여기에서의 향찰이라는 말은 신라어로 적은 문장을 가리키는 것으로 보인다. 당악(唐樂)에 대한 향악(鄕樂), 당언(唐言)에 대한 향언(鄕言), 당인(唐人)에 대한 향인(鄕人)의 경우와 같이 우리 고유의 것을 '향(鄕)'으로 표현했기 때문에 당문(唐文)에 대해 상대적인 뜻으로 향찰(鄕札)이라는 명칭이 사용된 것으로 추측된다.

향찰이 사용된 현존 향가 중 가장 오랜 것은 〈혜성가(彗星歌)〉로 진평왕대의 것이다. 6~7세기 전후에 발달한 향찰은 경덕왕대에 〈찬기파랑가(讚耆婆郞歌)〉·〈제망매가(祭亡妹歌)〉·〈도천수관음가(禱千手觀音歌)〉·〈안민가(安民歌)〉·〈도솔가(兜率歌)〉 등이 지어져 전성기를 맞이했다. 그러나 고려 시대에는 균여 대사의 〈보현십원가(普賢十願歌)〉 11수로 겨우 명맥이 이어졌으나 점차 쇠퇴의 기미를 보여, 고려 예종의 〈도이장가(悼二將歌)〉를 마지막으로 더 이상의 향찰 표기는 나타나지 않는다.

향찰의 표기 구조는 어절을 단위로 하여 '독자(讀字)+가자(假字)'의 구조가 주종을 이루고 있다. 즉, 뜻을 나타내는 부분은 한자의 본뜻을 살려서 표기하고, 조사나 어미와 같이 문법 관계를 나타내는 부분과 단어의 어말음(語末音) 부분은 한자의 뜻을 버리고 표음 문자로 이용하여 표기하였다. 이 점에 있어서는 이두나 구결의 표기 구조와 유형상 같다. 그러나 향찰은 완전한 국어의 어순으로 배열하였고, 가자의 부분인 토(吐)가 조사나 어미를 거의 완벽하게 표기하고 있다. 이두문은 한문의 어순과 국어의 어순이 섞이어 쓰이는 것이 주종을 이루지만, 향찰은 인용구나 특별한 표현적 효과를 제외하고는 한문의 어순은 쓰이지 않는다. 또, 이두문은 투식(套式 : 틀에 박힌 법식이나 양식)이 많고 한문식 표현에 의지하는 바가 커서 조사나 어미가 소홀하게 표기되는 수가 많으나, 향찰은 조사나 어미의 표기가 정밀하여 자연스러운 국어 문장을 표기할 수가 있었다.

22. **모범답안** 가던 새 가던 새 ⓒ**본다**

현대어로 보면, 내가 날아가던 새를 본다. 발화주체는 화자이며 행위주체도 화자이다.

중세어로 보면 '본다 = 보 + ㄴ다'. 여기서 어미 '-ㄴ다'는 2인칭에게 직접 물어보는 낮춤말의 형태이다. 따라서 '너는 가던 새를 보았느냐?'가 된다. 따라서 발화주체는 화자이며 행위주체는 청자이다.

2004년도 기출문제

4. "국어의 역사를 안다."라는 학습 목표를 성취하기 위해 모은 다음 자료를 보고 물음에 답하시오.

(가) ① 내 ᄒᆞ마 命終호라 〈월인석보 9, 36〉

② 내 아래브터 부텻긔 이런 마ᄅᆞᆯ 몯 듣ᄌᆞᄫᆞ며 〈석보상절 13, 44〉

③ 내 롱담ᄒᆞ다라 〈석보상절 6, 24〉

④ 내 겨지비라 가져가디 어려ᄫᅳᆯ씨 〈월인석보 1, 13〉

⑤ 衆生ᄋᆡ 福이 다ᄋᆞ거다 〈석보상절 23, 28〉

⑥ 내 이ᄅᆞᆯ 爲ᄒᆞ야 어엿비 너겨 새로 스믈여듧 字ᄅᆞᆯ ᄆᆡᇰᄀᆞ노니 〈훈민정음 언해〉

⑦ 불휘 기픈 남ᄀᆞᆫ ᄇᆞᄅᆞ매 아니 뮐ᄊᆡ 곶 됴코 여름 하ᄂᆞ니 〈용비어천가 2장〉

⑧ 崔九의 집 알ᄑᆡ 몃 디윌 드러뇨 〈두시언해 16, 52〉

⑨ 내 이제 훤히 즐겁과라 〈법화경언해 2, 137〉

(나) ① ㅈᄂᆞᆫ 니쏘리니 卽즉字ᄍᆞᆼ 처ᅀᅥᆷ 펴아 나ᄂᆞᆫ 소리 ᄀᆞᄐᆞ니 ᄀᆞᆯ바쓰면 慈ᄍᆞᆼᅙ字ᄍᆞᆼ 처ᅀᅥᆷ 펴아 나ᄂᆞᆫ 소리 ᄀᆞᄐᆞ니라 ㅊᄂᆞᆫ 니쏘리니 侵침ㅂ字ᄍᆞᆼ 처ᅀᅥᆷ 펴아 나ᄂᆞᆫ 소리 ᄀᆞᄐᆞ니라 〈훈민정음 언해〉(15세기)

② 우리 나라에서는 '댜, 뎌'를 '쟈, 져'와 똑같이 발음하고, '탸, 텨'를 '챠, 쳐'와 똑같이 발음한다. 이는 단지 턱을 움직임에 있어서 이것은 어렵고 저것은 쉽기 때문일 뿐이다. (…중략…) 또 정 선생님께 듣기를, 그분의 고조부 형제 중 한 분의 이름은 '知和'이고 또 한 분의 이름은 '至和'였는데, 당시에는 이 둘을 혼동되게 부른 일이 없었다고 한다. 그러므로 '디'와 '지'의 혼란은 그리 오래되지 않은 일임을 알 수 있다. (如東俗댜뎌呼同쟈져 탸텨呼同챠쳐 不過以按頤之此難彼易也 (…중략…) 又聞鄭丈言 其高祖昆弟 一名知和 一名至和 當時未嘗疑呼 可見디지之混 未是久遠也) 〈유희, 언문지〉(19세기 초)

4-1. 중세 국어의 선어말어미 '-오-'에 대하여 지도하고자 한다. (가)에서 '-오-'가 포함된 4가지 예문을 찾아, 그 번호와 그렇게 볼 수 있는 근거를 쓰시오.

〈조건〉

'–오–'가 포함되어 있는 어절이나 음절을 찾아 형태소를 분석하는 방식으로 근거를 제시할 것. (예 ᄒᆞ니 : ᄒᆞ+니, 홈 : ᄒᆞ+옴)

예문 번호　　　　　　　　　　　　근거

4-2. (나)의 두 자료를 함께 고려하여 알 수 있는 국어사적 사실을 구체적으로 설명하시오.

4-1. 모범답안

예문 번호	근거
①	命終호라 : 命終ᄒᆞ-+-오-+-라
③	롱담ᄒᆞ다라 : 롱담ᄒᆞ-+-다-(-더-+-오-)+-라
⑥	밍ᄀᆞ노니 : 밍ᄀᆞᆯ-+-ᄂᆞ-+-오-+-니
⑨	즐겁과라 : 즐겁-+-과-(-거-+-오-)+과

① 호라 : (아래 한글 하)-+-오-+-라

③ (아래 한글 하)다라 : (아래 한글 하)-+-더-+-오-+-라

⑥ 노니 : -+- -+-오-+-니

⑨ 즐겁과라 : 즐겁-+-거-+-오-+-라

4-2. 모범답안

예문 ①을 보면, 중세에서 'ㅈ, ㅊ'은 '니쏘리'에 속하고 있음을 알 수 있다. 즉 'ㅈ, ㅊ'이 중세에는 치음이었음을 설명하는 것이다. 근대 국어에서는 이들 'ㅈ, ㅊ'이 치음에서 구개음으로 바뀐다. 이들이 구개음이 아니라면 'ㄷ, ㅌ'의 구개음화를 기대할 수 없기 때문이다. 예문 ②를 보면, 'ㅈ, ㅊ'이 치음에서 구개음으로 바뀌면서, 'ㄷ, ㅌ' 등이 'ㅣ' 모음이나 반모음 [j]앞에서 구개음 'ㅈ, ㅊ'으로 동화되는 현상이 근대 국어 시기에 일어났음을 알 수 있다. 이는 '댜, 뎌, 타, 텨'가 '쟈, 져, 챠, 쳐' 등으로 발음나는 것과 '디'와 '지'의 혼란이 일어나고 있다는 설명을 통해 추정해 볼 수 있다. 유희의 언문지가 19세기 초에 쓰여졌다는 점을 감안하면 18세기 무렵에 근대 국어 시기에 구개음화가 일어났음을 추정하게 한다.

5. 다음 자료를 보고 물음에 답하시오.

(가) 아우 : 얼마든지 이 쪽으로 넘어오세요!

형 : 내가 왜 그 쪽으로 가야 하지?

아우 : 그럼, 저 쪽에서 만납시다.

해설자 : 사람들이 아우가 말한 장소에 모여들었습니다. 모두들 관심 있게 그 장소를 둘러 보았습니다.

(나) ① 공로를 높이 사다, 병(病)을 사다, 인심을 사다, 학용품을 사다

② 수박을 팔다, 아버지의 이름을 팔다, 양심을 팔다, 한눈을 팔다

5-1. (가)는 다음 2가지의 학습 목표를 성취하기 위해 수집한 자료이다. 학습 목표를 완성하고 각각의 구체적인 지도 내용을 쓰시오. [3점]

학습 목표	지도 내용
(1) '이, 그, 저'의 용법적 차이를 안다.	
(2)	

5-2. (나)에서 '사다', '팔다'가 중심적 의미로 사용된 용례를 찾아 쓰고, '사다, 팔다'가 중심적 의미로 사용되었을 때의 의미 특성을 설명하시오.

〈조건〉

'사다'와 '팔다'의 의미 관계를 고려한 설명을 포함할 것.

- 중심적 의미의 용례 :
- 의미 특성 :

5-1. 모범답안

(1) '이, 그, 저'의 용법 차이를 안다. : '이, 그, 저'는 지시 표현이다. 이들 지시 표현은 사물이나 사람, 사건을 지시하는 표현으로 장면이 고려되어야 정확히 해석할 수 있다. '이' 계열의 지시어는 말하는 이에 가까울 때, '그' 계열은 듣는 이에 가까울 때, 그리고 '저' 계열은 말하는 이와 듣는 이로부터 비슷한 거리에 있는 대상을 가리킬 때 쓰인다. 예문에서 동생은 화자 자신과 가까운 장소를 말하면서 '이 쪽'이라는 말을 하고 있으며, 형은 청자인 동생과 가까운 장소를 '그

쪽'이라고 지시하고 있다. 그 다음으로 화자인 아우가 발화한 '저 쪽은' 화자와 청자에게 모두 멀리 떨어진 장소를 지시하고 있다. 이러한 지시 표현은 장면을 고려했을 때에야 그 정확한 의미를 해석할 수 있다.

(2) 지시 표현의 연결어 기능을 안다. ('그'가 연결어의 기능을 함을 안다, 이야기의 형식 구조를 이루는 지시 표현의 기능을 안다) : 이야기의 형식 구조를 이루게 하는 것으로 연결어가 있다. 연결어는 발화와 발화를 연결하여 의미상으로 한 덩어리로 만들어 주는 것이다. 지시 표현은 연결어의 기능을 한다. 예문에서 해설자가 말하고 있는 두 발화 '사람들이 아우가 말한 장소에 모여들었습니다. 모두들 관심 있게 그 장소를 둘러보았습니다.'에서 '그'는 앞에 나온 말을 지시하는 것(전술 언급의 기능)으로, 두 발화는 '그'라는 지시어에 의해 연결되어 이야기를 이룬다. 담화표지의 기능이라고도 한다.

학습 목표	지도 내용
(1) '이, 그, 저'의 용법 차이를 안다.	◦ 지시어는 말하는 이와 듣는 이의 거리에 따라 선택되는 말이 달라진다. ◦ '이'는 말하는 이에게 좀 더 가까운 거리를 나타낸다. ◦ '그'는 말하는 이에게는 멀지만, 듣는 이에게는 가까운 거리를 말한다. ◦ '저'는 말하는 이와 듣는 이 모두에게 멀리 떨어져 있는 거리를 말한다.
(2') 지시어가 사용된 장면에 따른 표현을 이해할 수 있다.	◦ '이, 그, 저'의 표현은 화자와 청자와의 물리적 거리를 원근에 따라 지시한 표현일 뿐이다. 따라서 적절한 맥락이 없으면 지시어가 가리키는 내용을 알 수 없다.
(2'') 지시 표현의 다양한 형태를 안다.	◦ 장면을 전제로 하여 무언가를 가리키는 지시 표현에는 '이, 그, 저', '이것, 그것, 저것', '여기, 저기, 저기', '이렇게, 그렇게, 저렇게' 등이 있다.

5-2. 모범답안

중심적 의미의 용례 : ①의 '학용품을 사다.' ②의 '수박을 팔다.'

의미 특성 : ①의 '사다'의 중심적 의미는 '학용품을 사다.'처럼 '대금을 치르고 물건이나 어떤 권리를 자기의 것으로 하다.'로, ②의 '팔다'의 중심적 의미는 '수박을 팔다.'처럼 '돈을 받고 물건이나 노력, 권리를 남에게 주다.'로 살필 수 있다. 이러한 '사다'와 '팔다'는 매매 관계 측면에서 서로 반의 관계에 놓여 있다.

중심적 의미의 용례 : 학용품을 사다. 수박을 팔다.

의미 특성 : '사다'와 '팔다'의 중심 의미를 보면, '사다'는 '(돈을 주고) 어떤 물건을 제 것으로 만들다'의 의미를 가지고, '팔다'는 '(돈을 받고) 어떤 물건을 남에게 넘겨주다'의 의미를 갖는다. 이러한 중심 의미로 사용되었을 때, '사다'와 '팔다'는 의미가 서로 대립하고 있음을 알 수 있다. 다른 모든 의미 자질 요소가 공통되고, 하나의 의미 자질만이 다를 경우 반의 관계를 이룬다고 본다. '사다'와 '팔다'의 경우도 하나의 의미 자질만이 다르므로 반의 관계를 이루는 어휘라고 볼 수 있다. 다만 '사다/팔다'는 다의어로 중심 의미로 사용되었을 경우에는 이 둘의 관계가 반의 관계를 이루지만 주변 의미로 사용되었을 경우에는 이 둘의 관계는 반의 관계를 형성하지 못하게 된다.

6. 다음 자료를 보고 물음에 답하시오.

(가) ① 영수가 순희를 사랑했다. ≒ 순희를 영수가 사랑했다.

(영어 : Tom loved Mary. ≒ Mary loved Tom.)

② 영수가 순희에게 편지를 썼다.

≒ 순희에게 영수가 편지를 썼다.

≒ 편지를 영수가 순희에게 썼다.

(영어 : Tom wrote a letter to Mary.

≒ Mary wrote a letter to Tom.

≒ *A letter Tom wrote to Mary.)

(나) 그가 성공할 수 있었던 첫째 요인은 노력<u>이었고</u>, 둘째 요인은 체력<u>이었다</u>.

(다) ① 영수<u>는</u> 순희에게 선물을 주었다.

② 물이 얼음<u>이</u> 된다.

6-1. (가)에서 보듯이 국어 문장은 영어 문장에 비해 어순이 비교적 자유롭다. 이러한 현상이 가능한 이유를 국어의 첨가어(교착어)적 특성으로 설명하시오.

6-2. (나)의 밑줄 친 부분을 조사로 볼 경우, 조사의 갈래를 쓰고 그 갈래에 속한다고 볼 수 있는 근거를 설명하시오.

- 조사의 갈래 :
- 근거 :

6-3. (다)에 대하여 〈보기〉와 같이 주장하는 학생들이 있다. 이들에게 지도해야 할 내용을 쓰시오.

〈보기〉

- 학생 A : (다)-①에서 '영수는'이 주어이므로, 밑줄 친 '는'은 주격 조사이다.
- 학생 B : (다)-②에서 주어 '물이'의 '이'와 형태가 같으므로, 밑줄 친 '이'는 주격 조사이다.

- 학생 A에 대한 지도 내용(예문 (다)-①을 활용할 것) :
- 학생 B에 대한 지도 내용 :

6-1. 모범답안

국어는 첨가어에 속한다. 첨가어로서의 국어의 특성을 살펴보면, 국어는 실질적인 의미를 가진 단어 또는 어간에 조사나 어미가 붙어서 문장에서의 문법적 역할이나 관계를 표시하여 주므로 어순이 자유롭다. 이에 반해 영어는 조사나 어미가 아니라 어순에 의해 각 단어의 기능과 문장 성분이 결정된다. 따라서 어순이 바뀌면 각 단어의 문장에서의 문법 기능이 달라지게 된다. (가)를 보면 ①과 ②에서 국어는 '이/가', '을/를', '에게' 등의 격조사에 의해 문장 성분이 결정되기 때문에 어순이 달라져도 문장 성분은 바뀌지 않음을 알 수 있다. 그에 반해 영어는 어순이 달라지게 되면, 문장에서의 기능 역시 달라지고 있음을 알 수 있다.

6-2. 모범답안

조사의 갈래 : 격조사에 속하며 정확히는 서술격조사이다.

근거 : 격조사는 앞에 오는 체언이 문장 안에서 일정한 자격을 갖도록 하는데, '이다'도 선행 체언이 서술어로서의 자격을 갖도록 해준다. 예문을 보면, '이다'가 '노력, 체력'이라는 체언에 붙어 이들 체언이 서술어의 자격을 갖도록 하고 있음을 볼 수 있다. 이는 다른 격조사와 공통되는 특징이다. 따라서 '이다'는 격조사에 속한다고 볼 수 있다.

6-3. 모범답안

학생A에 대한 지도 내용(예문 (다)-①을 활용할 것) : 주어 자리에 주격 조사 '이/가'가 안 나타나고 '은/는'이 대신 쓰일 수 있다. 그러나 이러한 '은/는'은 주격 조사라 할 수 없다. 왜냐하면 '영수가 순희에게는 선물을 주었다'처럼 부사어 등에도 첨가될 수 있기 때문이다. 따라서 '은/는'은 격조사가 아닌 대조(주체)의 의미를 지닌 보조사로 보아야 한다.

학생B에 대한 지도 내용 : '얼음이'는 보충하는 말이 필요한 '되다' 앞에 놓여 '되다'를 보충해주는 보어의 구실을 한다. 따라서 '얼음이'의 '이'는 (주격조사 '이/가'와 그 형태는 같지만) 주격 조사가 아닌 보격 조사이다.

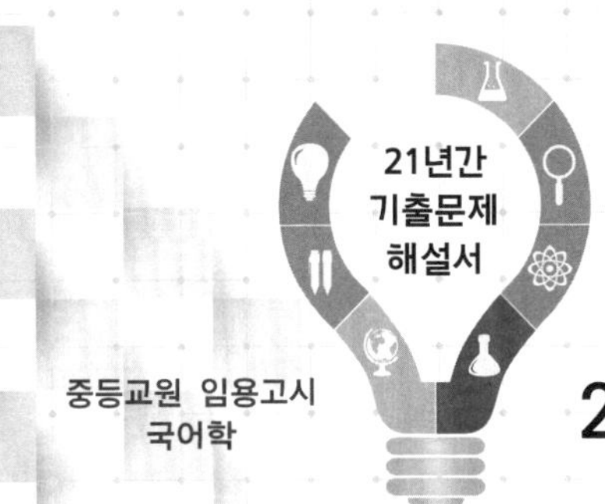

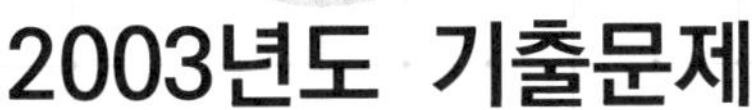

2003년도 기출문제

1. 다음 글을 읽고 물음에 답하시오.

오늘 김 교사는 학생들을 인솔하여 민속놀이 박물관에 국어과 체험학습을 갔다. 김 교사가 어렸을 때 즐겨 가지고 놀았던 민속놀이 도구들이 예상보다 훨씬 많이 전시되어 있었다. 학생들은 이곳 저곳 몰려다니며, 어쩌다 이름을 알고 있는 전시물이 보이기라도 하면 떠들며 이야기하는 데 여념이 없었다.

한쪽에서 웅성거리는 소리가 들려 다가가 보니, 나이가 지긋한 어르신 한 분이 그곳에 있는 놀이 도구에 대해 자상하게 설명해 주고 계셨다. <u>산가지</u> 놀이였다.

어르신 : 이게 말이다, 산가지 놀이에 쓰는 대나무란다. 이렇게 여러 개의 산가지를 던져 놓고 순서대로 하나씩 떼어 가면서 노는 놀이인데…….

학생 1 : 산에서 나서 산가지라고 하는 건가요? 난 바닷가지가 좋은데……. (웃음)

어르신 : 아니지. 셈을 하면서 나뭇가지를 하나씩 떼어 낸다고 해서 산가지라고 하는 게지. 옛날에 주판이 없었을 때에는 나뭇가지로 셈을 했거든. 주판이 나오면서 산가지가 놀이 도구로 쓰이게 된 거야.

학생 2 : 어떻게 노는 건데요?

어르신 : 너는 노는 걸 좋아하는가 보구나. (웃음) 잘 들어 둬라. 우선 가위바위보를 해. 그러면 순서가 정해지겠지? 이긴 사람이 먼저 이 산가지를 떼어 내는데, 자신이 떼어 내려고 하는 가지 외에는 건드려서는 안 되는 거야.

학생 3 : 한 사람씩 돌아가면서 하나씩 가져가는 건가요?

어르신 : 질문 잘 했다. 저 학생은 학교에서도 공부 잘 할 것 같구나. (웃음) 만약 다른 가지를 건드리지 않고 가져가면, 계속 가져갈 수 있단다.

학생 4 : 할아버지, 좀 크게 말씀해 주세요.

어르신 : 잘 안 들리니? 그래, 좀 더 크게 말하마. 이 산가지 놀이는 여러 가지 방법으로 놀 수 있는데, 높이 쌓기, 여러 가지 모양 만들기, 자리 옮기기, 떼어 내기, 뭐 그 밖에도

할 수 있는 놀이가 무척 많아. 나도 어렸을 적에는 이 놀이를 즐겨했는데, 차츰 이런 놀이가 없어지니 안타깝구나. 산가지 놀이를 할 때, 주의해야 하는 건 손의 힘을 잘 조절하는 거란다. 이게 보기에는 쉽고 금세 싫증날 것 같아도, 정신을 집중해서 떼어내야 하고, 또 지켜보는 사람은 다른 사람이 혹시라도 다른 가지들을 건드려 움직이게 하지는 않는지 잘 지켜보기도 해야 하니까.

홍미가 이만저만한 게 아니야. 이 놀이는……, 아, 이분이 너희 선생님이시니? 아이고, 수고하십니다. 참, 이거, 선생님께서 계셔서 하는 말은 아니지만 말이다. 즐겁게 노는 것도 노는 것이지만, 정해진 규칙을 지키고, 의견이 갈릴 때 대화로 문제를 푸는 방법도 배우게 되니 일석이조인 놀이가 아니니? (웃음)

학생 5 : 공기놀이와도 비슷한 것 같아요.

어르신 : 그렇지. 잘 이해했구나. (후략)

학교에 돌아온 김 교사는 학생들에게 체험학습 보고서를 제출하게 했다. 그런데 어르신의 말씀을 듣던 많은 학생들이 산가지 놀이에 대해 제대로 정리해 두지 못한 것을 발견하게 되었다. 상당수의 학생들이 그냥 듣기만 했던 것이다.

1-3. 다음 단어들 가운데 어종별(語種別) 구성 요소와 조어 방법이 위 글의 밑줄 친 산가지와 일치하는 것 두 개를 골라 ○표를 하시오.

시부모, 첫날밤, 보슬비, 똑딱선, 반지름, 늦더위, 접칼, 촌사람, 풋사랑

해 설

해 설⇩

산가지 = 算+가지. 합성어. 한자는 한 글자라도 원칙적으로 어근으로 처리한다. 계산(할 때 쓰는) 가지. 한자어근+고유어 어근(= 여기서는 명사)

정답 반지름[= 半 + 지름], 촌사람[= 村 + 사람]

4. 다음의 국어 가꾸기 관련 자료들을 읽고 물음에 답하시오.

4-1. (가)~(라)는 중의성의 유형에 따른 예이다. 중의적으로 해석되는 이유를 간략히 설명하고, 중의성이 해소되도록 문장을 고쳐 쓰시오.

(가) 나는 배가 좋아.
(나) 그는 무릎을 꿇었다.
(다) 슬픈 곡예사의 운명은 여기서 끝나는 것인가?
(라) 그 사람은 넥타이를 매고 있다.

(가) 이 유 :
고친 문장 :

(나) 이 유 :
고친 문장 :

(다) 이 유 :
고친 문장 :

(라) 이 유 :
고친 문장 :

4-2. (가)~(차)에서 맞는 것에 ○표를 하시오.

(가) 글씨가 (개발새발, 괴발개발, 개발쇠발)이다.
(나) 부모님 환갑 잔치를 (치렀다, 치뤘다).
(다) 저는 (학생이에요, 학생이예요).
(라) 그 사람은 (괴퍅하다, 괴팍하다).
(마) 그 사람은 (주책없다, 주책이다).
(바) (로보트, 로봇)
(사) (콩트, 꽁뜨)
(아) (주스, 쥬스)
(자) 한글 (Hangul, Hangeul)
(차) 독립문 (Dongnimmun, Donglipmun)

4-1. 모범답안

(가) 이유 : '배'라는 어휘가 중의성을 지니고 있다.
고친문장 : 나는 과일 중 배가 좋아
(나) 이유 : '무릎을 꿇다'라는 관용적 표현이 사용되어 중의성이 나타난다.
고친문장 : 그는 패했다. / 그는 (경기에)졌다.
(다) 이유 : 문장 구조 ('슬픈'이 수식하는 범위)에 의해 중의성이 나타난다.
고친문장 : 슬픈, 곡예사의-/ 곡예사의 슬픈 운명은-
(라) 이유 : '넥타이'라는 은유적 표현에 의한 중의성이 나타난다.
고친문장 : 그 사람은 회사원이다.

4-2. 모범답안

(가) 글씨가 (개발새발, **괴발개발**, 개발쇠발)이다.
(나) 부모님 환갑 잔치를 (**치렀다**, 치뤘다).
(다) 저는 (**학생이에요**, 학생이예요).
(라) 그 사람은 (괴퍅하다, **괴팍하다**).
(마) 그 사람은 (**주책없다**, 주책이다).
(바) (로보트, **로봇**)
(사) (**콩트**, 꽁뜨)
(아) (**주스**, 쥬스)
(자) 한글 (Hangul, **Hangeul**)
(차) 독립문 (**Dongnimmun**, Donglipmun)

5. 다음에 제시된 예를 보고 물음에 답하시오.

(가) 밥물, 먹는, 맏며느리, 잡는, 받는다, 국물
(나) 앞날, 값만, 앞마당, 밟는, 읊는, 없는, 값 매기다
밭머리, 있는, 맞는, 쫓는, 꽃망울, 붙는, 놓는, 옷 맞추다
부엌문, 흙냄새, 깎는, 긁는, 흙만, 책 넣는다, 흙 말리다

5-1. "언어 자료를 통하여 탐구 능력을 기른다."라는 학습 목표를 성취하기 위해, (가)의 자료로 '문제 제기 → 가설 설정 → 가설 검증 → 결론 도출'이라는 탐구 학습 과정에 따라 교수 학습을 하려고 한다. 다음 표의 '가설 설정'과 '가설 검증'의 내용을 적고 결론 도출의 [ ]를 채우시오. 단, 가설 설정은 한 문장으로 쓰시오.

문제 제기

(가)의 받침 'ㅂ, ㄷ, ㄱ'이 비음으로 나는 이유는 무엇일까?
이 현상을 규칙화할 수 없을까?

가설 설정

가설 검증

결론 도출

지금까지 논의한 내용을 〈1〉, 〈2〉로 정리할 수 있다.

〈1〉 ㅂ→ [ ] /_______ ㅁ, ㄴ

ㄷ→ [ ] /_______ ㅁ, ㄴ

ㄱ→ [ ] /_______ ㅁ, ㄴ

〈2〉 [ ] [ ]

→ / ___ ㅁ, ㄴ

[ ] a조음위치

5-2. (나)에서는 비음화 규칙 이외에 음절의 끝소리 규칙도 발견할 수 있다. 이 두 규칙을 적용할 때, 그 순서가 중요한 까닭을 예를 들어 설명하시오.

5-1. 모범답안

문제 제기

(가)의 받침 'ㅂ, ㄷ, ㄱ'이 비음으로 나는 이유는 무엇일까?
이 현상을 규칙화할 수 없을까?

가설 설정

파열음 'ㅂ, ㄷ, ㄱ' 뒤에 비음 'ㅁ, ㄴ'가 오면 'ㅂ, ㄷ, ㄱ'는 조음 위치가 같은 비음 'ㅁ, ㄴ, ㅇ'로 동화된다.

가설 검증

(1) 제시된 자료의 발음 검증 : 예외가 없다.
밥물[밤물], 잡는[잠는],
맏며느리[만며느리], 받는다[반는다],
국물[궁물], 먹는[멍는],
(2) 무의미 철자 단어에 의한 검증 : 역시 예외가 없다. 검증 완료.
압물[암물], 앋마늘[안마늘], 육물[융물]

결론 도출

지금까지 논의한 내용을 〈1〉, 〈2〉로 정리할 수 있다.
〈1〉 ㅂ→ [ㅁ] /_______ ㅁ, ㄴ
ㄷ→ [ㄴ] /_______ ㅁ, ㄴ
ㄱ→ [ㅇ] /_______ ㅁ, ㄴ
〈2〉 [파열음, a조음위치] → [비음, a조음위치] /_______ ㅁ, ㄴ

5-2. 모범답안

(나)의 '앞날'은 [압날]로 음절 구조 제약(음절 끝소리 규칙)을 먼저 적용받는다. 왜냐하면 음절의 실현에서 이 규칙은 가장 강력한 제약이기 때문이다. [압날]을 발음하면 [압]의 'ㅂ'은 미파 상태에서 'ㄴ'을 발음해야 하기 때문에 비음동화를 입게 된다. 이 현상의 순서를 바꾸면 {'앞날' → [암날] → [압날]}이 될 것이다. 그런데 이 두 번의 교체는 국어 음운 현상에 결코 없는 것이다. 따라서 음운 현상에는 규칙의 적용 순서가 중요하다. 다른 예들은 모두 동일한 과정을 거치므로 검토는 생략한다. 다만 '흙만'과 같은 겹받침이 있는 경우에는 자음군 단순화 규칙이 먼저 적용된다. 따라서 [흑만]이 생산되고 다시 비음화의 적용을 받아서 [흥만]이 생산된다.

6. 다음 자료를 읽고 물음에 답하시오.

(가) 聲有緩急之殊 故平上去其終聲不類入聲之促急. 不淸不濁之字 其聲不厲 故用於終則宜於平上去 全淸次淸全濁之字 其聲爲厲 故用於終則宜於入. 所以ㆁㄴㅁㅇㄹㅿ六字爲平上 去聲之終 而餘皆爲入聲之終也. <u>然ㄱㆁㄷㄴㅂㅁㅅㄹ八字可足用也. 如빗곶爲梨花 여ᇫ의갗爲狐皮 而ㅅ字可以通用故只用ㅅ字</u>. (訓民正音解例本, 1446년)

(나) 몯(莫) : 太子ᄅᆞᆯ <u>몯</u> 어드실씨 (용비어천가, 1447년)

못(池) : <u>못</u>爲池 (훈민정음 해례본, 1446년)

ᄠᅳᆮ(意) : 이 <u>ᄠᅳ들</u> 닛디 마ᄅᆞ쇼셔 (용비어천가, 1447년)

(다) <u>굳</u>고(固)-<u>굿</u>거든(固) (언해두창집요, 1608년)

<u>맛</u>(味)-<u>맏</u>(味) (동국신속삼강행실도, 1617년)

(라) 한문 <u>못</u>ᄒᆞᄂᆞᆫ 인민은 나모 말만 <u>듯</u>고 무솜 명녕인줄 알고 이 편이 친히 그 글을 <u>못</u> 보니 그 사ᄅᆞᆷ은 무단이 병신이 됨이라. 한문 <u>못</u>ᄒᆞᆫ다고 그 사ᄅᆞᆷ이 무식ᄒᆞᆫ 사ᄅᆞᆷ이 아니라 (…중략…) 우리 신문은 빈부귀쳔을 다름업시 이 신문을 보고 외국 물경과 ᄂᆡ지 사졍을 알게 하랴는 <u>뜻</u>시니 (독립신문 창간사, 1896년)

(마) <u>굳</u>은 땅에 물이 괸다. <u>웃</u>는 낯에 침 <u>못</u> 뱉는다.

(바) <u>옷</u>이 날개다. <u>옷</u> 입고 가려운 데 긁기.

6-1. (가)의 밑줄 친 부분에서 언급한 음절말 'ㄷ, ㅅ' 표기가 역사적으로 어떻게 변해 왔는지, (가)~(마)의 밑줄 친 예만을 사용하여 설명하시오.

6-2. 학생에게서 "'라켓'은 소리나는 대로 '라켇'으로 적어야 하지 않습니까?"라는 질문을 받았다고

할 때, 이에 대한 교사의 답변을 (바)를 참고하여 기술하시오.

6-3. (라)에서 어휘의 함축적 의미와 문장 성분의 호응이 현대 국어와 다른 것을 찾아 각각 하나씩 쓰시오.

[채점 기준]

본 항목의 점수 부여는 다음 세 요점 중에서 ①, ②가 들어 있느냐로 판별한다.

① ㄷ-ㅅ의 변별 : 〈'8종성 체계로 'ㄷ, ㅅ'의 변별〉, 〈'ㄷ, ㅅ'의 음절말 중화 현상〉, 〈7종성화〉, 따위의 표현이 있으면서 (가) 또는 (나)의 용례를 들 것

② ㄷ-ㅅ의 혼란 : 〈혼기 현상〉 또는 〈'ㄷ'의 'ㅅ'으로의 통일화 현상〉과 같은 취지의 표현을 하고 (다), (라)를 예시 분석한 경우

③ ㄷ-ㅅ의 변별이 부분적 회복 : 현대 국어 표기에 와서 'ㄷ, ㅅ'의 구별이 부분적으로 회복(듯다>듣다)되거나 회복하지 못한 점(몯>못)된 점을 (바)로 관련지어 예시할 것

-3점 : 위 ①, ② 두 사항을 다 언급하고 예시 분석한 것이 맞는 경우

-2점 : 위 ①, ② 두 사항을 다 언급하고 예시가 불완전한 경우

-1점 : 예시가 맞든지, 틀리든지 예시와 관계없이 ①, ② 중 한 항목 요점만이라도 밝힌 것이 맞은 경우

제시답안

중세 국어에서는 (가)의 8자 가족용 규정에 따라 'ㄱ, ㆁ, ㄷ, ㄴ, ㅂ, ㅅ, ㄹ'만 받침에 쓰여 예 (나)의 '못-몯'처럼 국어의 음절말에서 'ㄷ, ㅅ'은 변별되었다. 그러나 근대 국어에서는 (음절말 중화 현상으로) 7종성체계로 되면서 'ㄷ, ㅅ'간 표기 혼란이 생긴다. 그 혼기는 (다) '굳고-굿고'의 혼기처럼 'ㄷ'의 'ㅅ' 표기화 경향이 우세하였는데 이에 대한 반동으로 원래 'ㅅ' 말음이던 '맛'을 '맏'으로 오해하는 현상도 나타나 혼란이 심했다. 이러한 혼란은 개화기에 이르기까지 지속되어 (바)처럼 원래 'ㄷ' 말음이던 '듣고, 몯, 뜯'을 '듯고, 못, 뜻'으로 적듯이, 'ㄷ'의 'ㅅ' 표기화 경향이 지배적이었다.

6-1. **모범답안**

15세기에는 종성에 'ㄷ, ㅅ'을 모두 사용하였다. (가)에서 밑줄 친 부분은 종성에 8자음 즉 'ㄱ, ㆁ, ㄷ, ㄴ, ㅂ, ㅁ, ㅅ, ㄹ'이 사용될 수 있음을 설명한 것이다. (나)에서 '몯(莫), 못(池), (意)'은 '훈민정음'과 '용비어천가'에 나타난 예로 종성에 'ㄷ, ㅅ'이 실제로 사용되었음을 보여주는 예이다. 특히 몯(莫), 못(池)은 'ㄷ, ㅅ'의 차이로 의미가 구별된다. 또한 '(意)'는 이 '들'처럼 연음되었을 경우에도 'ㄷ'으로 발음되는 것으로 보아 이는 당시에 종성 'ㄷ, ㅅ'의 표기는 그 발음에서 변별성이 있었음으로 보여준다.

근대 국어에서는 'ㄷ, ㅅ'의 표기가 혼란하다가 결국 'ㅅ'으로 통일되었다. 17세기 초반 무렵에는 'ㄷ, ㅅ'의 표기가 혼란하였다. 17세기 초반의 문헌 즉 (다)를 보면 같은 단어를 표기하면서 '굳고(固) - 굿거든(固)', '맛(味) - 맏(味)'으로 'ㄷ, ㅅ'을

혼란되게 사용하고 있음을 통해 이 당시 'ㄷ, ㅅ'의 표기가 혼란되었음을 알 수 있다.
그러다가 19세기 후반에는 'ㅅ'으로 통일된다. (라)에서 '못'의 종성이 'ㅅ'이 그 예이다. 이는 당시 종성 'ㄷ, ㅅ'이 'ㅅ'으로 통일되었음을 보여준다. 19세기 후반에는 종성에 'ㄱ, ㄴ, ㄹ, ㅁ, ㅂ, ㅅ, ㅇ'의 7자음만이 사용되게 된다.
현대 국어에서는 종성에 'ㄷ, ㅅ'이 모두 사용된다. (마)에서 밑줄 그은 '굳은, 웃는, 못' 등이 그 예이다. 현대 국어에서는 1933년 한글맞춤법 통일안 이후 표의주의 표기법을 택하여, 그 본래의 뜻을 밝혀 적는다. 그러므로 종성의 'ㄷ, ㅅ'은 'ㄷ'으로 발음하나 그 표기에서는 'ㄷ, ㅅ'이 모두 사용된다.

6-2. 모범답안

① '라켓이[라케시], 라켓을[라케슬], ……'의 원리와 '옷[옫], 옷이[오시], ……'의 한글 맞춤법 원리가 공통적 원리임을 밝히면 2점

② '외래어 표기법은 국어 끝소리 법칙에 따라 ㄱ, ㄴ, ㄷ, ㄹ, ㅁ, ㅂ, ㅇ'의 7종성만 적게 되어 'ㄷ' 대신에 'ㅅ'을 적는다는 규정 적용을 거론하면서 '옷, 옷이, 옷을, ……'과 '라켓, 라켓이, ……'을 거론해도 2점

③ 외래어 표기법 규정의 내용을 언급하면 1점

④ 외래어 표기법 규정 내용에 대한 언급 없이 규정만 지칭하면 0점

예1) 국어의 끝소리가 ㄱ, ㄴ, ㄷ, ㄹ, ㅁ, ㅂ, ㅇ의 7개만 실현되므로 외래어 표기법에서도 국어의 끝소리 법칙에 따라 7개만 적도록 하였는데 이 가운데 ㄷ은 역사적으로 ㅅ으로 통일화한 경향이 있어 외래어 표기법에서는 ㄷ 대신 ㅅ으로 적도록 하였다. 따라서 '옷은[옫]으로 나더라도 ㅅ으로 적는다.

예2) '옷'은 '옷 입고'에서처럼 [옫]으로 발음되는 경우가 있더라도 '옷이, 옷을,……'처럼 모음 조사와 결합시 [오시, 오슬, ……]로 ㅅ발음이 나타나므로 '옷'으로 적듯이 '라켓'도 '라케시, 라케슬'로 발음되므로 기본형을 밝혀 '라켓'으로 적는다.

6-3. 모범답안

어휘의 함축적 의미가 다른 것 : 인민
문장 성분의 호응이 다른 것 : 빈부귀쳔을 다름업시 (또는) 무숨 명녕인줄 알고

해 설

해 설⇩

[독립신문 현대어 풀이]

또 국문을 알아보기가 어려운 것은 다름이 아니라 첫째는 말마디를 떼지 않고 그저 줄줄 내려 쓰는 까닭에 글자를 위에 붙여서 읽어야 하는지 아래에 붙여서 읽어야 하는지 몰라서 몇 번 읽어 본 후에야 글자가 어디로 붙었는지 알고 읽으니 국문으로 쓴 편지 한 장 보자면 한문으로 쓴 것보다 늦게 보고 또 그나마 국문을 자주 쓰지 않기 때문에 서툴어서 잘 못 보는 것이다. 그런 까닭에 정부에서 내리는 명령과 국가 공문서를 한문으로만 쓴 즉 한문을 모르는 인민은 남의 말만 듣고 무슨 명령인 줄 알고 이편이 직접 그 글을 못 보니 그 사람은 무단히 병(시)신이 되는 것이다.

한문 못한다고 그 사람이 무식한 사람이 아니라 국문만 잘하고 다른 물정과 학문이 있으면

그 사람은 한문만 하고 다른 물정과 학문이 없는 사람보다 유식하고 높은 사람이 되는 법이라. 조선 부인네도 국문을 잘 하고 갖가지 물정과 학문을 배워 소견이 높고 행실이 정직하면 빈부귀천을 막론하고 그 부인이 한문은 잘 하고도 다른 것은 모르는 귀족 남자보다 높은 사람이 되는 법이라

우리 신문은 빈부귀천을 차별하지 않고 이 신문을 보고 외국 물정과 우리나라의 사정을 알게 하려는 뜻이니 남녀노소 상하귀천간에 우리 신문을 하루 건너 몇 달간만 보면 새로운 지각과 새 학문이 생길 것이라는 것을 미리 알겠노라.

2002년도 기출문제

4. 문법 규칙의 변화와 관련하여, 〈보기〉의 자료에 나타난 중세 국어의 문법적 특성의 예를 5가지만 찾으시오. 그리고 그 예에서 알 수 있는 문법적 특성을 밝히고 그 이후의 변천을 쓰시오

〈보기〉

(1) ㄱ. 이 ᄯᆞ리 너희 죵가 (월석 8 : 94)
　　ㄴ. 얻논 藥이 므스 것고. (월석 21 : 215)

(2) 太子ᄅᆞᆯ 請ᄒᆞᅀᆞᄫᅡ 이반자보려 ᄒᆞᄂᆞ닛가. 大臣ᄋᆞᆯ 請ᄒᆞ야 이바도려 ᄒᆞᄂᆞ닛가.

(3) ㄱ. 슬픐 업시 (두언25 : 53)
　　ㄴ. 두루 아니ᇙ 아니 ᄒᆞ시나 (금강삼가 5 : 10)
　　ㄷ. 그딋 혼 조초ᄒᆞ야 (석상 6 : 8)

	예	문법적 특성	변천
1			
2			
3			
4			
5			

[채점 기준]

① 각 항목별로 맞으면 1점(총 5점)

② 각 항목별로 3가지 요소(예 중세 국어 문법의 특성, 변천)가 모두 있어야 1점을 줌

③ 예는 여러 예 중에서 하나 정도만 분명히 지적하면 정답으로 인정함

모범답안

예	문법적 특성	변천
(1)의 '종가, 것고'	중세 국어에는 명사문이 있었음	동사문으로 바뀜
(2)의 '-가'와 '-고'	의문사가 있는 의문문(설명 의문문)과 의문사가 없는 의문문(판정 의문문)이 구별됨.	없어짐
(2)의 '-습-, -줍-'	선어말어미가 객체 높임을 나타냄	없어짐
(2)와 (3)의 '-노-, -혼' 등의 '-오/우'	의도법(혹은 주체-대상법, 인칭법)이 있었음.	없어짐
(3)에서 '-ㄹ, -ㄴ'의 어미	'-ㄹ, -ㄴ' 어미의 명사적 용법이 있었음	바뀜

5. 다음 〈보기〉를 읽고 물음에 답하시오.

〈보기〉

고향 마을에는 산길 끝으로 나룻터가 보였다. 그곳에는 뱃사공도 없는 빈 배가 한 척 있었는데 고기배였다. 우리집 뒷뜰이나 뒷산에서 보면 퇴락한 배의 모습이 보였다. 밤에는 은구슬이 달릴 어망으로 물고기를 잡거나 밤밥(夜食)을 먹기도 하였는데, 풋밤이 섞인 밤밥이나 메밀국수가 지금도 눈에 보이는 듯하다. 깻잎에 조개살이 들어 있는 국도 먹었다. 이런 생각을 하고 있으면 콧날이 시큰해진다.

5-1. 〈보기〉에서 '한글 맞춤법'의 사이시옷 표기 규정에 어긋난 예를 찾아 바르게 고치시오. 그리고 〈보기〉에 나오는 어휘를 바탕으로 하여 '한글 맞춤법'의 사이시옷 표기 규정을 개략적으로 설명하시오.

① ② ③ ④

- 사이시옷 표기 규정 :

5-2. 학교 문법의 사잇소리 현상의 정의를 쓰고 〈보기〉에 나오는 어휘를 예로 들어 사잇소리 현상의 규칙성에 대하여 설명하시오.

• 정의 :

• 사잇소리 현상의 규칙성 :

5-1. 모범답안

① 나룻터-나루터　　② 고기배-고깃배　　③ 뒷뜰-뒤뜰　　④ 조개살-조갯살

• 사이시옷 표기 규정 : (한글 맞춤법 제30항 적용)
고유어와 고유어, 고유어와 한자어 사이에서는 '고깃배, 깻잎, 조갯살, 콧날/뱃사공, 뒷산'과 같은 합성명사에서, 앞말이 모음으로 끝나고 뒷말의 첫소리가 안울림 예사소리일 때, 뒷말의 첫소리가 된소리로 발음되거나(고깃배, 조갯살, 뱃사공, 뒷산), 'ㄴㄴ' 소리가 덧나거나(깻잎), 뒷말의 첫소리 'ㄴ,ㅁ' 앞에서 'ㄴ' 소리가 덧나는 경우(콧날), 앞말의 끝소리에 사이시옷을 적는다. 그러나 예외 현상도 많아 '고래기름, 기와집, 메밀국수' 등은 사이시옷을 표기하지 않는다./(그리고 두 음절로 된 한자어의 경우는 사이시옷을 표기하지 않는 것을 원칙으로 하고, 예외적으로 '곳간, 셋방, 숫자, 찻간 툇간, 횟수'에만 사이시옷을 표기한다.)
〈참고〉 '밤밥'도 사잇소리이지만, 표기 규정과는 관련이 없다.

5-2. 모범답안

정의 : 단어와 단어가 만나는 합성 명사에서, 앞의 말의 끝소리가 울림소리이고 뒷말의 첫소리가 안울림 예사소리일 때, 뒤의 예사소리가 된소리로 발음되는 현상이다.

사잇소리 현상의 규칙성 : 사잇소리 현상은 합성 명사에서 ① '고깃배, 조갯살, 뱃사공, 뒷산'과 같이 앞말이 모음으로 끝나고, 뒷말의 첫소리가 안울림 예사소리일 때, 된소리로 되는 경우와 ② '밤밥' 등과 같이 앞 말이 'ㄴ, ㄹ, ㅁ, ㅇ' 등으로 끝나고, 뒤에 안울림 예사소리가 된소리로 발음될 때 일어난다.(사잇소리 현상에서 음운의 변동) 그리고 ③ '콧날'과 같이 앞말이 모음으로 끝나 있고, 뒷말의 첫소리 'ㄴ, ㅁ' 앞에서 'ㄴ' 소리가 덧나는 경우와 ④ '깻잎'과 같이 모음으로 끝나고, 뒷말이 '이'나 반모음 이로 시작하여 'ㄴ'이나 'ㄴㄴ' 소리가 덧나는 경우에 일어난다. (사잇소리 현상에서 음운의 첨가)/그러나 예외 현상도 많아 '고래 기름, 기와집, 밤송이, 메밀국수' 등은 사잇소리 현상이 나타나지 않는다. 다시 말해 사잇소리 현상은 일정한 원리에 의해 구분할 수 없기 때문에 불규칙하며 예외 현상도 많다. 그래서 규칙으로 인정하지 않고, '현상'으로 불린다. 그리고 사잇소리 현상은 '산불/군불'에서 보듯이 음운론적인 조건에 의해 일어나는 것도 아니다.

6. 다음 〈보기〉를 읽고 물음에 답하시오

〈보기〉

밉지는 않지만 허름한 옷이 마음에 들지 않았다. 인기척이 들려 나가서 보니까 영이가 보였다. 나는 얼른 돌아 들어 왔다. 서성이고 있는 나에게 누가 너를 이렇게 우울하게 했느냐고 엄마가 물으셨다. 나는 자리를 피하고 싶어 얼른 눈을 감고 머리가 아픈 척했다.

6-1. 전통 문법에서 보조용언으로 다루고 있는 예를 글 (1)에서 6개만 찾아 쓰고, 보조동사와 보조형용사로 분류하시오. 그 중에서 보조용언의 성격이 비교적 약한 예를 찾는다면 어느 것인지 2개만 들고, 그 이유를 설명하시오

6-2. (2)의 동생이 한 말에서 알 수 있듯이 어떤 발화 상황에서는 누나의 발화가 '철수 형과 결혼하는 사람은 영이가 아닐 것이다.'라고 해석된다. 그 상황과 그 이유를 기술하시오.

6-1. **모범답안**

① 않지만(보조형용사) ② 않았다(보조동사) ③ 있는(보조동사)
④ 했느냐고(보조동사) ⑤ 싶어(보조형용사) ⑥ 척했다(보조동사)

예와 이유 : 보조용언의 성격이 약한 예는 ④의 '했느냐고(했다)'와 ⑥의 '척했다'이다. ④의 경우 '누가 … 했느냐고'로 쓰이면, 주어를 바로 서술하면서 본용언으로 볼 수도 있기 때문이고, ⑥의 경우 '척'이라는 의존명사 뒤에 접사가 결합한 것으로 볼 수 있기 때문에 학교 문법에서는 보조용언으로 보기 어렵다고 한다.('한글 맞춤법'에서는 보조용언으로 봄)

6-2. **모범답안**

상황 : 누나와 동생이 동일한 시공간적 배경에서 '철수형의 결혼 상대'를 화제로, ① '철수형이 결혼한다'는 정보, ② '철수형은 일등하는(또는 첫째로 하는) 사람과 결혼하지 않는다'는 정보를 공유한 채 사적인 대화를 나누는 상황이다.

이유 : 동생은 누나가 위 답안 '상황'의 ①, ②의 정보를 이미 알고 있다고 믿기(전제하기) 때문에 대화의 효율성(경제성)을 위해 공통적으로 알고 있는 불필요한 부분을 생략하고, 핵심적인 내용을 바로 드러낸 것이다.

(이야기에서는 표현하려는 정보가 장면이나 맥락의 도움을 받아 전달될 수 있기 때문에 정보의 생략이 가능하다.)

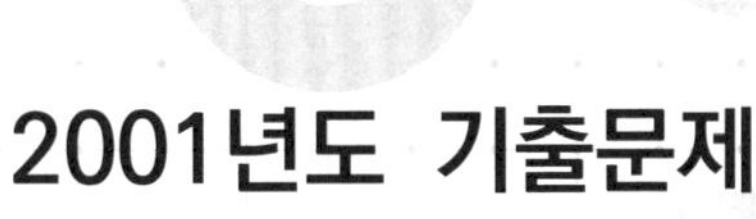

2001년도 기출문제

5. 〈보기〉의 자료를 중심으로 '구개음화' 현상에 대한 물음에 답하시오.

〈보기〉

① 굳이 → [구지], 해돋이 → [해도지], 밭이 → [바치], 붙이다 → [부치다]
② 마디(節) → [마디], 어디 → [어디], 디디다 → [디디다], 티끌 → [티끌]

5-1. ①을 바탕으로 구개음화를 정의하고, ①과 달리 ②의 어례들이 구개음화를 겪지 않은 까닭을 국어사적인 측면에서 설명하시오.

5-2. 구개음화가 동화인 까닭을 모음 'ㅣ'를 중심으로 설명하고, 구개음화를 동화의 유형별로 기술하시오.

[참고] 필자의 책 『국어학』의 기본 개념 49, 51을 기억하시나요?

5-1. 모범답안

구개음화란 음절의 끝소리가 치조음 'ㄷ, ㅌ'인 실질형태소가 모음 'ㅣ'나 반모음 'y'로 시작하는 형식형태소를 만나면 ①과 같이 구개음 'ㅈ, ㅊ' 등으로 각각 변하는 현상을 말한다. 그런데 구개음화가 진행되던 근대 국어 시기에 ②의 용례들은 각각 'ᄆᆞ듸, 어듸, 듸듸다, 틧글'과 같이 이중모음이었으므로 구개음화의 실현조건을 갖추지 못한 것이다. 이들은 구개음화가 다 끝난 다음에 'ㅣ'단모음화를 겪어 현대의 모습이 된 것이다.

5-2. 모범답안

동화 현상은 어떤 음소가 직간접적으로 인접한 음소의 영향을 받아서 조음 위치, 조음 방법 중의 하나나 둘이 같거나 비슷하게 바뀌는 현상이다. 구개음화는 모음 'ㅣ'나 반모음 'y'의 조음 위치가 경구개음이므로 치조음인 'ㄷ, ㅌ'를 경구개음인 'ㅈ, ㅊ'로 바뀌게 하는 현상이다. 동화주와 피동화음이 서로 다른 자질이 같은 자질을 공유하게 되므로 동화로 보는 것이다. 구개음화는 선행 자음이 후행 모음의 조음위치로 동화되므로 모음에 의한 자음의 동화, 역행동화, 인접동화, 불완전동화, 필수적 동화의 성격을 보여준다.

6. 〈보기〉의 자료를 중심으로 '의미 현상'에 대한 다음 물음에 답하시오.

〈보기〉

① 미역국을 먹다. ② 세수(洗手)하다 ③ 짐승 ④ 어리다

6-1. ①의 두 가지 의미를 구별해서 기술하고, ①을 바탕으로 관용어의 특성을 설명하시오.

6-2. 단어의 의미가 시간의 흐름에 따라 변화한다는 전제 아래, 현대 국어 ②, ③, ④ 각각에 해당하는 의미 변화의 양상을 설명하시오.

6-1. 모범답안

①의 경우 첫째는 의미 그대로 '미역을 넣고 끓인 국을 먹다'는 의미가 있고, 둘째는 '어떤 시험에 떨어지다(실패하다)'는 의미가 있다.

관용어는 ① '미역국을 먹다'에서와 같이 두 개 이상의 단어로 이루어져 있으면서 그 단어들의 의미만으로 전체의 의미를 알 수 없는 '시험에 떨어지다'라는 특수한 의미를 나타내는 표현이다. 이것은 일반 표현의 단계(미역국을 먹다)에서 은유(미역국의 미끌미끌한 성질과 시험에 미끌어지는 의미의 유사성)를 거쳐, 사은유가 된 표현이다. 관용어는 두 개 이상의 단어가 한 단어처럼 쓰이므로, '미역국도 먹는다, 미역국을 빨리 먹다' 등과 같이 그 표현 방법을 달리 바꿀 수 없다.

6-2. 모범답안

예문 ②의 '세수(洗手)'는 어떤 단어의 의미 영역이 넓어져 다양한 부분에 사용되는 의미의 확대(확장)를 나타낸다. '세수'는 원래 '손을 씻다'는 의미에서 의미가 획대되어 '손과 얼굴을 씻다'는 의미로 나타난다.

예문 ③의 '짐승'은 어떤 단어의 의미 영역이 좁아져 그 단어의 의미가 좁아지는 의미의 축소를 나타낸다. '짐승'은 중세 국어에서 '모든 생물'을 의미하는 것이었지만, 현대 국어에서는 '동물'을 의미하는 것으로 바뀌어 사용된다.

예문 ④의 '어리다'는 어떤 단어의 중심적 의미가 변화하는 의미의 이동(전이)을 나타낸다. '어리다'는 중세 국어에서 '어리석다(愚)'의 의미였는데, 현대 국어에서 '어리다(幼)'의 의미로 이동된 것이다.

7. 〈보기〉의 자료를 참고하여 '문장 종결'에 대한 다음 물음에 답하시오.

〈보기〉

① 영수가 그 책을 {읽었느냐? / 읽었는가? / 읽었습니까?}

② 날씨가 꽤 덥구나!

7-1. 종결어미의 두 가지 기능을 기술하고, 학교문법(현행 고등학교 「문법」 교과서 체계)의 문장 종결법 유형을 들고 위의 〈보기〉를 활용하여 각 유형별 용례를 제시하시오.

7-2. 문장 종결법에서 종결어미가 간접 인용절로 안길 때의 제약을 다음 〈조건〉에 따라 기술하시오.

〈조건〉

1) 간접 인용절 구성에서 인용절의 종결어미 제약을 문장 종결법의 유형별로 검증하고, 그 결과를 도출할 것.
2) 위의 〈보기〉를 활용할 것.

7-1. 모범답안

종결어미는 첫째, 문장을 끝맺어 완성하는 기능을 지니고 있고, 둘째 종결어미는 화자의 생각이나 느낌을 청자(상대)에게 여러 가지 방식으로 표현한다. (문장의 종류를 드러낸다.) 그리고 종결어미는 문장의 상대 높임법을 결정한다. 학교 문법의 문장종결법 유형으로는 평서문, 의문문, 감탄문, 명령문, 청유문의 다섯 가지가 있다. 평서문으로는 '영수가 그 책을 읽었다. 영수가 그 책을 읽었습니다. 날씨가 꽤 덥다, 날씨가 꽤 덥습니다'로 나타나고, 의문문으로는 위 ①의 예와 '날씨가 꽤 더워요? 날씨가 꽤 덥습니까?'로 나타난다. 감탄문은 '영수가 그 책을 읽었구나'와 위 ②의 예로 나타나고, 명령문은 '(영수가) 그 책을 읽어라'로 나타나고, ②의 경우 서술어가 형용사이므로 명령문이 없다. 청유문의 경우 ①은 주어가 바뀌어 '우리'로 되어 '(우리가) 그 책을 읽자, 읽읍시다, 읽으세'로 나타나고, ②의 경우 서술어가 형용사이므로 청유문이 없다.

7-2. 모범답안

평서문의 경우, ①'영수가 그 책을 읽었습니다.'에서 종결어미가 '다'로 바뀌고, 간접 인용의 어미 '-고'가 연결되어 '영수가 그 책을 읽었다고 말했다.'로 된다. ②의 경우 역시 '날씨가 꽤 덥다고 말했다.'로 된다.

감탄문의 경우 ①'영수가 그 책을 읽었구나'에서 종결어미가 '다'로 바뀌고, 간접 인용의 어미 '고'가 연결되어 '나는 영수가 그책을 읽었다고 말했다.'로 된다. ②의 경우 '나는 날씨가 꽤 덥다고 말했다'로 된다.

의문문의 경우 ①'영수가 그 책을 읽었습니까?'에서 종결어미가 '(으)냐/느냐'로 바뀌고, 간접 인용의 어미 '고'가 연결되어 '영수가 그 책을 읽었느냐고 말했다.'로 된다. ②의 경우 '나는 날씨가 꽤 더우냐고 말했다.'로 된다.

명령문의 경우 ①'영수가 그 책을 읽어라'에서 종결어미가 '-(으)라'로 바뀌고, 간접 인용의 어미 '고'가 붙어 '나는 영수가 그 책을 읽으라고 말했다.'로 된다. ②의 경우 형용사이므로 명령문이 나타나지 않는다.

청유문의 경우 ①'우리 그 책을 읽읍시다'에서 종결어미가 '자'로 바뀌고, 간접 인용의 어미 '고'가 연결되어 '우리가 그 책을 읽자고 말했다.'로 된다. ②의 경우 형용사이므로 청유문이 나타나지 않는다.

위의 예에서 보면 간접 인용절로 안길 때, 평서문의 경우와 감탄문의 경우는 평서형 종결어미의 대표형인 종결어미가 '-다'로 통일되어 사용되고, 의문문의 경우 역시 대표형인 '-(으냐)/느냐'로 바뀌어 사용되며, 명령문의 경우 모두 '-(으)라'(명령문의 대표형 아님)로 바뀌어 사용되고, 청유문의 경우 모두 청유문의 대표형인 '-자'로 바뀌어 사용된다.

2000년도 기출문제

4. 〈보기〉에 제시된 예문을 바탕으로 높임 표현에 대한 다음 물음에 답하시오.

〈보기〉

(1) 노을이 아주 붉다.

(2) ㉠ 철수가 영이에게 물어 보아라.
철수가 영이에게 말해 보아라.
철수가 영이에게 사뢰어 보아라.
철수가 선생님께 아뢰어 보아라.
㉡ 아이가 동생에게 간다.
아이가 그 어른께 간다.

4-1. (1)을 상대 높임의 등분에 따라 6개의 문장으로 만들어 쓰시오. 그리고 이 6개의 문장과 (2)의 높임법을 학교 문법의 체계로 설명하시오.

4-2. 중등학교 학생의 언어를 바탕으로 설명할 경우, 학교 문법의 높임법 체계에서 문제가 되는 점은 무엇인지 위에서 답한 6개의 예문과 (2)의 예문을 자료로 하여 설명하시오.

해 설 해 설⇩

위의 문제는 제시 예문이 낯설고 어려우며, 문제의 핵심을 파악하기가 쉽지 않다. 예를 들어 예문 (2)의 경우가 그러한데, 보통 객체높임법을 이루는 동사는 '모시다, 뵙다, 여쭙다, 드리다'의 4가지 정도로 규정하는데 여기서는 '사뢰다, 아뢰다' 등의 다른 예가 출제되었다. 그리고 4-2의 문제도 그 문제의 핵심을 파악하기가 쉽지 않다. 문제에서 '중등학교 학생의 언어를 바탕으로 설명할 경우'라는 내용을 반드시 고려해야 하고, 문제도 "--, 위에서 답한 6개의 예문과 (2)의 예문을 자료로 하여 학교 문법의 높임법 체계에서 문제가 되는 점은 무엇인지 설명하시오."의 형태로 바꾸는 것이 더 명확하다.

모범답안

(1)을 상대 높임에 따라 구분하면 격식체와 비격식체로 먼저 나누어진다. 격식체는 4가지인데, 해라체로 '노을이 아주 붉다', 하게체로 '노을이 아주 붉네', 하오체로 '노을이 아주 붉으오', 합쇼체로 ' 노을이 아주 붉습니다'로 쓸 수 있다.
비격식체는 2가지인데, 해체로 '노을이 아주 붉어', 해요체로 '노을이 아주 붉어요'로 쓸 수 있다.
위의 예문에 나타난 학교 문법 체계는 (1)은 상대 높임법으로, (2)는 객체 높임법(높임말에 의한 높임법)으로 설명할 수 있다. (물론 주체 높임법이 있지만 이 예문에 나타나 있지 않다.)

상대 높임법은 말하는 이가 말하는 이가 듣는 이를 높여 표현하는 문법 기능을 나타내며, 일정한 종결어미에 의해 실현되는 경우가 많다. 상대 높임법은 위의 답에서처럼 격식체와 비격식체 등 6가지로 나누어진다.
객체 높임법은 말하는 이가 문장의 목적어나 부사어가 지시하는 대상, 곧 서술의 객체를 높여 표현하는 문법 기능이며, 주로 동사에 의해 실현되고, 높임의 어휘와 부사격 조사 '께'에 의해 실현되기도 한다. 객체 높임법은 (2)의 ㄱ처럼 일부 서술어(동사)로 표현되는 객체 높임법과 (2)의 ㄴ처럼 서술어로는 표현되지 않고 명사와 부사격 조사(께)로 표현되는 객체 높임법이 있다.
중등학교 학생의 언어를 바탕으로 위의 (1)의 여섯 가지 예와 (2)의 예문을 학교문법의 체계에서 살펴보면 문제점이 있다. 먼저 (1)의 상대 높임법의 경우 '하오체'와 '하게체'는 손아랫사람 중 장성한 사람에게 쓰는 것이므로 중등학교 학생의 언어에는 나타나지 않는다. 그래서 중등학교 학생의 언어에서 (1)의 여섯 가지 문장이 모두 나타나지는 않는다. (2)의 객체 높임법 ㄱ의 경우도 마찬가지이다. '철수가 선생님께 아뢰어 보아라' 하는 말도 손윗사람이 아랫사람에게 하는 말이기 때문에 중등학교 학생의 언어에서 잘 나타나지 않는 경향이 있다. 그래서 예문 (1)의 여섯 문장이나 (2)의 경우 중등학교 학생의 언어를 대상으로 할 때, 학교문법에 있는 높임법 체계가 모두 나타나지는 않는다는 문제점이 있다. 현실적으로 '아뢰다, 사뢰다'는 20세기 초의 어휘였고 현재는 문어로만 쓰이기 때문이다.

5. 〈보기〉에 제시된 예문을 바탕으로 다음 물음에 답하시오.

〈보기〉

(1) 국왕은 열렬한 재즈 애호가로도 알려져 있어. 연주가들을 불러 섹스폰을 연주하기도 하지. 작업복 차림으로 전국 각지를 돌아다니며 가난한 이들을 찾아다니기도 할까?
(2) ㄱ. 산은 높고 물은 맑았다.
ㄴ. 밥을 먹고 집에 간다.
ㄷ. 시계가 잘 가고 있다.
(3) ㄱ. 구름에 달 가듯 정처없이 간다. (선행절이 후행절을 수식)
ㄴ. 아이가 돌아다니며 음식을 먹는다. (선행절이 후행절을 수식)

(4) ㄱ. 산은 높다. 산은 높고 물은 맑았다. → 산은 높다. 그리고 물은 맑았다.
('그리고'는 접속부사임)

5-1. 학교문법의 어말어미 활용체계를 쓰고, (1)에서 어말어미를 찾아 이 체계에 따라 분류하여 쓰시오.

5-2. (2)~(4)에 사용된 어미를 자료로 이 체계(학교문법의 어말어미 활용체계)의 문제점을 탐구하여 설명하시오.

해 설

해 설⇩

위의 문제에서 5-1은 그리 어렵지 않은 문제이며 일반적인 문제이다. 그런데 5-2의 경우는 예문에 나타난 부분의 핵심을 파악하기가 쉽지 않다. 5-2 문제는 학교 문법에서 어말어미 체계의 문제점을 드러낸 것인데, 조금 난해한 부분이다. 학교 문법을 다룬 많은 책에서 어말어미는 5-1의 답과 같은 체계로 설명하고 있을 뿐 그 문제점을 제대로 드러내지 않았다. 특히 (3)과 (4)의 예는 교사임용 시험에서 너무 깊이 있는 내용을 묻고 있는 것으로 볼 수 있다.

모범답안

어말어미는 용언의 맨 끝에 반드시 와서 문장을 완성시키는 어미이며 여기에는 문장을 끝맺는 종결어미와 끝맺지 않는 비종결어미가 있다. 종결어미는 평서, 의문, 명령, 감탄, 청유 등으로 나누어지고, 비종결어미는 다시 문장을 연결시키는 연결어미와 품사를 바꾸는 전성어미로 나누어지는데, 연결어미에는 대등적, 종속적, 보조적 연결어미가 있고, 전성어미는 명사형과 관형사형 어미가 있다. 위의 예문에서 종결어미의 예로, '있어'와 '하지'는 평서형 종결어미, '할까'는 의문형 종결어미이다. 비종결어미 중 연결어미의 예로 '알려져(알려지어)'의 '-어'는 보조적 연결어미, '돌아다니며'의 '-며'는 대등적 연결어미, '불러(불러서)'는 종속적 연결어미이다. 비종결어미 중 전성어미의 예로, '열렬한', '가난한'의 '-ㄴ'은 관형사형 전성어미이고, '연주하기', '찾아다니기'의 '-기'는 명사형 전성어미이다.

(2)의 경우 연결어미인 '-고'는 대체로 대등적 연결어미로 보고 있지만, 각각 다른 기능을 지닌다. ㄱ은 대등적, ㄴ은 종속적, ㄷ은 보조적 연결어미로 쓰이므로, 학교문법 체계에서 어떤 연결어미에 포함해야 할지 규정하기 어렵다. (3)은 두 가지 관점에서 설명할 수 있다. 먼저 연결어미인가 부사절인가 하는 점이 문제가 된다. ㄱ은 종속적 연결어미 '-듯'에 의해 연결되었고, ㄴ의 경우 대등적 연결어미 '-며'에 의해 연결되었다. 그런데 이 두 문장은 밑줄 친 부분이 모두 후행절을 수식하는 부사절로도 볼 수 있다. 둘째, ㄴ의 경우 대등적 연결어미이지만, 후행절을 수식하여 종속적 연결어미의 기능도 함께 지니고 있다. 다같이 후행절을 수식하는데 하나는 종속적 연결어미로, 하나는 대등적 연결어미로 보는 것은 학교문법 체계에 문제가 있다고 할 수 있다. (4)의 '산은 높고 물은 맑았다'를 분석하면 '산은 높다. 그리고 물은 맑았다'로 된다. 앞 뒤 문장의 의미와 기능은 같지만, 앞의 경우 연결어미이고, 뒤의 경우 접속부사가 된다. 학교문법에서는 '-고'를 연결어미로 보고 있는데, 이 점도 예에서와 같은 관계를 고려해 보아야 한다.

6. 〈보기〉에 제시된 중세 국어의 자료를 읽고 물음에 답하시오.

〈보기〉

(1) 나·랏 : 말ᄊᆞ·미 中國·에 달·아 文字·와·으 서르 ᄉᆞᄆᆞᆺ·디 아·니ᄒᆞᆯ·ᄊᆡ·이런 젼·ᄎᆞ로·어·린 百姓·이 니르·고·져 〈훈민정음〉

(2) ㄱ. 이ᄂᆞᆫ 賞가 罰아 〈몽산법어 53〉

ㄴ. 이 엇던 光明고 〈월인석보 10 : 7〉

(3) ㄱ. 사ᄅᆞ미 이러커늘ᅀᅡ 아ᄃᆞᄅᆞᆯ 여희리잇가 〈월인천강곡, 기 143)

ㄴ. 몃 間ㄷ지븨 사ᄅᆞ시리잇고 〈용비어천가 110장〉

(4) 네 엇뎨 안다 〈월인석보 23 : 74〉

6-1. (1)에서 자료를 찾아 중세 국어 표기법의 원리를 밝히고, 현대 국어와 다른 음운을 찾아 그 변천을 설명하시오.

6-2. (2)~(4)에서 중세 국어 의문문의 특징을 설명하고 그 변천을 밝히시오.

6-1. [채점 기준]

① 연철과 8종성법의 예 둘을 찾음(1점)

② 중세 국어의 일반적 표기법의 설명(1점)

-‘모범답안’의 밑줄 친 부분이 요소임

③ 현대 국어와 다른 음운을 찾음(2점)

-3개 이상의 음운과 그 변천을 설명하면 2점을 줌

-2개의 음운과 그 변천을 설명하면 1점을 줌.

*음운과 그 변천이 다 맞아야 1개로 인정함.

6-1. **모범답안**

‘말ᄊᆞ미’는 연철(이어적기) 표기가 되었고, ‘ᄉᆞᄆᆞᆺ-’이 8종성법에 의하여 소리나는 대로 표기되었다. 이런 예는 당시의 표기법이 음절 중심의 표음적 표기법(발음 중심 표기법, 음소적 표기법)을 취하고 있음을 알려 준다. 중세 국어의 일반적 표기법은 현대 국어와는 달리 표음적 표기법이었다.

현대 국어와 다른 음운은 ‘ㆍ’, ‘ㅔ’, ‘ㅇ’(달아), 성조 ‘ㅈ, ㅊ’ 등으로, ‘ㆍ’는 후에 ‘ㅡ, ㅗ, ㅏ’ 등으로 변했고, ‘ㅔ’는 이중

모음이었으나 후에 단모음으로 바뀌었다. 음가를 가지고 있던 'ㅇ'는 그 음가를 잃었으며 높낮이를 나타내던 성조도 소실되어 현대 국어에 이른다. 'ㅈ, ㅊ' 등은 처음에서 구개음으로 변하였다. 현대 국어에서 이들은 구개음이다.

6-2. [채점 기준]

① (2)는 명사에 조사가 붙은 의문문임을 밝힘.

② (2)와 (3)에서 판정 의문문과 설명 의문문을 바르게 설명함.

③ (4)가 2인칭 의문문임을 밝힘

-(3개항을 다 맞추면 2점을 줌)

-(2개항을 다 맞추면 1점을 줌)

6-2. 모범답안

중세 국어에는 명사에 조사가 붙는 (2)와 같은 의문문이 특이하다. 명사문에 의문 조사가 붙는 의문문은 현대 국어에는 없다. 이 규칙은 소실되었다.

중세 국어의 의문문은 판정 의문문(물음말이 없는 의문문)과 설명 의문문(물음말이 있는 의문문)으로 구분되었다. (2)와 (3)에서 각각 '가(아)'는 판정 의문문을, '고'는 설명 의문문을 나타내고 있다. 이러한 규칙도 그 후 소실되어 현대 국어에 이른다.

당시의 의문문에서는 1, 3인칭 의문문과 2인칭 의문문이 구분되었는데, (4)의 '-ㄴ다'는 2인칭 의문문을 나타내는 어미였다. 이러한 규칙은 그 후 소실되어 현대 국어에 이른다.

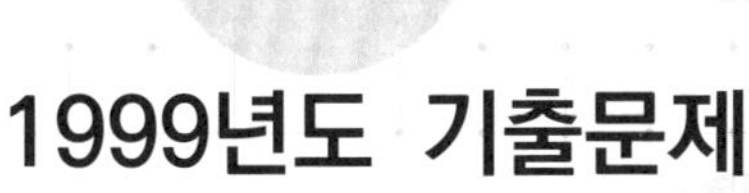

1999년도 기출문제

4. 〈보기〉에 제시된 문장을 활용하여 국어 피동 표현의 문법적 기능, 유형, 중세 국어에서의피동 표현에 대하여 설명하시오.

〈보기〉

(가) 언니가 동생을 업었다.
(나) 동생이 언니에게 업히었다.
(다) 학술 조사단에 의해 역사의 새로운 사실이 밝혀졌다.
(라) 철수가 칭찬을 들었다.
(마) 東門이 도로 다티고 〈월인석보 23 : 80〉
(바) 뫼해 살이 박거늘 〈월인천강지곡 기41〉

모범답안

(가)와 같이 주어 명사가 제 힘으로 동작을 나타내는 문법 기능을 능동이라 한다.

(나)와 같이 주어 명사가 남의 행동에 의해 행해지는 동작을 나타내는 문법 기능을 피동이라고 한다. 피동문은 대응되는 능동문과 의미는 같지만 말하는 상황에 따라 선택된다. 흔히 피동의 대상을 중심으로 말할 때 피동 표현을 사용한다.

국어 피동문의 유형은 첫째, 피동접미사가 결합되어 나타나는 파생적인 방법으로 실현되는 피동문을 들 수 있다. (나)에서는 '업히었다'는 (가)의 '업다'에 피동 접미사 '-히-'가 결합되어 나타난 피동이다.

둘째, 통사적인 방법으로 실현되기도 하는데, 능동사에 '-어지다'가 결합되어 나타난다. (다)의 문장에서 '밝혀졌다'는 '밝히+어지다'의 형태로 피동문을 형성하였다. 여깃 '밝히다'는 사동사이므로 타동사이다. 그 어간에 '-어지다'가 결합한 것이다.

국어의 능동문 중 그에 대응되는 피동문이 없거나, 피동문은 있지만 그에 대응되는 능동문을 찾을 수 없는 경우가 있다. (라)의 문장은 전자에 속한다.

중세 국어에서의 피동 표현은 현대 국어와 큰 차이를 보이지 않는다. (마)는 '동문을 닫다'라는 능동문에 대응되는 파생적 피동문으로 '다티다(닫+히+다)'에 의해 실현되었다.

(바)는 접미사 없이 피동문이 이루어졌다. 능동사와 피동사의 형태가 동일하다. 중세 국어에서더러 발견되는 이런 동사를 능격동사라고 부른다.

5. 학교문법에서는 시제를 '과거/현재/미래'로 구분하는 삼분법적 체계를 택하고 있다. 이러한 체계를 비판하는 수업을 탐구 과정으로 전개하고자 한다. 〈보기〉에 제시한 예문을 활용하여 아래의 〈조건〉에 맞추어 설명하시오.

〈보기〉

(가) 철수는 지금 교실에서 책을 읽는다.
(나) 나는 어제 보고서를 완성했다.
(다) 내일도 바람이 불겠다.
(라) 그 여자는 벌써 집에 도착했겠다.
(마) 지금은 고향에도 꽃들이 만발하겠지?
(바) 그 일은 제가 꼭 하겠습니다.

〈조건〉

1) 시제의 개념 및 학교 문법의 삼분법적인 체계를 설명할 것.
2) 수업의 목표는 시제에 대해 새로운 체계를 수립하기보다는 삼분법적인 체계를 비판하는 데 둘 것.
3) 탐구 과정을 단계별로 제시할 것

모범답안

국어에서 서술 대상의 동작이나 상태가 전달되는 시점을 발화시라 하고, 동작이나 상태가 일어나는 시점을 사건시라 한다. 그리고 말하는 이가 발화시를 기준으로 사건시의 앞뒤를 제한하는 문법 기능을 시제라고 한다. 현행 학교 문법은 '과거/현재/미래'의 삼분법적 시제 체계를 택하고 있는데, 선어말어미 '았(었)-/-는-/-겠-'에 의해 표현된다.

과거시제는 (나)와 같이 '-었-'에 의해 사건시가 발화시보다 앞선 시간이다.
현대시제는 (가)와 같이 '-는-'에 의해 사건시와 발화시가 같은 시점이다.
미래시제는 (다)와 같이 '-겠-'에 의해 사건시가 발화시보다 뒤진 시점임을 나타낸다.

그러나 이와 같은 삼분법적인 체계는 문제점이 있다. 그와 관련된 문제를 다음과 같이 탐구 수업으로 결론을 도출할 수 있다.

첫째, 타당성 있는 문제 제기의 단계이다. 미래 시제를 나타내는 '-겠'이 (라)에서는 사건시가 발화시보다 앞서 있다.

(마)에서는 사건시과 같은 시간이다. (라)와 (마)를 통해서 '-겠-'이 미래 시제를 나타내는 것만이 아니라는 것을 알 수 있으며, 현행 삼분법적인 체계로는 설명하기 어려운 점이 있다.

둘째, 문제 해결의 방법을 발견하는 단계이다. 국어의 시간 표현 중 미래 시제를 나타내는 '-겠-'이 들어간 표현은 여러 가지 의미로 사용되고 있다. '-겠-'이 (다)의 '내일도'와 같은 미래 시간 표시의 부사어와 함께 쓰일 때에는 미래 시제를 나타내거나 (바)와 같이 말하는 이의 의지를 나타낸다. 여기서 '-겠-'이 언제나 미래 시제를 나타내는 것이 아니라 과거나 현재 상황에도 적용된다는 것을 인지할 수 있다. 그리고 자연 현상과 언어 현상이 일 대 일로 대응되는 것이 아니라는 점을 시간 표현에 도입하면 자연적인 시간의 구분이 반드시 언어적인 시간 구분과 일치하는 것은 아니다.

셋째, 정당한 결론의 도출이다. 미래 시제를 나타내는 표시 '-겠-'이 언제나 미래 시제를 나타내는 것이라는 데는 문제점이 있으며, 미래 시제라고 하면 과거나 현재 상황에 쓰이는 예를 합리적으로 설명하기 어려운 문제가 있다. '-겠-'이 미래 상황에 쓰일 수 있는 것과 미래 시제라고 하는 것은 별개의 문제이다. 따라서 미래 시제는 인정되나 국어에서 미래 시제는 일정한 형태로 대응되고 있지 않다.

6. 〈보기〉에서 생략된 말을 말하고, 그 이유를 문법적으로 설명하시오.

〈보기〉

소나무는 토양(土壤)을 까다롭게 가리지 않으나 산성 토양을 좋아한다고 알려져 있다. 실제로 우리나라의 솔숲은 화강암이 풍화된 토양, 곧 공기가 잘 통하고 물이 잘 빠지는 산성 토양인 곳에서 흔히 볼 수 있다.

모범답안 생략된 말 : 소나무는

이유 : 우리말에서는 두 문장이 이어지면서 앞 절과 뒷절에 같은 말이 있으면 뒷절의 그 말이 다른 말로 대치되거나 생략된다. 여기서는 주어 '소나무는'이 중복되어 생략되었다.

7. 〈보기〉의 (가)와 (나)에 제시된 단어들의 관계를 설명하시오.

〈보기〉

(가) 아기의 <u>손</u>은 매우 귀엽다.
농촌에서는 지금 <u>손</u>이 모자란다.
나는 지금 그 사람과 <u>손</u>을 떼겠다.

(나) 배(船) / 배(腹) / 배(梨) / 배(倍)

모범답안

(가)의 첫 번째 문장의 '손'은 사람 신체의 일부분을 의미하므로 중심적 의미이고, 둘째 문장의 '손'은 '노동력'을, 세 번째 문장의 '손'은 '관계를 의미하므로 주변적 의미로 쓰였다. 이와 같이 어떤 단어가 여러 가지 상황에서 다양한 의미로 사용되는데, 이런 현상을 다의성이라 하고, 이렇게 사용된 단어를 다의어라 한다.

(나)에서 '배'는 '선박'이나 '사람의 신체 일부분', '과일' '곱' 등과 같은 의미를 지니고 있는데, 이들은 우연히 소리만 같은

단어들로서 동음이의어라 한다. 이것은 기본적으로 우연의 산물이기 때문에 단어 간의 의미 관계를 형성한 것이라고 보기는 어렵다. 결론적으로 다의어는 하나의 단어 형태가 여러 개의 유사한 의미를 지니는 것이고, 동음이의어들은 서로 다른 두 개 이상의 의미가 우연히 소리만 같은 관계이다.

8. 〈보기〉에 제시된 자료를 참고하여 우리말 받침의 발음에 대하여 설명하시오.

〈보기〉

(가) 닦다(닥따), 키읔(키윽), 옷(옫), 웃다(욷 : 따), 있다(읻따), 젖(젇)
빗다(빋따), 꽃(꼳), 쫓다(쫃따), 솥(솓), 뱉다(밷 : 따), 앞(압), 덮다(덥따)
(나) 넋(넉), 넋과(넉꽈), 앉다(안따), 여덟(여덜), 넓다(널따)
외곬(외골), 핥다(할따), 값(갑)
(다) 밟다(밥 : 따), 밟소(밥 : 소), 밟지(밥 : 찌)
넓-죽하다(넙쭈카다), 넓-둥글다(넙뚱글다)
(라) 젖으로(저즈로), 젖어미(저더미), 겉에(거테), 겉옷(거돋), 헛웃음(허두슴)

〈조건〉

1. 〈보기〉를 자료로 하여 음절의 끝소리 규칙을 설명할 것.
2. 〈보기〉의 각각의 경우에 대한 설명을 포함할 것.

[참고] 필자의 『국어학』 기본 개념 36. 평폐쇄음화를 기억하시나요? 힘들지만 기본 개념을 정확히 기억하는 것만이 합격의 정도(正道)입니다.

모범답안

현대 국어에서 음절의 끝소리로 발음될 수 있는 것은 'ㄱ, ㄴ, ㄷ, ㄹ, ㅁ, ㅂ, ㅇ'의 일곱 자음 중의 하나이다. 이것은 음절의 실현에서 생기는 제약이다. 음절 구조 제약이라고도 불린다. 기저형에서는 이 7종성 이외의 자음도 존재하고 둘 이상의 자음이 종성에 위치하기도 하지만 발음될 때는 반드시 이 7종성 중의 하나로 바뀌어서 발음된다. 이렇게 바뀔 때 아무 자음으로나 바뀌는 것이 아니고 같은 계열의 평폐쇄음으로 발음된다.

(가)는 받침 'ㄲ, ㅋ/ㅅ, ㅆ, ㅈ, ㅊ, ㅌ/ㅍ'은 어말 또는 자음 앞에서 각각 대표음 'ㄱ, ㄷ, ㅂ'로 발음된다.
(나)는 겹받침 'ㄳ/ㄵ/ㄼ, ㄽ, ㄾ/ㅄ'가 어말 또는 자음 앞에서 하나의 자음을 탈락시키고(자음군 단순화) 각각 대표음 'ㄱ, ㄴ, ㄹ, ㅂ'로 발음된다.
(다)는 겹받침 'ㄼ'이 자음 앞에서 자음군 중 'ㄹ'을 탈락시키고 대표음 'ㅂ'으로 발음된다.
(라)는 7종성 이외의 자음이 받침으로 왔을 때 모음으로 시작되는 문법 형태소(조사나 어미)가 결합되면 자음이 그대로 실현되나 실질형태소가 결합되면 형태소 경계가 휴지와 같이 작용하여 대표음인 평폐쇄음 'ㄷ'으로 바뀐 뒤 연음되어 발음되는 것을 보여준다.

1999년도 기출문제

4. 단어의 형성에서, 합성어 형성의 원리를 유형화하여 설명하시오. 그리고 그 유형에 따라 〈보기〉의 자료를 분류한 다음, 그 근거를 구체적으로 기술하되 400자 내외가 되도록 하시오.

〈보기〉

큰아버지, 늦잠, 부슬비, 덮밥, 들어가다, 안팎, 춤추다, 뛰놀다

모범답안

둘 이상의 어근이 결합하여 형성된 복합어를 합성어라 하는데, 국어의 일반적인 단어 배열법과 일치하면 통사적 합성어라 하고 그렇지 못한 것을 비통사적 합성어라 한다. 〈보기〉의 자료에서 통사적 합성어는 '큰아버지, 들어가다, 안팎, 춤추다' 등이다. '관형어 + 명사'의 형태인 '큰아버지', 보조적 연결어미를 매개로 하여 두 용언을 하나로 연결하여 준 '들어가다', '목적어 + 동사'의 형태인 '춤추다' 등은 국어의 통사적 구성과 일치하므로 통사적 합성어에 속한다.

비통사적 합성어로는 '늦잠, 부슬비, 덮밥, 뛰놀다' 등이다. 용언의 어간에 직접 명사가 결합된 '늦잠, 덮밥'과 '의태부사 + 명사'의 형태인 '부슬비', 어미의 매개가 없이 직접 두 용언의 어간이 결합된 '뛰놀다' 등은 국어의 통사적 구성과 일치하지 않으므로 비통사적 합성어에 속한다.

'명사 + 명사'의 형태인 '안팎'은 중세에는 '않 + 밖'의 통사적 합성어 구성이었는데 'ㅎ'종성체언의 'ㅎ'이 소멸하여 현대의 명사는 '안'으로 남게 된다. 따라서 현대 국어에서는 '안팎'은 비통사적 합성어이다.

5. 우리말의 높임법에 대하여 선어말어미를 중심으로 설명하고자 한다. 〈보기〉의 자료를 바탕으로 다음 〈조건〉에 유의하여 500자 내외로 기술하시오.

〈보기〉

(가) [태조가] 셤 안해 자싫 제 한비 사ᄋᆞ리로ᄃᆡ 뷔어ᅀᅡ ᄌᆞᄆᆞ니이다. 〈용비어천가 67장〉

(나) 善女人이…無量壽佛ᄭᅴ 나 正法 듣ᄌᆞᆸ고져 發願ᄒᆞᄃᆡ 〈월인석보 권9〉

(다) 千世 우희 미리 定ᄒᆞ샨 漢水 北에, 累仁開國ᄒᆞ샤 卜年이 ᄀᆞᇝ업스시니 〈용비어천가 125장〉

〈조건〉

1. 〈보기〉를 자료로 높임법과 관련된 중세 국어의 선어말어미를 유형화하고, 그 문법 기능을 설명할 것.
2. (나)의 밑줄 친 부분에 나타난 높임법이 현대 국어에서는 어떻게 수행되는지 구체적으로 설명할 것.

[채점 기준]

1. 중세 국어의 높임법 선어말어미의 유형

① 주체 높임 선어말어미 : -시-

② 객체 높임 선어말어미 : -ᄉᆞᆸ-, -(ᅀᆞᆸ)-, -ᄌᆞᆸ-

③ 상대 높임 선어말어미 : -이-

-위의 세 가지 유형에 따라 예를 맞게 분류하였을 경우(2점)

-위의 세 가지 유형에 맞게 제시하였을 경우(1점)

-기타의 경우(0점)

2. 기능

• 주체 높임 선어말어미는 주체가 화자에게 높임의 대상이 될 때에 실현됨

• 객체 높임 선어말어미는 객체가 주어보다 화자에게 높다고 인식될 때 실현됨.

• 상대 높임 선어말어미는 화자가 청자를 높이는 경우에 실현됨.

-위의 세 가지 기능에 대한 설명이 제대로 되었을 경우(3점)

-위의 두 가지 기능에 대한 설명이 제대로 되었을 경우(2점)

-위의 한 가지 기능에 대한 설명이 제대로 되었을 경우(1점)

-기타의 경우(0점)

3. 현대의 국어에 나타난 객체 존대 기능

• 중세의 객체 높임 선어말어미의 형태는 현대 국어에서 나타나지 않으며, 다만 그 기능만이 특수 어휘['드리다', '뵙다', '뫼시다(모시다)' 등]에 기대어 제한적으로 나타남.

-형태와 기능면에서 제대로 설명하였을 경우(2점)

-기능만 제대로 설명하였을 경우(1점)

-형태만 제대로 설명하였을 경우(0.5점)

-기타의 경우(0점)

모범답안

중세 국어에서는 높임을 실현하기 위해 선어말어미를 사용한다. 높임법은 다시 세 종류로 나누어지는데 주체 높임은 말하는 이가 문장의 주어가 지시하는 대상, 곧 서술의 주체에 대하여 높임의 태도를 나타내고, 객체 높임은 문장의 목적어나 부사어가 지시하는 대상, 곧 서술의 객체에 대하여 높임의 태도를 나타내며, 상대 높임은 듣는 이에 대해 높임의 태도를 나타내는 문법 기능이다. (가)의 경우와 같이 상대 높임의 선어말어미로는 '-이-'가 있다. (나)의 예를 보면 객체 높임의 선어말어미 '-ᄉᆞᆸ-, -ᄌᆞᆸ-, -ᅀᆞᆸ-'이, (다)의 예를 보면 주체 높임의 선어말어미로 '-(으)시-'가 있음을 알 수 있다. 객체 높임의 선어말어미는 어간의 끝소리가 'ㄱ, ㅂ, ㅅ, ㅎ'일 때 '-ᄉᆞᆸ-'을, 'ㄷ, ㅊ, ㅌ'일 때, '-ᄌᆞᆸ-'을, 유성음일 때 '-ᅀᆞᆸ-'을 사용한다. 상대 높임의 선어말어미 '-이-'는 ᄒᆞ쇼셔체의 평서문에만 쓰이던 것이다.

(나)에 나타난 객체 높임법은 현대 국어에서 '나는 그 책을 선생님께 드렸다.'에서와 같이 주로 동사에 의해 실현되고, 객체가 부사어일 경우 '께'를 사용하기도 한다. 현대 국어의 객체 높임법은 중세 국어와 달리 선어말어미에 의해 실현되지 않고 몇몇 특정 동사에 의해 실현될 뿐이어서 그 쓰임이 한정되어 있다.

6. 담화는 유형에 따라 특정한 목적을 위하여 만들어지지만, 여러 가지 목적이 복합되는 경우도 있다. 이를 바탕으로, 담화의 기능에 대하여 다음 〈조건〉에 맞게 300자 내외로 설명하시오.

자동차는 안전이 생명입니다. 우리 회사에서는 자동차 제동 거리 단축 장치를 새로 개발하였습니다. 한 번만 밟아 주면, 브레이크가 수십 회 자동으로 작동하여 제동 거리를 줄여 줍니다. 이 장치는 예기치 못한 상황에서 발생할 수 있는 충돌이나 추돌의 위험을 덜어 줍니다. 이 장치가 삼 년 이내에 고장나면 즉시 수리해 드리거나 새 제품으로 교체해 드립니다. 지금 바로 주문하십시오.

〈조건〉

1. 담화를 몇 가지로 유형화하고 그 예를 들 것.
2. 〈보기〉의 담화에 나타난 복합적 기능을 구체적으로 설명할 것.

모범답안

담화는 기능에 따라 '설명, 강의, 뉴스, 보도' 등의 정보 제공담화, '약속, 맹세, 선서' 등의 약속담화, '설득, 광고, 설교, 연설' 등의 호소담화, '잡담, 인사소개, 환영인사' 등의 사교 담화, '명명, 법률 선포, 선전포고, 유언' 등의 선언담화로 나뉜다. 이러한 담화의 유형들은 하나의 목적을 위해 만들어지지만 여러 가지 목적이 복합적으로 이루어질 때가 많다. 〈보기〉의 담화는 광고문으로서 자동차를 구매하게 하는 기능을 하므로 궁극적으로 '호소담화'라고 할 수 있지만, 그 외에도 '정보제공'이나 '약속'의 기능도 지닌다.

1998년도 기출문제

4. 아래 자료를 참고로 하여 사동문의 문법적 기능, 유형, 유형별 의미 특성 등에 대해 설명하시오. (400자 내외로 쓸 것)

① 영수가 책을 읽었다.

② 선생님께서 영수에게 책을 읽히셨다.

③ 어머니가 아이에게 옷을 입게 하셨다. // 예) 어머니께서 동생에게 약을 먹이셨다.

④ 우리 집에서도 소를 먹인다.

모범답안

(1)과 같이 주어가 동작이나 행위를 직접 하는 것을 주동 표현이라 하고,

(2)에서처럼 주어가 동작이나 행위를 다른 사람에게 시키는 것을 사동 표현이라 한다. 국어에서 사동 표현은 (2)의 '읽히셨다'에서 '-히-'와 같은 사동 접미사에 기대어 실현되는 파생적 사동문과 (3)과 같이 '-게 하다'와 결합하여 표현하는 통사적 사동문이 있다. 이 두 사동문에는 의미의 차이가 있다.

파생적 사동문은 주어가 객체에게 직접 행위를 한 직접 사동과 객체에게 행위를 하도록 시킨 간접 사동의 의미가 함께 나타나지만, 통사적 사동문은 간접 사동의 의미만 있다.

(4)와 같은 경우에는 사동문의 형태로 쓰였지만 '먹이다'가 '사육하다'라는 의미로 쓰여 사동과는 다른 의미가 된다.

[참고] **1**. 사동법을 형태적 사동, 통사적 사동, 어휘적 사동으로 나누어 예를 들어 설명하시오.

참고 1. 모범답안

사동은 남으로 하여금 어떤 행동을 하게 하는 동사의 의미 특성을 말한다. 주동은 남이 시켜서가 아니라 자기 스스로 행하는 특성을 말한다.

(1) 형태적 사동이란 사동사에 의한 사동을 말한다.

예) ┌ 동생이 문 뒤에 숨었다.
　　└ 내가 동생을 문 뒤에 숨겼다.
　　┌ 우리는 방학 동안에 동양사를 읽었다.
　　└ 선생님이 방학 동안에 우리에게 동양사를 읽히시었다.
　　┌ 얼음 위에서 팽이가 돈다.
　　└ 아이들이 얼음 위에서 팽이를 돌린다.
　　┌ 철수가 그 일을 맡겠지.
　　└ 선생님께서 철수에게(철수한테) 그 일을 맡기시겠지.
　　┌ 왜 순철이만 짐을 지느냐?
　　└ 왜 순철이에게만(순철이한테만) 짐을 지우느냐?

[사동문 형성 과정]

① 해당 주동문의 주동사 '숨다, 읽다, 돌다, 지다'에 대한 사동사 '숨기다, 읽히다, 돌리다, 맡기다, 지우다'가 쓰임

② 주동문에 없던 주어가 도입되어 그 일을 시키는 주체가 됨

③ 주동문의 주어는 주격조사 대신 '-에게'나 '-한테'가 붙어서 새로운 문장성분이 됨

[사동사 파생법]

- 자동사, 타동사, 형용사 +사동 접미사 '-이, -히, -리, -기, -우, -구, -추, -이우, -애' 등
- 자동사 ⇨ 사동사(타동사)
  죽다 → 죽이다, 속다 → 속이다, 줄다 → 줄이다, 녹다 → 녹이다, 익아 → 익히다, 앉다 → 앉히다, 날다 → 날리다, 돌다 → 돌리다, 울다 → 울리다, 얼다 → 얼리다, 살다 → 살리다, 웃다 → 웃기다, 남다 → 남기다, 숨다 → 숨기다, 깨다 → 깨우다, 비다 → 비우다, 새다 → 새우다, 자다 → 재우다, 솟다 → 솟구다
- 타동사 ⇨ 사동사(타동사)
  먹다 → 먹이다, 보다 → 보이다, 잡다 → 잡히다, 입다 → 입히다, 읽다 → 읽히다, 업다 → 업히다, 물다 → 물리다, 듣다 → 들리다, 들다 → 들리다, 안다 → 안기다, 뜯다 → 뜯기다, 벗다 → 벗기다, 맡다 → 맡기다, 감다 → 감기다, 지다 → 지우다, 차다 → 채우다
- 형용사 ⇨ 타동사
  높다 → 높이다, 좁다 → 좁히다, 넓다 → 넓히다, 밝다 → 밝히다, 낮다 → 낮추다, 늦다 → 늦추다, 없다→ 없애다

[사동문 형성과정에서 주어의 변화]

- 자동사, 형용사에서 파생된 사동사가 쓰인 문장 : 주어 ⇒ 목적어

예) ┌ 얼음이 녹았다.
　　└ 우리가 얼음을 녹였다.

┌ 길이 넓다.
└ 시에서 길을 넓힌다.

- 타동사에서 파생된 사동사가 쓰인 문장
  : 주어 ⇒ 목적어, '-에게'나 '-한테'가 붙은 여격어

예) ┌ 어린 아이가 짐을 졌다.
├ 왜 어린 아이에게(어린 아이한테) 짐을 지웠느냐?
└ 왜 어린 아이를 짐을 지웠느냐?

사동사에 의한 사동문에 대해 그에 대응되는 주동문이 없는 경우가 있다.

① 사동사는 파생동사인 만큼 모든 동사가 그에 대응되는 사동사가 있는 것이 아니다.

② 사동사는 파생동사인 만큼 단순히 주동에 대한 사동으로서의 의미 외에 특수한 의미를 지니는 일이 있다.
예) 그 집에서도 돼지를 먹이나요?[사육하다 사동사가 아니다]

③ '가다, 하다, 모으다, 닫다…' 등은 흔히 쓰이는 동사이지만 파생 사동사가 없다.

사동문은 그 뜻이 중의적인 경우가 많다.

예) 할머니께서 동생에게(동생한테) 밥을 먹이셨다.

→ 1. 할머니가 동생이 스스로 밥을 먹도록 어떤 간접적인 행위를 했다.
2. 할머니가 직접 밥을 입에 넣어 주어 먹였다.

예) 내가 이이를 죽였구려.

→ 1. 내가 직접 살인행위를 했다.
2. 내가 부주의해서 살릴 수 있는 아이를 못 살렸다는 뜻

예) 그가 그만 집을 태웠다.

→ 1. 그가 직접 집을 태우는 행위를 했다.
2. 운수가 나빠서 집이 타는 재앙을 만났다.

(2) 통사적 사동 = '-게 하다'에 의한 사동법 = 주동사 + 어미 '-게' + 보조동사 '하다'
주동문의 주어는 그대로 쓰이기도 하고, 목적어가 되어 조사 '-를'을 취하기도 하고,
여격이 되어 조사 '-에게, -한테'를 취하기도 한다.

예) 이 짐을 철수가 지게 합시다. → 주어가 그대로
나는 아이들을 내 방에서 놀게 하였다. → 목적어
왜 어린 아이에게(어린 아이한테) 고된 일을 하게 하는가? → 여격
저 분을 이 자리에 앉으시게 하시오. → 목적어
저를 집에 있게 해 주십시오. → 목적어

(3) 어휘적 사동 = 동사의 어휘 의미가 '시키다'의 의미를 가지고 있는 것을 말한다. 가령 '시키다, 명령하다, 주문하다 …'
등의 어휘로 사동의 의미를 표현할 수 있다. 이런 것들은 문법적 현상이 아니므로 어휘적 사동이라고 묶어서 둔다.
어휘적 사동법이라고 하지 않는다.
비유한다면 '내가 존경하는 내 친구'라는 구절에 '존경'이라는 어휘가 쓰였다고 존경법이라고 말하지 않는 것과 같다.

(1) 가. 사장이 사원들에게 집에 가라고 하였다.
나. 사원들이 집에 갔다.
다. 집에 가라.

(2) 그가 우리에게 그런 일을 하라고 명령하였다.

(3) 형이 동생에게 집에 가도록 설득하였다.

(1가)는 내포된 명령을 가진 간접 화법의 문장이다. 상위문의 '하다'는 '말하다, 명령하다'와 같은 의미를 가진다. (1가)는 의미론적으로 다른 사람에게 어떤 행동을 시킨 것이기는 하나, 피사동 사건이 (1나)와 같은 문장으로 성립되지 않는다. 피전달문은 (1다)와 같은 것이다. 그것은 명령 자체이다. (1가)에 (1나)와 같은 피사동 사건이 들어 있는 것은 아닌 것이다. (2)와 (3)도 (1가)와 그 성격이 같다. 내포된 명령을 가지는 간접 화법 구성은 일반적으로 사동문으로 취급되지 않는다.

[참고] 2. 전형적인 사동법을 예를 들어 설명하시오.

참고 2. 모범답안

사동이란 어떤 행동주, 즉 사동주(使動主, causer)가 다른 행동주, 즉 피사동주(被使動主, causee)로 하여금 어떤 일을 하게 하는 의미론적인 관계를 표현하는 문장을 말한다. 사동의 의미를 나타내는 문장을 '사동문(使動文, causative sentence)' 또는 사역문이라 한다. 여기서는 사동 또는 사동문이란 술어를 쓰기로 한다. 사동문에서 행동을 일으키는 주체를 '제1 행동주(1st agent)', 그 행동을 받아 다른 행동을 일으키는 주체를 '제2 행동주(2nd agent)'와 같이 부르기도 한다.

이에 대해서 어떤 행동주가 다른 행동주에게 행동을 시키지 않고 자신이 어떤 행동을 하는 의미 관련을 표현하는 것을 '주동(主動)'이라 하고, 그러한 의미 관련을 표현하는 문장을 '주동문'이라 한다.

(1) 가. 철수가 밥을 먹는다.
나. 어머니가 철수에게 밥을 먹인다.

(1가)는 행동주가 직접 어떤 행동을 하는 '주동문'이며, (1나)는 사동주인 '어머니'가 피사동주인 '철수'로 하여금, '밥을 먹는' 행동을 하게 하는 사동문이다. 사동 구성에서 피사동주가 참여하는 행동을 '피사동 사건(被使動事件, caused event)'이라 한다. (1나)에서 '어머니'는 '철수가 밥을 먹는' 피사동 사건을 일으킨 사동주, 즉 제1 행동주의 성격을 가진다. (1가)의 '먹다'를 (1나)의 사동사 '먹이다'에 대하여 주동사라 할 수 있다.

사동문은 주동문에 비하여 제1 행동주 논항 하나를 더 가진다. 문장 구성 자체에 큰 차이가 있다.

[참고] 3. 직접 사동, 간접 사동을 예를 들어 설명하시오.

참고 3. 모범답안

사동문의 의미 해석

사동사에 의한 사동문과 '-게 하다' 사동문 사이에는 뜻이 같지 않은 경우가 있다.

ㄱ) 아이 어머니가 아이에게 새 옷을 입히었다.

1. 아이 어머니가 직접 아이에게 새 옷을 입히었다.
2. 아이 어머니가 아이로 하여금 스스로 새 옷을 입도록 하였다.

ㄴ) 아이 어머니가 아이에게 새 옷을 입게 하였다.

1. 아이 어머니가 아이에게 새 옷을 스스로 입도록 하였다.

ㄷ) 철수가 동생을 자기 방에서 울리었다. [철수가 자기 방에서 동생을 괴롭히거나 때리거나 해서 직접 울리었다.]
철수가 동생을 자기 방에서 울게 했다. [동생이 어찌해서 울게 됐는지는 모르지만 (밖에서 울지 말고) 자기 방에 가서 울도록 조처했다.]

ㄹ) 선생님께서 철수에게 책을 읽히셨다.
선생님께서 철수에게 책을 읽게 하셨다.

[뜻이 같다 : 책을 읽은 것은 철수이고, 철수가 책을 읽도록 한 것이 선생님이다.]

일반적으로 사동사에 의한 사동문은 주어의 간접행위는 물론 직접행위도 나타낼 수 있고, '-게 하다'에 의한 사동문은 주어의 간접행위만 나타내는 경향이 있다. 예외는 있다. "철수가 동생의 입을 벌려서 약을 마시게 했다." ㅋ

[참고] 4. 단형사동과 장형사동의 통사적 차이를 4가지로 예를 들어서 설명하시오.

모범답안

두 가지 사동법의 통사적 차이점

① 부사의 수식 범위가 다르다.

ㄱ) 어머니가 아이에게 옷을 빨리 입혔다. → 어머니의 행위를 수식
어머니가 아이에게 옷을 빨리 입게 했다. → 아이의 옷 입는 행위를 수식

ㄴ) 나는 철수에게 그 책을 못 읽혔다. → 철수에게 책을 읽히는 나의 행위가 불가능했다
나는 철수에게 그 책을 못 읽게 했다. → 철수가 그 책을 읽을 수 없도록 했다

② 보조동사의 쓰이는 자리가 '-게 하다' 사동문에서 더 자유스럽다.

예) 나는 철수에게 책을 읽혀 보았다. → 보조동사 '보다'가 사동사 다음에만 쓰임
나는 철수에게 책을 읽어 보게 하였다. → 보조동사가 사동사 앞에 쓰임
나는 철수에게 책을 읽게 해 보았다. → 보조동사가 사동사 다음에 쓰임

③ 주체높임의 어미 '-시-'가 쓰일 수 있는 자리
- 사동사에 의한 사동문 : 한 군데

예) 선생님께서 철수에게 책을 읽히시었다. → 사동문의 주어만 높임
- '-게 하다' 사동문 : 두 군데

예) 선생님께서 철수에게 책을 읽게 하시었다. → 사동문의 주어만 높임
우리들이 선생님께 책을 읽으시게 하였다. → 시킴을 받는 사람을 높임
박 선생님께서 우리 선생님께 책을 읽으시게 하시었다. → 둘을 동시에 높임

④ '-게 하다' 사동문에서는 사동사를 다시 사동화할 수 있다.

예) 내가 철수에게 토끼한테 풀을 먹이게 하였다.
→ '먹이다'가 이미 사동사인데 그것을 재차 사동화한 것.

5. 아래 예에서 홑문장의 확장 방법, 안은 문장의 유형, 관여하는 어미, 조사, 접사 등을 밝히고, 안은 문장의 문법 현상을 예문을 중심으로 설명하라. (500자 내외로 쓸 것)

① 철수가 돌아왔다.
② 나는 철수가 돌아오기를 기다렸다.
③ 바람도 잠잠하고, 하늘도 맑다.
④ 이 책은 글씨가 너무 잘다.
⑤ 네가 깜짝 놀랄 일이 생겼다.
⑥ 산 그림자가 소리도 없이 다가온다.
⑦ 나는 그의 말이 옳다고 생각한다.
⑧ 나무꾼은 나에게 도와 주기를 바랐다.

모범답안

문장의 확대는 홑문장들이 결합하여 이어진 문장이 되거나 문장 속에 문장이 들어가는 안은 문장으로 이루어진다.

(1)은 홑문장이다.

(2)와 (3)은 홑문장들이 결합하여 겹문장으로 확대되었는데, (2)는 안은 문장, (3)은 이어진 문장이다.

안은 문장에는 (2)와 (8)과 같이 명사형 전성어미 '-기-'가 결합한 명사절을 안은 문장, (4)와 같이 서술어절을 안은 문장이 있다.

또, (5)는 관형사형 전성어미 '-(으)ㄹ'이 결합한 관형절을 안은 문장이고,

(6)은 부사 파생 접미사 '-이'에 의하여 이루어진 부사절을 안은 문장이며,

(7)은 인용의 부사격조사 '고'와 결합된 인용절을 안은 문장이다.

(8)은 '도와주-'의 목적어 '자기를'이 생략되어 나타났는데, 안은 문장과 안은 문장에 서로 같은 말이 있을 때에는 다른 말로 대치되거나 생략되는 문법 현상이 있다.

[참고] 이 내용 중 현재 문법 교육과정에서 다르게 처리하는 것이 하나 있다. 부사 파생 접미사에 의한 부사절은 폐지되었다. 지금은 부사형 전성어미를 설정한다. 종속적으로 이어진 문장의 연결어미가 모두 부사형 전성어미이다.

6. 국어의 모음 변천 과정을 중세, 근대, 현대 국어로 구분하여 다음 조건에 맞게 설명하라. (500자 내외로 설명할 것)

① 모음체계의 변화를 설명할 것.

② 이중 모음도 포함시켜 설명할 것.

[참고] 필자의 책 『국어학』 기본 개념 26, 27을 기억하십니까? 이런 문제는 100% 암기형입니다. 꼭 정확히 외우시길 바랍니다. 요령은 각 시기의 단모음도를 정확히 외우는 것입니다. 그 모음체계표를 외우고 나면 긴 답안을 쓰는 것도 전혀 어렵지가 않습니다. 모음 도표를 외우고 다음의 모범답안을 읽으시면 쉽게 이해가 될 것이고 아니면 완전히 외계어로 보이기 때문에 좌절하실 겁니다. 그 다음은 'ㆍ'의 소멸 과정과 이중모음의 단모음화만 기억하시면 아무 문제 없게 됩니다.

모범답안

15세기의 모음 체계는 전설 고모음 i ㅣ, 후설 고모음 ɨㅡ uㅜ, 후설 중모음 ə ㅓ oㅗ, 후설 저모음 a ㅏ ʌㆍ으로 구성되었다. 이중모음은 상향 이중모음 : (yʌ) ya yo yə yu (yɨ), wa wə wi, 하향 이중모음 : ʌy ay oy əy uy ɨy iy 등이 있었다. 모음 변천의 핵심은 'ㆍ'의 소실 과정이다. 'ㆍ'의 소실은 2단계로 나타나는데, 그 제1단계는 비어두 음절에서의 소실이었다. 이 제1단계 소실은 15세기에 이미 싹터서 16세기에 와서 완성되었다. 그 공식은 'ㆍ 〉 ㅡ'였다(예: ᄀᆞᄅᆞ치 → ᄀᆞ르치-(敎), ᄒᆞᄆᆞᆯ며〉ᄒᆞ믈며(況), 다ᄅᆞ → 다르-(異), 기ᄅᆞ마〉기르마(鞍), 말ᄆᆡ〉말믜(由) 등). 제2단계 소실은 17세기에 일어나서 18세기에 완성된다. 이 때의 변화 공식은 'ㆍ 〉 ㅏ'였다. (예: ᄀᆞ르치다〉ᄀᆞ르치다〉가르치다)

'ㆍ'의 소실은 17~18세기에 모음체계의 불균형을 야기했고 그 결과 전설모음화가 발생한다. 이중모음이던 'ㅔ, ㅐ'가 단모음이 되면서 전설모음을 채워 모음 체계의 균형을 이루게 된다.

20세기 무렵 이중모음 'ㅚ, ㅟ'가 단모음화를 겪어 현대 국어의 10단모음 체계가 이루어진다.
단모음화가 발생하지 않은 이중모음들은 대체로 그대로 계승되고 있다.

해 설

해 설⇩

[참고] 이기문·이호권, 『국어사』

15세기의 모음 체계는 다음과 같았을 것으로 추정된다.

iㅣ	ɨㅡ	uㅜ
	əㅓ	oㅗ
	aㅏ	ʌㆍ

이 모음체계는 전기 중세 국어의 모음 체계가 14세기 경에 겪었을 모음추이(母音推移)를 반영한 것이다(7.1.2. 참조). 이 변화로 인하여 성립된 위의 모음 체계는 불균형을 이루고 있다. 이러한 현상은 모음 'ㆍ'의 단계적 소실로 이어진다. 'ㆍ'의 소실은 2 단계로 나타나는데, 그 제1단계는 비어두 음절에서의 소실이었다. 이 제1단계 소실은 15세기에 이미 싹터서 16세기에 와서 완성되었다. 그 공식은 'ㆍ>ㅡ'였다(예: ᄀᆞᄅᆞ치 → ᄀᆞ르치-(敎), ᄒᆞᄆᆞᆯ며>ᄒᆞ믈며(況), 다ᄅᆞ → 다르-(異), 기ᄅᆞ마>기르마(鞍), 말ᄆᆡ>말믜(由) 등). 제2단계 소실은 17세기에 일어났다. 이 때의 변화 공식은 'ㆍ>ㅏ'였다. (예: ᄀᆞᄅᆞ치다>ᄀᆞ르치다>가르치다)

후기 중세 국어는 풍부한 이중모음 체계를 가지고 있었음을 특징으로 한다. 상향 이중모음과 하향 이중모음이 있었다.

상향 이중모음으로 y가 앞선 ya, yə, yo, yu 등이 있어서 'ㅑ, ㅕ, ㅛ, ㅠ'로 표기 되었다. 이론적으로는 yʌ, yɨ, yi도 있을 수 있는데, 이들에 대한 문자가 만들어지지 않았음은 당시의 중앙어에 이런 이중모음들이 없었기 때문이었다. 그런데 이 중 yʌ와 yɨ에 대해서는 『훈민정음』 해례 합자해에 "ㆍㅡ起ㅣ聲 於國語無用 兒童之言 邊野之語 或有之 當合二字而用 如기긴之類"라 하였다. 이것은 당시의 어떤 방언에 yʌ, yɨ가 존재했다는 소중한 증언이다. 중앙어에서는 yʌ가 yə에 합류되었는데 그 연대는 15세기 중엽에서 그리 오래지 않은 것 같다. 15세기 자료에 '여라'와 '여러'(諸)가 공존한다. 이 단어는 *yʌra에 소급하는 것으로 추정된다. 즉, 이것은 본래 양모음 단어였는데, yʌ가 yə로 변하여 yəra가 된 것이다. 여기서 다시 모음 동화가 일어나 '여러'가 나타나게 된 것으로 생각된다. 15세기의 '여듧'(八)도 본래 *yʌtʌrp에 소급하는 것이다. 현대 제주도 방언은 중세 국어의 'ㆍ'에 대응하는 모음(ɒ)을 가지고 있는 것으로 유명한데, yʌ에 대응되는 이중모음도 가지고 있다(예: [yɒra] (諸), [yɒdɔp](八)).

w가 앞선 상향 이중모음으로는 wa, wə, wi가 있었다. wa, wə는 'ㅘ', 'ㅝ'로 표기되었으나, wi를 표기할 적절한 방법이 훈민정음에는 없었다. 15세기에 'ᄫᅵ'가 wi로 변화했는데 이것은 주로 '위'(uy)로 표기되었던 것이다. 15세기 중엽의 문헌에 나타나는 동사 어미 '-디ᄫᅵ'는 그 뒤의 문헌에서 '-디위', '-디외', '-디웨' 등으로 표기되었는데 이 어미가 이렇게 여러 가지로 변한 것이 아니라, tiwi의 wi를 표기하려는 노력의 결과라고 보는 것이 타당할 것으로 생각된다. 즉 wi를 표기할 적절한 방법이 훈민정음 체계에 없었기 때문에 이러한 혼란이 생겨난 것이다.

하향 이중모음으로는 y로 끝난 ʌy, ay, əy, oy, uy, ɨy 등이 있었다. 각각 ㆎ, ㅐ, ㅔ, ㅚ, ㅟ, ㅢ'로 표기되었다. 여기서 iy가 없음이 눈에 뜨인다. 그런데 당시의 자료를 분석해 보면 iy가 존재했음이 드러난다. 역시 이것을 표기할 적절한 방법이 없었던 것이다. 가령 자동사 어간 '디-'(落)에서 파생된 사동 어간은 '：디-'였다. 그런데 이 두 어간은 성조에 있어서뿐 아니라 어미 '-고'가 올 때 '디-'는 '디고'가 되고 '：디-'는 '디오'가 되는 점에 있어서도 서로 달랐다. 어미 '-오'가 나타나는 것은 'ㄹ'과 y로 끝난 어간 뒤에 한정되어 있었으니 위의 사동 어간은 '디-'(평성)에 파생 접미사 -i-(거성)가 붙은 것으로 tiy-(상성)였다고 결론하게 된다.

이상을 종합하면, 후기 중세 국어의 이중모음 체계는 다음과 같이 될 것이다.

상향 이중모음 : (yʌ) ya yo yə yu (yɨ)
wa wə wi
하향 이중모음 : ʌy ay oy əy uy ɨy iy

[·의 소실 과정]

근대 국어에서 모음 체계가 큰 변화를 겪게 된 것은 18세기 후반에 들어서의 일이다. 모음 '·'는 앞서 16세기에 제1단계의 소실(제2음절 이하에서의 소실)을 경험했는데, 18세기 후반에 와서 제2단계의 소실(어두 음절에서의 소실)이 일어남으로써 완전히 그 자취를 감추게 되었다. 어두 음절에서 '·'가 다른 모음으로 변한 최초의 예는 중세어 최후의 문헌인 『소학언해』의 '흙'(土)이었는데 17세기 초의 『동국신속삼강행실』에 그 '흙'이 여러 군데 나타난다. 이 책에는 '소매'(<ᄉᆞ매)의 예도 보인다. 이 두 예가 제2단계의 일반 공식 '·>ㅏ'와는 달리, 도리어 제1단계의 공식인 '·>ㅡ', '·>ㅗ'를 보여 주고 있는 점은 주목할 만하다. 그리고 17세기 후반에는 『박통사언해』에 '하야ᄇᆞ리-, 해야ᄇᆞ리-'(<ᄒᆞ야ᄇᆞ리- 破)와, 『역어유해』에 '가ᄋᆡ'(<ᄀᆞ애 鋏)가 나타난다. 그러나 이 정도의 예로서 '·'의 소실을 말할 수는 없을 것이다. 18세기 중엽의 문헌, 가령 『동문유해』(1748)는 다만 '간나희'를 'ᄀᆞᆫ나희'라 쓴 일례를 추가해 줄 뿐이다. 현존 자료 중 제2단계 소실에 대한 결정적인 예를 보여 주는 것은 『한청문감』이다. 이 책에는 '래년'과 'ᄅᆡ년'(來年), '타다'와 'ᄐᆞ다'(彈), 'ᄃᆞ리다'와 '다리다', '다ᄅᆡ다'(拉) 등이 혼기되어 있으며, '가래'(<ᄀᆞ래 山核桃), '달팽이'(<ᄃᆞᆯ팡이 蝸牛), '다ᄅᆡ'(<ᄃᆞ래 羊桃), 기타 많은 예에서 그 이전 문헌의 '·' 자가 'ㅏ'자로 기록되어 있음을 본다. 이보다 뒤에 나온 『윤음(綸音)』(1797)에도 '가자'(具<ᄀᆞ자), '가다듬ᄂᆞᆫ'(<ᄀᆞ다듬ᄂᆞᆫ)의 예가 보인다. 이로써 제2단계 소멸은 대체로 1770년보다 다소 앞선 시기, 그러니까 대체로 18세기 중엽에 일어난 것이라고 결론할 수 있다. 제2단계에 있어서의 변화 공식은 '·>ㅏ'였다.

이 결론은 당시 학자들의 증언과도 모순되지 않는다. 18세기 10년대에서 70년대까지 생존한 신경준(申景濬)은 그의 『훈민정음운해(訓民正音韻解)』에서 '·'자와 동시에 yʌ 표기로 그 자신이 창안한 '‥'자에 언급하고,

我東字音 以·作中聲者 頗多 而‥則全無 惟方言謂八曰ᄋᆞᄃᆞᆲ

(우리나라 字音에 '·' 중성을 가진 예는 매우 많으나 '‥'는 하나도 없다. 다만 방언에서 여덟을 'ᄋᆞᄃᆞᆲ'이라 할 뿐이다.)

라고 말하고 있어 그가 'ㆍ'자의 발음을 인식하고 있었음을 보여줌에 대하여, 18세기 70년대에서 19세기 30년대까지에 걸쳐 생존한 유희(柳僖)는 그의 『언문지(諺文志)』에서,

東俗不明於·多混於ㅏ 如兒事等字從·今俗誤呼如阿些 亦或混ㅡ 如흙土 今讀爲흙土

(우리나라의 발음 습관은 'ㆍ'에 정확하지 못하여 많이 'ㅏ'와 혼동된다. '兒'(ᄋᆞ), '事'(ᄉᆞ) 등은 'ㆍ'를 가졌었으나 요즈음 '阿'(아), '些'(사)와 같이 잘못 발음하고 있다. 또한 'ㆍ'는 'ㅡ'와도 혼동된다. '흙'(土)을 요즈음 '흙'이라 읽고 있다.)

라고 하여 'ㆍ'의 소실을 증언하고 있다. 음소 'ㆍ'는 소실되었으나 문자 'ㆍ'는 현대 맞춤법(1933)에 의하여 폐지될 때까지 계속 사용되었다.

[이중모음의 단모음화]

이 'ㆍ'의 소실로 제1음절의 이중모음 'ㆎ'가 'ㅐ'로 변했는데, 그 얼마 뒤에 'ㅐ[ai]'와 'ㅔ'[əi]는 각각 [ɛ] [e]로 단모음화(單母音化)하였다. 이 단모음화를 'ㆍ'의 소실 이후로 보는 이유는 제1음절의 'ㆎ'가 'ㅐ'와 마찬가지로 [ɛ]로 변한 사실에서 찾을 수 있다. 그리고 이 단모음화가 일어난 증거로는 움라우트(umlaut) 현상을 들 수 있다.

움라우트의 예는 『관성제군명성경언해』에서 현저하게 나타나기 시작하였다(예: ᄋᆡᆨ기ᄂᆞᆫ〈앗기 – 惜), ᄃᆡ리고(〈ᄃᆞ리– 煎), 메긴(〈머기– 食), 기ᄃᆡ려(〈기ᄃᆞ리– 待), 지핑이(〈지팡이 杖), ᄉᆡᆨ기(〈삿기 羔) 등). 뒤 음절의 i의 동화로 앞 음절의 a가 ɛ로, ə가 e로 변화한 이 현상은 대체로 18세기와 19세기의 교체기에 일어난 것으로 추정되는데, 이것은 이중모음의 단모음화로 ɛ와 e가 확립된 뒤에 일어날 수 있었던 것이다. 따라서 이중모음 'ㅐ', 'ㅔ'의 단모음화는 18세기 말엽에 일어난 것으로 결론할 수 있다.

이때에는 아직 'ㅚ', 'ㅟ'의 단모음화는 일어나지 않았던 것으로 보인다. 19세기 문헌에 이들 움라우트의 예는 매우 적고 그나마 'ㅈ', 'ㅊ' 뒤에 한정되어 있었던 것이다.

모음 체계는 'ㆍ'의 소실과 'ㅐ', 'ㅔ'의 단모음화를 거쳐 19세기 초엽에 다음과 같은 8모음 체계를 가졌던 것으로 추정된다.

i ㅣ	ɨ ㅡ	u ㅜ
e ㅔ	ə ㅓ	o ㅗ
ɛ ㅐ	a ㅏ	

현대 국어의 모음 체계는 전설 원순모음을 가진 점이 19세기의 그것(13.3.4. 참조)과 다르다.

현재 서울말에서 '외'와 '위'의 발음은 세대에 따라 차이가 있으나, 대체로 '외'(孤), '위'(上)와 같이 어두에 올 때는 [we], [wi]로 발음되나, 자음 뒤, 특히 치음이나 구개음 뒤(쇠, 죄; 쉬, 쥐)에서는 [ø], [y]로 발음되기도 한다. 이들 전설 원순모음을 인정하면, 현대 서울말의 모음 체계(최대 체계)는 다음과 같이 된다.

ㅣ　ㅟ　ㅡ　ㅜ
ㅔ　ㅚ　ㅓ　ㅗ
　ㅐ　　ㅏ

모음 'ㅓ'는 음장에 따라 발음이 달라진다. 단음의 경우는 [ʌ]에 가깝고, 장음의 경우는 [əː]에 가깝다. 한자음에서도 단음의 '榮, 景, 京' 등에서는 [ʌ]로, 장음의 '永, 慶, 競' 등에서는 [əː]로 발음된다.

최근의 모음 체계에는 상당한 동요가 보인다. 그 중 가장 현저한 것은 전설모음 '애'[ɛ]와 '에'[e]의 구별이 흐려져 가고 있는 사실이다. 이 사실은 비어두 음절에서는 일반적이요, 어두 음절에서도 자주 나타난다. 가령 '재적'(在籍)과 '제적'(除籍)이 잘 구별되지 않는 경우가 있다. 이것은 주로 동남 방언(및 서남 방언)의 영향인 듯하다(이들 방언에는 '애'와 '에'의 대립이 없다).

현대 정서법에서는 '의'를 인정하고 있다. 그리하여 이것을 음운론적으로 어떻게 해석하느냐 하는 것이 문제되기도 한다. i̯i로 해석하여 wa(와) ya(야) 등과 같은 상향 이중모음으로 보기도 하고 ɨy로 해석하여 중세 국어의 하향 이중모음의 최후의 잔재라고 보는 견해도 있다. 그러나 실제 발음에서는 그 어느 것도 존재하지 않는다. 어두에서는 [ɨ](또는 [i]로), 비어두에서는 [i]로 발음되며, 속격 조사로는 [e]로 발음된다. 다만 '보늬'(밤 같은 것의 속껍질), '무늬'(紋) 등 몇 예에서 '의'는 그 앞의 'ㄴ'이 구개화되지 않은 [n]임을 보인 것이다. 이것은 '니'가 구개화된 [ɲi]를 표시하는 것과 구별하기 위한 것이다. 이 표기법은 음운론적 관점에서 매우 흥미 있는 것이다.

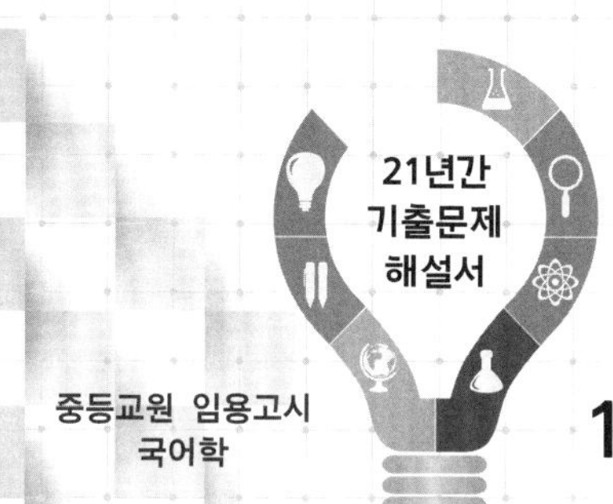

1997년도 기출문제

4. 국어의 주체 높임법을 다음의 예문을 자료로 하여 설명하시오.

① 선생님께서 오십니다.

② 할아버지께서는 돈이 많으시다

③ 엄마 어디 가셨니 (화자 : 어머니의 친구, 청자 : 중학생의 자녀)

④ 아버님, 아범은 회사에 갔어요. (화자 : 며느리, 청자 : 시아버지)

모범답안

국어의 주체 높임법은 말하는 이가 주어 명사(주체)에 대하여 높임의 태도를 나타내는 문법 기능을 말하는데, 말하는 이보다 서술의 주체가 나이나 사회적 지위 등에서 상위자일 때 사용된다. 주체 높임은 (1)에서 보듯이 서술어에 선어말어미 '(으)시-'를 사용하여 서술의 주체가 되는 '선생'을 높여주고 있다. 이 때에는 주어 명사에 접미사 '-님'과 높임의 조사 '께서'와 호응을 이루어 나타낸다.

주어가 직접 높임의 대상이 되는 체언이 아니라 하더라도 높임의 대상이 되는 인성 명사와 관련되는 신체의 일부, 소유물 내지 주체와 관련된 일이나 사물에 대하여 (2)와 같이 '(으)시-'를 사용하여 간접적으로 높임의 대상이 되는 체언을 높여 주기도 한다.

주체 높임법은 청자가 누구냐에 따라 달라지기도 한다. 평소 높이지 않는 주어라도 청자가 주어보다 아주 낮은 사람일 때에는 (3)과 같이 '(으)시-'를 사용하는데, 이 때에는 청자 입장에서 주체를 높여 준 경우이다. 반대로 평소 높여야 할 주어라도 청자가 주어보다 아주 높은 사람일 경우에는 (4)와 같이 '(으)시-'를 사용하지 않는다.

해 설

해 설⇩

[참고] [국어의 높임법 체계]

국어의 높임법은 화자, 청자, 주체, 객체가 중심 요소가 된다. 이들의 존귀함에 대한 관계를 언어적으로 표현하는 문법적 장치들이 국어의 높임법 체계를 구성한다. 이런 높임법을 고려하여 실제 발화의 개별적인 높임법을 결정짓는 것은 언제나 화자의 판단이다. 화자가 판단하는 것은 청자에 대한 높임법 선택, 주체와 객체에 대한 높임법 여부 등이다. 전자는 선택할 항목이 적어도 6가지나 되기 때문이고 후자들은 선택지가 높임과 안 높임 2 가지이기 때문이다. 이런 까닭에 국어의 높임법 체계는 상대 높임법, 주체높임법, 객체 높임법의 3원체계를 이룬다.

주체높임법은 서술어의 주체를 화자가 높이는 문법적 장치이다. 이런 높임을 표시하는 문법적 장치는 주체높임 선어말어미 '-시-'를 서술어의 어간 뒤에 결합하는 것이다. 이 형태소가 문장에 나타나면 주체높임이 실현된 것이고 나타나지 않으면 주체높임을 선택하지 않은 것이다. 또 주체높임의 주격조사 '께서'를 붙인다. 둘 다 이분법적인 적용이 된다.

"청자가 주체보다 높은 경우"에는 '-(으)시-'를 쓰지 않기도 한다.(압존법 (壓尊法))

화자가 주체와 같거나 더 높은 경우 주체가 청자보다 높은 경우에 '-(으)시-'를 붙여서 말하는 일도 있다. (압존법의 반대 현상)

예) 어머니, 선생님께서 오십니다. (청자≒주체)
선생님, 선생님께서도 그 얘기를 좋아하시는군요. (청자=주체)
할아버지, 아버지가 아직 안 왔습니다. (청자〉주체 : 압존법)
철수야, 할머니 오셨니? (할머니 친구가 화자)

[참고]

1. 높임법은 사회적 규범의 기반 위에 다시 존대해야 할 대상에 대해 각별히 친밀한 뜻을 표시하는 기능도 있다.

예) 퇴계는 조선시대의 뛰어난 성리학자였다. → 객관적 기술
퇴계는 조선시대의 뛰어난 성리학자시었다. → 주관적 기술
대통령이 오늘 담화를 발표하였다.
대통령께서 오늘 담화를 발표하셨다.

2. 일반적으로 높여야 할 대상의 신체부분, 생활의 필수적 조건이 되는 사물, 개인적 소유물을 나타내는 명사는 간접존대의 문장에서 반드시 '-(으)시-'를 동반한다.

예) 그 분은 머리가 하얗게 세셨다.
선생님께서도 감기가 드셨다.
할아버지는 수염이 많으시다.

그 분은 살림이 넉넉하시다.

과장님은 직장이 가까워서 편하시겠어요.

과장님은 직장이 가까우셔서 편하시겠어요.

3. 주체높임에는 '잡수시다, 주무시다, 계시다…'와 같이 특수한 단어를 써서 표현하는 방법도 있다. 따라서 '*먹으시다, *자시다'와 같은 형태는 쓰이지 않으며, '있으시다'는 다음과 같이 간접 높임에만 쓰인다. 예) 선생님은 따님이 있으시다. *선생님께서는 방에 있으시다.

[객체 높임법]

옛말에서는 객체높임이 용언의 활용어미로 표현되는 문법범주의 한 가지였지만, 현대어에서는 '드리다, 모시다, 여쭙다…' 등의 특수어휘에 의해서만 표현된다. 객체존대는 본래 객체가 화자보다 존귀해야 하고 동시에 주체보다 존귀해야 한다. 화자가 객체나 청자보다 존귀한 입장에 있을지라도 청자를 대우해서 청자 편의 객체를 높여서 말하기도 한다.

예) 아버지께서 할아버지께 안경을 드렸습니다. (화자 〈 객체)

할아버지, 형이 아버지한테 뭔가 주었습니다. (화자 〉 객체)

이 물건을 너희 아버지께 갖다 드려라.

[상대높임법]

상대높임법은 화자가 특정한 종결어미를 씀으로써 청자를 적당한 정도로 대우하여 말하는 문법적 장치이다. 아래 표의 '낮춤'은 관습적 용어일 뿐이지 절대적 낮춤은 아니다. 상대적 낮춤이다.

격 식 체				비 격 식 체	
존 대		비 존 대		존 대	비존대
합쇼체	하오체	하게체	해라체	해요체	해체(반말)
아주높임	예사높임	예사낮춤	아주낮춤	두루높임	두루낮춤
• 직접적, 단정적, 객관적 표현 • 어미 수가 적고, 4가지 문장종결법 표시				• 부드럽고 비단정적, 주관적 표현 • 어미 수가 많고, 의혹, 추측, 감탄… 등 여러 느낌 표현	

[어휘적 높임]

특수 어휘에 의한 높임도 가능하다. 이들은 문법은 아니며 모든 어휘에 적용되는 것도 아니다. 개별적인 특수성을 가진다.

1. 존대나 겸양을 나타내는 특수 어휘 : 진지, 치아, 약주, 댁, 계씨(季氏), 자당, 가친, 함씨, 저, 상서, 주무시다, 계시다, 잡수시다, 돌아가시다, 드리다, 뵙다, 여쭙다… 등
2. 접미사나 접두사가 붙어서 존대나 겸양을 나타내는 어휘 : 아버님, 선생님, 귀교(貴校), 영손(令孫), 옥고(玉稿), 소생(小生), 졸고(拙稿), 비견(鄙見)… 등

직접 높임	선생님, 가친, 아버님…	주체 높임	주무시다, 잡수시다, 계시다…
간접 높임	계씨, 함씨, 진지, 치아…	객체 높임	드리다, 뵙다, 여쭙다, 뫼시다…

5. 다음 (1)~(4)와 같은 용언의 활용에서 나타나는 형태 변동이 불규칙 활용인지 아닌지 각 항목별로 구체적인 증거를 들어 설명하고, 불규칙 활용에 대해 정의 하시오. 그리고 이 정의를 적용하여 (5)의 예를 설명하시오.

(1) 가+아/어 [가]
(2) 잇+으니 [이으니]
(3) 먹+는 [멍는]
(4) 하+아/어 [하여]
(5) 안+고 [안꼬]

[참고] 필자의 『국어학』 기본 개념 24항을 떠올릴 것.

[문제 분석]

문제의 핵심어를 추리면 다음과 같다.

용언 활용, 형태 변동, 불규칙, 정의(定義)

이 용어들을 정확히 안다면 바로 답안 작성에 들어간다.

해 설

해 설⇩

(1)의 경우 어간 말자음 'ㅅ'이 탈락한다. 같은 구조의 동사 '벗으니' 등에서는 'ㅅ' 탈락 현상이 발생하지 않는다. 또 명사에 모음 조사가 결합하는 경우, 가령 '낫이'처럼 'ㅅ' 탈락은 일반적인 현상이 아니다. 즉 음운 규칙으로 설정되어 설명될 수가 없다. 이런 경우 불규칙 활용이라고 한다.

(2)의 경우 어간 말모음과 어미가 동일한 음운일 때 어간 말모음이 탈락한다. '가아→가, 서어→서'처럼 조건이 같으면 예외 없이 발생하므로 규칙적 활용이다.

(3)의 경우 비음 동화에 의한 형태 변동이다. 국어에서 비음화는 예외가 없는 강력한 음운 규칙이고 이 규칙의 지배를 받으므로 규칙적 활용이다.

(4)의 경우 입력부는 보기(2)와 같지만 그 출력부는 어미에 반모음 y가 첨가되었다. 이것은 일반적인 음운 규칙으로 설명할 수가 없는 독특한 현상이다. 따라서 불규칙 활용이다.

불규칙 활용이란 어간과 어미의 통합 과정에서 일어나는 형태 변동을 음운 규칙만으로는 예측이나 설명할 수 없는 활용을 뜻한다.

이 정의를 이용하여 (5)를 설명하자. 어간말자음이 비음 'ㄴ, ㅁ'인 경우 어미두자음이 평음일 경우, 그 평음은 반드시 경음이 되므로 경음화 규칙을 설정할 수 있다. 따라서 언제나 조건만 맞으면 음운 변동이 예측 설명되므로 규칙적 활용이다.

[참고] 입력부(入力部)란 음운 규칙의 좌변(左邊)을 뜻한다. 즉 화살표의 왼쪽을 의미하는 용어이다. 기저형에 해당된다. 출력부(出力部)란 화살표의 우변(右邊)을 뜻한다. 음성적 실현형을 뜻한다. 이 과정에서 음운 현상 대부분이 발생한다.
ex. [입력부] 잇-+-(으)니 → 이으니 [출력부]

2. 이 정의를 이용하여 (5)를 설명하자. 어간말자음이 비음 'ㄴ,ㅁ'인 경우 어미두자음이 평음일 경우, 그 평음은 반드시 경음이 되므로 경음화 규칙을 설정할 수 있다. 따라서 언제나 조건만 맞으면 음운 변동이 예측 설명되므로 규칙적 활용이다.

이 부분을 쉽게 쓰면 이렇다.

이 정의를 이용하여 (5)를 설명하자. 끝소리가 비음 'ㄴ,ㅁ'인 어간에 평음으로 시작하는 어미가 결합될 경우, 그 평음은 반드시 경음이 되므로 경음화 규칙을 설정할 수 있다. 따라서 언제나 조건만 맞으면 음운 변동이 예측 설명되므로 규칙적 활용이다.

예시답안

(1)의 경우 : 시옷이 탈락하는 경우인데, 같은 환경의 낱말인 '벗으니'에서는 이러한 변동이 일어나지 않으므로 불규칙활용이다.

(2)의 경우 : '아' 탈락 현상으로 '가아>가'와 같이 어간과 어미의 결합에서 보편적으로 일어나는 형태 변동이므로 일반적인 음운 현상이다.

(3)의 경우 : 자음 동화 중 비음화로 '막니>망니'와 같이 같은 환경에서는 예외 없이 보편적으로 나타나는 음운의 형태 변동이므로 일반적인 음운 현상이다.

(4)의 경우 : 어간에 어미가 통합될 때 반모음 'ㅣ'가 삽입되어 '어'가 '여'로 변하는 현상으로 같은 환경의 낱말인 '파아'는 변하지 않으므로 보편적인 형태 변동이 아니다. 따라서 불규칙활용이다.

앞의 자료에서 보듯이 어간과 어미의 통합에서 일어나는 형태 변동 중 보편적인 음운 규칙으로 설명할 수 없는 경우를 불규칙활용이라 한다.

이 정의를 (5)에 적용하면, 끝소리가 'ㄴ,ㅁ'인 용언의 어간에 예사소리로 시작되는 활용어미가 이어지면 그 소리는 된소리로 발음된다. 이러한 소리의 변동은 환경이 같으면 모두 된소리로 발음되므로 보편적이고 일반적인 음운의 변동이다.

6. 훈민정음 초성 17자의 체계를 도표로 그리고 그 제자원리에 대해 써라.

모범답안

구분	전청	차청	불청불탁
아음	ㄱ	ㅋ	ㆁ
설음	ㄷ	ㅌ	ㄴ
순음	ㅂ	ㅍ	ㅁ
치음	ㅅ, ㅈ	ㅊ	
후음	ㆆ	ㅎ	ㅇ
반설음			ㄹ
반치음			ㅿ

초성의 제자원리는 상형과 가획으로 설명할 수 있다.

초성은 발음기관을 상형하여 만든 것으로서 혀뿌리가 목구멍을 막는 모양을 상형한 아음(牙音 : ㄱ), 혀끝이 윗잇몸에 닿는 모양을 상형한 설음(舌音 : ㄴ), 입술 모양을 상형한 순음(脣音 : ㅁ), 치아 모양을 상형한 치음(齒音 : ㅅ), 목구멍 모양을 상형한 후음(喉音 : ㅇ)이 기본음이고 여기에 이체자 반니소리(半齒音 : ㅿ), 반혀소리(半舌音 : ㄹ)가 포함되어 있다.

위의 아·설·순·치·후음의 기본 5음에 획을 더한 것이 가획자이고, 기본자와 형태가 다른 것이 이체자이다. 여기에 전탁 6자(된소리) 6자는 포함되지 않았다. 전탁 6자는 글자 운용법, 즉 병서법에 의해 만들어 쓰는 자로 분류된다.

이 문제는 암기 영역의 것이다. 앞으로도 출제 가능성은 높아 보이진 않는다. 그래도 만의 하나의 경우까지 계산에 넣는다면 반드시 암기해 두어야 할 것이다.

[참고] 이기문·이호권, 『국어사』

『훈민정음』 해례 초성해 첫머리에 "正音初聲卽韻書之字母也"라 있다. 이것은 정음의 초성 체계가 중국 음운학의 자모 체계와 관련되어 있음을 단적으로 나타낸 것이다. 구체적으로는 "아음(牙音), 설음(舌音), 순음(脣音), 치음(齒音), 후음(喉音), 반설음(半舌音), 반치음(半齒音)" 또는 "전청(全淸), 차청(次淸), 전탁(全濁), 불청불탁(不淸不濁)"과 같은 술어의 사용이 이것을 증명하는 것이다. 훈민정음의 초성 체계를 보이면 다음과 같다.

	아 음	설 음	순 음	치 음		후 음	반설음	반치음
전 청	ㄱ 君	ㄷ 斗	ㅂ 彆	ㅈ 卽	ㅅ 戌	ㆆ 挹		
차 청	ㅋ 快	ㅌ 呑	ㅍ 漂	ㅊ 侵		ㅎ 虛		
전 탁	ㄲ 叫	ㄸ 覃	ㅃ 步	ㅉ 慈	ㅆ 邪	ㆅ 洪		
불청불탁	ㆁ 業	ㄴ 那	ㅁ 彌			ㅇ 欲	ㄹ 閭	ㅿ 穰

훈민정음 초성 17자의 제자원리는 크게 두 가지로 구분된다. 첫째는 상형(象形)의 원리이고, 둘째는 가획(加畫)의 원리이다. 이들 원리에 따라 초성 글자가 만들어진 과정을 보이면 다음과 같다(첫째 원리에 따른 것을 기본자, 둘째 원리에 따른 것은 가획자라 부르기로 한다).

	기본자		가획자			이체자
아음	ㄱ	→	ㅋ			ㆁ
설음	ㄴ	→	ㄷ	→	ㅌ	ㄹ
순음	ㅁ	→	ㅂ	→	ㅍ	
치음	ㅅ	→	ㅈ	→	ㅊ	ㅿ
후음	ㅇ	→	ㆆ	→	ㅎ	

이들 초성 가운데 기본자는 그것이 나타내는 음소를 조음하는 데 관여하는 발음기관의 모양을 본뜬 것이다(『훈민정음』 해례 제자해). 즉, 아음 ㄱ은 혀뿌리가 목구멍을 막은 모양, 설음 ㄴ은

혀가 윗잇몸에 닿은 모양, 치음 ㅅ은 이의 모양, 후음 ㅇ은 목구멍의 모양을 각각 본뜬 것이다.

제자해에 의하면 설음, 순음, 후음에서 전청자를 기본자로 하지 않고 불청불탁으로 기본 문자들을 삼은 이유는 그 소리가 가장 약하기 때문이라고 하였다. 치음에서 'ㅅ'과 'ㅈ'은 비록 둘 다 전청이지만 'ㅅ'이 'ㅈ'에 대하여 그 소리가 약하기 때문에 기본자로 삼았다는 것이다. 다만 아음에서 불청불탁을 기본자로 삼지 않은 것은 그 소리가 후음의 'ㅇ'과 비슷하기 때문이라고 하였다. 나머지 초성자들은 이들 기본자에 가획함으로써(가획자), 또는 약간의 이체(異體)를 형성함으로써(이체자) 만들어졌다.

훈민정음 초성 체계에 대해서 한 가지 덧붙여 말할 것이 있다. 『훈민정음』 해례의 용자례를 보면 후음의 'ㆆ'이 빠졌고 그 대신 순경음의 'ㅸ'이 들어 있는 것이다. 'ㆆ'은 초기의 문헌에 간혹 종성으로 그것도 단독으로 쓰인 예는 없고 'ㅭ'으로 쓰인 예가 있을 뿐이다. 이것은 이 문자가 『동국정운』의 한자음 표기를 위하여 마련된 것이기 때문이었다. 한자음 이외의 표기에 사용된 'ㆆ'의 예는 세종·세조대 문헌에 다음의 두 경우에 국한되어 있었다. 우선, 동명사 어미의 표기에서 볼 수 있다(예: 갏 길. 그러나 이것은 또 '갈 낄' '갈 길'로 표기되기도 하였다.) 그리고 정음 초기 문헌에서 사이시옷 대신 쓰인 일도 있다(예: 용비어천가 先考ㆆ뜯, 훈민정음언해 快ㆆ字, 那ㆆ字 등).

초성 글자 중에서 'ㆆ'과 'ㅸ'은 매우 단명하여 대체로 세조 때까지만 쓰이고 폐지되었다. 그 결과 초성은 16자로 줄어들었다. 『훈몽자회』에 제시된 '諺文字母 俗所謂反切二十七字'는 이 체계를 보여 주고 있다.

한편 'ㆁ'은 15세기 중엽의 문헌들에서는 초성으로 자주 쓰였으나 그 예가 점차 줄어 16세기 초엽에는 겨우 몇 예가 보이다가 아주 없어지고 말았다. 그 결과, 'ㆁ'은 종성에만 쓰이는 문자가 되었다.

■ 지은이 한현종

서울대 인문대 국어국문과 학부, 석사, 박사 과정 수료.
서울대, 인하대, 충북대, 가톨릭대 강사 역임.
28세부터 온갖 종류의 국어시험 대비 강사로 삶.
현재 노량진 미래고시학원에서 임용 국어학, 문학, 교육론 강의 중.
현재 KBS에서 국어능력시험 강의 중.

※ 한캠퍼스 한현종 전공 국어 www.hancampus.co.kr
※ 한현종 전공국어 카페 cafe.daum.net/g2han

중등교원 임용고시 21년간 국어학 기출문제 해설서

1판 1쇄 인쇄_2017년 4월 10일
1판 1쇄 발행_2017년 4월 20일

지은이_한현종
펴낸이_양정섭
펴낸곳_도서출판 경진
등록_제2010-000004호
블로그_http://kyungjinmunhwa.tistory.com
이메일_mykorea01@naver.com

공급처_(주)글로벌콘텐츠출판그룹
대표_홍정표 **편집디자인**_김미미 **기획·마케팅**_노경민
주소_서울특별시 강동구 천중로 196 정일빌딩 401호
전화_02) 488-3280 **팩스**_02) 488-3281
홈페이지_http://www.gcbook.co.kr

값 22,000원
ISBN 978-89-5996-533-5 13710